Le tournant global
des sciences sociales

Collection Bibliothèque du MAUSS

Dans la même collection

ALTER Norbert, 2009, *Donner et prendre. La coopération en entreprise.*

BEVORT Antoine et LALLEMENT Michel (sous la dir. de), 2006, *Le Capital social.*

BOILLEAU Jean-Luc, 1995, *Conflit et lien social. La rivalité contre la domination.*

CAILLÉ Alain, [1994] 2005, *Don, intérêt et désintéressement. Bourdieu, Mauss, Platon et quelques autres* (nouvelle édition).

— 2005, *(Dé)penser l'économie.*

— (sous la dir. de) 2007, *La Quête de reconnaissance.*

— 2009, *Théorie anti-utilitariste de l'action. Fragments d'une sociologie générale.*

CEFAI Daniel (textes réunis, présentés et commentés par), 2003, *L'Enquête de terrain.*

— 2007, *Pourquoi se mobilise-t-on? Les théories de l'action collective.*

— 2011, *L'Urgence sociale en action. Ethnographie du Samusocial de Paris.*

CHANIAL Philippe, 2001, *Justice, don et association.*

— (sous la dir. de) 2008, *La Société vue du don. Manuel de sociologie anti-utilitariste appliquée.*

— 2011, *La sociologie comme philosophie politique et réciproquement.*

DEWITTE JACQUES, 2010, *La manifestation de soi. Éléments d'une critique philosophique de l'utilitarisme.*

DOUGLAS Mary, 1999, *Comment pensent les institutions, suivi de Il n'y a pas de don gratuit, et de La Connaissance de soi.*

DUCLOS Denis, 2002, *Société-monde. Le temps des ruptures.*

DZIMIRA Sylvain, 2007, *Marcel Mauss, savant et politique.*

FEENBERG Andrew, 2004, *(Re-)penser la technique.*

FISTETTI Francesco, 2009, *Théories du multiculturalisme.*

FREITAG Michel, 1996, *Le Naufrage de l'Université et autres essais d'épistémologie politique.*

GEFFROY Laurent, 2002, *Garantir le revenu.*

GODBOUT J.T., 2000, *Le Don, la Dette et l'Identité.*

GUÉRIN Isabelle, 2003, *Femmes et économie solidaire.*

HOCART Arthur Maurice, 2005, *Au commencement était le rite. De l'origine des sociétés humaines.*

JORION Paul, 2007, *Vers la crise du capitalisme américain.*

KALBERG Stephen, 2002, *La Sociologie historique comparative de Max Weber.*

— 2010, *Les valeurs, les idées et les intérêts. Introduction à la sociologie de Max Weber.*

LACLAU Ernesto, 2000, *La Guerre des identités. Grammaire de l'émancipation.*

LATOUCHE Serge, [1996] 2004, *La Mégamachine. Raison technoscientifique, raison économique et mythe du progrès* (nouvelle édition).

LATOUCHE S., LAURENT P.-J., SERVAIS O., SINGLETON M., 2004, *Les Raisons de la ruse.*

LAVAL Christian, 2002, *L'Ambition sociologique. Saint-Simon, Comte, Tocqueville, Marx, Durkheim, Weber.*

LAVILLE Jean-Louis, CAILLÉ Alain, CHANIAL Philippe, DACHEUX Éric, EME Bernard, LATOUCHE Serge, 2001, *Association, démocratie et société civile.*

LAVILLE J.-L., NYSSENS M. (sous la dir. de), 2001, *Les Services sociaux entre associations, État et marché.*

MOUFFE Chantal, 1994, *Le Politique et ses enjeux. Pour une démocratie plurielle.*

NICOLAS Guy, 1995, *Du don rituel au sacrifice suprême.*

NODIER Luc Marie, 1995, *L'Anatomie du Bien. Explication et commentaire des principales idées de Platon concernant le plaisir et la souffrance, la bonne façon de vivre et la vie en général.*

PORCHER Jocelyne, 2011, *Vivre avec les animaux, une utopie pour le XXIᵉ siècle.*

ROSPABÉ Philippe, 1995, *La Dette de vie. Aux origines de la monnaie.*

TAROT Camille, 1999, *De Durkheim à Mauss, l'invention du symbolique. Sociologie et sciences des religions.*

– 2008, *Le Symbolique et le sacré. Théories de la religion.*

TERESTCHENKO Michel, 2005, *Un si fragile vernis d'humanité. Banalité du mal, banalité du bien.*

VANDENBERGHE Frédéric, *Une Histoire critique de la sociologie allemande. Aliénation et réification.*

— t.-I, 1997, *Marx, Simmel, Weber, Lukacs.*

— t.-II, 1998, *Horkheimer, Adorno, Marcuse, Habermas.*

VATIN François, 2005, *Trois essais sur la genèse de la pensée sociologique. Politique, épistémologie et cosmologie.*

sous la direction de
Alain Caillé et Stéphane Dufoix

Le tournant global
des sciences sociales

La Découverte
9 *bis*, rue Abel-Hovelacque
75013 Paris

Si vous désirez être tenu régulièrement informé de nos parutions, il vous suffit de vous abonner gratuitement à notre lettre d'information bimensuelle par courriel, à partir de notre site

www.editionsladecouverte.fr

où vous retrouverez l'ensemble de notre catalogue.

ISBN   978-2-7071-6437-7

Introduction

Le moment global des sciences sociales[1]

Alain Caillé et Stéphane Dufoix

« Globalisation » et « mondialisation », ces termes
sont devenus depuis une vingtaine d'années des éléments clés
du lexique politique, économique et politique ainsi que du vocabulaire des sciences humaines et sociales. Pourtant, leur usage
– faut-il d'ailleurs distinguer les deux termes ? – non seulement
est loin d'être clair, mais il présente de surcroît la particularité de
se dispenser le plus souvent de toute explication conceptuelle.
Les sciences humaines et sociales ont donc du mal à éclairer les
mutations, de toute évidence décisives, qui nous affectent. Une
des raisons essentielles est qu'elles en sont elles-mêmes et au
premier chef affectées. Sans trop s'en apercevoir, elles se sont
elles aussi « globalisées » ou « mondialisées ». C'est ce processus de globalisation des diverses disciplines qui composent les
sciences humaines et sociales qu'on tente de décrire et d'analyser
ici. Car comment les sciences humaines et sociales pourraient-
elles penser *la* globalisation, dans toutes ses dimensions et dans
tous ses effets, si elles ne savent pas penser en même temps *leur*
globalisation ?

---

1   Nous voudrions remercier, pour son aide à l'organisation du colloque ayant
    donné lieu aux textes qui composent cet ouvrage, la division sciences sociales
    et humaines de l'Unesco, et en particulier son chef d'équipe, Moufida Goucha
    et son assistante Kristina Balalovska. Tous nos remerciements vont également
    à Sylvie Malsan pour toute la compétence et la patience dont elle a fait preuve
    dans la mise en forme du manuscrit final.

Depuis les années 1960 est apparue, dans certains secteurs des sciences humaines et sociales, une prise de conscience de la transformation spatiale du monde. On en trouve les échos chez Arnold Toynbee [1961[2]], Marshall McLuhan [1962], Wilbert Moore [1966] ou Kostas Axelos [1964] par exemple. Cependant, ce n'est véritablement qu'à partir du milieu des années 1980 que cette prise de conscience s'impose dans les sciences humaines et sociales anglophones – anthropologie et sociologie – avant de se diffuser sur l'ensemble de la planète académique par l'intermédiaire du substantif *globalization* et de l'adjectif *global*. Cette « découverte » du « global » a évidemment profondément transformé notre vocabulaire et notre vision du monde, mais elle a eu aussi un impact important sur les contours des différentes sciences sociales ainsi que sur leurs relations réciproques. L'impression d'assister à la naissance d'un nouveau monde appelait une reconfiguration du paysage académique et à la recherche d'une ou de nouvelles sciences, de manière analogue à ce qui s'est passé au début du XIXe siècle avec la naissance de la société industrielle.

À la suite d'un colloque international que nous avions organisé conjointement en 2005 autour de la question « Une théorie sociologique générale est-elle possible (ou souhaitable ?) à l'heure de la mondialisation ? », auquel avaient également participé des spécialistes du global comme Saskia Sassen et Roland Robertson[3], il nous a paru opportun de prolonger l'expérience en envisageant cette fois-ci de manière spécifique le thème de la globalisation sous l'angle épistémologique pour tenter de prendre en compte les transformations disciplinaires auxquelles son apparition a donné lieu. Si cette évolution n'a pas pris forme de manière similaire ni selon la même intensité dans tous les pays, elle a, semble-t-il, toujours entraîné une certaine tendance au rapprochement entre les fractions des disciplines concernées par l'apparition de ce nouvel objet, favorisant, au moins sur le plan des discours

---

2 En particulier p. 94-96 et Toynbee [1972, p. 65-69].

3 Un certain nombre des contributions présentées lors de ce colloque, qui s'est tenu au Centre Malher du 12 au 14 juin 2003, ont été publiées dans la *Revue du Mauss semestrielle*, n° 24, 2e semestre 2001. Les interventions de Saskia Sassen et de Roland Robertson n'avaient pas été publiées.

et des références utilisées, une interdisciplinarité croissante. Se pose alors la question de savoir ce que peut être le global ainsi que les concepts, les théories et les approches qui peuvent rendre compte de ce nouvel objet. Par ailleurs, la définition même du nouveau courant d'études qui prétend s'en emparer est lui-même un enjeu : existe-t-il des *global studies* ? Si oui, sont-elles formées par le rassemblement de fractions disciplinaires jouant l'interdisciplinarité, ou bien constituent-elles d'ores et déjà une nouvelle discipline ?

Pour tenter de répondre à ces questions, nous avons organisé à Paris du 23 au 25 septembre 2010, dans le cadre du laboratoire Sophiapol de l'Université Paris-Ouest-Nanterre-La Défense et avec l'aide du département des sciences sociales de l'Unesco, une conférence internationale à laquelle avaient été conviés une vingtaine de contributeurs, sociologues, anthropologues, historiens, géographes et philosophes de renom. Ce colloque avait bien évidemment une visée pluridisciplinaire : il se proposait de rassembler des chercheurs issus de la sociologie mais aussi de l'anthropologie, de la philosophie, de l'histoire et de la géographie. Il se présentait également comme interdisciplinaire puisqu'il s'agissait d'appréhender non seulement l'impact de la conscience du « global » sur les disciplines existantes mais également les passerelles entre disciplines lancées par la découverte de l'objet commun « global », qu'elles consistent à penser ensemble à partir de perspectives ou socles différents ou bien à rêver à la constitution d'une nouvelle discipline, les *global studies*.

Les contributions présentées lors de cette conférence constituent le cœur de cet ouvrage. Pour l'organisation du colloque, nous avions envoyé à tous les participants un argumentaire suivi d'un ensemble de questions générales susceptibles de servir de base à leur intervention : les fondateurs de l'histoire, de l'anthropologie, de la sociologie, de la géographie possédaient-ils une vision du global ? Où se trouve le global ? Le global est-il un concept adéquat ou simplement une dénomination qui appelle la conceptualisation ? Apparemment interdisciplinaire et irréductible à la question des frontières, le global est-il postnational et postdisciplinaire ? Le global pourrait-il être le cœur d'une théorie générale ?

Il est évident que toutes les questions posées au préalable n'ont pu être traitées, que toutes les perspectives n'ont pu être suivies et que l'ambition d'un véritable panorama des réflexions sur ces thématiques nécessiterait non seulement la démultiplication des intervenants mais aussi la prise en compte de ces chercheurs et de ces chercheuses qui, dans l'ensemble du monde de la recherche non occidental, proposent des pistes de réflexion nouvelles et sont des acteurs à part entière de la globalisation des sciences humaines et sociales. Néanmoins, aussi limitée que puisse être l'entreprise, il semblait important de proposer au lecteur français un rapide état des lieux des débats en cours sur la question du global. Ce n'est pas la première tentative de ce genre. Il y a quelques années, Michel Wieviorka avait également rassemblé un collège de chercheurs sur le thème de la mutation des sciences sociales et plusieurs sections de l'ouvrage issu de ce rassemblement [Wieviorka, 2007] étaient consacrées à la mondialisation. Certains des auteurs qui y avaient participé sont également présents ici, y compris Michel Wieviorka lui-même. Cependant, notre but est ici un peu différent, notamment parce que l'objet de notre ouvrage est expressément centré sur la question de la saisie et des effets du global et non sur l'évolution en tant que telle des sciences sociales. À partir de ce point de départ, nous nous sommes fixé un objectif pluriel :

— proposer un point sur les lectures académiques du global ;

— étudier la façon dont certaines disciplines, ou fractions de ces disciplines, des sciences humaines et sociales ont appréhendé le global et potentiellement transformé la discipline en question ou appelé à la constitution d'une nouvelle discipline dont le cœur ne serait pas organisé autour d'une méthode mais d'un objet spécifique ;

— offrir au lecteur français un grand nombre de textes écrits par des chercheurs étrangers de réputation mondiale dont certains sont peu connus en France ou encore inaccessibles en langue française ;

— enfin, contribuer à la structuration du débat français sur la question du global, moins à partir de la question définitionnelle qu'à partir du débat sur l'inter- et la transdisciplinarité, afin de participer aux réflexions qui s'engagent actuellement à propos de la structuration française – cursus, diplômes, structures institutionnelles, collections éditoriales, récompenses, revues... – des « études globales ».

Tournant ou moment global ?

La mode des tournants (*turns*) disciplinaires est loin d'être nouvelle. Si le « tournant linguistique » des années 1970 est peut-être celui qui a fait couler le plus d'encre, notamment au sein de la discipline historique, il n'est pas le seul. On peut mentionner, pêle-mêle, tout en étant certains d'en oublier plus d'un, les tournants historique, épistémologique, spatial, culturel, postmoderne, transnational, wébérien etc. Généralement, le « tournant » s'apparente à un appel à la prise en compte d'une démarche épistémologique ou méthodologique nouvelle ou considérée comme trop peu développée afin d'en faire un élément structurant de la discipline en tant que telle. Dans cette perspective, que penser du « tournant global » ?

L'expression n'est pas nouvelle. Dès 2001 (ce qui ne signifie en rien qu'elle n'apparaît pas plus tôt), on peut en repérer l'usage aussi bien chez le sociologue Roland Robertson [2001], par ailleurs l'un des pionniers des travaux sur la globalisation, que sous la plume du spécialiste de littérature et de théorie critique Christian Moraru [2001], mais qui n'en use, il est vrai, que dans le titre de son article. Depuis, sans que s'enclenche d'ailleurs un mécanisme de « cumulativité » des références (reprise des occurrences antérieures et de citations de leurs auteurs), l'expression circule, sans doute en raison de sa simplicité et de son apparente transparence sémantique. Le spécialiste danois des études internationales Ulf Hedetoft [2003 ; 2005] embrasse sous ce syntagme aussi bien le processus de décloisonnement des États et l'obligation qui est désormais la leur de se tourner vers le monde entier que l'inflexion que subissent, depuis une vingtaine d'années, les études internationales en direction d'une prise en compte plus importante des phénomènes ne relevant pas exclusivement des relations entre États [voir aussi Chandler, 2009]. On peut toutefois en trouver également une acception assez rudimentaire, où le « tournant global » n'est finalement rien d'autre qu'une prise en compte du monde. Dans l'article introductif qu'il rédige pour un récent numéro spécial de la revue *Work and Occupations*, consacré aux sociologies du travail dans le « Sud », Michael Burawoy [2009] considère ainsi le « tournant global » comme le fait de se tourner vers le monde pour mettre en œuvre le travail de comparaison. Une vision plus intéressante se trouve chez l'historienne Rosemarie Zagarri [2011] lorsqu'elle tente d'envisager de quelle façon l'adoption d'une perspective « globale » – ici comprise comme transnationale et circulatoire – permet de jeter un œil neuf sur la formation de la République américaine à la fin du XVIIIe siècle. Le « tournant global » peut alors être envisagé comme un complexe de dimensions indissociablement théoriques, empiriques, conceptuelles et disciplinaires menant à une reformulation complète de certaines disciplines comme la sociologie :

> « Bien entendu, il existe une très grande quantité de thèmes et de problèmes associés au tournant global. Par ailleurs, il faut insister sur un point : le tournant global ne peut être réduit à un simple aspect parmi d'autres de la sociologie contemporaine. Que l'on utilise ou nom le terme spécifique de globalisation, un nombre croissant d'individus relevant d'une grande variété de disciplines considèrent actuellement, même s'ils en font état de façon différente, que nous vivons dans une ère ou une époque globale. Cela entraîne également la remise en cause de beaucoup d'hypothèses et de perspectives canoniques ; la formation d'un intérêt nouveau, sociologiquement informé, pour l'histoire globale, ainsi que l'émergence d'une histoire sociologique qui rejette la sociologie conventionnelle, centrée sur la société, de la majeure partie du XXe siècle. Toutefois, évoquer la fin de la sociétalité en sociologie ne signifie pas nécessairement souscrire à la thèse de la fin de l'État-nation » [Robertson, 2001, p. 468].

Considéré sous l'angle triple de la spatialisation, de la connectivité et de la longue distance, le « tournant global » peut être alors clairement distingué de la grande majorité des « tournants » précédents et de leur nature éphémère pour acquérir la force d'un véritable « moment » dont la simultanéité dans plusieurs disciplines est moins l'effet d'une mode passagère que d'une transformation en profondeur de certaines fractions de la discipline. De la sorte, il est possible d'étudier ce moment sous deux dimensions : l'une diachronique, afin de repérer, pour chacune des disciplines – et de manière différenciée selon les pays concernés – la temporalité spécifique de sa « globalisation » ; l'autre synchronique, pour identifier aussi bien la concomitance de l'apparition et du succès des thématiques globales que l'interpénétration progressive des références et des réflexions entre les différentes fractions « globalisées » des disciplines. En effet – et ce même si les milieux académiques français n'ont pas été les plus actifs en la matière –, cette concomitance a en partie débouché sur une mise en commun transdisciplinaire des analyses du global, les années 1990 étant caractérisées par la discussion d'un grand nombre de nouveaux concepts résolument transdisciplinaires par des auteurs relevant de disciplines différentes qui, en se lisant et en se citant, ont largement contribué à la mise en place d'un nouvel espace académique. La composition des comités de rédaction des principales revues dans ce domaine ayant vu le jour au cours des années 1990 montre clairement cette absence d'ancrage disciplinaire clair au profit d'une large pluridisciplinarité mêlant géographes, politistes, sociologues, anthropologues, philosophes, spécialistes des relations internationales et économiques.

Par ailleurs, ce moment global, qui commence véritablement à se structurer à la fin des années 1980 et au début des années 1990, correspond également à une période de transformations fondamentales : chute du mur de Berlin, éclatement de l'URSS, indépendance de nombreux pays issus de l'ancien bloc soviétique, première guerre du Golfe, mais aussi apparition de nouvelles techniques informatiques et de télécommunication telles que le lancement de la version 3.0 de Windows en 1990 ou l'invention du *world wide web* par Tim Berners-Lee en 1991 [Friedman, 2010]. Le monde qui surgit des quarante-cinq années de l'après-guerre, celles de la Guerre froide, de la coexistence pacifique et, plus généralement, d'une division binaire ou ternaire, est alors l'objet d'un grand nombre de théories relatives à la direction qui sera la sienne à l'avenir : fin de l'histoire, choc des civilisations, Djihad *vs*

McWorld[4] etc. La référence à la globalisation désigne alors tout à la fois la prise en compte de changements manifestes et l'apparente promesse d'une explication desdits changements. Elle n'exclut nullement la critique des usages académiques des termes associés à la globalisation – mondialisation, transnationalisme, cosmopolitisme, globalité, déterritorialisation etc. –, voire la remise en cause d'une trop grande fixation sur le « global » en tant que tel. Ainsi, si une première phase des travaux sur la globalisation a eu tendance à mettre l'accent sur l'existence d'un niveau global – pas nécessairement mondial dans l'étendue, mais supérieur aux niveaux local, régional, national, voire continental –, en présupposant une forte autonomie des logiques et des processus correspondants, il est assez vite apparu que les dimensions du local comme du national ne pouvaient être laissées de côté et qu'il était absolument impossible en tout cas de considérer qu'il existait un niveau séparé et indépendant qui serait celui du global. Si Robertson [1994 ; 1995] en appelle assez rapidement, dès le milieu des années 1990, à prendre en compte ce qu'il nomme le « glocal » conçu comme l'interaction réciproque, localement, entre des dynamiques locale, nationale et transnationale, ce n'est qu'assez récemment que les *global studies* ont réévalué l'importance du local dans la compréhension de ce que l'on appelle de manière générique le global.

Comment caractériser ce moment ? Cette « globalisation des disciplines », ici saisie comme le défi que leur pose la prise en compte du « global », qui est souvent une prise en compte du « spatial », a parfois favorisé des objectifs contradictoires. En effet, dans certains cas, *global* avait le sens de *général*. Mais il pouvait aussi signifier plus simplement *mondial*. D'autres usages envisagent plutôt les dimensions du relationnel et du connectif, sans nécessairement que cela implique une échelle mondiale. Enfin, pour certaines fractions du monde international de la recherche, l'insistance sur le *global* s'inscrit dans une prise en compte du *non occidental*. Selon la définition qui en était alors donnée, la « globalisation » appelait des réponses différentes : l'insistance

---

4 Pour les références bibliographiques, voir, dans ce même ouvrage (p. 38, notes 17, 18, 19), le chapitre écrit par Stéphane Dufoix.

sur la singularité des trajectoires spatio-temporelles au risque de leur incommensurabilité, la résurrection au sein des disciplines de l'espoir de parvenir un jour à une théorie générale au risque d'une vision macroscopique trop englobante, ou encore la promotion de nouvelles versions des disciplines canoniques : sociologie globale, anthropologie ou ethnologie globale, histoire globale ou connectée, géohistoire...

Il s'agit moins ici de saisir le sens du « global » – où se trouve-t-il ? comment l'étudier ? s'agit-il d'une dimension spatiale supérieure ou d'un niveau d'interprétation des données ? – que de partir à la recherche des transformations que sa « découverte » a provoquées au sein des sciences humaines et sociales : naissance de nouveaux concepts, rapprochements entre disciplines, remise en cause des traditions théoriques précédentes, apparition de nouveaux mouvements académiques remettant en question la domination occidentale : *black, cultural, postcolonial, subaltern studies etc.*

Le non-débat français

En France, la prise en compte du global comme ensemble de questions, d'objets, de mises en relation, de thématiques, plutôt que comme niveau spatial du réel, s'opère de manière assez paradoxale. En effet, la contribution de nombreux auteurs français ou francophones – Paul Otlet [1935], François Perroux [1964], Fernand Braudel [1979], Henri Lefebvre [1998] – à la constitution d'un premier lexique global, parce que disparate, dispersée et non cumulative, n'a pas débouché sur l'apparition d'un espace académique structuré par des réflexions communes, des programmes de recherche, des tentatives de synthèse des connaissances acquises ou des points de divergence. Elle n'a pas favorisé la mise en œuvre collaborative d'une relative décompartimentation disciplinaire au profit non d'une réorganisation totale des disciplines mais d'une combinaison non exclusive de certaines fractions de ces dernières.

Plusieurs éléments témoignent de cette situation qu'il semble moins pertinent d'analyser en termes de « retard » que sous l'angle d'une réticence, voire d'une résistance à l'acclimatation des *global studies*. On peut tout d'abord citer la part réduite des travaux de sciences humaines et sociales consacrés de près ou de loin – que l'angle soit empirique ou épistémologique – au global, et ce apparemment y compris parmi les plus jeunes chercheurs. Cet état de fait est vraisemblablement lié à la quasi-absence d'enseignements spécifiques sur cette question dans l'enseignement supérieur français[5]. Par ailleurs, les auteurs phares des *global studies* sont encore pour la plupart assez peu connus en France. Si les noms d'Arjun Appadurai [2001], Ulrich Beck [2003], Saskia Sassen [1998 ; 2009], Immanuel Wallerstein [2006] ou Zygmunt Bauman [2000] occupent une place de choix dans les citations et si leurs travaux sont pour la plupart traduits en français ; si ceux de Kenneth Pomeranz [2010], Dipesh Chakrabarty [2009], Ulf Hannerz [2010], John Urry [2005] ou Sanjay Subrahmanyam [2012] retiennent suffisamment l'attention des éditeurs pour passer le cap de la traduction, il n'en est pas encore de même pour des auteurs reconnus mondialement pour leurs travaux ou leurs synthèses sur le global : Nina Glick-Schiller [1994], Patrick Manning [2003], Peggy Levitt [2001], Robin Cohen et Paul Kennedy [2007], pour ne citer qu'eux. La célébrité française d'un David Harvey doit plus à ses recherches sur la ville [2012] qu'à ses écrits sur la postmodernité [1989] ou le cosmopolitisme [2009], toujours inaccessibles en français[6]. Certains cas sont encore plus paradoxaux : que dire de l'absence d'édition en français des travaux de l'anthropologue Jonathan Friedman[7], spécialiste des

---

5 Encore une fois, si on laisse de côté les cours sur les aspects strictement économiques ou financiers de la mondialisation. Parmi les exceptions notables, mentionnons à l'École des hautes études en sciences sociales (EHESS) l'enseignement de Jonathan Friedman sur l'anthropologie des systèmes mondiaux et celui de Geoffrey Pleyers et Luis Lopez sur la sociologie de la globalisation, ainsi que le tout nouveau séminaire « Ethnographie globale de la mondialisation » proposé par Laurent Berger à partir de mars 2013. Dans le master Pratiques de l'interdisciplinarité dans les sciences sociales de l'École normale supérieure, Blaise Wilfert-Portal anime un cours consacré à « Histoire et sciences sociales : la mondialisation ». Lamia Missaoui a un séminaire sur le thème de la mondialisation à l'université de Versailles-Saint-Quentin, Laurent Jeanpierre enseigne la sociologie de la mondialisation à l'université Paris-VIII tandis que Stéphane Dufoix propose à l'université de Paris-Ouest-Nanterre-La Défense un enseignement sur les sciences sociales et la globalisation.

6 Signalons, malgré tout, la publication en français, en 2008, de *Géographies de la domination* [Harvey, 2008].

7 Friedman et Ekholm-Friedman [2008a ; 2008b].

systèmes mondiaux, alors qu'il enseigne la moitié de l'année à l'École des hautes études en sciences sociales ? Là encore, l'absence de lieux dédiés à cette tâche constitue un élément d'explication non négligeable, auquel il faudrait ajouter la réticence générale de la plupart des éditeurs[8] à mettre en œuvre des traductions dont le rapport coût-bénéfices est souvent jugé défavorable.

Il n'existe à l'heure actuelle, dans le paysage éditorial français, pratiquement aucune collection spécifiquement consacrée à cette thématique. Les éditions L'Harmattan hébergent une collection intitulée « Globalisation et sciences sociales », dirigée par Bernard Hours, mais les titres parus dans cette collection se concentrent généralement soit sur la dimension économique du phénomène soit sur des *case studies* menées par des anthropologues ou des économistes[9]. Non seulement les dimensions politique et culturelle semblent être absentes, mais toute la partie épistémologique et conceptuelle des *global studies* est évacuée[10]. Cette absence se prolonge également dans l'organisation thématique des associations professionnelles : l'Association française de sociologie (AFS) et l'Association française de science politique (AFSP), pour ne citer qu'elles, ne comptent aucun réseau thématique (RT) spécifique sur le global[11]. Le cas des revues est tout aussi emblématique. Alors que les années 1990 et 2000 ont vu dans le monde académique anglo-saxon une prolifération de titres comportant les mots « global » ou « world »[12], l'espace des revues françaises n'a guère évolué dans ce sens. Si certaines d'entre elles (*Cultures et conflits*, *Critique interna-*

---

8 Certains éditeurs comme les éditions Amsterdam ou Les Prairies ordinaires se sont malgré tout fait connaître grâce à une politique ambitieuse de traductions d'auteurs dont les préoccupations rejoignent souvent la question du global.

9 Y compris, malgré son titre, Castelli et Hours [2011].

10 L'un des auteurs de cette introduction (Stéphane Dufoix) est actuellement impliqué avec le sociologue Vincenzo Cicchelli dans la mise en place d'un projet de collection spécifiquement consacré à la question du global qui devrait voir le jour aux éditions Amsterdam.

11 Le RT n° 2 de l'AFS, « Sociologie des migrations et production de l'altérité », animé par Laurence Roulleau-Berger, Monika Salzbrunn et Adelina Miranda, s'occupe en partie de cette thématique via la question du transnational.

12 Citons pêle-mêle : *Journal of World History* (1990), *Global Networks* (2001), *Global Journal of Humanities* (2002), *World History Connected* (2003), *Globalizations* (2004), *Journal of Global History* (2006), *Globality Studies Journal*

tionale, Mouvements, Cybergéo, les *Annales SSH,* la *Revue européenne des migrations internationales* entre autres) ont été plus attentives que bien d'autres au global, il n'en existe aucune qui se consacre spécifiquement à cette question. À une exception récente près : la création en 2012, sous l'égide de l'histoire des relations internationales, de la revue d'histoire *Monde(s)*[13].

De manière générale, les occasions pour les chercheurs travaillant dans ce cadre de se rencontrer et d'échanger sont relativement rares, surtout quand il s'agit de dépasser les frontières disciplinaires. Quand le débat s'amorce, il est souvent limité, dans le meilleur des cas, à la question disciplinaire. Le cas de l'histoire globale est ici assez emblématique. Si la démarche associée à cette expression n'est pas véritablement nouvelle [Lombard, 1990], elle ne rencontre en France un intérêt croissant qu'à partir de la publication de l'ouvrage d'Olivier Pétré-Grenouilleau [2004] consacré aux traites négrières. Depuis, l'histoire globale a connu une popularité académique croissante, mais les réflexions et les débats consacrés à cette démarche ont souvent été cantonnés aux cercles d'historiens ou aux milieux des spécialistes de la question traitée. Ainsi, la revue *Le Débat* [2009] a récemment consacré un numéro au thème « Écrire l'histoire du monde », avec des contributions de Krzysztof Pomian, François Hartog, Olivier Pétré-Grenouilleau, Christian Grataloup, Immanuel Wallerstein, Serge Gruzinski ou Alain Testart, mais la focale présentée est alors majoritairement celle de l'histoire – et un peu de la géographie – globale.

On ne peut pourtant pas considérer qu'il n'existe aucune production française dans ce domaine. S'il est impossible ici de lister l'ensemble des travaux qui relèvent de manière plus ou moins évidente des problématiques du global, il est tout à fait clair que des contributions importantes sur ces questions émanent de fractions

---

(2006), *New Global Studies* (2007), *Journal of Critical Globalisation Studies* (2009)...

13 Le premier numéro, paru au printemps 2012, est consacré au débat transnational, le second, à paraître en novembre 2012, aux empires, et le troisième à l'invention des continents. Signalons également que le premier numéro de la revue *Socio*, à paraître à l'hiver 2013, s'intitule « Penser global ».

plus ou moins grandes de l'anthropologie[14], de la géographie[15], de l'histoire[16] ou de la sociologie[17]. Par ailleurs, certaines synthèses envisagent assez clairement l'impact pluridisciplinaire du travail sur le global[18].

Comment expliquer ce paradoxe d'une richesse individuelle ou bien collective par fractions de discipline et, par ailleurs, d'une grande difficulté à faire émerger la cristallisation transdisciplinaire qui semble aller de pair avec la construction du « global », dans toutes ses dimensions les plus complexes, comme objet d'étude ? Deux éléments paraissent importants. D'une part, lors de la naissance académique de la grille de lecture de la globalisation, au début des années 1990, la « mondialisation » a été majoritairement perçue comme étant soit un phénomène purement économique et financier, soit la manifestation d'un impérialisme culturel américain menaçant la singularité des cultures nationales. Cette double perception économique et homogénéisante a vraisemblablement contribué à cantonner, dans un premier temps, les réactions académiques à la rhétorique de la dénonciation. Par ailleurs, l'organisation même de l'enseignement supérieur et de la recherche en France a largement fonctionné jusqu'ici comme une entrave à la possibilité de faire surgir des pôles de structuration pluri-, inter- ou transdisciplinaires autour de l'objet « global ». En effet, le caractère fondamentalement « disciplinaire » des études universitaires en France, où les cursus peuvent difficilement se croiser et peuvent au mieux s'additionner dans une bi-disciplinarité qui n'est souvent qu'une juxtaposition de logiques disciplinaires, empêche largement la constitution de rassemblements de chercheurs et d'enseignants autour de ces questions, sans même évoquer l'éventuelle formation

---

14 Abélès [2008], Hours et Sélim [2010], Assayag [2010], Galibert [2006], Berger [2004 ; 2012].

15 Grataloup [2007 ; 2011], Lévy [2008], Ghorra-Gobin [2006], Wackermann [2011].

16 Pétré-Grenouilleau [2004], Testot [2008], Bertrand [2011], Norel [2009], Testot et Norel [2012], Gruzinski [2004 ; 2012], Douki et Minard [2007], Iriye et Saunier [2009].

17 Wagner [2007], Zarifian [2004], Cicchelli [2012], Sapiro [2009], Francq et Pleyers [2007], Boschetti [2010], Dezalay et Garth [2002], Roulleau-Berger [2011], Tarrius et Missaoui [2000], Wieviorka [2008].

18 Voir en particulier Beaujard, Berger et Norel [2010], Lecler [2013].

de cursus spécifiques résolument transdisciplinaires. Même les associations professionnelles ne favorisent guère la transdisciplinarité puisqu'elles se constituent résolument autour d'une discipline. Autant d'éléments qui, pour l'instant tout du moins, ne plaident guère en faveur de l'optimisme pour la mise en place, en France, d'un réseau de chercheurs partageant un intérêt – plus ou moins grand, plus ou moins déterminé – pour les *global studies*.

Une nouvelle articulation spatio-temporelle

Nous le sentons ou le pressentons tous : l'échelle et le rythme du monde ont radicalement changé. Nous ne pourrons plus continuer à le décrire, à l'analyser ni à envisager les possibles qu'il offre sans modifier au moins la focale des sciences humaines et sociales qui se sont structurées et formées dans le cadre et dans la perspective des États-nations. Non que ceux-ci soient devenus caducs, mais ils doivent être désormais situés dans un contexte spatial et temporel plus vaste, plus riche et plus complexe. Il ne s'agit sans doute pas de passer des sciences sociales nationales et sociétales à des sciences sociales qui seraient une fois pour toutes globales, mais plutôt de réussir à penser ce moment global des sciences sociales dans lequel nous nous trouvons afin de réfléchir aux compatibilités entre ces deux formes historiques, ainsi qu'aux reformulations, aux relectures de la tradition et aux nouvelles hypothèses qu'engage ce type de chantier. À l'heure actuelle, bien souvent, il existe une opposition, voire un conflit entre ces deux formes, dans les méthodes, dans les visées ou dans les valeurs qui y sont associées. La croyance en la simple existence de deux échelons distincts majeurs (national et global, avec tous leurs échelons intermédiaires ou inférieurs) peut laisser penser qu'une coexistence pourrait suffire, à l'image de la coexistence entre les théories de la relativité, restreinte ou générale, et la théorie quantique, l'une et l'autre reconnues comme valides mais à des échelons différents. Pourtant, depuis plusieurs décennies, des chercheurs sont en quête de la « grande théorie » qui permettra de concilier les deux mécaniques. Voilà le défi que les sciences humaines et sociales doivent désormais savoir affronter : prendre la mesure du tournant et du moment global pour espérer produire à l'avenir des hypothèses fructueuses sur les différents modes de spatialisation et de tempo-ralisation du social. Espérons que le présent livre y contribuera.

Références bibliographiques

ABÉLÈS Marc, 2008, *Anthropologie de la globalisation*, Payot, Paris.

APPADURAI Arjun, 2001 (1re éd. américaine : 1996), *Après le colonialisme. Les conséquences culturelles de la globalisation*, Payot, Paris.

ASSAYAG Jackie, 2010, *La Mondialisation des sciences sociales*, Téraèdre, Paris.

AXELOS Kostas, 1964, *Vers la pensée planétaire*, Minuit, Paris.

BARTELSON Jens, 2000, « Three concepts of globalization », *International Sociology*, 15 (2), juin, p. 180-196.

BAUMAN Zygmunt, 2000 (1re éd. américaine : 1998), *Le Coût humain de la mondialisation*, Hachette, « Pluriel », Paris.

BEAUJARD Philippe, BERGER Laurent, NOREL Philippe (dir.), 2010, *Histoire globale, mondialisation et capitalisme*, La Découverte, Paris.

BECK Ulrich, 2003 (1re éd. allemande : 2002), *Pouvoirs et contre-pouvoirs à l'ère de la mondialisation*, Flammarion, Paris.

BERGER Laurent, 2012 (à paraître), « La place de l'ethnologie en Histoire globale », *Monde(s) : Histoire, Espaces, Relations*, (3).

— 2004, *Les Nouvelles ethnologies : enjeux et perspectives*, Armand Colin, Paris.

BERGER Laurent et TRÉMON Anne-Christine, 2013 (à paraître), *L'Anthropologie globale*, La Découverte, « Repères », Paris.

BERTRAND Romain, 2011, *L'Histoire à parts égales*, Seuil, Paris.

BOSCHETTI Anna (dir.), 2010, *L'Espace culturel transnational*, Nouveau Monde éditions, Paris.

BRAUDEL Fernand, 1979, *Civilisation matérielle, économie et capitalisme (XVe-XVIIIe siècles)*, 3 vol., Armand Colin, Paris.

BURAWOY Michael, 2009, « The global turn : Lessons from southern labor scholars and their labor movements », *Work and Occupations*, 36 (2), p. 87-95.

CASTELLI Bernard, HOURS Bernard (dir.), 2011, *Enjeux épistémologiques et idéologiques de la globalisation pour les sciences sociales*, L'Harmattan, Paris.

CHAKRABARTY Dipesh, 2009 (1re éd. américaine : 2000), *Provincialiser l'Europe. La pensée postcoloniale et la différence historique*, Éditions Amsterdam, Paris.

CHANDLER David, 2009, « The global ideology : Rethinking the politics of the "global turn" in IR », *International Relations*, 23 (4), déc., p. 530-547.

CICCHELLI Vincenzo, 2012, *L'Esprit cosmopolite. Voyages de formation des jeunes en Europe*, Presses de Sciences-Po, Paris.

COHEN Robin, KENNEDY Paul, 2007 (2e éd.), *Global Sociology*, New York University Press, New York.

DEZALAY Yves, GARTH Bryant, 2002, *La Mondialisation des guerres de palais. La restructuration du pouvoir d'État en Amérique latine, entre notables du droit et "Chicago boys"*, Seuil, Paris.

DOUKI Caroline, Minard Philippe, 2007, « Histoire globale, histoires connectées : un changement d'échelle historiographique ? », *Revue d'histoire moderne et contemporaine*, n° 54-4 bis, p. 7-21.

FRANCQ Bernard et PLEYERS Geoffrey, 2007, « Trois thèses en guise de contribution à une sociologie de la globalisation », *Recherches sociologiques et anthropologiques*, n° 1, Louvain (Belgique), p. 1-11.

FRIEDMAN Jonathan, EKHOLM-FRIEDMAN Kasja, 2008a, *Historical Transformations : The Anthropology of Global Systems*, Altamira Press, Lanham.

— 2008b, *Modernities, Class and the Contradictions of Globalization : The Anthropology of Global Systems*, Altamira Press, Lanham.

FRIEDMAN Thomas, 2010 (1re éd. américaine : 2005), *La Terre est plate*, Perrin, « Tempus », Paris.

GLICK-SCHILLER Nina, BASCH Linda, BLANC-SZANTON Cristina, 1994, *Nations Unbound : Transnational Projects, Postcolonial Predicaments and Deterritorialized Nation-States*, Gordon and Breach / Routledge, New York.

GALIBERT Charles, 2006, *L'Anthropologie à l'épreuve de la mondialisation*, L'Harmattan, Paris.

GHORRA-GOBIN Cynthia (dir.) 2006, *Dictionnaire des mondialisations*, Armand Colin, Paris.

GRATALOUP Christian, 2011, *Faut-il penser autrement l'histoire du monde ?*, Armand Colin, 2011, Paris.

— 2007, *Géohistoire de la mondialisation. Le temps long du monde*, Armand Colin, Paris.

GRUZINSKI Serge, 2012, *L'Aigle et le dragon. Démesure européenne et mondialisation au XVIe siècle*, Fayard, Paris.

— 2004, *Les Quatre parties du monde. Histoire d'une mondialisation*, Éditions de la Martinière, Paris.

HANNERZ Ulf, 2010 (1ʳᵉ édition américaine : 1991), *La Complexité culturelle. Études de l'organisation sociale de la signification*, Bernin, « À la croisée », Paris.

HARVEY David, 2012 (1ʳᵉ éd. américaine : 2001), *Paris capitale de la modernité*, Les prairies ordinaires, Paris.

— 2009, *Cosmopolitanism and the Geographies of Freedom*, Columbia University Press, New York.

— 2008 (1ʳᵉ éd. américaine : 2001), *Géographies de la domination*, Les prairies ordinaires, Paris.

— 1989, *The Condition of Postmodernity*, Blackwell, Oxford.

HEDETOFT Ulf, 2005, « Globalization, Power and Authority. The Emergence of New Connectivities », texte présenté à la quatrième rencontre de la MCRI Globalization and Autonomy Team à Toronto, <http://globalautonomy.ca/global1/servlet/Position2pdf?fn=PP_Hedetoft_PowerAuthority>, 23-25 septembre.

— 2003, *The Global Turn : National Encounters with the World*, Aalborg University Press, Aalborg.

HOURS Bernard, SÉLIM Monique, 2010, *Anthropologie politique de la globalisation*, L'Harmattan, Paris.

IRIYE Akira, SAUNIER Pierre-Yves (dir.), 2009, *The Palgrave Dictionary of Transnational History*, Palgrave-Macmillan, Basingstoke et New York.

LE DÉBAT (revue), « Écrire l'histoire du monde », n° 154, mars-avril 2009.

LEFEBVRE Henri, 1998 (1968), *L'Irruption de Nanterre au sommet*, Syllepse, Paris.

LEVITT Peggy, 2001, *The Transnational Villagers*, University of California Press, Berkeley.

LÉVY Jacques (dir.), 2008, *L'Invention du monde. Une géographie de la mondialisation*, Presses de Sciences-Po, Paris.

LOMBARD Denys, 1990, *Le Carrefour javanais. Essai d'histoire globale*, 3 vol., Éditions de l'EHESS, Paris.

MANNING Patrick, 2003, *Navigating World History. Historians Create a Global Past*, Palgrave-Macmillan, New York.

MCLUHAN Marshall, 1962, *The Gutenberg Galaxy*, Toronto University Press, Toronto.

MOORE Wilbert, 1966, « Global sociology : The world as a singular system », *American Journal of Sociology*, 71 (5), mars, p. 475-482.

MORARU Christian, 2001, « The global turn in critical theory », *symplokē*, n° spécial, *Globalism & Theory*, 9 (1-2), p. 74-82.

NOREL Philippe, 2009, *L'Histoire économique globale*, Seuil, Paris.

OTLET Paul, 1935, *Monde : Essai d'universalisme. Connaissance du monde, sentiment du monde, action organisée et plan du monde*, Mundaneum, Bruxelles.

PERROUX François, 1964, *L'Économie du XXᵉ siècle*, PUF, « Que sais-je », Paris.

PÉTRÉ-GRENOUILLEAU Olivier, 2004, *Les Traites négrières. Essai d'histoire globale*, Gallimard, « Bibliothèque des Histoires », Paris.

POMERANZ Kenneth, 2010 (1ʳᵉ éd. américaine : 2000), *Une Grande divergence. La Chine, l'Europe et la construction de l'économie mondiale*, Albin Michel, « Bibliothèque de l'évolution de l'humanité », Paris.

ROBERTSON Roland, 2001, « Globalization Theory 2000 + : Major Problematics », *in* RITZER G., SMART B. (dir.), *Handbook of Social Theory*, Sage, Londres, p. 458-470.

— 1995, « Glocalization : Time-Space and Homogeneity-Heterogeneity », *in* FEATHERSTONE Mike, LASH Scott, ROBERTSON Roland (dir.), *Global Modernities*, Sage, Londres, p. 25-44.

— 1994, « Globalisation or glocalisation ? », *Journal of International Communication*, 1 (1), p. 33-52.

ROULLEAU-BERGER Laurence, 2011, *Désoccidentaliser la sociologie. L'Europe au miroir de la Chine*, Éditions de l'Aube, La Tour d'Aigues.

SAPIRO Gisèle, 2009, *Les Contradictions de la globalisation éditoriale*, Nouveau Monde Éditions, Paris.

SASSEN Saskia, 2009 (1ʳᵉ éd. américaine : 2007), *La Globalisation, une sociologie*, Gallimard, Paris.

— 1998 (1ʳᵉ éd. américaine : 1991), *La Ville globale ; New-York, Londres, Tokyo*, Descartes et Cie, Paris.

SUBRAHMANYAM Sanjay, 2012 (1ʳᵉ éd. américaine : 1997), *Vasco de Gama. Légende et tribulations du vice-roi des Indes*, Alma, Paris.

TARRIUS Alain, MISSAOUI Lamia, 2000, *Les Nouveaux cosmopolitismes. Mobilités, identités, territoires*, Éditions de l'Aube, La Tour d'Aigues.

TESTOT Laurent (dir.), 2008, *Histoire globale. Un autre regard sur le monde*, Éditions Sciences humaines, Auxerre.

TESTOT Laurent, NOREL Philippe (dir.), 2012, *Une histoire du monde global*, Éditions Sciences Humaines, Auxerre.

TOYNBEE Arnold, 1972, *A Study of History*, Oxford University Press, Oxford.

— 1961, *A Study of History*, vol. XII, *Reconsiderations*, Oxford University Press, Oxford.

URRY John, 2005 (1re éd. britannique : 1999), *Sociologie des mobilités*, Armand Colin, Paris.

WACKERMANN Gabriel, 2011, *Vers une nouvelle mondialisation ?*, Ellipses, Paris.

WAGNER Anne-Catherine, 2007, *Les Classes sociales dans la mondialisation*, La Découverte, « Repères », Paris.

WALLERSTEIN Immanuel, 2006 (1re éd. américaine : 2004), *Comprendre le monde. Introduction à l'analyse des systèmes-monde*, La Découverte, Paris.

WIEVIORKA Michel, 2008, *Neuf leçons de sociologie*, Robert Laffont, Paris.

— (dir.), 2007, *Les Sciences sociales en mutation*, Éditions Sciences Humaines, Auxerre.

ZAGARRI Rosemarie, 2011, « The significance of the "global turn" for the early American republic : Globalization in the age of nation-building », *Journal of the Early Republic*, 31 (1), printemps, p. 1-37.

ZARIFIAN Philippe, 2004, *L'Échelle du monde. Globalisation, altermondialisme, mondialité*, La Dispute, Paris.

Première partie

Mutations disciplinaires

Chapitre 1

Les naissances académiques du global

Stéphane Dufoix

Trop loin ou trop près... Trop tôt ou trop tard... Quiconque étudie la naissance d'un mot ou d'une expression est confronté à un moment ou à un autre à ces tensions. Très souvent, elles trouvent leur origine dans la distinction entre ce que les linguistes nomment l'onomasiologie et la sémasiologie. Dans le premier cas, le travail se concentre sur un seul terme dont il importe de saisir l'évolution pour mettre en évidence ses principales phases sémantiques (y compris lorsque ces dernières engagent des significations très différentes). Dans le second, l'étude suit l'histoire d'une idée (le progrès, la démocratie, la civilisation...), quels que soient les termes utilisés pour l'illustrer ou lui donner vie. Les travaux sur la globalisation ont vu ces deux dimensions souvent confondues au point de créer une grande confusion. Deux exemples permettent de se faire une idée des problèmes qui y sont associés. En 2006, le *New York Times* fait paraître la nécrologie de l'économiste américain Theodore Levitt en le présentant comme l'« inventeur » du mot anglais *globalization*, en raison notamment de l'article intitulé « The globalization of markets » qu'il avait publié en 1983 dans la *Harvard Business Review* [Levitt, 1983]. Pourtant, cinq jours plus tard, le 11 juin, le journal publie un *erratum* dans lequel le rédacteur reconnaît que la nécrologie n'était pas tout à fait exacte en ce qui concerne l'originait du mot *globalization*.

> « Si le travail de M. Levitt était étroitement associé à l'idée de globalisation en économie, et s'il a publié en 1983 un article très souvent cité dans lequel il popularise le terme, il n'a pas

inventé le mot (il était déjà en usage, avec des significations différentes, au moins depuis 1944, tandis qu'il était utilisé par d'autres auteurs, en économie, au moins depuis 1981)[1]. »

Malgré cet aveu, aucun nom ni aucun titre n'est signalé. En dépit de cet *erratum*, la plupart des textes se posant la question des origines du mot *globalization* considèrent encore que Theodore Levitt en est l'inventeur.

Par ailleurs, en 2010, Jean-Pierre Denis et Laurent Greilsamer citent dans l'éditorial de *L'Atlas des mondialisations* une phrase écrite par Karl Marx dans une lettre à Friedrich Engels :

> « La bourgeoisie connaît une nouvelle renaissance. Maintenant, vraiment, le marché mondial existe. Avec l'ouverture de la Californie et du Japon au marché mondial, ça y est, nous avons la mondialisation. Donc, la révolution est imminente » [Denis et Greilsamer, 2010, p. 3].

Ils en tirent la conclusion que Marx fut l'un des premiers à utiliser cette notion. Une rapide vérification permet pourtant de constater que non seulement la citation est tronquée mais que sa traduction laisse fortement à désirer. Marx évoque bien l'idée du marché mondial (*Weltmarkt*), la « colonisation » de la Californie et de l'Australie, l'« ouverture » (*Aufschluß*) de la Chine et du Japon, estimant pour finir que, étant donné la « rotondité du monde » (*die Welt rund ist*), il est probable que l'accès à ces nouvelles terres marque la fin du processus [Marx et Engels, 1963, p. 360[2]]. Pourtant, de « mondialisation », il n'est point question.

Comme le montrent ces deux exemples, l'approche sémantique de la globalisation est souvent en porte-à-faux. Dans un cas, l'accent est mis sur la nouveauté du mot et, *ipso facto*, sur la nouveauté de la chose ou du phénomène qu'il est censé recouvrir, alors même que le mot n'est pas si nouveau que cela. Dans l'autre,

---

1 L'existence de cet *erratum* a aussi été repérée par Capdepuy [2011].
2 La lettre date du 8 octobre 1858. Le texte original allemand est le suivant : « Die eigentliche Aufgabe der bürgerlichen Gesellschaft ist die Herstellung des Weltmarkts, wenigstens seinen Umrissen nach, und einer auf seiner Basis ruhenden Produktion. Da die Welt rund ist, scheint dies mit der Kolonisation von Kalifornien und Australien und dem Aufschluß von China und Japan zum Abschluß gebracht. »

il s'agit, en imposant la présence du mot dans un texte où il ne figure pas, d'accréditer l'ancienneté de l'idée et donc d'en nier, d'une certaine façon, toute nouveauté. Comment faire pour tenter de s'approcher au mieux de l'historicité des usages du « global » ? Les études sur l'apparition du mot *globalization* et de ses équivalents – comme le mot français *mondialisation* – sont encore assez rares. L'objectif de ce court chapitre, qui constitue la première pierre d'un travail en cours, est de prolonger la réflexion sur les termes lancée par René-Éric Dagorn [1999 ; 2008], et récemment approfondie par Vincent Capdepuy [2011], mais en l'enrichissant de quelques nouveautés empiriques (notamment en mettant l'accent plus que ces auteurs ne l'ont fait sur la dimension disciplinaire) et en proposant une manière un peu différente de comprendre le succès du terme depuis le début des années 1980.

L'éternelle question des origines

Dans toute recherche consacrée à l'évolution sémantique d'un mot, la première occurrence de ce mot occupe une place fondamentale. Cependant, lorsqu'elle considérée comme un objectif en tant que tel, la « religion de la première occurrence » [Dufoix, 2012a, p. 30-31] peut constituer un obstacle à la connaissance. Car elle repose en effet sur l'idée fausse selon laquelle les mots auraient une vérité première dont il serait bon de mesurer les usages ultérieurs pour en vérifier l'écart acceptable au sens originel. Non seulement l'idée est fausse mais elle entraîne une forme de recherche qui peut rapidement se muer en norme visant à établir une distinction entre les usages légitimes et illégitimes de tel ou tel terme (ou notion). Pour autant, cela ne signifie pas qu'il est totalement inutile de se pencher sur les premières occurrences. Cette quête, au contraire, est intéressante à partir du moment où elle permet de déterminer le ou les *moments* où le mot « prend », où ses usages se multiplient et se répandent hors du ou des milieux où il est né avec ce sens particulier. Son éventuel fourmillement antérieur est ainsi tout à la fois l'indice de son horizon sémantique et le révélateur (en négatif) de l'histoire complexe de sa popularisation, voire de sa banalisation.

Que nous apprennent les premières occurrences de *mondialisation / globalisation* ? Tout d'abord, il semble bien que la primauté chronologique généralement accordée à la langue anglaise sur la langue française doive être remise en question. Dans un texte de 1916, le juriste belge Paul Otlet, réfléchissant sur le futur après-guerre, écrit qu'il sera nécessaire « de prendre à l'égard des richesses naturelles des mesures de "mondialisation"[3] ». Comme le signale fort opportunément Vincent Capdepuy, le sens du mot n'est pas ici le même que celui qui s'est imposé ultérieurement. Paul Otlet lie en effet de manière intime *mondialisation* et *internationalisation*, le premier terme constituant le dernier échelon possible du second puisque l'international existerait à partir du moment où deux ou trois nations sont impliquées. Ainsi, « le mondial, dit Otlet, est ce qui convient au même titre à toutes les nations[4] ». De l'autre côté de l'Atlantique, l'*Oxford English Dictionary*, jusqu'à une date encore récente, datait la première occurrence de *globalization* de la fin des années 1950, avant de retenir l'usage qu'en ont fait en 1930, dans le domaine de l'éducation, William Boyd et Muriel M. Mackenzie[5]. Dans ce dernier cas, la « globalisation » n'avait rien à voir avec le monde au sens strict car il s'agissait, pour ces auteurs, d'insister sur l'importance des processus d'apprentissage par l'idée « globale » avant de passer par des exemples particuliers. De plus, le terme n'est qu'une anglicisation d'un mot français : Boyd et Mackenzie, en effet, font référence à la « fonction de globalisation[6] » mise en évidence par le pédagogue belge Ovide Decroly [1929] dans les années 1920. Quant au verbe anglais « globalize », il apparaît dans les années 1940 sous la plume de Reiser et Davies [1944], dans un ouvrage dont l'objectif est d'appeler à la constitution d'une démocratie planétaire.

C'est le contexte de la fin de la Seconde Guerre mondiale et de l'après-guerre qui est à prendre en compte si l'on souhaite saisir l'un des domaines où le rapport au « monde » est le plus intéressant. C'est à cette époque en effet qu'apparaît ce que l'on va

---

3 Otlet, 1916, p. 337, cité *in* Capdepuy [2011, § 92].

4 *Ibid.*, p. 151, cité *in* Capdepuy [*ibid.*].

5 Boyd et Mackenzie [1930, p. 159 et 350]. Voir aussi Lecler [2013], Marks [s.d., p. 15].

6 La fameuse méthode de lecture dite « globale » est une application directe de la fonction de globalisation de Decroly.

rapidement appeler le mondialisme. En septembre 1948, l'ancien aviateur américain Garry Davis, qui a renoncé quelques mois plus tôt à sa nationalité américaine, lance à Paris le mouvement des Citoyens du monde. Son action est soutenue en France par le Centre de recherche et d'expression mondialiste (CREM) créé par l'ancien résistant Robert Sarrazac. Dans le cadre de ce mouvement, se mettent en place les premiers usages consolidés de « mondialisation » en français, usages pourtant fort peu repérés jusqu'ici[7]. En 1949, le CREM rédige une Charte de la mondialisation adoptée par le conseil municipal de Cahors le 30 juillet 1949 avant d'être votée au cours de l'été par les citoyens de la ville. Selon Vincent Capdepuy [2011, § 130], cet usage serait fondamentalement lié à la question de la « gouvernance » mondiale. Cette dimension est bien évidemment présente. Ainsi, le point 2 de la Charte précise :

> « Nous voulons travailler en paix avec toutes les villes et communes du Monde, coopérer avec elles afin de fonder la Loi mondiale qui assurera notre protection commune, sous l'autorité d'un pouvoir fédéral mondial démocratiquement établi et contrôlé » [Citoyens du monde, 2000, p. 8].

Cependant, il serait erroné de n'y voir que cela. Ce texte comporte également une vision de la *mondialisation* qui implique plus que le simple passage à un échelon supérieur, comme l'indique le point 6 de la Charte :

> « Sans rien renier de notre attachement, de nos devoirs et de nos droits à l'égard de notre Région et de notre Nation, nous nous déclarons symboliquement territoire mondial, lié à la communauté mondiale » [*ibid.*].

On le voit, « mondialiser » signifie alors moins diffuser à l'échelle mondiale qu'attribuer à un territoire, celui d'une commune ou d'un département, une appartenance au monde entier. Ce mouvement de mondialisation n'est pas resté cantonné à la France. Il s'est largement implanté dans des pays comme le Japon ou le Canada, où de nombreuses villes se sont elles aussi déclarées « mondialisées ». En anglais, le terme *mundialization* est venu

---

7   Arrault [2007, p. 87], Capdepuy [2011, § 130].

traduire *mondialisation*. Si *mundialization* est plus rare que *globalization*, il n'en est pas moins resté assez largement utilisé, et pas uniquement dans le cadre du mouvement mondialiste[8]. Force est de constater cependant qu'en dépit de leur diffusion – pour le coup tout à fait mondiale –, les deux termes, *mondialisation* et *mundialization*, restent confinés dans les milieux du « mondialisme », un autre terme forgé à la fin des années 1940 par le mouvement des Citoyens du monde[9]. Il s'ensuit que les occurrences ultérieures de *mondialisation* ou de *globalization* relèvent de séries différentes, politiques ou économiques, qui, généralement, connaîtront aussi peu de postérité directe que la *mondialisation* mondialiste. Ainsi, si l'économiste français François Perroux évoque en 1964 la « mondialisation de certains marchés » [1964, p. 265] en une formule qui n'est pas sans rappeler le titre de l'article de Theodore Levitt vingt ans plus tard, elle ne marque pas la naissance d'une série conceptuelle. Une dizaine d'années plus tard, un autre économiste français, Charles-Albert Michalet [1976], écrivant sur le capitalisme mondial dans le cadre de ce qu'il appelle le phénomène de multinationalisation, ne fait aucune référence à la mondialisation de Perroux. Il en est de même pour les analyses de Richard Barnet et Ronald Müller sur la *globalization* des entreprises multinationales[10], qui ne seront pas reprises par Levitt dix ans plus tard. Que penser par ailleurs de ces usages – certes peu nombreux – de *globalization* dans le domaine des relations internationales au cours des années 1960, en rapport soit avec l'idée de « société mondiale » soit avec l'emprise mondiale grandissante des blocs géopolitiques[11] ? Comment expliquer qu'il n'en soit jamais question dans les études relatives au concept de globalisation ?

En fin de compte, si, effectivement, à partir du moment où il « prend » au cours des années 1980, le terme anglais *globalization* se

---

8 Par exemple Alger [1977], Cha [2006], Ortiz [2006]. Pour plus de renseignements, on peut notamment se reporter au site du Mundialization Committee de la ville d'Hamilton (Canada) : < http://mundialization.ca/>.

9 À noter que le terme de *mondialisme* est utilisé en français dans les années 1970 et 1980 pour désigner les forces, essentiellement américaines, qui menacent l'identité culturelle française.

10 Barnet et Müller [1974], Müller [1975a ; 1975b].

11 Snyder [1961], Brecher [1963], Claude [1965], Modelski [1968].

diffuse massivement à partir du monde de la finance [Fiss, Hirsch, 2005], cela n'épuise nullement la compréhension de ses naissances multiples et complexes. Cela ne permet guère de comprendre, par exemple, les modalités de cristallisation du terme dans le milieu académique anglophone à la fin des années 1980[12]. Bien entendu, il n'est pas question, dans les limites de ce chapitre, de proposer une lecture complète, ni même suffisamment solide, des différentes configurations permettant de rendre compte de la formation historique des diverses acceptions de ces termes avant leur cristallisation, mais seulement d'établir certains garde-fous afin d'éviter des lectures trop présentistes ou trop réductrices de leurs sens.

Prodromes académiques

Si l'on se penche maintenant du côté de la sémasiologie, il est assez facile de constater que la prise en compte du monde en tant que monde – ne serait-ce qu'en tant que monde connu – n'est pas une idée neuve. Sans remonter jusqu'à la manière dont les historiens de l'Antiquité (notamment Polybe) se saisissaient de cette réalité, les conceptions modernes de l'unité du monde et des liens par-delà la distance remontent à au moins deux siècles, qu'il s'agisse de Saint-Simon attentif aux promesses du télégraphe, d'Augustin Cournot déclarant que « de roi de la création qu'il était ou qu'il croyait être, l'homme est monté ou descendu (comme il plaira de l'entendre) au rôle de concessionnaire de la planète[13] » ou bien encore du savant américain d'origine croate Nikola Tesla, inventeur de systèmes révolutionnaires de transmission « sans fil » de la voix, au tout début du xxe siècle [voir Dufoix, 2012b], lorsqu'il évoque l'avenir possible des communications :

> « Lorsque le sans fil (*wireless*) sera utilisé de manière parfaite, l'ensemble de la terre sera transformé en un gigantesque cerveau, ce que la terre est déjà dans les faits puisque toutes choses

---

12 L'un des premiers ouvrages académiques, si ce n'est le premier, dans le titre duquel apparaît le mot *globalization* est *Globalization, Knowledge and Society*, dirigé en 1990 par Martin Albrow et Elizabeth King [1990], et distribué aux quatre mille participants du congrès de l'Association internationale de sociologie réunis à Madrid [Albrow, 2009].

13 Cournot, 1973, p. 422, cité *in* Vatin [2012, p. 14].

ne sont que les particules d'un même ensemble rythmé et authentique. Nous serons capables de communiquer les uns avec les autres instantanément, quelle que soit la distance. Ce n'est pas tout : grâce à la télévision et au téléphone, nous pourrons nous voir et nous entendre aussi parfaitement que si nous étions face à face, même si nous sommes éloignés par des milliers de kilomètres ; et les machines qui nous permettront d'accomplir ceci seront incroyablement plus simples que le téléphone actuel. Un homme pourra en transporter un dans la poche de son veston » [Tesla, 1926].

Dès 1961, on peut lire chez Arnold Toynbee, dans le dernier volume de sa monumentale *Study of History*, que « l'"annihilation de la distance" grâce aux progrès technologiques appliqués aux moyens de communication physiques ouvre l'horizon d'une société future qui embrassera l'ensemble de la surface habitable et parcourable de la planète, y compris son enveloppe aérienne, et unifiera la race humaine en une seule et unique société » [1961, p. 215-216]. De même, il n'envisage pas que cette révolution des transports et des transmissions ne modifie que le seul domaine des communications. C'est bien une révolution sociale qui est en marche : « La transformation du monde en *cosmopolis* favorise l'organisation sociale sur une base non locale » [Toynbee, 1972, p. 69]. L'anthropologue Laurent Berger [2012] a raison de souligner que l'intérêt pour toutes ces questions n'est pas nouveau, et de citer les noms de Fernand Braudel, Lucien Febvre – qui dirige de 1953 à sa mort en 1956 les *Cahiers d'histoire mondiale* sous l'égide de l'Unesco[14] –, William McNeill et bien d'autres. Cependant, bien souvent, du moins en français, des années 1950 aux années 1970, l'usage de l'adjectif « global » ou du substantif « globalité », notamment par les historiens, a le sens de « total », par exemple dans les travaux de Braudel. C'est ce que voit bien Michel Foucault lorsqu'il oppose, dans *L'Archéologie du savoir* [1969, p. 18-19], le projet d'une histoire globale qui entend « restituer la forme d'ensemble d'une civilisation » en postulant une historicité identique pour tous les domaines de la réalité, à celui d'une histoire nouvelle, générale, qui

---

14 Duedahl [2011], Febvre et Crouzet [2012].

prend en charge les relations. Si l'on se met en quête des usages, avant les années 1980, de l'adjectif *global* accolé au nom d'une discipline ou bien utilisé pour décrire une nouvelle organisation du monde, un nouveau moment de la conscience de son unité, ceux que l'on trouve entrent généralement dans cette catégorie de la totalité. Cependant, il n'en est pas toujours ainsi. Quelques exemples rapides vont nous permettre de saisir à quel point ce qui sera souvent vu par la suite comme une caractéristique du discours sur le global, à savoir la description d'un monde nouveau en train de naître, est déjà présent chez certains auteurs influents au moins depuis les années 1960. En janvier 1962, à peine quelques mois après la publication des lignes de Toynbee dans le volume XII de *A Study of History*, l'historien Hans Kohn, l'un des pionniers des études sur le nationalisme, écrit que « depuis le milieu du XXe siècle, l'humanité est entrée dans la première étape de l'histoire globale » [1962, p. XV], une époque qu'il décrit sous le double sceau de la menace nucléaire et de la promesse d'un pan-humanisme fondé sur le droit [*ibid.*, p. 161]. Encore plus intéressant, il insiste sur le fait que l'usage du mot *world* est désormais trop ambigu car il confond trop souvent l'*univers* et la *terre*.

> « Nous sommes au seuil d'une époque au cours de laquelle l'homme acquerra de nouvelles expériences spatiales, de nouveaux intérêts spatiaux, et au cours de laquelle le mot "*world*" prendra un nouveau sens qui se distinguera nettement de l'histoire et de la condition de l'homme sur la terre. Je préfère donc le terme "histoire globale" » [*ibid.*].

La formule de Kohn selon laquelle il s'agirait d'« une époque pleine de grands dangers et de promesses encore plus grandes » [*ibid.*, p. 164] pourrait parfaitement trouver sa place dans l'ouvrage de l'historien américain Theodore Von Laue, *The Global City*[15]

---

15 Comme l'a déjà signalé Laurent Gayer [2004], l'expression « *global city* » apparaît donc chez Von Laue plus de vingt ans avant l'ouvrage de Saskia Sassen [1991]. Cependant le sens que ces deux auteurs accordent à cette expression est très différent, d'une part parce que Von Laue l'utilise aussi dans un sens métaphorique que l'on traduirait en français par « cité globale » (la cité de tous), mais aussi parce que les chapitres où il traite plus spécifiquement de la ville utilisent plus fréquemment le mot *metropolis*.

[1969], à une réserve près : ce dernier mettrait sans doute plus l'accent sur les dangers. Pour Von Laue, la nouveauté de l'époque consiste en une crise : « Le cœur de cette crise réside dans le fait que, depuis la fin du XIXᵉ siècle, une histoire globale commune de l'humanité s'est mise en marche à partir de la Métropole » [Von Laue, 1969, p. 17]. C'est en effet dans l'attractivité mondiale de la ville occidentale qu'il faut aller chercher l'origine de la « confluence globale », et en particulier dans l'interaction généralisée des cultures et des modes de vie dans le cadre des grandes métropoles [*ibid.*]. Cette « interaction inévitable et corrosive de toutes les cultures et de tous les modes d'existence collective qui sont apparus au cours de l'évolution passée de l'être humain » se présente sous la forme de deux acteurs principaux : « les forces de la communauté globale » d'un côté, « les forces du particularisme culturel » de l'autre [*ibid.*, p. 21]. Ce sont ces deux processus contradictoires qui font la singularité de l'époque, capturée par l'usage de l'expression « *global world* », là encore emblématique d'une dimension irréductible à la seule « mondialité » du monde.

L'un des exemples les plus aboutis d'une « globalisation » disciplinaire, ou en tout cas d'une tentative pour aller dans ce sens, est sans doute le projet présenté par le sociologue américain Wilbert Moore dans un papier présenté en août 1965 à la convention de l'Association américaine de sociologie et publié un an plus tard. Il y examine une nouvelle vision de la sociologie : « Par l'expression sociologie globale, je désigne la sociologie du globe, de l'humanité » [Moore, 1966, p. 475]. Il distingue ce sens particulier d'un autre possible, celui qui prend en compte l'internationalisation de la sociologie, sa diffusion et son appropriation par des populations extra-européennes » [*ibid.*, p. 476]. La conception de la sociologie comme prise en compte du monde en tant que système unique s'ancre dans un constat qui ne peut apparaître que familière au lecteur du XXIᵉ siècle :

> « [...] de plus en plus, l'existence d'un individu où qu'il se trouve est affectée par des événements et par des processus qui se déroulent partout dans le monde. Cela se vérifie aussi bien dans le cas des grandes puissances, censées mener la danse, que

dans celui des plus petites puissances et des nouvelles nations, censées être sous la dépendance des premières » [*ibid.*, 481].

On le voit, s'il est exact d'indiquer, comme le fait Jan Aart Scholte [2005, p. 51], que des « notions relatives au global » apparaissent au début des années 1980 avec des auteurs comme Roland Robertson, Theodore Levitt et d'autres[16], cela ne permet guère de comprendre l'articulation de deux points importants : la présence d'usages antérieurs de « global » dans un sens très proche du sens actuel et la non-cristallisation de ce sens avant le milieu, voire la fin des années 1980.

Décrire / prescrire le monde global

Que l'on s'intéresse avant tout aux usages des mots ou aux idées, la question qui se pose alors est la suivante. Comment expliquer que ces hypothèses et ces constats sur l'apparition d'un monde dans lequel les distances sont parcourues plus rapidement qu'auparavant (et dans lequel semblent se multiplier des activités culturelles, politiques et économiques qui transgressent non seulement les frontières des États mais aussi celles des blocs géopolitiques) ; sur la « culture globale », la « conscience globale » et même la « globalité » en tant que telle ; mais aussi les interrogations réciproques et contradictoires sur la croissance des inégalités socioéconomiques à l'échelle de la planète, sur la fragmentation des identités, sur la persistance et même la valorisation du local ; bref, comment expliquer que toutes ces dimensions ne commencent à se cristalliser, à « prendre », qu'à partir de la fin des années 1980 ? L'un des défis qui se pose au chercheur consiste alors moins à valider ou non l'existence du phénomène « globalisation », à se prononcer pour ou contre, à l'accepter comme un fait ou à la dénoncer comme un « discours » d'origine économique et de facture néolibérale [Lebaron, 2003] qu'à saisir comment, par quelle(s) configuration(s) sociales, politiques, intellectuelles, académiques, économiques etc. le « discours global » surgit, se diffuse et s'impose. Cela nécessite de prendre en considération de manière précise non

---

16 Robertson et Chirico [1985], Robertson [1987], Theodore Levitt [1983] ou bien encore James Rosenau [1980].

seulement l'historicité mais aussi la chrono-logique de sa mise en place dans différents lexiques ; les affinités électives permettant à des fractions d'espaces sociaux spécifiques, selon les pays ou selon les réseaux, de s'approprier les opportunités offertes par le discours naissant ; les effets sociaux et politiques entraînés par le choix de tel ou tel terme pour traduire le vocable *globalization*. Du coup, il ne s'agit absolument pas de nier l'importance de la dimension économique ou les stratégies économiques sous-jacentes à l'imposition du discours sur la globalisation, mais de complexifier le paysage en montrant l'existence de logiques séparées d'apparition, de répertoires de justification distincts (économique, politique, académique, écologique, technologique...) convergeant progressivement vers l'adoption d'un ensemble de termes semblables ou proches dont l'usage flou permettra moins de justifier le monde en train de naître que de le décrire.

Il semble ainsi que les naissances, plurielles, de la grille de lecture de la globalisation, entre la fin des années 1980 et le début des années 1990, correspondent à la mise en place d'un macro-*scenario* [Hannerz, 2003] qui, dans l'incertitude structurelle de la fin du monde géopolitique bipolaire, offre tout à la fois un cadre d'interprétation du présent, une relecture du passé ainsi que des promesses et des peurs pour le futur. Toutefois, il serait sans doute précipité de considérer qu'il s'est imposé de manière simple sous cette forme-là. Après la fin de la guerre froide, d'autres macro-*scenarii* ont été proposés : la fin de l'histoire[17], Djihad *vs* McWorld[18], le choc des civilisations[19], pour ne citer que les plus connus... Au sens strict, s'ils prennent forme à la confluence des mondes académique et politique à peu près en même temps que le macro-*scenario* de la globalisation, ils ne s'inscrivent pas dans ce dernier qui doit sans doute sa popularité croissante à sa plus grande labilité, le terme *globalisation* offrant sous son apparente simplicité une grande diversité d'acceptions possibles, des plus

---

17 Fukuyama [1989 ; 1992].
18 Barber [1992 ; 1995].
19 Lewis [1990], puis Huntington [1993 ; 1996].

unifiantes (impérialisme, uniformisation, occidentalisation, américanisation...) aux plus complexes (hybridation, glocalisation, désoccidentalisation, cosmopolitisme...). De la sorte, plus souple et plus engageant, ce macro-*scenario* semble progressivement l'emporter sur tous les autres. Une des raisons, et non des moindres, concerne les possibilités de reconfiguration qu'il semble permettre dans différents domaines : nouvel ordre mondial dans les relations internationales, conscience planétaire en politique internationale, libéralisation des échanges en économie, société civile mondiale dans le domaine social, nouvelles théories et nouvelles disciplines dans le domaine académique...

En guise de conclusion

Envisagé ainsi, le discours global constitue une sorte d'équivalent contemporain de celui qui naît entre la fin du XVIIIᵉ et le début du XIXᵉ siècle autour des idées de société, d'État-nation et de modernité. Dans le domaine des sciences sociales, il représente une véritable rupture, sans doute la première qu'elles aient véritablement connue depuis leur apparition précisément au début du XIXᵉ siècle. Ses initiateurs, surtout dans le domaine académique, présentent souvent la particularité, comme Saint-Simon et Proudhon avant eux, de dessiner les contours conceptuels d'une réalité qu'ils prétendent pourtant se contenter de décrire, tout en constatant la nécessité concomitante de forger une nouvelle science pour accompagner cette transformation macrosociale. Le macro-*scenario* de la globalisation affiche néanmoins une spécificité par rapport à celui de la modernité et de la société. S'il incarne effectivement une ambition (décrire la naissance d'un monde nouveau) et une promesse (l'établissement d'une nouvelle science pour y parvenir), il permet aussi d'articuler une synthèse assez nouvelle dans laquelle, au lieu d'être une rupture fondamentale, la globalisation s'inscrit dans l'histoire longue du monde, celle du capitalisme, de l'impérialisme occidental et de la modernité. L'étude approfondie de ces naissances du global dans l'espace des sciences sociales mondiales permettrait sans doute de mieux comprendre la situation épistémologique actuelle.

Références bibliographiques

ALBROW Martin, 2009, « La mondialisation déconstruite par la sociologie. À propos de Saskia Sassen, *La globalisation. Une sociologie* », Laviedesidées.fr, < www.laviedesidees.fr/La-mondialisation-deconstruite-par.html >, 4 juin.

ALBROW Martin, KING Elizabeth (dir.), 1990, *Globalization, Knowledge and Society : Readings from International Sociology*, Sage, Londres.

ALGER Chadwick F., 1977, « "Foreign" policies of U.S. publics », *International Studies Quarterly*, 21 (2), juin, p. 277-318.

ARRAULT Jean-Baptiste, 2007, *Penser à l'échelle du Monde. Histoire conceptuelle de la mondialisation en géographie (fin du XIXe siècle / entre-deux-guerres)*, Thèse de doctorat en géographie sous la direction de Marie-Claire Robic, Université Paris-I.

BARBER Benjamin, 1995, *Jihad vs McWorld : How Globalism and Tribalism are Reshaping the World*, Times Books, New York.

— 1992, « Jihad *vs* McWorld », *The Atlantic Monthly*, 269 (3), mars, p. 53-65.

BARNET Richard, MÜLLER Ronald, 1974, *Global Reach : The Power of the Multinational Corporations*, Simon and Schuster, New York.

BERGER Laurent, 2012 (à paraître), « L'apport de l'ethnographie à l'histoire globale », *Monde(s)*, (2).

BOYD William, MACKENZIE Muriel M., 1930, *Towards a New Education : a Record and Synthesis of the Discussions on the New Psychology and the Curriculum at the Fifth World Conference of the New Education Fellowship Held at Elsinore, Denmark, in August 1929*, A. A. Knopf, Londres et New York.

BRECHER Michael, 1963, « International relations and Asian studies : The subordinate state system of Southern Asia », *World Politics*, 15 (2), janv., p. 213-235.

CAPDEPUY Vincent, 2011, « Au prisme des mots », *Cybergeo : European Journal of Geography*, article 576, mis en ligne le 20 décembre 2011.

CHA In-Suk, 2006, « The mundialization of home. Towards an ethics of the great society », *Diogenes*, 53 (1), fév., p. 24-30.

« Citoyens du monde », 2000, brochure éditée pour le 50e anniversaire de la mondialisation de la ville de Cahors, Mairie de Cahors.

CLAUDE Inis L. Jr, 1965, « Implications and questions for the future », *International Organization*, 19 (3), été, p. 835-846.

COURNOT Augustin, 1973 (1re éd. 1872), *Considérations sur la marche des idées et des événements dans les temps modernes*, Vrin, Paris.

DAGORN René-Eric, 2008, « "Mondialisation ", un mot qui change les mondes », *in* LÉVY Jacques (dir.), *L'Invention du monde. Une géographie de la mondialisation*, Presses de Sciences-Po, Paris, p. 63-78.

— 1999, « Une brève histoire du mot "mondialisation "», *in* GEMDEV, *Mondialisation. Les mots et les choses*, Karthala, Paris, p. 187-204.

DECROLY Ovide, 1929, *La Fonction de globalisation et l'enseignement*, Lamertin, Bruxelles.

DENIS Jean-Pierre, GREILSAMER Laurent, 2010, « Mondialisations au pluriel », *Le Monde hors-série*, « L'Atlas des mondialisations », La Vie-Le Monde, Paris.

DUEDAHL Poul, 2011, « Selling mankind : UNESCO and the invention of global history, 1945-1976 », *Journal of World History*, 22 (1), mars, p. 101-133.

DUFOIX Stéphane, 2012a, *La Dispersion. Une histoire des usages du mot* diaspora, Éditions Amsterdam, Paris.

— 2012b, « La pensée sans fil de Nikola Tesla », *in* NOREL Philippe, TESTOT Laurent (dir.), *Une histoire du monde global*, Éditions Sciences Humaines, Auxerre, p. 307-312.

— 2010, « Jalons pour une petite histoire du concept de "global" », intervention au séminaire « Les sciences sociales face au global », Sophiapol, université Paris-Ouest-Nanterre-La Défense, 2 novembre.

Erratum, 2006 (article non signé), « Theodore Levitt, 81, Who coined the term "globalization", Is Dead », *The New York Times*, 6 juin 2006 (*erratum* le 11 juin).

FEBVRE Lucien, CROUZET François, 2012, *Nous sommes des sang-mêlés. Manuel d'histoire de la civilisation française*, Albin Michel, Paris.

FISS Peer C., HIRSCH Paul M., 2005, « The discourse of globalization : framing and sensemaking of an emerging concept », *American Sociological Review*, 70 (11).

FOUCAULT Michel, 1969, *L'Archéologie du savoir*, Gallimard, « Tel », Paris.

FUKUYAMA Francis, 1992, *The End of History and the Last Man*, Free Press, New York. Traduction française : *La Fin de l'histoire et le dernier homme*, Flammarion, Paris, 1992.

— 1989, « The end of history ? », *National Interest*, 16, été, p. 3-18.

GAYER Laurent, 2004, « Karachi : violences et globalisation dans une ville-monde », *Raisons politiques*, (15), 3/2004, p. 37-51.

HANNERZ Ulf, 2003, « Macro-scenarios. Anthropology and the debate over contemporary and future worlds », *Social Anthropology*, 11 (2), p. 169-187.

HUNTINGTON Samuel, 1996, *The Clash of Civilizations and the Remaking of the World Order*, Simon & Schuster, New York. Traduction française : *Le Choc des civilisations*, Odile Jacob, Paris, 1997.

— 1993, « The clash of civilizations ? », *Foreign Affairs*, 72 (3), été, p. 22-49.

KOHN Hans, 1962, *The Age of Nationalism. The First Era of Global History*, Harper & Brothers Publishers, New York.

LEBARON Frédéric, 2003, *Le Savant, le politique et la mondialisation*, Éditions du Croquant, Bellecombe.

LECLER Romain, 2013 (à paraître), *Sociologie de la mondialisation*, La Découverte, « Repères », Paris.

LEVITT Theodore, 1983, « The globalization of markets », *Harvard Business Review*, (61), mai-juin, p. 92-102.

LEWIS Bernard, 1990, « The roots of muslim rage », *The Atlantic Monthly*, 266 (9), septembre, p. 47-60.

MARKS M.P., n.d., « The Metaphors of International Political Economy », 23 p., texte accessible sur le site de l'Université de Cornell, <http://pacs.einaudi.cornell.edu/system/files/Marks-PKFest.pdf>.

MARX Karl, ENGELS Friedrich, 1963, *Werke. Band 29*, Dietz-Verlag, Berlin.

MCNEILL William H., 1990, « Winds of change », *Foreign Affairs*, 69 (4), automne, p. 152-175.

MICHALET Charles-Albert, 1976, *Le Capitalisme mondial*, PUF, Paris.

MODELSKI George, 1968, « Communism and the globalization of politics », *International Studies Quarterly*, 12 (4), déc., p. 380-393.

MOORE Wilbert, 1966, « Global sociology : the world as a singular system », *The American Journal of Sociology*, 71 (5), mars, p. 475-482.

MÜLLER Ronald, 1975a, « Globalization and the failure of economic policy », *Challenge*, 18 (2), mai-juin, p. 57-61.

— 1975b, « Global corporations and national stabilization policy : the need for social planning », *Journal of Economic Issues*, 9 (2), juin, p. 181-203.

ORTIZ Renato, 2006, « Mundialization / globalization », *Theory, Culture & Society*, 23 (2-3), mai, p. 401-403.

OTLET Paul, 1916, *Les Problèmes internationaux et la guerre, les conditions et les facteurs de la vie internationale*, Kundig, Genève.

PERROUX François, 1964, *L'Économie du XXe siècle*, PUF, « Que sais-je », Paris.

REISER Oliver L., DAVIES Blodwen, 1944, *Planetary Democracy. An Introduction to Scientific Humanism*, Creative Age Press, New York.

ROBERTSON Roland, 1987, « Globalization and societal modernization : a note on Japan and Japanese religion », *Sociological Analysis*, 47, mars, p. 35-42.

— 1992, *Globalization : Global Culture*, Sage, Londres.

ROBERTSON Roland, CHRICO JoAnn, 1985, « Humanity, globalization, and worldwide religious resurgence : a theoretical exploration », *Sociological Analysis*, 46 (3), automne, p. 219-242.

ROSENAU James N., 1980, *The Study of Global Interdependence. Essays on the Transnationalization of World Affairs*, Pinter, Londres.

SASSEN Saskia, 1998 (1re éd. américaine : 1991), *La Ville globale ; New-York, Londres, Tokyo*, Descartes et Cie, Paris.

SCHOLTE Jan Aart, 2005 (2000), *Globalization : A Critical Introduction*, Palgrave-Macmillan, New York et Basingstoke.

SNYDER Richard C., 1961, « International relations theory-continued », *World Politics*, 13 (2), janvier, p. 300-312.

TESLA Nikola, 1926, « When Woman is Boss » (an interview with Nikola Tesla by John B. Kennedy), *Colliers*, Twenty-First Century Books, < www.tfcbooks.com/tesla/contents.htm >, 30 janvier.

TOYNBEE Arnold, 1972, *A Study of History*, Oxford University Press, Oxford, p. 65-69.

— 1961, *A Study of History*, vol. XII, *Reconsiderations*, Oxford University Press, Londres.

VATIN François, 2012, *L'Espérance-monde. Essai sur l'idée de progrès à l'heure de la mondialisation*, Albin Michel, Paris.

VON LAUE Theodore, 1969, *The Global City. Freedom, Power and Necessity in the Age of World Revolutions*, Lippincott, Philadelphie.

Chapitre 2

Histoire globale, histoires connectées
Un « tournant » historiographique ?

L'histoire a-t-elle connu, à l'instar de disciplines connexes, un « tournant global » dans les années 1990 et 2000 ? L'interrogation mérite précisions. S'agit-il simplement d'indiquer que les horizons géographiques de la discipline se sont élargis, et que l'Afrique, l'Asie, l'Océanie, l'Amérique latine ont retrouvé pleinement droit de cité parmi les lieux légitimes de l'enquête sur le passé[1] ?

La résistible ascension des « aires culturelles »
Si elle se réduisait à ce constat, la formule du « tournant global » ne ferait que dupliquer l'idée – par ailleurs discutable[2] – de la montée en puissance des « aires culturelles ». Il est certain, pour ne prendre qu'un exemple, que l'histoire des sociétés africaines,

---

1 Précisons d'emblée les limites que nous nous sommes imposées dans ce bref tour d'horizon. Bien que la « nouvelle histoire impériale » ait plus que partie liée avec la *global history*, du moins en ses déclinaisons récentes, il n'en sera pas question ici, faute de place, mais tous les éléments pertinents de bibliographie se trouvent dans Burbank et Cooper [2011 (2010)]. Nous ne détaillerons pas non plus le mode opératoire de l'« histoire globale » telle que la pratiquent les historiens des réseaux de la traite ou du négoce à très longue distance. Nous renvoyons sur ce point, pour un premier état des lieux, à Olivier Pétré-Grenouilleau, « La galaxie histoire-monde », *Le Débat*, 2009 (2), p. 41-52. Je remercie par ailleurs Jacques Revel pour sa lecture attentive d'une première version de ce texte.

2 Il ne faut en effet pas confondre l'évolution en part relative des praticiens d'« aires culturelles » au sein de la population académique d'ensemble avec l'évolution en valeur absolue de leur effectif.

44

ayant fini par échapper aux préjugés européocentristes qui l'ont si longtemps entravée, ne se situe plus aux marges de la recherche et de l'enseignement universitaire[3]. Le temps est désormais loin où un éminent professeur d'Oxford pouvait écrire tout à trac : « Il y aura peut-être à l'avenir une histoire de l'Afrique à enseigner, mais à présent il n'y en a pas : il n'y a que l'histoire des Européens en Afrique ; le reste est ténèbres » ; et conseillait en conséquence à ses collègues de ne pas perdre de temps en « s'amusant avec les mouvements sans intérêt de tribus barbares dans des coins du monde pittoresques, mais qui n'ont exercé aucune influence ailleurs » [Trevor-Roper, 1965, p. 9].

La bataille n'est évidemment pas totalement gagnée. Ainsi, la proposition d'inclure dans les manuels d'histoire de classe de 5e un demi-chapitre consacré à un empire extra-européen – Songhaï ou Monomotapa – provoqua-t-elle, à l'automne 2010, une levée de boucliers d'historiens et de pamphlétaires de renom qui s'effrayèrent de ce que l'on ait pu envisager de sacrifier le détail de la geste de Napoléon ou du sacre de Clovis sur l'autel de l'histoire-monde[4]. Hormis quelques apologues ronchons du « tout national », nul ne nie plus, cependant, que l'étude des sociétés extra-européennes constitue un secteur à part entière de la discipline historique. Même la tendance à ne recruter prioritairement que des spécialistes d'histoire française ou européenne sur des postes universitaires paraît, sinon s'inverser, du moins s'atténuer [Minard et Douki, 2007[5]].

---

3   Un indice parmi d'autres de ce surcroît de visibilité académique : le beau dossier « Cultures de l'écrit en Afrique » des *Annales. Histoire, sciences sociales*, 2009, 64 (4).

4   Voir les commentaires recueillis dans Marie-Estelle Pech, « Polémique sur les programmes d'histoire au collège », *Le Figaro*, 27 août 2010, et l'article de repartie de Laurence de Cock, « Veut-on une histoire identitaire ? », *Libération*, 11 octobre 2010. Le débat, mené par les mêmes protagonistes, a resurgi à la rentrée 2012. Voir Jean Sevillia, « Qui veut casser l'histoire de France ? », *Le Figaro magazine*, 24 août 2012, et Laurence de Cock *et al.*, « Vague brune sur l'histoire de France », Collectif Aggiornamento histoire-géographie et CVUH, 27 août 2012.

5   Pour ce qui est de l'évolution dans les organismes publics de recherche, voir Jean-François Sabouret [2010].

Si le « tournant global » désigne l'élargissement de l'horizon géographique et linguistique de l'histoire académique, il peut même se targuer, en France, d'un prestigieux *pedigree*. Dans sa *Grammaire des civilisations*, achevée en 1963 et destinée à devenir manuel, Fernand Braudel [1999] offrait un vertigineux panorama de l'ensemble des mondes constitutifs du monde moderne. Quelques années plus tard, Pierre Chaunu [1969, p. 260] tonnait contre l'« oubli de 55 % de l'humanité » dans les grandes fresques de l'« expansion européenne ». En 1971 et 1973, paraissaient les deux volumes d'études que Jean Aubin [1971-1973] consacrait à la *mare luso-indicum*, lesquels formaient, outre une incitation formidablement novatrice à prendre l'océan Indien pour espace de travail, le premier jet d'une histoire à deux voix des relations luso-persanes. Denys Lombard signait enfin, en 1990, avec *Le Carrefour javanais*, un « essai d'histoire globale » ravalant l'« occidentalisation » supposée de l'Insulinde au rang d'épiphénomène [Lombard, 1990, I].

Centre de gravité du questionnement historiographique français pendant plusieurs décennies, l'école des *Annales* n'a d'ailleurs jamais fait montre de la moindre hostilité à l'encontre des « aires culturelles », bien au contraire. Dès sa sixième livraison, la revue éponyme, par ailleurs très tournée vers la Russie et les États-Unis, publiait un article d'André Philip [1930] traitant des ouvriers de l'Inde britannique. Et Lucien Febvre consacrait en 1940 une notule de la rubrique « Questions de faits et de méthodes » à dresser l'éloge d'un ouvrage de Fernand Grenard passant en revue les empires perse, chinois et ottoman du XVIIe siècle. Ledit ouvrage s'ouvrait par ces considérations : « Nous ne réfléchissons pas assez qu'à côté des empires de Charles Quint et de Louis XIV régnaient en Asie des dominations plus vastes et plus riches » [Braudel, 1940 ; Grenard, 1939]. Au début des années 1970, les *Annales* inaugurèrent, dans le droit sillage de leur compagnonnage renouvelé avec l'anthropologie, une rubrique « L'Histoire, sauf l'Europe », où trouvèrent notamment refuge les réflexions sur le monde bantou de William G. Randles. La revue publia dès lors, à intervalles irréguliers, des dossiers comparatistes laissant une large place aux travaux de spécialistes des sociétés extra-européennes, dont, pour commencer, un « Villes d'Afrique et d'Asie » où se côtoient la Chine antique, l'Insulinde moderne et la Russie soviétique [Randles, 1974 ; 1970]. Le procès en ethnocentrisme intenté au Braudel de *L'Identité de la France* par Jack Goody dans *Le Vol de l'histoire* doit, à la vérité, se nuancer de la prise en compte d'une ouverture précoce des *Annales* aux histoires et aux historiographies extra-européennes [Revel, 2011]. C'est d'ailleurs dans les *Annales*, et non pas dans une revue de langue anglaise, que la notion d'« histoire connectée » fit, en 2001, sa première grande apparition publique[6]. N'exagérons bien sûr ni l'ampleur, ni la portée de ces ouvertures historiographiques. Une plus grande curiosité envers les sociétés du lointain n'alla pas d'emblée de pair avec la mise à l'encan de cette histoire héroïque des « Grandes découvertes » qui réservait à l'Europe le goût et la capacité de la conquête et de la connaissance des Autres. Glissant, par l'entremise d'un intérêt pour les « grandes navigations » malouines et dieppoises, d'une histoire sociale du fait maritime à une histoire beaucoup plus textuelle et événementielle des « explorateurs » ouest-européens, Michel Mollat recommandait certes l'« emploi du mot "rencontre", [qui] désigne le face à face des explorateurs et des "explorés", des découvreurs et des "découverts" », et ce afin de « tenir compte des deux parties en présence » [2005 (1984), p. 6]. Reste que le lecteur peine à trouver, dans les quelque deux cent-cinquante pages que l'historien consacrait aux « premiers regards sur les mondes nouveaux », autre chose qu'une vision strictement européenne dudit « face à face ».

Tout au long des années 1980 et 1990, l'histoire française des situations de « premiers contacts » entre l'Europe, les Amériques, l'Afrique et l'Asie se cantonna pour l'essentiel à la glose de l'archive impériale. Pris par la fièvre de la commémoration de la « découverte de l'Amérique », Pierre Chaunu renia même brutalement son amour des structures profondes pour épouser en secondes noces la « logique de l'imprévisible » et exalter chemin faisant le « génie », la « force hors du commun » et le « supplément de courage et de

---

6   « Temps croisés, mondes mêlés », *Annales. Histoire, sciences sociales*, 2001, 56 (1), avec des contributions de Sanjay Subrahmanyam et Serge Gruzinski et un commentaire de Roger Chartier.

foi » de Colomb [Chaunu, 1993, p. 282[7]]. Les historiens prirent hardiment pied au côté des marins sur le pont des caraques, mais sans toujours se rendre compte que ce dernier était ceint de hauts miroirs qui ne renvoyaient aux Européens rien d'autre que l'image, un tantinet déformée, de leurs intérêts et de leurs fantasmes. Que ce soit au temps de Jean Ango ou des Compagnies du Grand siècle, les Français, dans l'océan Indien, étaient seuls au monde, ou presque. Autour de leurs navires et de leurs loges de commerce, de plus en plus précisément décrits, le « monde indien » était comme enveloppé d'un épais brouillard : à peine distinguait-t-on, ici ou là, l'une de ses aspérités, mais sans jamais pouvoir discerner ses lignes de crête[8].

Les temps, de ce point de vue, ont changé. Les indices d'une acclimatation de l'« histoire globale » dans l'Hexagone sont en effet de plus en plus nombreux. Outre une série récente de traductions d'ouvrages considérés comme représentatifs de ce courant – notamment ceux de Chris Bayly [2006 (2004)], Kenneth Pomeranz [2010 (2000)], Timothy Brook [2010 (2007)] et Sanjay Subrahmanyam [2011b (1998)] –, la sortie de plusieurs numéros spéciaux de revues en a consacré, sinon la légitimité historiographique, du moins l'importance bibliographique[9]. Viennent également à l'appui de ce

---

7 Pierre Chaunu se laissa aller dans ce même ouvrage, à propos de la notion de « rencontre », alors popularisée par les spécialistes du fait impérial, à un lamentable écart de plume, lequel ne vaut d'être cité que parce qu'il en dit long sur ce que signifiait alors, dans certains cercles intellectuels, le refus d'une histoire antihéroïque des « Grandes découvertes » : « On s'empoigne sur les mots. "Découverte" rappelle ma jeunesse ? "Rencontre" fait plus poli. Cela me fait penser à l'"interruption de grossesse". "Invasion" satisfait l'indigénisme dont aucun leader n'a le teint cuivré. C'est un privilège des Blancs et ça se pratique dans les salons » [Chaunu, *ibid.*, p. 57].

8 Pour un bilan résolument critique de cette historiographie « franco-centrée » de la première et de la deuxième Compagnies des Indes, voir Le Bouedec [à paraître].

9 Outre le dossier déjà cité de la *Revue d'histoire moderne et contemporaine*, signalons « Écrire l'histoire du monde », *Le Débat*, 2009, 154 (2), avec des contributions de Krzysztof Pomian, Olivier Pétré-Grenouilleau, François Hartog et Christian Grataloup ; « Des Ming aux Aztèques, l'autre histoire du monde », *Sciences Humaines*, 2007, n° 185 ; « Les grandes découvertes », *L'Histoire*, 2010, n° 355, avec des contributions de Patrick Boucheron, Sanjay Subrahmanyam, Jérôme Baschet, Éric Vallet, Philippe Beaujard, Yann Potin, Carmen Bernand, Christian Grataloup, Paola Calanca, Frank Lestringant, Serge Gruzinski, Florent Quellier et Jean Frédéric Schaub. Signalons encore

constat optimiste les succès de librairie – amplement mérités mais pour partie inattendus – des ouvrages commis par Serge Gruzinski [2004] et par l'équipe réunie autour de Patrick Boucheron [2009]. Certes, la montée en puissance de l'« histoire globale » n'a pas épousé, en France, les mêmes formes éditoriales et institutionnelles qu'en d'autres pays. Aucune chaire académique ne lui est encore totalement dédiée, et aucun des grands réseaux internationaux qui la structurent n'y a son siège, ni même n'y a organisé l'un de ses congrès[10]. En dépit d'un intérêt accru des grands éditeurs pour ses productions, aucune collection universitaire ne lui est spécifiquement consacrée. Pour autant, ne boudons pas notre plaisir : que ce soit dans le domaine des études asiatiques, des études ottomanes ou des études africaines, la recherche française s'avère parfaitement en prise sur les avancées de l'« histoire globale », et ce, qu'elle en accepte ou non l'étiquette ou le patronage. La moindre visibilité des contributions françaises à l'écriture de l'histoire des sociétés extra-européennes tient au final plus de la faiblesse des moyens publics et privés de traduction en langue anglaise qu'à une quelconque atonie historiographique.

Le « global », une question d'« échelle » ?

Reste que la notion de « tournant global » ne saurait, pour avoir quelque pertinence, se réduire à la proportion croissante de travaux portant sur les sociétés extra-européennes. La question de la particularité théorique et méthodologique de l'« histoire globale » ne cesse en effet de tarauder ses partisans aussi bien que ses détracteurs. Tout est, nous dit-on, affaire d'« échelle » d'analyse : aux niveaux « local » et « national » devrait s'adjoindre, dans la

que plusieurs tables-rondes des « Rendez-vous de l'histoire » de Blois étaient, en octobre 2011, consacrées à l'histoire globale, dont l'une animée par Patrick Boucheron et une autre par la rédaction des *Annales*.

10 L'European Network in Universal and Global History (ENIUGH) ne compte qu'un seul Français parmi les vingt membres de son comité directeur et n'a organisé aucun de ses trois premiers congrès en France (bien qu'il ait été question de Paris pour le quatrième). Les revues les plus actives dans le champ de l'« histoire globale » sont le *Journal of World History*, publié par l'université de Hawai'i, et le *Journal of Global History*, publié par l'université de Cambridge. Sur le processus d'institutionnalisation de la *global history* en Grande-Bretagne, en Allemagne et aux États-Unis dans les années 1990, voir Manning [2003].

découpe de l'objet comme dans la fabrique du questionnement, un niveau « global », peu ou prou de l'ordre de la liaison entre « continents », voire du contact entre « civilisations[11] ». Mais cette idée d'un niveau objectif autonome « global » d'analyse ne convainc pas ceux qui font valoir, d'une part que l'archive est toujours locale, de l'autre que la « conscience de la globalité » ne pouvait habiter l'esprit des acteurs des connexions au long cours de l'âge moderne. Pure construction de l'historien contemporain, inévitablement contaminé par le *Zeitgeist* ambiant, la catégorie du « global » n'aurait aucune pertinence vernaculaire : elle relèverait donc – comme catégorie descriptive – de l'anachronisme. « "Penser le monde". Mais qui le pense : les hommes du passé ou les historiens du présent ? » [Chartier, 2001, p. 122]. Elle serait, par surcroît, l'instrument du pernicieux retour en force d'une histoire des élites puisque l'horizon de l'imaginaire cosmographique varierait à proportion du degré d'inclusion dans les cultures savantes du temps [Zemon-Davis, 2011]. Dès lors, c'est la naissance et la mise en forme institutionnelle de la notion même d'un « monde global » qu'il s'agirait de décrire : à travers, par exemple, l'histoire de la Société des nations, du Bureau international du travail ou des « réseaux réformateurs transnationaux » du premier tiers du XXe siècle[12].

Posé en ces termes, le débat tend à produire une opposition entre tenants de l'« histoire globale » et praticiens de « micro-histoire » : aux approches « larges » des premiers auraient longtemps fait obstacle les « tout petits objets » des seconds [Pétré-Grenouilleau, 2009]. Cette rhétorique de la taille des objets est cependant plus trompeuse qu'il n'y paraît puisque le mètre est ici dans la main de l'historien et non dans celle de l'acteur. Pour peu qu'il croit un peu trop au caractère naturel des « niveaux » d'analyse et en vienne ainsi à voir pousser des escaliers entre les lignes, l'historien se trouve bien vite empêtré dans l'absconse et proprement insoluble question de

---

11 Longtemps délégitimée par les prophéties apocalyptiques de Samuel Huntington, la notion de « civilisation » retrouve gain de cause dans certains ouvrages récents, notamment dans Sallmann [2010]. Pour la distinction de principe entre « niveaux » d'analyse (« local » et « global »), et la définition de la *global history* comme articulation réflexive de ces « niveaux », voir l'introduction à Hopkins [2006].

12 Voir *inter alia* Saunier [2008], Tournès [2010], Kott [2011], Sluga [2011].

l'« articulation du micro et du macro ». Le voilà dans la position d'un acrobate obligé d'accomplir sans filet de périlleux saltos pour sauter d'un « niveau » à l'autre, avec cette difficulté supplémentaire, et peut-être rédhibitoire, que les trapèzes sont invisibles. Précisons cependant un point pour dissiper toute ambiguïté : la question de l'« articulation du macro et du micro » n'est insoluble qu'au niveau élevé de généralité où la place la croyance en une réalité *objective*, totalement extérieure à la source, des « niveaux » d'analyse. En revanche, elle trouve une issue descriptive heureuse, mais toujours spécifique, lorsqu'elle est traitée au niveau de l'*expérience* des acteurs, autrement dit lorsque l'historien ou le sociologue ne délimite pas par avance les « mondes vécus » de ces derniers mais les déduit – pour ainsi dire « sur pièces » – des *pratiques* qui les constituent en les dotant d'une pertinence pour l'action. Il n'y a d'escaliers que ceux qu'empruntent les acteurs[13]. Convaincu de la nature profondément « hétérogène » de l'univers historique, qui n'est pas fait de la même matière en ses maigres sommets qu'en ses vastes et sombres vallées, Siegfried Kracauer raille dans le même sens une vision trop paisiblement étagée des mondes du passé :

> « Tout ce que l'on voit de la très haute altitude d'où l'histoire universelle se laisse apercevoir, ce sont des unités géantes aux contours vagues, de vastes et fragiles généralisations [...] Les micro-événements risquent de perdre certaines de leurs particularités et de leurs significations lorsqu'ils sont transportés à de plus hautes altitudes : ils n'y parviennent qu'en mauvais état » [Kracauer, 2006 (1969), p. 183, 191].

Pour rester dans le sillage métaphorique de Kracauer, disons que tout, ici, est affaire de « cadrage » au sens cinématographique du terme. Le gros plan ne prolonge pas le plan large : il dit *autre chose*, de même que le plan-séquence et le travelling ne s'« articulent » pas mais définissent deux moments, deux espace-temps distincts. « Faire varier la focale de l'objectif, note Jacques Revel dans une formule restée célèbre, ce n'est pas seulement faire grandir (ou diminuer) la taille de l'objet dans le viseur : c'est en modifier la forme et la trame » [Revel, 1996, p. 19]. Et Paul Ricœur

---

13 Trivellato [2009], Torre [2011], Bertrand [2011].

de renchérir : « Ce que la notion d'échelle comporte de propre dans l'emploi qu'en font les historiens, c'est l'absence de commensurabilité des dimensions. En changeant d'échelle, on ne voit pas les mêmes choses en plus grand ou en plus petit [...]. On voit des choses différentes. On ne peut plus parler de réduction d'échelle : ce sont des enchaînements différents en configuration et en causalité » [Ricœur, 2000, p. 270]. Répétons qu'une approche strictement compréhensive du « monde vécu » (*Lebenswelt*) des acteurs n'a, par dessein, aucun besoin de manier des « données de contexte » extérieures à ses sources. Après tout, peu importe la myopie des acteurs à qui ne désire rien d'autre que « lire par-dessus leur épaule » [Geertz, 1983 (1973), p. 452]. Jacob Burckhardt reprochait à l'histoire universelle de son temps de vouloir donner le point de vue du soleil plutôt que celui d'Icare : « À un insecte qui vit dans l'herbe, un noisetier peut paraître très grand ; encore faut-il qu'il le voie » [Burckhardt, 2001 (1905), p. 205]. Bien que prise au piège d'un vocable d'histoire naturelle qui n'est plus de mise dans les sciences humaines, cette remarque caustique nous rappelle qu'il n'est pas de compromis possible, dans l'espace d'une même séquence narrative, entre la description compréhensive et l'explication omnisciente : l'une cesse nécessairement là où l'autre commence. Si l'« histoire globale » est une astronomie et l'« histoire connectée » une entomologie, on voit mal quelle autre leçon tirer de leur union forcée que celle, indéniable mais peu productive, selon laquelle l'herbe pousse très loin des étoiles. Parce que ces historiographies instituent des systèmes de coordonnées distincts, le produit instable de leur amalgame ne peut ressembler qu'à ces graphes en trompe-l'œil dont l'échelle d'abscisse obéit à de brusques mais subreptices changements d'échelle – passant, d'un tiret à l'autre, du 1/100e au 1/100 000e –, et dont la lecture ne peut s'accomplir qu'en deux temps.

Tel qu'il s'est engagé, le débat sur les dimensions « micro » et « macro » des objets et des processus historiques engendre aussi un risque de très forte restriction de l'horizon temporel de l'« histoire globale » ramenée à une histoire des processus d'« internationalisation » ne dépassant pas, dans le meilleur des cas, la barrière du milieu du XVIIIe siècle. Dès lors qu'elle est l'histoire du monde *tel que nous le définissons aujourd'hui*, l'histoire de la planète prise pour objet de réflexion et pour « échelle » d'action est nécessairement une histoire à dominante contemporaine. L'histoire moderne – celle, pourtant si riche, des « premières mondialisations » – n'aurait plus, dès lors, qu'à documenter d'incertains « prolégomènes » ou de chétifs « précédents », c'est-à-dire à opérer sous contrainte de téléologie[14]. Le débat pourrait rappeler, par certains aspects, la controverse médiévale sur le nominalisme : faut-il qu'un objet existe pour qu'il soit nommé, ou bien qu'il soit nommé pour exister comme objet de connaissance ? Faut-il que le « global » (l'espace cosmographique en son extension savante maximale) soit présent à la conscience des acteurs dont l'historien explore la parole pour que ce dernier soit habilité à en faire un usage analytique dans l'interprétation de leur propos et de leur comportement ? Pourquoi ne pas plaider, en ce domaine comme en d'autres, pour un usage productif de l'anachronisme ? Certes. Mais si la notion de « global » charrie avec elle trop de ses acceptions contemporaines, on ne pourra guère la manier sans attenter profondément à l'univers de sens des hommes de l'époque moderne, dont les conceptions et les expériences vécues du pouvoir, de l'appartenance, de l'allégeance ou de l'inscription dans un territoire diffèrent profondément de celles qui guident les travaux des *global studies*. Faire sans précautions préalables du « global » un universel analytique, l'ériger en « forme » ou en « dimension » permanentes de la conscience ou de l'action sociale, c'est se condamner à des formes pauvres d'enquête généalogique, et donc s'interdire de rendre compte de la diversité même des « formes de vie » qu'ont rendu possibles les contacts entre sociétés distantes [Subrahmanyam, 2011a].

Un pari d'histoire « symétrique »

Une troisième voie existe cependant, qui ne perçoit aucune contradiction entre le caractère situé et parcellaire de l'archive et les connexions à grande distance qui la façonnent comme lieu de prise individuelle (ou de déprise institutionnelle)

---

14 Pour la défense de la *global history* comme projet de généalogie de la globalisation contemporaine, voir Mazlich [2006].

de parole. C'est qu'ici la question n'est plus celle de l'« échelle » de l'analyse mais de la « focale » de l'enquête[15]. Pour cette démarche d'« histoire connectée », attentive au détail documentaire des situations de contact constitutives de la « première mondialisation », il n'existe pas de « global » comme niveau autonome d'analyse mais seulement des « connexions » établies, habitées, réfléchies par les acteurs eux-mêmes [Gruzinski, 2004 ; Subrahmanyam, 2005]. Ce programme de recherche implique bien plus que la simple revisite, à nouveaux frais théoriques, des premières interactions commerciales ou diplomatiques entre les Européens (marins des expéditions vers le lointain et agents des compagnies à chartes) et les Asiatiques (princes, marchands et lettrés de l'empire moghol ou des cités-États du monde malais). Il comporte une exigence méthodologique radicale : celle d'une complète symétrie documentaire, laquelle oblige à solliciter autant et sur le même mode, c'est-à-dire comme éléments d'histoire positive, les sources extra-européennes que les sources européennes [Bertrand, 2011]. Ce projet n'est pas en soi entièrement nouveau. Ainsi, le mot d'ordre d'une histoire polycentrique des « premiers contacts » avait-il été lancé dès 1940 par un historien économique de l'Insulinde néerlandaise, Jacobus Van Leur :

> « Avec l'arrivée des navires venus d'Europe de l'Ouest, le point de vue se renverse de 180 degrés, et les Indes sont dès lors observées depuis le pont du bateau, les remparts de la forteresse, la galerie supérieure de la maison de commerce [...] L'histoire de l'Indonésie [au XVIIe siècle] ne peut en aucun cas être considérée comme équivalente à l'histoire de la Compagnie [néerlandaise des Indes orientales]. Il est incorrect de postuler une rupture lorsqu'on décrit le cours de l'histoire à compter de l'arrivée, par petits groupes, des premiers marins, marchands et corsaires européens, et d'adopter dès lors le point de vue étriqué de la petite forteresse claquemurée, de la maison de commerce renfermée sur elle-même et du vaisseau en armes à l'ancre dans la rade » [Van Leur, 1967 (1940), p. 265, 267, 270].

---

15 Comme le soulignait déjà l'introduction au dossier « Temps croisés, mondes mêlés » des *Annales. Histoire, sciences sociales*, 2001, 56 (1).

Mais il y a loin de la coupe aux lèvres : ne maîtrisant ni le malais, ni le javanais, Van Leur ne put qu'amender à la marge le récit officiel de l'installation des Hollandais aux Indes, sur le mode d'une critique interne des sources coloniales. Le débat sur la possibilité de l'écriture d'une « histoire autonome » de l'Asie du Sud-Est – une histoire libérée des chaînes pesantes des chronologies et des causalités européocentrées – resurgit avec force au début des années 1960 [Smail, 1961 ; Benda, 1962]. Le projet d'une narration chorale des situations de contact ou de coexistence entre Européens et Asiatiques ne fit malheureusement pas long feu en un temps où triomphait, aux Pays-Bas comme ailleurs, la lecture anthropologique « structurale » des sources extra-européennes. Ramenées à des « mythes » sans aucun fondement historique, ces dernières n'étaient mobilisées que comme sources d'appoint ou de contrepoint des récits coloniaux. Il s'établit alors, dans la continuité de l'orientalisme colonial, un Grand Partage entre les sources (européennes) « à faits » et les sources (insulindiennes) « à fantaisies ». Les textes européens (portugais, hollandais ou britanniques) étaient tenus pour offrir un accès immédiat à la temporalité « authentique » de la rencontre : leurs dates et leurs durées étaient d'emblée acceptées comme « vraies », partant incorporées telles quelles dans les narrations au second degré. Les textes malais et javanais étaient en revanche censés ne renseigner, au mieux, que sur les « mentalités » de leurs auteurs, autrement dit sur des mondes « imaginaires ». Puisqu'il était impossible de leur faire confiance pour déterminer si une bataille ou une ambassade avait « réellement » eu lieu, il fallait n'en avoir de lecture que « symbolique » [Bertrand, 2007]. Il fallut attendre les travaux de Merle C. Ricklefs [1978] sur les annales javanaises du XVIIIe siècle pour que commence à être levée cette hypothèque sur la cohérence et la véracité des documentations insulindiennes.

Or la plus grande attention portée aux sources asiatiques dévoile d'emblée un problème de taille : tandis que les sources portugaises, néerlandaises ou britanniques traitant des « premiers contacts » avec l'Inde ou l'Insulinde abondent, les sources mogholes, malaises ou javanaises n'en disent quasiment pas un mot. Si elle est célébrée dans quantité de récits de voyages et de chroniques publiés aux

Provinces-Unies, la Première Navigation hollandaise – qui rallia la cité de Banten, au nord de Java, en juin 1596 – n'est pas même mentionnée dans les annales de royauté de ce sultanat (la *Sajarah Banten*, achevée vers 1662). Si l'équipée de Thomas Roe, l'émissaire improvisé de la Couronne britannique à Agra en 1615-1618, lui valut une durable notoriété et fut considérée par les scribes de la chancellerie de James 1er comme un fait diplomatique de prime importance, le *Tuhuk i-Jahangiri* – la chronique du règne de Jahangir (r. 1605-1627) – n'en fait strictement aucun cas, et ce alors même que les scribes moghols rapportaient avec la plus grande minutie les ambassades venues de Perse ou de l'empire Ottoman[16].

Ce silence des sources asiatiques concernant les « premiers contacts » avec les Européens n'est en aucun cas l'indice d'une incapacité des lettrés javanais ou moghols à consigner par écrit les événements marquants de la vie publique de leurs sociétés, non plus qu'il ne signale une méconnaissance de l'art de la diplomatie. Quantité de textes malais de la période 1590-1630 – par exemple le *Taj us-Salatin* [Aceh, 1603], la *Sejarah Melayu* [Johore, 1612] ou l'*Hikayat Aceh* [Aceh, vers 1630] – détaillent les complexes protocoles d'accueil des ambassades étrangères et énumèrent les devoirs et les qualités attendues d'un émissaire royal. D'où une conclusion, surprenante mais précieuse : aux commencements de la rencontre impériale, les Européens n'avaient qu'une importance mineure pour leurs interlocuteurs asiatiques. Les sultanats d'Aceh ou de Banten entretenaient des relations suivies avec les autorités des Lieux Saints, avec la Chine impériale, avec l'empire Ottoman, avec l'Inde moghole. Et pour cause : ces « connexions » étaient les vectrices de la circulation des savoirs littéraires, politiques et religieux, et recelaient autant d'opportunités commerciales que de périls militaires. La relation à l'Europe, en revanche, n'était presque d'aucun intérêt – dans la double acception du terme – pour les pouvoirs insulindiens.

On le voit : la thématique des « regards croisés », souvent hâtivement associée à l'« histoire connectée », se révèle rapidement une voie sans issue. Si les Européens ont bel et bien porté un regard tour à tour curieux, inquiet et prédateur sur l'Asie, celle-ci n'a daigné

---

16 Barbour [2003, p. 168], Subrahmanyam [2005, I, p. 143-172].

leur accorder son attention que plusieurs décennies après leur arrivée en pays de mousson. Les horizons cosmographiques européen et asiatique ne se recoupaient pas. Non plus, d'ailleurs, que leurs « régimes d'historicité[17] ». Chaque monde vivait dans les limites de sa propre historiographie. C'est de l'irréductibilité des historiographies en présence, de l'absence de points de jonction entre leurs horizons de pertinence, dont il convient de rendre compte pour écrire une histoire « à parts égales » des « premiers contacts » entre l'Europe et l'Asie. La tâche est bien sûr tout sauf aisée : elle oblige à se départir de l'illusion d'un « monde commun » de la rencontre, et pour cela à inventer de nouveaux formats narratifs brisant l'homogénéité du récit et restaurant l'étrangeté *des* mondes en présence – ainsi que s'y était essayé de manière pionnière Jonathan Spence [1984] dans son ouvrage consacré à Matteo Ricci. On remarquera que ce programme de recherche ne se borne pas à prôner une lecture critique des sources européennes : il implique également d'entrer de plain-pied, sur le mode d'une anthropologie positive, dans l'univers des sources extra-européennes. Savoir ce que les textes malais et javanais des XVIe et XVIIe siècles disent – ou ne disent pas – de l'interaction avec les Européens a certes son intérêt. Mais la tâche essentielle consiste à comprendre ce dont ils traitent de bout en bout, à recouvrer les tenants et les aboutissants des débats qui les animent, à décoder les langages descriptifs qui s'y éploient. Il ne servirait à rien, ayant constaté le peu d'intérêt des scribes malais et javanais pour les Européens, de s'indigner de leur indifférence et d'en faire, par dépit, le symptôme d'une incapacité au « réalisme[18] ». Mieux vaut s'interroger sur le contenu de *leur* réalité – et à cette fin détailler les classes d'êtres, de lieux

---

17 Voir, pour l'énonciation originelle de cette notion, Hartog [2003], et pour son usage aux fins d'une histoire des situations de « premiers contacts », Bertrand [2008].

18 Telle est l'attitude de l'orientaliste Adriaan Leo Victor Van der Linden lorsqu'au terme d'un passage en revue de plusieurs dizaines de textes malais, il conclut sur le ton du désarroi qu'il n'y a rien à en tirer pour une histoire des premiers contacts entre Malais et Européens. L'entreprise de Van der Linden [1937] suscite l'admiration autant que la stupéfaction, puisque l'auteur parvient, en près de 400 pages serrées, à ne rien nous dire de ce dont traitent les littératures malaises !

et de phénomènes qui comptaient *vraiment* pour eux. Si le pari de la « symétrie » prolonge l'entreprise de revisite critique du Grand récit de l'« expansion européenne[19] », l'impératif d'une description approfondie des univers historiographiques extra-européens qui l'anime fait qu'il ne s'y arrête pas. À la prise en compte à sa juste mesure du silence des sources asiatiques sur l'Europe, s'adjoint le recueil et l'interprétation de leur murmure propre.

On comprend mieux, à présent, en quoi l'« histoire connectée », loin de constituer un simple courant de l'« histoire globale », en esquisse une critique radicale [Subrahmanyam, 2007]. Car une part conséquente de la production de langue anglaise dans le champ de l'« histoire globale » s'appuie de façon exclusive sur des sources en langues européennes. En ses déclinaisons dominantes, la *global history* participe encore et toujours de l'histoire européenne. Aussi ne produit-elle, en dépit de ses mots d'ordre, que très peu d'effets de « décentrement ». Disons plus précisément qu'elle ne se donne pas pour objet de convoyer l'étrangeté relative des mondes en présence, mais au contraire de tisser d'emblée entre eux des relations de familiarité. L'« histoire globale » n'est que très rarement « discontinuiste ». À la plongée profonde dans l'univers nécessairement déroutant des textes en langues vernaculaires, elle préfère le brassage de données sérielles qui confortent l'universalité – et donc le caractère anhistorique – de catégories larges. Peu lui importe, en conséquence, que le terme *negara* renvoie, dans les sources malaises et javanaises modernes, à un « jardin mis en ordre », à une forêt défrichée ou à une musique enjoignant à l'obéissance : elle en fait sans détours un « État » au sens où nous l'entendons aujourd'hui. Certes, les grandes catégories ont toujours – c'est le privilège de l'abstraction – quelque validité : un *negara* était bien un appareil de domination plus ou moins territorialisé. Mais il n'était pas glosé comme tel, et le vocable même de ses énonciations vernaculaires est précisément ce qui donne accès à sa spécificité historique. Un *raja* malais était bien un « roi », au sens banal du détenteur d'une capacité privilégiée à mettre en réseau et à « incarner » l'ensemble

---

19 Le coup de grâce a été porté par Subrahmanyam [2011b (1998)]. Pour la diffusion hors des cercles académiques de cette histoire critique, voir le dossier « Les grandes découvertes », *L'Histoire, op. cit.*

des sujétions constitutives d'une souveraineté. Mais il l'était d'une tout autre manière que ses homologues européens, sur le mode d'un « style de vie » caractérisé par l'adoption publique de postures contemplatives, la pratique de l'ascèse et le refus de prendre part au tumulte du monde [Bertrand, 2011, p. 323-346]. Sultan Agung[20] n'était pas Louis XIII. Du moins ne fut-il jamais représenté, à l'instar de ce dernier, chassant ou guerroyant, mais tout au contraire sous les traits d'une marionnette impassible du *wayang purwa* (le théâtre d'ombres javanais). La différence de « style » marque une profonde différence de nature dans les modalités mêmes de la conception et de l'exercice du pouvoir.

Or de ces différences de « style » des dominations, l'« histoire globale », accaparée par les comparaisons à grande échelle, ne nous dit en général pas grand-chose. D'où ce paradoxe : c'est une critique profondément *européenne* de l'européocentrisme que propose l'« histoire globale ». C'est à partir de l'archive même de la « modernité européenne » qu'elle en déconstruit les postulats d'antériorité ou d'absolue singularité, s'inscrivant en cela dans le sillage d'une histoire des sciences et des techniques qui a fait son deuil du mythe de la Révolution scientifique. Là où les historiens des sciences insistent désormais sur la persistance du compagnonnage entre « magie » et « science », restituant à Bruno et à Bacon leur ambivalence véritable[21], ou sur la part de l'affect, de la norme morale, du réseau de sociabilité et de l'intérêt commercial dans l'essor des « sciences de la description » et des nouveaux savoirs de la mesure du monde[22], mettant ainsi définitivement à mal l'illusion d'une « rupture rationaliste » sans antécédents ni mixités, les praticiens d'« histoire globale » rognent toujours plus avant l'image d'une Europe qui aurait été pionnière en matière de capitalisme marchand ou de techniques militaires. La congruence de ces domaines historiographiques est probablement, quoique souvent tue ou minorée, tout sauf accidentelle, puisque ce n'est qu'en prenant appui sur les acquis

---

20 Sultan Agung (r. 1613-1646) fut le souverain de l'empire de Mataram, dont la cour était sise au centre de Java.
21 Voir, parmi une riche bibliographie, l'ouvrage classique de Yates [1990 (1964)], ainsi que Wilson [1988] et Joly [2003].
22 Voir notamment Shapin [1994], Jones [2006], Cook [2007].

de cette nouvelle histoire critique des savoirs européens, ou à tout le moins en se prévalant de sa caution, que l'« histoire globale » peut parvenir à franchir la muraille de mythes qui protège la forteresse philosophique européenne du doute relativiste. Par où l'on voit que si l'« histoire globale » ne « décentre » guère notre regard sur les « premières modernités », elle contribue à produire de salutaires effets de « mise en étrangeté » (*straniamento*[23]) à l'intérieur même de l'histoire européenne [Ginzburg, 2001 (1998), p. 31-36].

« Comparaisons » et « connexions » : les opérateurs de la mise en récit

En dépit de « cadrages » théoriques et documentaires dissemblables, l'« histoire globale » et l'« histoire connectée » ont en partage une critique de l'européocentrisme comme idéalisme, c'est-à-dire comme version mythifiée du « miracle européen ». L'« histoire globale » tend à effectuer cette critique sur le mode d'une histoire comparée : elle vise à dresser le tableau des « variétés » du capitalisme marchand ou de l'absolutisme. Elle n'est pas, de ce point de vue, sans rappeler les travaux de l'école états-unienne de *macro-history*[24] : ceux, particulièrement, de Barrington Moore [1969 (1966)], de Charles Tilly [1992 (1990)] et de Theda Skocpol [1985 (1979)]. L'« histoire connectée » procède en revanche sur le mode de l'ethnographie historique des « situations de contact ». Si elle refuse ce faisant tout projet typologique, désavouant les comparaisons structurelles terme à terme des « systèmes » sociaux et politiques en présence, elle explore de façon croisée, dans le compte rendu même de leurs interactions, les registres d'entendement pratique des acteurs. Caricaturons un peu : là où l'« histoire globale » compare en surplomb les structures de la propriété seigneuriale dans l'Angleterre de James 1er et l'Inde moghole, l'« histoire connectée » s'intéresse, d'une part au discours

---

23 Il me semble, sous réserve d'avis plus éclairés, que le terme de *straniamento* utilisé par Carlo Ginzburg gagne à être rendu par l'expression de « mise en étrangeté » plutôt que par le terme anglais d'*estrangement*.

24 Pour l'histoire interne de ce courant, voir Skocpol [1984]. Pour une appréciation critique de son importance dans l'essor de la sociologie historique états-unienne, voir Adams, Clemens et Orloff [2005]. Et pour son retour en force dans la *global history*, voir Adas [2009].

que les agents de l'East India Company et de la cour de Jahangir tiennent sur leur société, de l'autre aux conditions pratiques et aux acceptions locales de leurs interactions[25].

D'où un dernier point : la question du rapport entre « connexion » et « comparaison ». Le choix de l'unité de lieu guidant la mise en récit – arène réduite et précaire de la « connexion » *versus* « cultures » et « systèmes » figés – transforme profondément le sens et l'efficace de la « comparaison ». Pour l'« histoire globale », l'opération comparative spécifie préalablement des ensembles dont elle attribue *ex post* les propriétés aux *agents*. Pour l'« histoire connectée », c'est du discours des *acteurs* que se déduit, chemin faisant, le champ de la comparaison. Pour le dire autrement, l'« histoire connectée » conçoit la comparaison non pas comme un modèle historiographique, mais comme une dimension de l'objet, c'est-à-dire comme une modalité de compréhension des acteurs eux-mêmes. Cette position théorique rend probablement compte, pour une large part, de la prédilection de l'« histoire connectée » pour les biographies de « passeurs polyglottes », ces individus en qui se conjoignent et se fécondent des lignées de savoir issues de mondes jadis distants, désormais « mêlés », et dont les auteurs métis des Amériques hispaniques tels Domingo Chimalpahin et Garcilaso de la Vega offrent, à l'orée du XVIIe siècle, le fascinant modèle [Gruzinski, 2004 ; Bernand, 2006]. L'« histoire globale » et l'« histoire connectée » font ainsi appel – malheureusement trop souvent sur le mode de l'implicite – à des sociologies distinctes[26].

---

25 Notons cependant une autre pratique, créative, de la comparaison à caractère typologique : celle initiée par Victor Lieberman, qui montre comment certains types d'organisation politique se retrouvent en différents lieux du monde eurasiatique par suite de réactions sociales similaires à un ensemble commun de contraintes écologiques. L'objet du travail de Lieberman n'est pas en effet de produire une théorie générale de la formation de l'État moderne, mais de spécifier au plus près le « cas » sud-est asiatique au moyen de comparaisons ciblées (avec la France, la Russie, la Chine impériale, etc.). Voir Lieberman [2003 ; 2009].

26 Disons encore que son exigence compréhensive rend l'« histoire connectée » d'emblée plus compatible avec les sociologies de l'acteur, et surtout avec les sociologies pragmatiques, que l'« histoire globale », laquelle reste très majoritairement tributaire d'un impératif explicatif qui l'oblige à user de catégories « lourdes ».

C'est dans la différence de conception de l'individu historique comme *agent* ou comme *acteur* de comparaison, dans sa définition comme effet ou comme opérateur à la première personne de la commensurabilité des mondes, que réside leur principale divergence théorique et méthodologique. La question de leur « échelle » ou de leur « focale » d'analyse n'est pas la cause, mais seulement la conséquence de cette divergence.

Conclusion

La prolifération concurrentielle des labels historiographiques (« histoire globale », « histoire-monde », « histoire connectée », « histoire transnationale », etc.) invite à documenter, derrière l'apparente unité d'une commune critique du « nationalisme méthodologique » [Beck, 2000], des agendas de recherche dissemblables, conférant des statuts distincts à un certain nombre d'opérations historiographiques : la comparaison des « cas », la mise en série des « données », la traduction des sources primaires. Si un « tournant » historiographique est repérable, non pas à la fixation d'une vulgate théorique de compromis, mais à la vivacité des controverses que suscitent un ensemble de propositions clairement détaillées, il n'est peut-être pas inapproprié de considérer que l'histoire vit un « tournant global ».

Références bibliographiques

ADAMS Julia, CLEMENS Elisabeth, ORLOFF Shola (dir.), 2005, *Remaking Modernity. Politics, History, and Sociology*, Duke University Press, Durham.

ADAS Michael, 2009, « Reconsidering the macro-narrative in global history. John Darwin's *After Tamerlane* and the case for comparison », *Journal of Global History*, 4 [1], p. 163-173.

AUBIN Jean, 2000-2006, *Le Latin et l'astrolabe. Recherches sur le Portugal de la Renaissance, son expansion en Asie et les relations internationales*, 3 vol., Centre culturel Calouste Gulbenkian, Paris.

— 1971-1973, *Mare luso-indicum. Études et documents sur l'histoire de l'océan Indien et des pays riverains à l'époque de la domination portugaise*, 2 vol., Droz, Genève et Paris.

BARBOUR Richmond, 2003, *Before Orientalism. London's Theatre of the East, 1576-1626*, Cambridge University Press, Cambridge.

BAYLY Chris, 2006 (2004), *La Naissance du monde moderne, 1780-1914*, trad. M. Cordillot, Éditions de l'Atelier, Paris.

BECK Ulrich, 2000, *What is Globalization ?*, Polity Press, Cambridge.

BENDA Harry J., « The structure of Southeast Asian history : Some preliminary observations », *Journal of Southeast Asian History*, 1962, 3 (1), p. 106-138.

BERNAND Carmen, 2006, *Un Inca platonicien. Garcilaso de la Vega (1539-1616)*, Fayard, Paris.

BERTRAND Romain, 2011, *L'Histoire à parts égales. Récits d'une rencontre Orient-Occident (XVIᵉ-XVIIᵉ siècles)*, Seuil, Paris.

— 2008, *Politiques du moment colonial. Historicités indigènes et rapports vernaculaires au politique en « situation coloniale »*, CERI, « Questions de recherche », n° 26, Paris.

— 2007, « Rencontres impériales. L'histoire connectée et les relations euro-asiatiques », *Revue d'histoire moderne et contemporaine*, 54 (4bis), p. 69-89.

BOUCHERON Patrick *et al.* (dir.), *Le Monde au XVᵉ siècle*, Fayard, Paris.

BRAUDEL Fernand, 1999 (1963), *Grammaire des civilisations*, Flammarion, Paris.

BROOK Timothy, 2010 (2007), *Le Chapeau de Vermeer. Le XVIIᵉ siècle à l'aube de la mondialisation*, trad. O. Demange, Payot, Paris.

BURBANK Jane, COOPER Frederick, 2011 (2010), *Empires. De la Chine ancienne à nos jours*, trad. C. Jeanmougin, Payot, Paris.

BURCKHARDT Jacob, 2001 (1905), *Considérations sur l'histoire universelle*, trad. S. Stelling-Michaud, Allia, Paris.

CHARTIER Roger, 2001, « La conscience de la globalité », *Annales. Histoire, sciences sociales*, 56 (1), p. 119-123.

CHAUNU Pierre, 1993, *Colomb ou la logique de l'imprévisible*, Bourin, Paris.

— 1969, *L'Expansion européenne du XIIIᵉ au XVᵉ siècle*, PUF, Paris.

COOK Harold, 2007, *Matters of Exchange. Commerce, Medicine, and Science in the Dutch Golden Age*, Yale University Press, New Haven.

FEBVRE Lucien, 1940, « Europe et Asie », *Annales d'histoire économique et sociale*, 2 (2), p. 141-142.

GEERTZ Clifford, 1983 (1973), *Bali, interprétation d'une culture*, Gallimard, Paris.

GINZBURG Carlo, 2001 (1998), « L'*estrangement*. Préhistoire d'un procédé littéraire », *in À distance. Neuf essais sur le point de vue en histoire*, trad. P.-A. Fabre, Gallimard, Paris, p. 31-36.

GRENARD Fernand, 1939, *Grandeur et décadence de l'Asie : l'avènement de l'Europe*, Armand Colin, Paris.

GOODY Jack, 2010 (2007), *Le Vol de l'histoire. Comment l'Europe a imposé le récit de son passé au reste du monde*, trad. F. Durand-Bogaert, Gallimard, Paris.

GRUZINSKI Serge, 2004, *Les Quatre parties du monde. Histoire d'une mondialisation*, La Martinière, Paris.

HARTOG François, 2003, *Régimes d'historicité. Présentisme et expérience du temps*, Seuil, Paris.

HOPKINS Anthony G. (dir.), 2006, *Global History. Interactions Between the Universal and the Local*, Palgrave Macmillan, Basingstoke.

JOLY Bernard, 2003, « Francis Bacon réformateur de l'alchimie. Tradition alchimique et invention scientifique au début du XVIIᵉ siècle », *Revue philosophique de la France et de l'étranger*, 128 (1), p. 23-40.

JONES Matthew L., 2006, *The Good Life in the Scientific Revolution. Descartes, Pascal, Leibniz, and the Cultivation of Virtue*, University of Chicago Press, Chicago.

KOTT Sandrine (dir.), 2011, « Une autre approche de la globalisation. Socio-histoire des organisations internationales (1900-1940) », *Critique internationale*, 52 (3).

KRACAUER Siegfried, 2006 (1969), *L'Histoire. Des avant-dernières choses*, trad. C. Orsoni, Stock, Paris.

LE BOUEDEC Gérard (dir.), à paraître, «Les relations Inde-Europe et l'histoire connectée », *Revue d'histoire moderne et contemporaine*.

LIEBERMAN Victor, 2003 et 2009, *Strange Parallels. Southeast Asia in Global Context, c. 800-1830*, vol. I : *Integration on the Mainland*, vol. II : *Mainland Mirrors. Europe, Japan, China, South India, and the Islands*, Cambridge University Press, Cambridge.

LOMBARD Denys, 1990, *Le Carrefour javanais. Essai d'histoire globale*, 3 vol., EHESS, Paris.

MANNING Patrick, 2003, *Navigating World History. Historians Create a Global Past*, Palgrave Macmillan, Basingstoke.

MAZLICH Bruce, 2006, *The New Global History*, Routledge, Londres.

MINARD Philippe, DOUKI Caroline (dir.), 2007, « Histoire globale, histoires connectées : un changement d'échelle historiographique ? », *Revue d'histoire moderne et contemporaine*, 54 (4 bis), p. 7-22.

MOLLAT DU JOURDIN Michel, 2005 (1984), *Les Explorateurs du XIIIe au XVIe siècle. Premiers regards sur les mondes nouveaux*, CTHS, Paris.

MOORE Barrington, 1969 (1966), *Les Origines sociales de la dictature et de la démocratie*, Maspero, Paris.

PÉTRÉ-GRENOUILLEAU Olivier, 2009, « La galaxie histoire-monde », *Le Débat*, 154 (2), p. 41-52.

PHILIP André, 1930, « Une classe ouvrière en pays de capitalisme naissant : les ouvriers dans l'Inde », *Annales d'histoire économique et sociale*, 2 (6), p. 212-230.

POMERANZ Kenneth, 2010 (2000), *Une grande divergence. La Chine, l'Europe et la construction de l'économie mondiale*, trad. N. Wang et M. Arnoux, Albin Michel, Paris.

RANDLES William, 1974, « La civilisation bantou », *Annales ESC*, 29 (2), p. 267-281.

— 1970, « Villes d'Afrique et d'Asie », *Annales ESC*, 25 (4).

REVEL Jacques, 2011, « Le récit du monde », *La Vie des idées*, <www.laviedesidees.fr/Le-recit-du-monde.html>, 26 avril.

— 1996, « Microanalyse et construction sociale », *in* REVEL Jacques (dir.), *Jeux d'échelles. La microanalyse à l'expérience*, Gallimard-Seuil, Paris, p. 15-36.

RICKLEFS Merle, 1978, *Modern Javanese Historical Tradition. A Study of an Original Kartasura Chronicle and Related Materials*, SOAS, Londres.

SABOURET Jean-François (dir.), 2010, *Synthèse du prérapport sur la place de la recherche sur les « aires culturelles » au CNRS : enjeux, bilan et prospectives*, CNRS, Paris.

SALLMANN Jean-Michel, 2010, *Le Grand désenclavement du monde, 1200-1600*, Payot, Paris.

SAUNIER Pierre-Yves, 2008, « Learning by doing. Notes about the making of the *Palgrave Dictionary of Transnational History* », *Journal of Modern European History*, 6 (2), p. 159-180.

SHAPIN Steven, 1994, *A Social History of Truth : Civility and Science in Seventeenth-Century England*, University of Chicago Press, Chicago.

SKOCPOL Theda, 1985 (1979), *États et révolutions sociales. La révolution en France, en Russie et en Chine*, trad. N. Burgi, Fayard, Paris.

— 1984, *Vision and Method in Historical Sociology*, Cambridge University Press, Cambridge.

SLUGA Glenda (dir.), 2011, « The transnational history of international institutions », *Journal of Global History*, 6 (2).

SMAIL John, 1961, « On the possibility of an autonomous history of Southeast Asia », *Journal of Southeast Asian History*, 1961, 2 (2), p. 72-102.

SPENCE Jonathan, 1984, *The Memory Palace of Matteo Ricci*, Viking, New York.

SUBRAHMANYAM Sanjay, 2011a, *Three Ways to be Alien. Travails and Encounters in the Early Modern World*, Brandeis University Press, Waltham (Mass.).

— 2011b, *Vasco de Gama. Légende et tribulations du vice-roi des Indes*, trad. M. Dennehy, Alma, Paris.

— 2007, « Historicizing the global, or labouring for invention ? », *History Workshop Journal*, 64 (1), p. 329-334.

— 2005, *Explorations in Connected History. Vol. I. Mughals and Franks. Vol II. From the Tagus to the Ganges*, Oxford University Press, Oxford.

TILLY Charles, 1992 (1990), *Contrainte et capital dans la formation de l'Europe*, Aubier, Paris.

TREVOR-ROPER Hugh, 1965, *The Rise of Christian Europe*, Harcourt, Brace & World, New York.

TORRE Angelo, 2011, *Luoghi. La produzione di localita in eta moderna e contemporanea*, Donzelli, Rome.

TOURNÈS Ludovic (dir.), 2010, *L'Argent de l'influence. Les fondations américaines en Europe*, Autrement, Paris.

TRIVELLATO Francesca, 2009, *The Familiarity of Strangers. The Sephardic Diaspora, Livorno, and Cross-Cultural Trade in the Early Modern Period*, Yale University Press, Yale.

VAN LEUR Jacobus, 1967 (1940), *Indonesian Trade and Society. Essays in Asian Social and Economic History*, Van Hoeve, La Haye.

VAN DER LINDEN Adriaan Victor Leo, 1937, *De Europeaan in de Maleische literatuur*, Ten Brink, Meppel.

WILSON Catherine, 1988, « Visual surface and visual symbol. The microscope and the occult in early modern science », *Journal of the History of Ideas*, 49 (1), p. 85-108.

YATES Frances, 1990 (1964), *Giordano Bruno and the Hermetic Tradition*, University of Chicago Press, Chicago.

ZEMON-DAVIS Natalie, 2011, « Decentering history. Local stories and cultural crossings in a global world », *History and Theory*, 50 (2), p. 188-202.

Chapitre 3

Une géographie postbraudelienne

Christian Grataloup

C'est à peine une plaisanterie : pour les géographes, le globe tourne depuis longtemps. On distingue, depuis le XVIIᵉ siècle, une géographie dite « générale » qui prend pour cadre d'étude l'ensemble de la surface terrestre et des sociétés qui l'occupent. Et la géographie sait bien que la Terre est ronde ; depuis Ératosthène, elle sait même la mesurer. Pourtant cette tranquille assurance, fondée sur un sentiment d'intemporalité de son objet, n'a cessé de se fissurer. La géographie s'est découverte être une science, humaine comme les autres : situation devenue ambiguë, dans la mesure où les autres sciences sociales conservent souvent une image obsolète de la description de la Terre. Pire, dans un contexte où les repères anciens des Grands Récits de la modernité se sont évanouis, les cadres spatiaux que l'on croit, bien à tort, robustes, presque intemporels par leur dimension naturelle hors de la temporalité des hommes, ont pu sembler un dernier recours pour mettre un peu d'ordre dans la description du Monde. Ainsi le « Sud » a-t-il été substitué aux pays « sous-développés », expression trop évidemment évolutionniste.

Ce propos n'aura pas d'autre conséquence que de décevoir. L'espace n'est pas substituable au temps et l'usage qu'on a pu en faire dans une perspective littéralement postmoderne, comme dimension clé de la contemporanéité rompant avec le paradigme historiciste, est fondé sur un jeu d'illusions. La carte a des bords qui en réalité n'existent pas. Pour penser l'espace du monde mondialisé et de son histoire, il faut repenser simultanément sa temporalité.

C'est là que la vieille expression de Braudel, la géohistoire, peut présenter quelque utilité.

Le méridien de Greenwich du temps

Toutes les sociétés se pensent distinctes des autres : elles construisent simultanément un « Nous » et des « Autres ». Nous oublions parfois que nous n'agissons pas autrement, en tout cas dans l'ordre cartographique. La mise en scène du Monde[1] qu'est le planisphère n'a, naturellemment, rien de neutre. C'est devenu une évidence dans les années 1980 lorsqu'ont envahi notre vocabulaire les termes de globalisation et de mondialisation. Mais en s'inquiétant alors des modalités habituelles de transcriptions d'une surface sphérique en une surface plane, les techniques que les cartographes nomment des projections, on a négligé d'autres aspects essentiels du message subliminal des « fonds » de carte. Le problème de la sous-représentation visuelle de la zone tropicale – ainsi de la partie la plus pauvre de l'humanité – qui a fait critiquer les projections classiques, en particulier la Mercator, et leur préférer des cartographies du type Peters[2], n'est qu'une des illusions de notre représentation du Monde.

Ces considérations n'ont d'importance que dans la mesure où ces figures à la fois familières et, d'évidence, très techniques que

---

1   Avant que soient tissées des interrelations pérennes entre toutes les sociétés, on ne peut parler d'un niveau mondial (*global* en anglais). Cette réalité géographique qu'on appelle le Monde n'a donc pas toujours existé. Puisqu'il s'agit d'un espace particulier, le Monde est un toponyme, un nom propre, et il s'écrit donc avec une majuscule.

2   En considérant les méridiens comme des lignes parallèles entre elles, puisqu'ils coupent tous à angle droit l'équateur et tous les autres « parallèles », on aboutit en géométrie plane à maintenir une distance constante entre deux méridiens, donc à surestimer de plus en plus l'étendue terrestre à mesure qu'on s'éloigne des basses latitudes. On en arrive, sur la projection de Mercator qui respecte rigoureusement cette géométrie, à représenter la France presque aussi grande que l'Inde. On ne peut cependant pas dire qu'un tel planisphère est « faux » ; il n'est pas plus (et pas moins) faux qu'un autre. On ne peut tout simplement pas représenter correctement la surface de la Terre en géométrie plane. La projection de Peters affecte un coefficient qui modifie l'écart entre les parallèles en fonction de la latitude : plus on s'éloigne de l'équateur, plus ils sont rapprochés. Résultat : les étendues sont respectées, mais les formes ne le sont plus. Est-ce plus « vrai » ?

sont les planisphères n'étaient pas, dans tous les sens du terme, des « représentations ». Quand nous pensons le Monde, ce sont les plus banales des cartes de la Terre qui s'imposent à notre esprit et le façonnent. Il est frappant de constater que, dès que l'on veut sortir des sentiers cartographiques rebattus en proposant un fond de carte inhabituel, pas plus vrai ou faux qu'un autre mais qui demande un effort de lecture, le rejet est généralement immédiat. Ce qui compte, aux yeux des non-spécialistes, c'est ce qu'on met sur le fond de carte, ce qui le « remplit » : des échanges économiques ou l'état des droits de l'homme, des conflits localisés ou des hiérarchies urbaines, etc. Et on oublie qu'il existe un message sous-jacent à ces informations, une mise en scène du Monde qui met en perspective toute la représentation. Ce conditionnement est d'autant plus prégnant qu'il n'est pas manifeste ; c'est pourquoi on a évoqué plus haut son caractère subliminal.

Le Monde n'a pas, ou n'a plus, de bords. Et pourtant son image en a. La figure la plus familière qui vient à l'esprit, quand on évoque la mondialité, est celle d'un planisphère centré sur le méridien de Greenwich, avec le Nord en haut, le Pacifique coupé en deux, le Sud souvent tronqué. Ce monde a bien existé, avec une apogée au début du XXe siècle. Le niveau scalaire mondial, le Monde comme réalité géographique, création européenne, a bien fonctionné dans la seconde moitié du XIXe siècle tel que le décrit la carte terrestre la plus banale. Dans ce contexte historique, le Pacifique, qu'on l'aborde par l'ouest ou par l'est, est bien une marge, une limite ; de même que le midi du Monde est une périphérie. Mais cet arrêt sur image qu'est notre planisphère familier est aujourd'hui obsolète.

Une surface sphérique n'a pas de centre à la surface : sa seule centralité est celle du milieu du globe. Pourtant, quand on parle du ou des centre(s) du Monde, on n'envisage pas une seule fois le noyau terrestre. Le méridien du degré zéro, dit de Greenwich, a formalisé en 1878, au moment où le tissage du Monde était indubitable et nécessitait une mise en ordre, ne serait-ce que celle des horloges, la centralité de l'Europe occidentale. Que le méridien de Londres ait finalement triomphé de celui de Paris n'est que détail : il allait alors de soi que l'Europe occidentale était le centre du Monde. On peut toujours imaginer un monde dont la polarité de la grille de repérage de l'espace et du temps serait ailleurs : à New York, Tokyo, Pékin, naguère à Moscou... le problème serait identique. Avec peu de chance de succès, du moins dans l'immédiat, on a assisté récemment à une tentative de décentrage avec la proclamation, le 12 août 2010, de l'*Arabian Standard Time* centré sur le méridien de La Mecque. Or le monde contemporain n'a plus guère de bords. Les très hautes latitudes sont encore à la marge, mais en facilitant de plus en plus le passage à proximité du pôle Nord, le réchauffement climatique va sans doute modifier cette configuration. Penser le Monde comme un réseau, et non plus comme un territoire incarné par une figure plane plus ou moins rectangulaire, défie nos représentations : il ne s'agit pas d'une question technique mais d'une pensée du Monde qui concerne toutes les sciences sociales.

Une géographie posteuropéenne

Cette question d'image n'est cependant qu'un premier aspect de la remise en cause de nos cadres géographiques par le « tournant global ». Est également sur la sellette la manière dont on met en ordre ce monde figuré sur le planisphère. L'organisation du musée dit du Quai Branly est un bon exemple d'un usage déshistoricisé des catégories géographiques, en l'occurrence des continents. Il était notoire à la fin du XXe siècle, lorsqu'on a voulu, à l'initiative de Jacques Chirac, regrouper les collections des « arts premiers », que toute structuration suivant une logique évolutionniste était devenue impensable. Aussi l'organisation de l'institution-mère, le Musée de l'homme, autour d'une galerie de l'évolution n'était plus tenable. Les termes de « primitifs » ou même de « peuples premiers » non seulement étaient désormais inadéquats moralement mais ils entraient en contradiction avec une pensée polyphonique de l'écoumène[3].

Jusqu'aux années 1970, la « modernité » se traduisait en géographie, pour penser l'espace mondial, par un primat historiciste.

---

3 Partie habitable de la surface terrestre. Le terme est parfois encore écrit « œkoumène », ce qui occulte sa racine commune avec les mots « économie » et « écologie », c'est-à-dire l'*oikos*, la maison.

L'évolutionnisme monolinéaire dominant se traduisait par des catégories spatiales figurant autant d'étapes que de « modes de production » s'enchaînant : sociétés sous-développées, en voie de développement, développées. La formule brutale énoncée en 1800 par Joseph-Marie de Gérando [1800] demeurait paradigmatique : « Le voyageur philosophe qui navigue vers les extrémités de la Terre traverse la suite des âges : il voyage dans le passé ; chaque pas qu'il fait est un siècle qu'il franchit. » La notion même de « développement » restait un avatar de celle de « progrès ».

Un bon exemple de construction évolutionniste est fourni par Fernand Braudel et sa carte de l'humanité du XVe siècle qui illustre le début de *Civilisation matérielle, économie, capitalisme* [1979, p. 40-41] : la légende de la carte est composée d'une série d'étapes allant des chasseurs-cueilleurs aux sociétés denses à charrue. L'altérité historique est impensée, les autres sociétés ne peuvent être que des « nous » en retard. Pourtant, simultanément Braudel nous invite vigoureusement à penser en fonction des positions relatives des sociétés les unes par rapport aux autres : on a l'histoire de ses voisins et, pour partie, l'histoire des voisins de ses voisins... et réciproquement, comme Braudel aimait à dire. Néanmoins, Braudel lui-même n'a pas pu appliquer ce principe car son horizon géographique est resté trop fixiste et eurocentré. L'effort d'ouverture que représente *Grammaire des civilisations* – salutaire en 1963 ! – apparaît aujourd'hui comme une vision très provinciale, très européenne du Monde. Braudel, en effet, ne pouvait que prendre au pied de la lettre le planisphère et ses découpages. Car c'est seulement après l'avoir relativisée et historicisée qu'on peut envisager une ouverture de la tradition géographique vers une science sociale plus mondiale. Et ceci est la part géographique du « tournant global ».

Ne plus suivre les Rois Mages

Limitons-nous à un aspect : le découpage de l'espace mondial en continents. Voici quelque chose à la fois de majeur, auquel on ne peut échapper, et qui ne semble guère problématique. Les parties du Monde ne seraient-elles pas, plus ou moins, des faits de nature, des « contraintes géographiques », comme on dit quand on n'est pas géographe ? Pourtant, les noms sont bien d'origine occidentale. L'Amérique porte le nom d'un Florentin parce qu'un cartographe vosgien avait été convaincu, en 1507, par la démonstration d'Amerigo Vespucci selon laquelle les terres atteintes par Colomb ne pouvaient être asiatiques. Pour ce qui est des continents européen et asiatique, nul ne prend vraiment au sérieux la limite de l'Oural, surtout quand on sait que c'est Diderot qui a définitivement tranché pour remercier l'impératrice Catherine de Russie de son sauvetage de l'*Encyclopédie*[4]. La faiblesse conceptuelle du « continent » Europe renvoie en miroir à celle de l'Asie. Cette catégorie spatiale n'a d'autre sens que celui de classer tout ce qui, vers l'est, n'est plus considéré comme européen par les Européens eux-mêmes. Bref, c'est un fourre-tout : quel trait commun en effet peut-on trouver au Japon et au Liban ? Et la critique de l'Asie conduit à la critique de l'Afrique, troisième partie du Monde. La logique est la même : est africain ce qui, au sud de l'Europe, n'est plus européen, la Méditerranée servant de quasi-prétexte à une délimitation des continents – alors qu'elle est historiquement plus un trait d'union qu'une séparation, à la différence de l'aridité saharienne. Il n'est pas nécessaire de gloser sur l'évanescence de la notion d'Océanie. La cause est entendue, nos parties du Monde ne sont que des conventions historiquement datées, construites par et pour l'Europe afin de se singulariser comme un Nous face aux différents Autres répartis, selon les directions, au-delà du « continent » européen.

Si elle n'avait une dimension performative qui pèse sur notre lecture globale [Grataloup, 2009a], l'histoire de ce découpage ne constituerait qu'un ensemble d'anecdotes amusantes. La réutilisation par les Pères de l'Église, Isidore de Séville en particulier, de termes antiques pour attribuer une partie du monde à chacune des

---

4   L'impératrice Catherine ayant sauvé financièrement l'*Encyclopédie* en achetant très cher la bibliothèque de Diderot (achat qui ne prenait effet qu'au décès du philosophe), il a effectué un séjour en Russie pour remercier sa donatrice. C'est là qu'il a connu l'idée défendue par Tatichtchev de repousser la limite orientale de l'Europe jusqu'à l'Oural. Cela permettait d'européaniser le plus possible la Russie au moment où le pouvoir impérial tentait, depuis Pierre-le-Grand, d'en occidentaliser la société. Diderot a donc repris ce découpage dans l'*Encyclopédie* et l'autorité de cette somme a imposé cette limite.

trois « races » – des descendants des trois fils de Noé – serait sans doute tombée dans l'oubli si elle n'avait été réutilisée au XVIe siècle par les Européens, non seulement pour nommer le Nouveau monde mais surtout pour se nommer eux-mêmes. Sans doute, la plupart des personnes qui regardent une crèche de Noël ne savent pas pourquoi le troisième Roi Mage est noir, ce qui n'est aucunement précisé dans l'Évangile de Mathieu[5]. C'est en effet au moment où ils sont confrontés à la variété des autres sociétés, avec les Grandes découvertes, qu'explose l'unité de la chrétienté latine. C'est à ce moment que les habitants du petit cap occidental de l'Eurasie se mettent à se nommer eux-mêmes « Européens[6] ».

Enfin, s'il n'est pas absurde de voir une autonomie quasi insulaire, continentale, à l'Amérique, il n'en reste pas moins que l'Asie et l'Afrique sont des illusions, mais qui sont devenues, en particulier pour le « continent noir », des réalités. Être Africain a aujourd'hui un sens très fort, en tout cas au sud du Sahara. Plus généralement, les découpages du Monde organisent tant nos statistiques que nombre d'organisations internationales (fédérations sportives régionales et organisations des compétitions, structures diplomatiques, etc.). Quand nous pensons le Monde, c'est encore un planisphère conventionnel découpé en continents qui nous vient à l'esprit : le mort saisit le vif.

Du tube à la carte du temps

La disjonction qu'a opérée la pensée occidentale entre l'espace et le temps pose ainsi un problème pour une intelligence plus mondiale. Depuis le XVIIIe siècle, la maîtrise intellectuelle de l'écoumène a été construite en subordonnant l'espace au temps. La citation de de Gérando ci-dessus en donnait une version caricaturale, mais il n'y a pas si longtemps, on n'hésitait pas à classer

---

5   Le seul évangéliste à parler des Mages, Mathieu (II, 1-12), ne donne pas leur nombre ni la couleur de leur peau. C'est tardivement qu'ils sont devenus trois, puis seulement au XVe siècle, dans la seule chrétienté latine, qu'ils en sont venus à incarner les trois parties du Monde (d'où le fait que le dernier a finalement pris des traits africains).

6   Même si ce passage d'autodésignation de la « Chrétienté » à « l'Europe » ne se fit pas sans résistances. Ainsi, Charles Quint a toujours préféré parler de Chrétiens que d'Européens.

les pays selon un modèle typiquement évolutionniste, comme on l'a vu : pays sous-développés, en voie de développement, développés…, récit keynésien forgé en 1947 à la Banque mondiale qui partageait le même paradigme du Progrès que celui de la succession des modes de développement du marxisme canonique. Ces classements des pays par stade ont souvent été traduits en cartes. La légende était aisée à établir, puisqu'il s'agit de progressions quantitatives simples. Les modèles explicatifs pouvaient aussi se contenter de raffiner sur les logiques de diffusion. On reste dans une logique évolutionniste mono-linéaire quasi tubulaire dont le modèle de la transition démographique est sans doute le dernier avatar de ce récit-modèle qui tienne encore debout.

Cette simplification de la pensée « moderne » de l'espace mondial est évidemment excessive. Les réflexions qui n'oubliaient pas la dimension politique du tiers monde, dans la lignée des anciennes analyses de l'impérialisme, ont permis de concevoir des modèles où le couple centre-périphérie est vraiment synchrone. La périphérie n'y est pas une sorte de centre en retard mais un ensemble de sociétés dont l'exploitation permet à d'autres d'être centrales. Mais toute la dimension spatiale fut loin d'être tirée de ces réflexions au profit de visions qui restaient centrées sur la temporalité, le « développement ».

Depuis le début des années 1980 et la « fin des Grands Récits », les modèles évolutionnistes ne sont plus acceptables. Cependant, aucun cadre global, aucun paradigme différent ne s'y est substitué. Un symptôme frappant est justement le passage d'un vocabulaire temporel à des termes spatiaux : on ne dit plus pays « sous-développés » et « développés » mais « Nord » et « Sud ». S'il fallait un symbole à l'impossibilité de mettre simplement en ordre les différentes sociétés, on pourrait prendre l'organisation du musée du Quai Branly [Grataloup, 2009b]. La tranquille assurance de la *Grammaire des civilisations* n'est plus de mise. L'organisation des collections est à l'inverse de la structure du Musée de l'homme construite autour d'une galerie de l'évolution. Alors, comment faire ? Si on ne peut plus classer les sociétés selon leurs configurations techniques (chasseurs-cueilleurs, néolithiques, agriculture à bâton à fouir, à araire…), il ne reste plus que leurs localisations. Le nom officiel du musée est d'ailleurs franc, puisqu'il reprend la liste des continents (musée des civilisations d'Afrique, d'Asie, d'Océanie et des Amériques – en excluant l'Europe), sans tenir compte du caractère très eurocentrique de ce découpage continental. On a une mise à plat presque cartographique qui permet d'oublier tout historicisme.

En passant du temps à l'espace, on n'a pas réalisé une mutation décisive permettant aux sciences sociales de penser plus globalement, de « provincialiser » l'Europe. Dans la discipline historienne, la situation est particulièrement frappante. La structure de la science historique, particulièrement en France, reste marquée par la succession périodique (Antiquité, Moyen Âge, etc.). Une telle évolution n'a de sens qu'à l'ouest de l'Ancien monde, et même, précisément, en Europe occidentale. Comment faire pour l'histoire subsaharienne, chinoise, amérindienne... ? On retrouve le dilemme entre découper des morceaux de temps ou des portions d'espace. C'est à partir de ce moment que le retour aux intuitions braudéliennes peut être fécond. Si on considère les ensembles sociaux comme des espaces-temps, constamment relatifs les uns aux autres, la contradiction entre les découpages disparaît. L'Antiquité, par exemple, devient une région de l'Ancien monde, organisée *grosso modo* autour du bassin méditerranéen, durant quelques siècles ; les limites sont mouvantes, tant dans l'espace que dans le temps, mais elles peuvent être explicitées [Grataloup, 2011].

Ce retour à l'antique n'est pas qu'un simple exemple. Sortir de l'opposition temps / espace, découpages historiques / classements géographiques est une nécessité dans un monde effectivement devenu multipolaire. Le modèle évolutionniste pouvait permettre une lecture ordonnée d'un monde centré sur l'Occident, d'autant plus facilement d'ailleurs que le concurrent soviétique proposait la même lecture, au centre simplement décalé. Dans la multipolarité contemporaine qui, d'évidence, ne peut que s'accroître, la prise en compte du tout et de chaque cas particulier suppose de recomposer l'espace-temps des sciences sociales.

Références bibliographiques

BRAUDEL Fernand, 1979, « Civilisations, cultures et peuples primitifs vers 1500 », carte de G. H. Hewes, *in Civilisation matérielle, économie, capitalisme*, tome I, Armand Colin, Paris.

GRATALOUP Christian, 2011, *Faut-il penser autrement l'histoire du Monde ?*, Armand Colin, Paris.

— 2009a, *L'Invention des continents. Comment l'Europe a découpé le Monde*, Larousse, Paris.

— 2009b, « L'histoire du Monde a une géographie (et réciproquement) », *Le Débat*, mars.

GÉRANDO Joseph-Marie baron de, 1800, *Considérations sur les diverses méthodes à suivre dans l'observation des peuples sauvages*. Cité par Jean Copans et Jean Jamin, *Aux origines de l'anthropologie française*, Le Sycomore, Paris, 1978.

Chapitre 4

Problèmes et perspectives de l'histoire globale de l'environnement depuis 1990[1]

John McNeill

La plupart des innovations les plus importantes interve-
nues au cours du XXe siècle dans le domaine de l'historiographie
sont nées en Europe. Les Italiens ont lancé la micro-histoire. Les
Britanniques ont développé une histoire sociale anthropologique.
La plus influente de ces innovations est l'œuvre des historiens
français avec la fameuse approche des *Annales* qui s'appuie sur
l'ensemble des sciences sociales pour créer ce qu'on appelle parfois
une histoire totale. L'histoire environnementale, elle, est apparue
d'abord aux États-Unis.

Si la recherche académique ne fait pas partie des disciplines
présentes aux jeux Olympiques, il est cependant difficile de ne
pas remarquer que, de temps en temps, certaines communautés
nationales exercent dans ce domaine une plus grande influence
internationale que les autres. Cette prééminence dure rarement
plus de quelques décennies. Dans le champ de l'histoire environnementale, ce sont les chercheurs américains travaillant sur
l'histoire environnementale des États-Unis eux-mêmes, en particulier celle de l'Ouest américain, qui ont acquis cette influence
et cette prééminence dans les années 1970 et 1980. Il semble
qu'aujourd'hui, au début du XXIe siècle, ils l'aient perdue. Il s'agit
d'ailleurs d'un signe de bonne santé et de maturité croissante
du champ : depuis 1990, l'histoire environnementale a prospéré
dans de nombreuses parties du monde, et des chercheurs de tous

---

1   Traduction par Stéphane Dufoix, revue par l'auteur.

horizons ont découvert des modèles, des approches et des perspectives assez différentes de celles qui avaient été élaborées pour le contexte américain. La fabrique de l'histoire environnementale est globalisante[2], ce qui signifie que des chercheurs du monde entier participent à ce genre académique. Il en est de même pour son contenu : de plus en plus de chercheurs essaient de produire des analyses à l'échelle globale.

Avant d'aller plus loin, j'aimerais aborder, pour mieux la laisser de côté, la question des relations entre l'historiographie des *Annales* et l'histoire environnementale. Bien des chercheurs ayant réfléchi sur les origines de l'histoire environnementale dans les années 1970 y voient l'influence de Braudel, de Le Roy Ladurie et d'autres noms associés à l'école des *Annales*. S'il est évident que ce courant de l'historiographie a eu de l'influence sur l'histoire environnementale, cette influence n'a pas été vraiment directe. Le principal intérêt de Braudel pour l'environnement avait trait à la notion de contrainte : comment la géographie et l'environnement pesaient-ils sur les options à la disposition des individus ? comment définissaient-ils les limites du possible ? En revanche, le principal objet de l'histoire environnementale, du moins telle que je la conçois, est le changement environnemental : comment les sociétés et les environnements se transforment-ils simultanément, dans une sorte de coévolution ? Braudel et les autres historiens des *Annales* ne montraient que peu d'intérêt pour les transformations du monde naturel causées par l'activité humaine. En 1974, les *Annales* ont publié un numéro thématique intitulé « Histoire et environnement » comportant environ cent soixante pages sur le sujet – dont deux articles plus contemporains qu'historiques à strictement parler –, mais les textes publiés ne s'éloignaient que très peu de la tendance générale de la revue à privilégier le thème des moissons et des

---

2   Nous avons choisi dans ce chapitre de traduire « *global history* » par « histoire globale » et non par « histoire mondiale » comme c'est encore souvent le cas en français. En effet, l'usage qui en est fait par l'auteur n'implique pas nécessairement l'existence d'une échelle mondiale ou d'une portée mondiale des phénomènes traités. Par ailleurs, l'adjectif « global » a ici une valeur épistémologique qui disparaît dans l'usage de l'adjectif « mondial » en français. (*N.d.T.*)

épidémies [Annales ESC, 1974, p. 537-647 et 915-965[3]]. Au cours des décennies suivantes, les *Annales* n'ont presque rien proposé qui puisse être considéré comme de l'histoire environnementale et la proportion des pages consacrées aux thématiques agricoles n'a fait que diminuer au fur et à mesure que les éditeurs s'intéressaient à d'autres sujets. En général, si Braudel et l'« École des Annales » ont offert aux historiens professionnels l'une des perspectives les plus irrésistibles de la deuxième moitié du XXe siècle, leur impact n'a somme toute été que modeste sur ce qui allait devenir l'histoire environnementale, et ils n'envisageaient d'ailleurs pas leur propre travail en ces termes [Massard-Guilbaud, 2002][4].

Qu'est-ce que l'histoire environnementale ?

Comme tous les genres historiques, l'histoire environ-nementale n'a pas la même signification pour tout le monde. La définition que je préfère est la suivante : il s'agit de l'histoire des relations entre les sociétés humaines et l'ensemble de la nature, dont elles ont toujours dépendu. Cela comprend trois principaux terrains d'enquête, qui bien entendu s'enchevêtrent et ne présentent pas de frontières hermétiques. En premier lieu, il y a l'étude de l'histoire de l'environnement matériel, de la manière dont l'homme est entré en relation avec les forêts et les grenouilles, avec le charbon et le choléra. Cela implique l'étude de l'impact humain sur la nature mais aussi de l'influence de la nature sur les activités humaines, chacune de ces dimensions étant toujours en mouvement et affec-tant l'évolution de l'autre. Cette forme d'histoire environnementale replace l'histoire de l'homme dans un contexte plus large, celui de la Terre et de la vie sur terre, et reconnaît que les événements humains s'inscrivent dans un cadre plus général au sein duquel les êtres humains ne sont pas les seuls acteurs [Christian, 2004 ; Spier, 1996 ; 2010]. Pour l'historien, ce fait soulève des questions fondamentales sur la causalité et l'action [McNeill, 2010, p. 5-11 ;

---

3   Il s'agit de deux numéros distincts : le premier, 29 (3), est un numéro spécial. Dans le second, 29 (4), la thématique « Histoire et environnement » ne comporte que deux articles. (*N.d.T.*)

4   Je tire ces impressions d'un entretien récent (19 mars 2010) avec Emmanuel Le Roy Ladurie. Cet entretien est inédit.

Mitchell, 2002, p. 19-53]. En pratique, la majeure partie des travaux historiques réalisés dans ce domaine concernent les deux derniers siècles, période au cours de laquelle le processus d'industrialisation, parmi d'autres forces, a considérablement augmenté la capacité de l'homme à altérer son environnement.

En second lieu, on trouve l'histoire environnementale qui s'intéresse au politique et à l'action publique. Elle prend pour objet l'histoire des efforts consciemment entrepris par les êtres humains pour réguler les relations entre la société et la nature mais aussi les rapports entre les différents groupes sociaux sur les questions concernant la nature. Cela inclut les politiques de préservation des sols et de contrôle de la pollution mais aussi, peut-être, les conflits sociaux relatifs à l'occupation des sols et à l'usage des ressources naturelles. Le conflit politique sur la question des ressources est vieux comme le monde, et quasi omniprésent. Je n'utiliserais pas l'expression « histoire environnementale » pour évoquer la concurrence entre deux groupes d'éleveurs pour l'usage de tel ou tel pâturage ; en revanche, il serait bon de l'utiliser si l'on souhaite évoquer les conflits qui surgissent pour savoir si telle portion de terre doit être un pâturage ou une terre agricole. La différence vient du fait que, dans le second cas, l'issue du conflit a d'importantes implications pour la terre en question ainsi que pour les gens impliqués (je dois bien reconnaître que certains ne voient pas tout à fait les choses comme moi). Dans les faits, cette histoire environnementale attentive à l'action publique ne remonte pas plus loin que la fin du XIXᵉ siècle, si l'on excepte quelques exemples antérieurs relatifs à la préservation des sols, aux restrictions concernant la pollution de l'air, ou bien les efforts de certains monarques en faveur de la protection de certaines espèces animales pour le plaisir de la chasse ou encore pour garantir l'approvisionnement en bois nécessaire à la construction de navires. C'est seulement à la fin du XIXᵉ siècle que les États et les sociétés ont commencé à tenter de réguler de façon plus systématique leur interaction avec l'environnement en général. L'absence de régularité de ces efforts, tout comme leur peu d'effets réels, expliquent que la plus grande part de cette histoire environnementale s'intéresse à la période entre 1965 et aujourd'hui, lorsque les États et des organisations environnementales à proprement parler ont commencé à déployer plus d'activité dans ce domaine.

La troisième forme principale d'histoire environnementale est un sous-ensemble de l'histoire culturelle et intellectuelle. Elle a trait à tout ce que les êtres humains ont pensé, cru, écrit et, plus rarement, peint, sculpté, chanté ou bien encore dansé à propos des relations entre nature et société. On en trouve des exemples datant de dizaines de milliers d'années à travers les peintures rupestres des aborigènes d'Australie ou bien l'art des grottes du sud-ouest de l'Europe, comme à Lascaux, même si personne ne sait exactement ce qu'il faut en penser. Mais la majeure partie de cette histoire environnementale s'appuie sur des textes publiés – en cela elle est proche de l'histoire intellectuelle – et analyse la pensée environnementale qu'on peut trouver soit dans les grandes religions, soit, ce qui est plus fréquent, dans les écrits des auteurs influents – et parfois pas si influents que cela –, de Mohandas K. Gandhi à Arne Naess[5]. Les chercheurs s'inscrivant dans cette forme d'histoire environnementale ont tendance à se centrer sur des penseurs individuels mais ils étendent parfois leur enquête à l'étude de l'environnementalisme populaire considéré comme un mouvement culturel. Sur le plan chronologique, l'histoire environnementale culturelle et intellectuelle possède un large spectre car il existe des textes offrant un aperçu des attitudes humaines relatives à l'environnement qui sont vieux de plus de quatre mille ans, comme l'épopée de Gilgamesh[6].

Plus que bien des formes d'histoire, l'histoire environnementale est un projet interdisciplinaire. De nombreux chercheurs relevant de ce champ sont des spécialistes de géographie ou d'écologie historique. Les historiens de l'environnement n'utilisent pas seulement

---

5   Arne Naess est un philosophe norvégien (1912-2009) à qui l'on attribue la création d'une école de pensée connue sous le nom de *Deep Ecology*, selon laquelle les êtres humains ne constituent qu'une espèce parmi toutes les autres et sont par conséquent moralement tenus à faire respecter l'égalitarisme au sein de la biosphère.

6   L'épopée de Gilgamesh est un ensemble de poèmes rédigés en sumérien et en akkadien et qui date de la période s'étendant entre 2 100 et 1 800 avant l'ère chrétienne. On trouve dans cette épopée un épisode traitant d'une déforestation rapide.

les sources historiographiques classiques tels que les textes imprimés et les archives ; ils exploitent les trouvailles des bio-archives, comme les dépôts de pollen qui nous informent sur la végétation du passé, ou des géo-archives comme les échantillons de sol qui nous renseignent sur d'anciennes pratiques d'utilisation de la terre. Le sujet principal est souvent le même que pour la géographie ou l'écologie historique mais l'accent est mis sur des types de sources généralement différents. On en trouve une illustration dans le champ de l'histoire climatique, un sous-champ de l'histoire environnementale où les chercheurs appartiennent à une bonne demi-douzaine de disciplines, y compris l'histoire classique fondée sur les textes[7]. Contrairement aux sciences naturelles, la majeure partie de l'histoire environnementale a été pratiquée, jusqu'à présent en tout cas, par des chercheurs individuels et non par des équipes de recherche.

L'histoire environnementale à l'échelle globale

À l'ère de la globalisation, il est bien naturel que les chercheurs aient voulu « globaliser » leur travail. En histoire et en sciences sociales, la mode est à l'étude du phénomène de globalisation sous toutes ses formes, et chacun essaie de jeter un regard global sur tous les objets d'étude possibles et imaginables. L'histoire environnementale, comme les autres, a succombé à cette tendance. Examinons cela à partir de deux points de vue : 1) d'une part, les pratiques de ces historiens : de quelle façon ont-ils tenté de globaliser leur travail et quelles ont été les perspectives éventuellement ouvertes par ces efforts ? ; 2) d'autre part, la production académique relevant de ce champ : comment s'est-elle globalisée ? qui écrit et où ? quelle(s) différence(s) cela fait-il ?

Pendant des décennies, il ne s'est trouvé aucun historien pour tenter d'écrire une histoire environnementale à l'échelle globale. Les seules synthèses globales existantes étaient l'œuvre non d'historiens professionnels mais de géographes et, dans un cas, d'un ancien officier du Foreign office britannique[8]. Les sociologues

---

7   Le Roy Ladurie [2004], Behringer [2007], Pfister *et al.* [2005].
8   Cet officier du ministère anglais des Affaires étrangères était Clive Ponting [1991]. Si son étude n'était guère fiable, elle était en revanche tout à fait provocatrice.

sont également entrés en lice, car ils ne sont pas contraints par l'obsession documentaire que les historiens acquièrent au cours de leur formation[9]. Enfin, les spécialistes des sciences naturelles ont produit une analyse historique globale de certains objets d'étude comme le nitrogène ou le sol[10]. En 1973, avant même que les historiens n'en viennent à utiliser l'expression « histoire environnementale », l'un d'entre eux, parmi les plus célèbres du XXe siècle, Arnold Toynbee (1889-1975), évoquait la logique d'une histoire globale de l'environnement. Dans le dernier de la trentaine d'ouvrages qu'il a publiés, il appelait de ses vœux l'écriture d'une « étude rétrospective, jusqu'à aujourd'hui, de l'histoire des relations entre l'Homme et Mère Nature » [Toynbee, 1976, p. 18]. Toutefois, se trouvant pour sa part à la fin d'une longue carrière, il ne put réaliser lui-même ce projet. Le livre qu'il écrivit sous le titre *Mankind and Mother Earth* n'était en définitive rien d'autre que le récit classique, politico-militaire, de six mille ans d'histoire humaine. Toynbee avait perçu, de façon vague et très générale, l'impression très répandue dans le monde occidental, au début des années 1970, qu'une crise écologique était en cours. Il n'était pas le seul à constater la nécessité d'écrire une nouvelle forme d'histoire à l'échelle globale pour tenter de répondre aux défis de l'époque mais, pendant plusieurs décennies, ni lui ni un(e) autre n'y sont parvenus. Les historiens professionnels ont d'abord commencé par découper le global en tranches, comme le montrent les ouvrages de Stephen Pyne sur l'histoire globale du feu, de Ramachandra Guha sur l'environnementalisme moderne ou encore l'étude que Mike Davis a consacrée aux conséquences de certains cycles d'El Niño[11]. Joachim Radkau fut peut-être le premier à importer la sensibilité historienne au cœur de l'histoire globale de l'environnement. Son ouvrage, *Natur und Macht : Eine Weltgeschichte der Umwelt* [Radkau, 2007], n'était pas une synthèse mais une longue série de coups de sonde et de réflexions sur tout un ensemble de choses, de la

---

9   Roberts [1989], Simmons [1993 ; 1996], Mannion [1991], De Vries, Goudsblom [2002].
10 Leigh [2004], Montgomery [2007], McNeill, Winiwarter [2006], Smil [1994], Mannion [2006].
11 Pyne [1995], Guha [2000], Davis [2001].

domestication des animaux jusqu'au tourisme dans l'Himalaya. D'un coup, presque simultanément, on assista à une petite vague de parutions dans le domaine de l'environnement, sous la forme de synthèses ou de portraits d'une époque particulière[12].

Quelles ont été les conséquences de cette nouvelle orientation dans le travail des historiens de l'environnement ? Selon moi, on peut discerner deux principales tendances. La première tente d'associer l'histoire environnementale avec l'approche en termes de systèmes-monde initiée par les spécialistes de sociologie historique, en particulier Immanuel Wallerstein. Cela impliquait nécessairement une collaboration entre historiens et sociologues, mais aussi la participation de chercheurs en provenance d'autres disciplines, comme les géographes. Wallerstein lui-même s'est intéressé aux questions d'écologie, allant parfois jusqu'à brandir le spectre d'une composante écologique participant au futur effondrement du capitalisme [par exemple Wallerstein, 1997]. Bien qu'ayant été moi-même impliqué dans cette tendance, je dois reconnaître que, jusqu'à présent, elle n'a guère fourni de résultats convaincants. Les choses les plus intéressantes qui en sont sorties sont, à mon sens, les notions d'appropriation des ressources et d'exportation d'entropie associées à l'anthropologue suédois Alf Hornborg[13], et ce même s'il en attribuerait plutôt la paternité à Stephen Bunker, Andre Gunder Frank et Joan Martinez Alier. D'après Hornborg, l'économie du monde moderne repose sur un échange écologique inégal : l'exportation vers les populations les plus riches des ressources naturelles en provenance des pays les plus pauvres ou, pour reprendre ses termes, de la périphérie vers le centre [Hornborg, 2006]. Les riches souhaitant éviter la dégradation écologique de leur propre environnement, ils l'« exportent » vers les pauvres sous des formes diverses : pollution, déchets toxiques, déforestation, érosion des sols, etc.

---

12 Hughes [2001], Sörlin et Öckermann [1998], McNeill [2000], Marks [2002], Richards [2003]. Pour une vision de la question en tant qu'enjeu mondial : Pomeranz [2000], Simmons [2008]. Pour les non-spécialistes, voir Penna [2010], Mosley [2010] et Paolini [2009].

13 Hornborg [2009], mais aussi sans doute le premier jalon de cette littérature : Bunker [1985].

La seconde grande tendance est le tournant climatique pris par l'histoire globale de l'environnement. De manière évidente, cette évolution est en relation avec les inquiétudes actuelles à propos du changement climatique. Certes, les historiens étudient le climat depuis des décennies mais, de nos jours, l'histoire qu'ils écrivent est globale et l'accent est mis sur le changement climatique. Cela a été facilité par le récent afflux des travaux de climatologues : nous avons désormais une assez bonne idée de ce qu'a été l'histoire du climat dans des régions du monde pour lesquelles, il y a trente ans, nous ne possédions aucune information. Si ce sont les chercheurs en sciences naturelles qui font la majeure partie du travail dans ce domaine, le spécialiste allemand d'histoire sociale Wolfgang Behringer a étudié les réponses apportées au problème du changement climatique dans son ouvrage de 2007, *Kulturgeschichte das Klimas* [Behringer, 2007[14]]. L'historien de l'Empire ottoman Sam White [2011] a utilisé les données les plus récentes sur le climat afin de proposer une nouvelle explication des rébellions des Celalis en Anatolie, révoltes qui ont durement ébranlé l'Empire ottoman entre 1595 et 1610. D'une manière similaire, dans un ouvrage tout à fait étonnant à paraître en 2013, l'historien britannique – mais vivant aux États-Unis – Geoffrey Parker [2013] se donne pour objectif d'expliquer les différentes crises qui ont secoué le monde dans les années 1640 et 1650 en termes de climat : mauvaises récoltes, effondrement des recettes etc. Il existe déjà des histoires à l'échelle globale qui mettent l'accent sur El Niño. Richard Grove, par exemple, a émis l'hypothèse selon laquelle on pouvait associer le gigantesque El Niño de 1788-95 avec la sécheresse, les mauvaises récoltes et les famines ayant sévi en Asie du Sud et du Sud-Est, en Égypte, au Mexique et dans les Caraïbes, mais aussi, de manière plus audacieuse, en France en 1788-89, attribuant ainsi, au moins en partie, l'éclatement de la Révolution à El Niño [Grove, 2007 ; Davis, 2001] ! Ces travaux, surtout les deux derniers, représentent d'audacieuses tentatives pour démontrer l'existence de liens mondiaux entre l'histoire économique et politique des

---

14 Il en existe désormais une traduction anglaise : *The Cultural History of Climate*, Polity, Londres, 2010.

hommes et les événements climatiques les plus extrêmes, qui sont eux-mêmes d'ampleur globale ou quasi globale. Le climat global est un système cohérent unifié par ce que les spécialistes du climat nomment des « téléconnexions ». Désormais, les historiens tentent de comprendre les téléconnexions sociales résultant des changements climatiques. Ce type d'études entièrement nouveau serait impossible sans le travail scientifique des climatologues qui nous en a appris beaucoup plus sur le climat passé que ne pouvaient le faire les textes. Mais, dans le même temps, ces nouvelles données issues de la science du climat ont donné une nouvelle impulsion au travail des historiens utilisant les sources écrites qui, du coup, ont redoublé d'efforts pour trouver dans les textes des indications relatives au temps et au climat. Ainsi, une équipe de recherche a épluché les journaux de navigation à la recherche d'indices sur le climat des XVIIIᵉ et XIXᵉ siècles [García-Herrera *et al.*, 2005].

La production globale de l'histoire environnementale

Bien que j'aie souligné auparavant que la production de l'histoire environnementale s'était globalisée, la plupart des travaux mentionnés jusqu'ici sont l'œuvre de chercheurs européens et nord-américains. Cela n'est pas contradictoire. En effet, à deux exceptions près, celles de Guya et d'Ikeya[15], la majeure partie des études d'histoire globale de l'environnement viennent d'Europe et d'Amérique. Cependant, de manière plus générale, l'histoire environnementale existe désormais partout où il y a des historiens professionnels. À part l'Europe et l'Amérique, il me semble que les régions les plus actives dans la production contemporaine d'une histoire environnementale *indigène* sont l'Inde et l'Amérique latine. Pourquoi insister sur *indigène* ? Parce que les nombreux travaux qui sont menés aujourd'hui sur l'Afrique et sur la Chine le sont par des étrangers : Européens ou Américains. Le même processus a débuté à propos du Moyen-Orient et de la Russie, deux régions du monde jusqu'ici négligées par les historiens de l'environnement[16].

---

15 Le livre de Guha, *Environmentalism* [2000], est l'œuvre d'un historien indien, même si Guha est très ouvert sur la Grande-Bretagne et les États-Unis. Un exemple japonais – que je n'ai pas lu – est l'ouvrage d'Ikeya [1989].

16 Josephson *et al.* [2012], Bruno [2007], Mikhail [2011].

*L'histoire environnementale confrontée à la complexité
du sous-continent indien...*

L'histoire environnementale indienne a commencé il y a environ vingt ans. Elle a su tirer profit d'une source particulièrement utile : les archives de la Compagnie des Indes orientales et les répertoires géographiques du British Raj (rappelons que les Britanniques ont été présents en Inde de 1757 environ jusqu'à 1947). Apparemment, ces deux fonds d'archives sont riches d'informations sur les questions environnementales, depuis les données pluviométriques jusqu'aux registres des moissons et des animaux [Axelby et Preetha Nair, 2010]. Les historiens de l'environnement travaillant sur l'Inde ont toujours manifesté plus d'intérêt pour certains thèmes au détriment d'autres. Dans les premières années, beaucoup de travaux traitaient de l'usage des sols mais aussi des forêts et de l'accès à ces forêts, en particulier pendant la période du Raj. Pendant le mandat britannique, l'ambitieuse politique de préservation des forêts d'État est entrée en conflit avec les intérêts des paysans pour qui les forêts représentaient un moyen de subsistance. Un autre thème important était celui de la politique de l'eau, qu'il s'agisse de la construction de canaux, particulièrement pendant la période coloniale, ou de l'édification de barrages, surtout depuis l'indépendance en 1947. De fait, on pourrait légitiment prétendre que l'histoire environnementale indienne est née de l'étude des forêts et de l'irrigation. Plus récemment, un troisième sujet est apparu, celui des perspectives d'avenir de la vie sauvage dans le pays, essentiellement à partir du cas des mammifères emblématiques que sont les tigres et les éléphants et des significations qu'ils revêtent selon les différents cadres culturels indiens. Il s'agit de sujets ruraux, particulièrement adaptés à l'Inde ; l'urbanisation gigantesque qu'a connue l'Inde au cours du siècle dernier a fait des villes indiennes un objet particulièrement intéressant et prometteur, mais qui n'a encore attiré presque aucun historien[17]. Récemment, l'éminent historien de l'économie Irfan Habib [2011] a publié un ouvrage de cent cinquante pages dans lequel il propose

---

17 Dangwal [2008], Guha [1989], Rangarajan [1996 ; 2001], Rao [2007], D'Souza [2006], Thapar [2003].

une admirable synthèse de l'histoire environnementale de l'Inde sur plusieurs milliers d'années.

En Inde, les historiens de l'environnement ont également eu tendance à se concentrer sur le rôle de l'État, qu'il s'agisse de l'Empire moghol, du British Raj ou de l'État national post-1947. Il y a une triple logique à cela. Tout d'abord, depuis au moins le milieu du XIXe siècle, l'Inde a abrité des États particulièrement actifs dans le domaine de l'environnement, les dirigeants s'efforçant de recréer la nature indienne selon la façon (changeante) dont ils envisageaient la modernité, la sécurité et la prospérité. Insatisfaits de la nature qu'ils avaient héritée du passé, ils voulurent la modifier et la mettre au service de leurs agendas, qu'ils soient de nature impériale ou nationale. Il ne s'agit pas d'un cas unique et ces politiques n'ont jamais atteint, par exemple, le niveau d'ambition de la politique soviétique en la matière. Néanmoins, cela fournit une raison aux historiens – qu'il n'est guère utile d'encourager – de mettre l'accent sur le rôle de l'État. Deuxièmement, de même que les États se laissent souvent aller à des simplifications grossières pour tenter d'appréhender la complexité des sociétés qu'ils dirigent, les historiens ont tendance eux aussi, pour se simplifier la tâche, à se centrer sur l'État. Or la situation, dans le sous-continent indien, est particulièrement compliquée. À une diversité écologique tout à fait impressionnante, de l'Himalaya aux déserts, des rizières à la jungle…, il faut ajouter une très forte diversité linguistique, religieuse, culturelle et ethnique, tout en gardant à l'esprit que ces derniers aspects se modifient en permanence. L'histoire indienne est un vrai tourbillon kaléidoscopique qui, comme bien d'autres endroits dans le monde, incite les historiens à chercher un asile intellectuel dans la mise en avant du rôle de l'État [Sumit Guha, 1999]. Troisièmement, cet accent étatique rend l'histoire environnementale de l'Inde – peut-être plus pour l'Inde que pour les autres pays – plus intéressante et plus utile pour les historiens en général ainsi que pour le public au sens large. Au cours des cinquante dernières années, la question de la signification du pouvoir colonial a sans doute constitué la préoccupation centrale des historiens indiens et cette même question a certainement dominé également l'historiographie de l'environnement. S'il se peut que le poids des importations imputables au pouvoir colonial ait été exagéré, il n'en reste pas moins qu'il a apporté des changements majeurs : entre autres choses, de nouvelles plantations, le chemin de fer – ainsi que la protection de la forêt pour garantir l'approvisionnement en traverses pour les voies – et un système d'irrigation bien plus ambitieux.

Tout en demeurant prudent, je prédis que cette préoccupation coloniale va connaître des modifications à mesure que l'expérience coloniale s'éloigne dans le temps et les mémoires. Les historiens de l'Afrique, où l'on sait que la domination coloniale a commencé plus tard et duré moins longtemps, ont réévalué progressivement leurs priorités historiographiques, le colonialisme perdant la première place qu'il y avait occupée pendant longtemps. Je pense qu'il va se produire la même chose pour l'historiographie indienne – si ce n'est déjà le cas –, et ce aussi bien sur le plan général que dans le domaine de l'histoire de l'environnement. L'un des éléments susceptibles de contredire cette prédiction est la grande accessibilité des archives et des registres créés puis entretenus par les autorités coloniales : ce fonds, en effet, risque de tenter longtemps encore les historiens. Depuis les travaux pionniers d'il y a deux décennies, cependant, l'histoire environnementale indienne a connu une croissance extraordinaire et exubérante : ceux qui travaillent dans ce champ d'études reconnaissent bien volontiers qu'un tel déluge de publications permet difficilement de se tenir à jour [Iqbal, 2010 ; Sharma, 2010].

... Et à la forte urbanisation de l'Amérique latine

L'histoire de l'environnement connaît désormais une situation similaire en Amérique latine. Grâce à une tradition remontant à Alexander von Humboldt (1769-1859), les connaissances sur cette région étaient particulièrement riches dans le domaine de la géographie. Mais l'histoire de l'environnement en tant que telle n'est apparue que dans les années 1980 avec le travail de Luis Vitale [1983]. Laissant aux anthropologues, aux géographes et aux archéologues la thématique des relations entretenues avec la nature par les Précolombiens, les historiens se sont emparés des questions relatives à la conquête coloniale (comme en Asie du Sud-Est) et à l'immigration (au contraire de l'Asie du Sud-Est).

Plus récemment, on a assisté à l'apparition de travaux sur l'industrialisation, l'urbanisation, la préservation de la nature ainsi que sur l'environnementalisme, ce qui a contribué à rendre l'histoire environnementale latino-américaine à la fois plus riche et plus originale. Comme dans le cas de l'Inde, les historiens de l'environnement ont d'abord cherché à explorer l'impact écologique de la colonisation et du capitalisme[18]. Certaines de ces thématiques sont classiques : c'est le cas de la déforestation galopante ou de la mise en place des économies de plantation. Ce sont les mêmes qui prédominent dans l'histoire environnementale encore balbutiante de l'Amérique centrale et des Caraïbes [Funes Monzote, 2004 ; Gallini, 2009a]. Le peuplement des pampas par les êtres humains et par les herbivores prend naturellement une large place dans l'histoire environnementale de l'Argentine, telle qu'on peut, par exemple, la lire dans un ouvrage par ailleurs primé, *Memoria verde : Historia ecológica de la Argentina* [Brailovsky, Foguelman, 1991 ; Garavaglia, 2000]. Dans l'histoire environnementale de l'économie coloniale, ce sont le pastoralisme [Melville, 1995], l'irrigation et l'exploitation minière qui, jusqu'ici, ont retenu l'attention des chercheurs, même s'il reste encore beaucoup à faire, surtout dans le domaine de l'exploitation minière. Qui écrira la première histoire environnementale de la grande mine d'argent de Potosí ? Du pétrole vénézuélien ou du cuivre chilien[19] ?

Depuis peu, les historiens latino-américains de l'environnement se sont engagés dans de nouvelles directions. Sans jamais abandonner la question des transformations coloniales, ils se sont tournés vers l'étude de la pensée et de la science de l'environnement pendant la période coloniale et après l'indépendance [Pádua, 2002]. Le lancement par les États de programmes de préservation de la nature a également nécessité la mise en œuvre d'études, la plupart du temps à l'échelle nationale. Pendant plusieurs siècles, l'Amérique latine a fait partie des zones les plus urbanisées du monde (aujourd'hui, près de 80 % des Latino-Américains habitent en ville),

---

18 García Martínez, González Jácome [1999-2002], Brannstrom [2004]. Pour une récente synthèse, voir Gallini [2009a ; 2009b].
19 Pour une première tentative, voir Folchi Donoso [2001].

de sorte que les premiers travaux sur la ruralité et sur l'agriculture se sont vus complétés par une nouvelle génération de recherches sur les villes, même si leur part est encore réduite. La première étude urbaine approfondie fut celle réalisée par Exequiel Ezcurra sur la ville de Mexico et ses faubourgs, suivie par d'autres enquêtes sur les villes brésiliennes comme São Paulo, qui était considérée comme une vraie plaie environnementale, ou Curitiba, une ville du sud du Brésil que certains donnaient en exemple pour son urbanisme environnemental éclairé. Une autre cité géante, Bogotá, est récemment devenue un objet d'histoire environnementale[20].

Dans le domaine urbain, les spécialistes de l'Amérique latine ont été plus loin que les spécialistes de l'Asie du Sud – après tout, la région est deux fois plus urbanisée – mais de nombreuses villes intéressantes n'ont pas encore été étudiées.

À la suite du travail pionnier accompli par Vitale, les latino-américanistes ont produit plusieurs synthèses régionales et nationales qui prennent en compte cette avalanche de nouvelles recherches. Guillermo Castro et Elio Brailovsky ont proposé chacun une synthèse – sous une forme ramassée pour le premier, plus longue pour le deuxième – s'inscrivant dans la tradition « décliniste[21] » de l'histoire environnementale [Brailovsky, 2006, 2008 ; Castro y Herrera, 2004]. Bien que leur intérêt soit assez limité dans le cas de l'Amérique latine, étant donné la durée de la période coloniale et la perméabilité des frontières depuis les indépendances, quelques synthèses nationales ont vu le jour [Palacio, 2006 ; Martinez, 2006]. Mais le besoin d'autres ouvrages de synthèse se fera bientôt sentir car de nouvelles recherches émergent et de nouveaux sujets trouvent leurs historiens. Par exemple, l'histoire du climat vient tout juste de faire son apparition dans l'histoire environnementale latino-américaine, tout comme l'histoire de l'énergie, même si Georgina Enfield [2008] et Myrna Santiago [2006] ont déjà montré toutes les potentialités que recelaient ces deux terrains. La région

---

20 Ezcurra [1990], Drummond [1998], Martinez [2007], Jorge [2006], De Castro Trindad [1997], Luiz Menezes [1996], Beltrán *et al.* [2005].

21 On désigne par l'expression « tradition décliniste » une tendance très répandue chez les historiens de l'environnement à se lamenter dans leurs écrits sur la dégradation de ce dernier.

des Caraïbes, qui a occupé le devant de la scène historiographique moderne en ce qui concerne les recherches sur l'univers de l'esclavage de plantation, est malheureusement sous-étudiée sur le plan environnemental, bien que certains historiens aient commencé à travailler récemment sur les cyclones et leurs conséquences[22].

Un constat s'impose lorsqu'on compare l'histoire environnementale en Inde et en Amérique latine, une constatation vient-elle à l'esprit. Dans les deux cas, les historiens ont montré plus d'intérêt pour les combats et les conflits environnementaux que leurs collègues européens ou américains. Ils démontrent une vraie sensibilité aux problèmes actuels et à l'engagement politique, ce qui n'est plus une chose aussi largement partagée – même si ce n'est pas rare non plus – en Europe et en Amérique.

Logique et périls de l'histoire globale de l'environnement

Il est probable que l'histoire de l'environnement se prête plus facilement à un traitement global que d'autres domaines historiographiques comme l'histoire du travail, l'histoire des femmes ou l'histoire intellectuelle. La plupart des processus biophysiques impliqués dans l'histoire de l'environnement agissent à l'échelle globale et rares sont ceux qui respectent les frontières internationales. Il ne s'agit pas de prétendre qu'il n'existe aucune particularité régionale ou locale. Il en existe toujours, même quand il s'agit de transformations globales comme le changement climatique ou le niveau des océans. Cependant, les particularités en question ne peuvent éclipser le fait que le niveau des océans n'a cessé de s'élever partout dans le monde au cours du siècle passé ; que le taux de dioxyde de carbone dans l'atmosphère a augmenté partout ; que les océans sont partout devenus plus acides qu'auparavant, même s'il est vrai que l'ampleur de ces changements varie selon les endroits. L'échelle « globale » est vraisemblablement plus utile à l'analyse pour étudier les dimensions matérielles de l'histoire environnementale que ses dimensions politiques ou intellectuelles. Bien que certains traités internationaux relatifs à l'environnement aient été ratifiés par la plupart des pays, il n'en demeure pas moins que la

---

22   Pour la Jamaïque, voir Mulcahy [2006].

majeure partie de la réglementation et de la politique environnementales se déroule au niveau national et local. Il n'est pas exclu
que cette situation évolue si des accords sur le changement climatique sont signés par la grande majorité des pays et suivis d'effets.
Pour l'instant, ce n'est pas le cas. Bien entendu, il serait déjà tout
à fait éclairant d'écrire l'histoire de l'échec qu'ont connu jusqu'à
aujourd'hui les différentes tentatives visant à réguler internatio-
nalement les émissions de carbone et d'autres gaz à effet de serre.

Pour l'étude des dimensions intellectuelles et culturelles de
l'histoire de l'environnement, il semble que l'échelle locale et
nationale soit plus utile que l'échelle globale, même s'il n'est bien
évidemment pas question de nier l'existence d'une pensée environnementale mondiale depuis les cinquante dernières années.
Pour autant, elle a pris des formes tellement différentes selon les
endroits qu'on ne peut la considérer comme un phénomène global
qu'à condition de faire de l'environnementalisme une catégorie
très large comprenant aussi bien la mobilisation paysanne pour
l'accès à la forêt en Inde, l'attachement à la *Heimat* (tel qu'on peut
le constater en Allemagne) que les campagnes pour la pureté de
l'air lancées par les citadins japonais. Chacun de ces phénomènes
constitue sans doute une forme d'environnementalisme et, de
façon large, ils appartiennent tous à un mouvement global, mais
ils doivent bien plus à leurs contextes locaux et nationaux qu'à
l'existence d'un *Zeitgeist* mondial ou de processus à l'échelle mondiale. Si l'histoire globale de l'environnement possède sa logique,
elle comporte aussi des risques. Pour l'essentiel, ce sont les mêmes
que pour n'importe quelle forme d'histoire à l'échelle globale. Les
historiens sont formés à l'analyse de documents primaires dans la
langue où ils ont été initialement écrits. C'est absolument incon-
cevable pour l'histoire globale : cela prendrait trop de temps et
personne ne peut maîtriser toutes les langues utiles. Il est possible
d'écrire une histoire de la réglementation sur l'amiante à Kansas
City sur la base de documents originaux. À partir de cette seule
approche, il est impossible d'écrire une histoire globale de la réglementation sur l'amiante, et encore moins une histoire globale de
la réglementation sur l'environnement en général. Il s'ensuit que
la pratique de l'histoire globale va à l'encontre de la formation

et de la socialisation des historiens et, ne serait-ce que pour cette raison, beaucoup la rejettent.

Un problème connexe est celui de la compétence liée au contexte. Les historiens passent des années entières à tenter de développer un sens du contexte qui leur permettra d'analyser l'information de manière satisfaisante. Un historien bien formé peut fort légitimement prétendre maîtriser le contexte français de la fin du XIXᵉ siècle et du début du XXᵉ siècle et, donc, écrire un ouvrage tout à fait convaincant sur l'histoire de la pollution de l'eau dans ce pays sous la IIIᵉ République. Est-il envisageable d'acquérir ce sens du contexte pour l'ensemble de l'Europe entre 1870 et 1940 ? Les chercheurs américains pensent souvent que c'est possible, les chercheurs européens sont moins souvent d'accord. Peut-on maîtriser le contexte mondial entre 1870 et 1940 ? Comment écrire une histoire globale de la pollution de l'eau entre 1970 et 1940 quand on ne sait presque rien de la plupart des lieux concernés ? Ce problème n'a pas de solution. La vie est trop courte et le cerveau humain trop limité pour que quiconque, même une équipe d'historiens, puisse maîtriser les contextes globaux d'une manière similaire à ce qui peut être fait pour la France. Cependant, cela ne devrait dissuader personne. On peut estimer – et je suis persuadé que cela arrive fréquemment – que personne ne peut réellement maîtriser le contexte français sous la IIIᵉ République car les conditions entre la Picardie et la Provence étaient fort différentes. Pour certains historiens, même la Provence est difficile à aborder car les régions de Cannes et de la Camargue ne sont pas comparables. En empruntant cette voie, on frôle vite l'absurde. C'est pourquoi la vraie question est celle de l'échelle. Si elle va à l'encontre de la formation initiale des historiens, l'échelle globale n'est ni plus valide ni moins valide qu'une autre. Sur certains sujets, elle peut s'avérer utile, sur d'autres non. Pour mieux comprendre, on peut faire une analogie avec les cartes géographiques : une carte du monde a son intérêt, elle vous aidera à situer l'Europe par rapport à l'Amérique du Nord, mais elle ne vous aidera pas à trouver la Camargue. À chaque échelle, les cartes ont leur utilité ; il en est de même pour les enquêtes historiques à chaque échelle, du biographique au global. Collectivement, les historiens devraient travailler à toutes les échelles, ce qui ne revient pas à dire que chaque historien doit en faire autant. Si les historiens se méfient de l'échelle globale parce qu'elle est trop difficile à maîtriser ou parce qu'elle ne permet pas de mener une recherche sur la base de documents originaux, alors ce seront les journalistes et les ornithologues qui la prendront en charge. Or quelle que soit leur ardeur au travail et leur intelligence, il y a fort à parier que les journalistes et les ornithologues développeront un sens du contexte plus faible que celui des historiens.

Dans le champ de l'histoire globale de l'environnement, le premier texte a été écrit par un amateur, Clive Ponting, un haut fonctionnaire du ministère de la Défense britannique. L'ouvrage le plus lu, quant à lui, a été écrit par un ornithologue, Jared Diamond : *Effondrement* [2006] s'est vendu à des millions d'exemplaires et a été traduit dans des douzaines de langues mais ce livre souffre malheureusement de nombreux défauts facilement repérables par les historiens et les archéologues [McAnany, Yoffee, 2010]. Comme tous les historiens professionnels en général, les historiens de l'environnement seraient bien avisés d'accepter la concurrence des amateurs et de proposer une histoire à l'échelle globale car, en dépit de toutes ses imperfections, il y aura toujours quelqu'un pour s'en charger et, en toute logique, les autres le feront moins bien que les historiens.

Références bibliographiques

ANNALES : *E.S.C.* 29 (3), 1974, numéro spécial « Histoire et environnement ».

AXELBY Richard, NAIR Savithri Preetha, 2010, *Science and the Changing Environment in India 1780-1920 : A Guide to Sources in the India Office Records*, British Library, Londres.

BEHRINGER Wolfgang, 2007, *Kulturgeschichte des Klimas. Von der Eiszeit bis zur globalen Erwärmung*, Beck, Munich.

BELTRÁN J. Preciado, CASTAÑEDA C. Almanza, PULIDO Leal, 2005, *Historia ambiental de Bogotá, siglo XX : Elementos históricos para la formulación del medio ambiente urbano*, Universidad Distrital Francisco José de Caldas, Centro de Investigaciones y Desarrollo Científico, Bogotá.

BRAILOVSKY Antonio Elio, 2008, *Historia ecológica de Iberoamérica : de la independencia a la globalización*, Kaicron, Buenos Aires.

— 2006, *Historia ecológica de Iberoamérica : de los Mayas al Quijote*, Kaicron, Buenos Aires.

BRAILOVSKY A. Elio, FOGUELMAN Dina, 1991, *Memoria verde : historia ecológica de la Argentina*, Editorial Sudamericana, Buenos Aires.

BRANNSTROM Christian (dir.), 2004, *Territories, Commodities and Knowledges : Latin American Environmental History in the Nineteenth and Twentieth Centuries*, Institute of Latin American Studies, Londres.

BRUNO Andy, 2007, « Russian environmental history : Directions and potentials », *Kritika : Explorations in Russian and Eurasian History*, 8, p. 635-50.

BUNKER Stephen, 1985, *Underdeveloping the Amazon : Extraction, Unequal Exchange and the Failure of the Modern State*, University of Chicago Press, Chicago.

CASTRO Y HERRERA G., 2004, *Para una historia ambiental de América Latina*, Editorial de Ciencias Sociales, La Havane.

CASTRO TRINDADE Etelvina Maria de, 1997, *Cidade, homem, natureza : uma história das políticas ambientais de Curitiba*, Curitiba Universidade Livre do Meio Ambiente, Secretaria Municipal do Meio Ambiente.

DANGWAL Dhirendra Datt, 2008, *Himalayan Degradation : Colonial Forestry and Environmental Change in India*, Cambridge University Press, New Delhi.

DAVID Christian, 2004, *Maps of Time*, University of California Press, Berkeley.

DAVIS Mike, 2001, *Late Victorian Holocausts*, Verso, New York.

DE VRIES Bert, GOUDSBLOM Johan, 2002, *Mappae Mundi. Humans and Their Habitats in Long-term Socio-ecological Perspective*, University of Amsterdam Press, Amsterdam.

DIAMOND Jared, 2006 (2005), *Effondrement*, Gallimard, Paris.

DRUMMOND José Augusto, 1998, *Devastação e preservação ambiental no Rio de Janeiro*, Niterói, Rio de Janeiro.

D'SOUZA Rohan, 2006, *Drowned and Dammed. Colonial Capitalism and Flood Control in Eastern India*, Oxford University Press, New York.

ENFIELD Georgina H., 2008, *Climate and Society in Colonial Mexico. A Study in Vulnerability*, Blackwell, Malden.

EZCURRA Exequiel, 1990, *De las chinampasa la megalopolis. El medio ambiente en la cuenca de Mexico*, Fondo de Cultura Económica, Mexico City.

FOLCHI Donoso M., 2001, « La insustenibilidad de la industria del cobre en Chile : los hornos y los bosques durante el siglo XIX », *Revista Mapocho*, 49, p. 149-75.

FUNES Monzote R., 2004, *De bosque a sabana. Azúcar, deforestación y medio ambiente en Cuba, 1492-1926*, Siglo XXI, Mexico City.

GALLINI Stefania, 2009a, *Una historia ambiental del café en Guatemala : la Costa Cuca, 1830-1902*, AVANCSO, Guatemala City.

— 2009b, « Historia, ambiente, política : el camino de la historia ambiental en América Latina », *Nómadas*, 30, p. 92-102.

GARAVAGLIA Juan Carlos, 2000, *Les Hommes de la pampa. Une histoire agraire de la campagne de Buenos-Aires (1700-1830)*, EHESS, Paris.

GARCÍA-HERRERA, R., KÖNNEN G. P., WHEELER D., PRIETO M. R., JONES P. D., KOEK F. B., 2005, « CLIWOC : A climatological database for the world's oceans. 1750-1854 », *Climatic Change*, 73, p. 1-12.

GARCÍA MARTÍNEZ Bernardo, GONZÁLEZ JÁCOME Alba, 1999-2002, *Estudios sobre historia y ambiente en América*, 2 vol., El Colegio de México, Mexico City.

GROVE Richard, 2007, « The great el niño of 1789-93 and its global consequences : Reconstructing an extreme climate event in world environmental history », *The Medieval History Journal*, 10, p. 75-98.

GUHA Ramachandra, 2000, *Environmentalism. A Global History*, Longman, New York.

— 1989, *The Unquiet Woods. Ecological Change and Peasant Resistance in the Western Himalaya*, Oxford University Press, Delhi.

GUHA Sumit, 1999, *Environment and Ethnicity in India, 1200-1991*, Cambridge University Press, Cambridge.

HABIB Irfan, 2011, *Man and Environment. The Ecological History of India*, Tulika Books, New Delhi.

HORNBORG Alf, 2009, « Introduction », *in* HORNBORG Alf, MCNEILL John-R., MARTINEZ-ALIER Joan (dir.), *Rethinking Environmental History : World-System History and Environmental Change*, AltaMira, Lanham, p. 5-11.

— 2006, « Footprints in the cotton fields : The industrial revolution as time-space appropriation and environmental load displacement », *Ecological Economics*, 59, p. 74-81.

HUGHES Johnson Donald, 2001, *An Environmental History of the World*, Routledge, Londres.

IKEYA Kazunobu, 2009, *Chikyūkankyōshi kara no toi. Hito to shizen no kyōsei to wa nani ka* (A Perspective of Global Environmental History : What is the Coexistence between Humanity and Nature ?), Iwanami Shoten, Tokyo.

IQBAL Iftekhar, 2010, *The Bengal Delta. Ecology, State and Social Change, 1840-1943*, Palgrave Macmillan, Londres.

JORGE Janes, 2006, *Tietê, o rio que a cidade perdeu. São Paulo, 1890-1940*, Alameda, São Paulo.

JOSEPHSON Paul *et al.*, 2012, *The Environmental History of Russia*, Cambridge University Press, New York.

LEIGH G. Jeffery, 2004, *The World's Greatest Fix. A History of Nitrogen and Agriculture*, Oxford University Press, Oxford.

MENEZES C. Luiz, 1996, *Desenvolvimento urbano e meio ambiente. A experiencia de Curitiba*, Papirus, Campinas.

MASSARD-GUILBAUD Geneviève, 2000, « De la "part du milieu" à l'histoire de l'environnement », *Le Mouvement social*, 200, p. 64-72.

LE ROY LADURIE Emmanuel, 2004, *Histoire humaine et comparée du climat*, 3 vol., Fayard, Paris.

MANNION Antoinette, 2006, *Carbon and Its Domestication*, Springer, Dordrecht.

— 1991, *Global Environmental Change : A Natural and Cultural History*, Longman Scientific, Harlow (UK).

MARKS Robert, 2002, *The Origins of the Modern World : A Global and Ecological Narrative*, Rowman & Littlefield, Lanham.

MARTINEZ Paulo Henrique (dir.), 2007, *História ambiental paulista. Temas, fontes, métodos*, Senac, São Paulo.

— 2006, *História ambiental no Brasil. Pesquisa e ensino*, Cortez, São Paulo.

MCANANY Patricia, YOFFEE Norman (dir.), 2010, *Questioning Collapse*, Cambridge University Press, New York.

MCNEILL John R., 2010, *Mosquito Empires*, Cambridge University Press, New York.

— 2000, *Something New Under the Sun. An Environmental History of the Twentieth-century World*, Norton, New York. Traduction française : *Du nouveau sous le soleil*, Champ Vallon, Paris, 2010.

MCNEILL John R., WINIWARTER Verena, 2006, *Soils and Societies*, White Horse Press, Isle of Harris.

MELVILLE Elinor, 1995, *A Plague of Sheep*, Cambridge University Press, New York.

MIKHAIL Alan, 2011, *Nature and Empire in Ottoman Egypt. An Environmental History*, Cambridge University Press, New York.

MITCHELL Timothy, 2002, *Rule of Experts*, University of California Press, Berkeley.

MONTGOMERY David, 2007, *Dirt : The Erosion of Civilizations*, University of California Press, Berkeley.

MOSLEY Stephen, 2010, *The Environment in World History*, Routledge, Londres.

MULCAHY Matthew, 2006, *Hurricanes and Society in the British Greater Caribbean, 1624-1783*, Johns Hopkins University Press, Baltimore.

PÁDUA José Augusto, 2002, *Um sopro de destruição : pensamento politico e critica ambiental no brasil escravista (1786-1888)*, Zahar, Rio de Janeiro.

PALACIO Germán Alfonso, 2006, *Fiebre de tierra caliente. Una historia ambiental de Colombia, 1850-1930*, Ilsa, Bogotá.

PAOLINI Federico, 2009, *Breve storia dell'ambiente del novecento*, Carocci, Rome.

PARKER Geoffrey, 2013 (à paraître), *The Global Crisis : Climate, War and Catastrophe in the 17th-century World*, Yale University Press, Yale.

PENNA Anthony, 2010, *The Human Footprint : A Global Environmental History*, Wiley-Blackwell, Malden.

PFISTER Christian *et al.*, 2005, « Historical climatology in Europe : The state of the art », *Climatic Change*, 70, p. 363-430.

POMERANZ Kenneth, 2000, *The Great Divergence : China, Europe and the Making of the Modern World Economy*, Princeton University Press, Princeton. Traduction française : *Une Grande divergence. La Chine, l'Europe et la construction de l'économie mondiale*, Albin Michel, « Bibliothèque de l'évolution de l'humanité », Paris, 2010.

PONTING Clive, 1991, *A Green History of the World*, Penguin, Londres.

PYNE Stephen, 1995, *World Fire : The Culture of Fire on Earth*, University of Washington Press, Seattle.

RANGARAJAN Mahesh, 2001, *India's Wildlife History*, Permanent Black, Delhi.

— 1996, *Fencing the Forest : Conservation and Ecological Change in India's Central Provinces 1860-1914*, Oxford University Press, New York.

RAO Neena Ambre, 2007, *Forest Ecology in India : Colonial Maharashtra 1850-1950*, Cambridge University Press, New Delhi.

RADKAU Joachim, 2000, *Natur und Macht : Eine Weltgeschichte der Umwelt*, Beck, Munich.

RICHARDS John F., 2003, *The Unending Frontier : An Environmental History of the Early Modern World*, University of California Press, Berkeley.

ROBERTS Neil, 1989, *The Holocene : An Environmental History*, Blackwell, Oxford.

SANTIAGO Myma, 2006, *The Ecology of Oil : Environment, Labor, and the Mexican Revolution, 1900-1938*, Cambridge Uniersity Press, New York.

SHARMA Yogesh (dir.), 2010, *Coastal Histories Society and Ecology in Pre-Modern India*, Primus Books, New Delhi.

SIMMONS Ian G., 2008, *Global Environmental History*, University of Chicago Press, Chicago.

— 1996, *Changing the Face of the Earth*, Blackwell, Oxford.

— 1993, *Environmental History : A Concise Introduction*, Blackwell, Oxford.

SMIL Vaclav, 1994, *Energy in World History*, Westview Press, Boulder.

SÖRLIN Sverker, ÖCKERMANN Anders, 1998, *Jorden en ö : En global miljöhistoria*, Bokförlaget Natur och Kultur, Stockholm.

SPIER Fred, 2010, *Big History and the Future of Humanity*, Wiley-Blackwell, Oxford.

— 1996, *Big History*, University of Amsterdam Press, Amsterdam.

THAPAR Valmi (dir.), 2003, *Battling for Survival : India's Wilderness over Two Centuries*, Oxford University Press, New Delhi.

TOYNBEE Arnold J., 1976, *Mankind and Mother Earth*, Oxford University Press, Oxford.

VITALE Luis, 1983, *Hacia una historia del ambiente en América Latina : de las culturas aborigines a la crisis ecológica actual*, Nueva Sociedad, Caracas.

WALLERSTEIN Immanuel, 1997, « Ecology and Capitalist Costs of Production : No Exit », présentation à la XXe conférence annuelle de la section Political Economy of the World System de l'American Sociological Association, <http://fbc.binghamton.edu/iwecol.htm>, avril, Santa Cruz.

WHITE Sam, 2011, *The Climate of Rebellion in the Early Modern Ottoman Empire*, Cambridge University Press, New York.

Chapitre 5

Les espaces enchevêtrés du « tournant global »[1]

Ludger Pries

L'immense majorité des classifications produites par l'homme contiennent des informations relatives à la notion d'espace et à l'aspect que nous donnons à ce dernier. Indépendamment des sens spécifiques du concept d'espace – les distinctions entre différents espaces –, il existe des visions générales du mot « espace », en tant que signifiant, qui distinguent son contenu, son signifié, de celui des autres mots. Le terme « espace » mobilise des associations d'idées d'ordre relationnel sur des aspects tels que la direction, la distance, l'extension, la concentration, la limite, la frontière, l'inclusion et l'exclusion, ou les schémas de distribution. L'espace est aussi associé à la matérialité : à des choses (des montagnes, des arbres et des rivières), à des objets (de l'architecture par exemple), à des lieux et des territoires, à des superficies et à des pièces d'appartement. L'une des classifications les plus fondamentales a toujours été celle qui distinguait les espaces matériels des espaces immatériels, respectivement les espaces géographiques des espaces sociaux. Quasiment toutes les dimensions de la vie humaine ont été mises en ordre et en relation les unes avec les autres grâce à des signifiants spatiaux. Si cet état de fait reflète l'importance de la construction sociale des espaces et de la vie sociale, il se fonde également sur les expériences existentielles de la matérialité des espaces du Soi dont l'origine est à rechercher dans l'appréhension de la « physicalité » et de l'intégralité du corps. De la sorte, les expériences des espaces

---

1 Traduction par Stéphane Dufoix, revue par l'auteur.

matériels et sociaux s'entrelacent inextricablement le long de la multiplicité des enchevêtrements spatiaux.

À l'époque actuelle, caractérisée par la mondialisation, la localisation et la médiatisation de la vie par les nouvelles techniques de communication, les mondes sociaux ont connu une transformation radicale de leur extension et de leur portée spatiales. Certaines marchandises comme les objets manufacturés, les chaînes de valeur dans le domaine de la production, les réseaux de savoir, l'information ainsi que certaines valeurs ou normes spécifiques telles que les droits de l'homme traversent de plus en plus facilement les frontières du pouvoir, des territoires et des cultures. Les aspects économiques, politiques, culturels et sociaux de la vie quotidienne mettent en relation des lieux différents et des sociétés nationales différentes. Au cours des cent dernières années, beaucoup de gens ont vu leur cercle de mobilité s'agrandir, dépassant les vingt kilomètres pour atteindre des centaines voire des milliers de kilomètres. Cela ne concerne pas seulement la classe supérieure des cosmopolites mais aussi la classe moyenne des touristes et des expatriés, ainsi que les personnes appartenant aux groupes sociaux marginalisés qui composent les migrations internationales de travail.

Les sciences sociales proposent différents termes et différents concepts pour désigner ces processus – par exemple *globalisation, mondialisation, transnationalisation, glocalisation* – et ces configurations – par exemple *société-monde* [Stichweh, 2000], *empire mondial* [Hardt, Negri, 2000], *trans-monde* [Scholte, 2000] –, mais je les rassemblerai ici sous le terme plus général d'*internationalisation.* Selon certains chercheurs, les espaces matériels, les frontières et les territoires géographiques – en somme l'espace et les aspects spatiaux des pratiques sociales – représentent de moins en moins d'importance dans la structuration de la vie humaine. Pour d'autres, les nouvelles politiques de l'appartenance, les nouvelles logiques de l'inclusion et de l'exclusion conduisent à de nouvelles formes de segmentation sociale et de ségrégation spatiale : bref, l'espace et les aspects spatiaux des pratiques sociales sont de plus en plus importants. Dans ce chapitre, je suivrai plutôt le deuxième argument. En réalité, nous avons cruellement besoin de concepts permettant d'appréhender les espaces géographiques, les espaces sociaux et les relations entre les deux. Ce chapitre développe une présentation différenciée des concepts d'espace et propose un modèle intégré des espaces géographiques et sociaux, qu'ils soient substantialistes ou relationnels. Dans cette optique, j'évoquerai tout d'abord certaines tentatives conceptuelles récentes à propos de l'actuel processus d'internationalisation avant d'esquisser une critique du nationalisme méthodologique puis d'avancer quelques réflexions générales sur les concepts d'espace, notamment sur la relation entre l'espace géographique et l'espace social. Pour finir, je tenterai d'en tirer quelques conclusions pour des recherches futures.

Propositions pour une mise en concept des processus d'internationalisation

Tous les termes et les concepts tels que *globalisation, transnationalisation, glocalisation, cosmopolitisme* ou *société-monde* mettent en avant l'enchevêtrement des aspects spatiaux et des aspects sociaux de la réalité. À suivre certains auteurs, notre monde serait en train de se dissoudre dans un « espace de flux » et il deviendrait de plus en plus déterritorialisé [Castells, 1998 ; Urry, 2001 ; 2004]. Cette conception de l'internationalisation comme une déterritorialisation associée à la diminution de l'importance des dimensions géographiques de l'espace et des frontières a été poussée à l'extrême avec la publication, en 2004, de l'ouvrage de George Ritzer, *The Globalization of Nothing* [2004]. Ce n'est pas seulement le titre de l'ouvrage qui est irritant. Le « rien » en question désigne, selon Ritzer, « une forme sociale généralement conçue et contrôlée par un centre, et qui est relativement dépourvue de tout contenu spécifique » [*ibid.*, p. 25]. Ce « rien » occupe l'extrémité d'un *continuum* dont le pôle inverse – « quelque chose » – désigne « une forme sociale généralement conçue et contrôlée localement, et qui se caractérise par une richesse relative de fond et de contenu spécifique » [*ibid.*, p. 32]. Le « rien » et le « quelque chose » peuvent concerner des lieux, des choses, des gens ou des services. Pour illustrer la différence entre le « rien » et le « quelque chose », Ritzer choisit l'exemple de l'offre de crédit et de l'usage des cartes de crédit, lesquelles se caractérisent par une plus ou moins grande centralisation, l'anonymat, l'absence de contrôle local et la démultiplication à l'infini, par opposition à la négociation locale d'un crédit sous une forme tangible, qui se fonde sur une relation personnelle. Là où le « quelque chose » est unique, localement limité, situé dans le temps et enchanté, le « rien » est interchangeable, sans attache géographique locale, déshumanisé et désenchanté[2].

La thèse soutenue par Ritzer s'inscrit dans la tradition de la critique culturelle du monde moderne (celle de l'École de Francfort d'Adorno et Habermas). Le « rien » est alors en expansion constante dans le processus de globalisation, y compris sous les formes de la « glocalisation » ou de la « grobalisation » [sic]. L'ouvrage de Ritzer constitue un bon exemple de la manière dont la recherche sur la mondialisation peut déboucher sur une impasse ou sur des raisonnements totalement abstraits. L'ensemble de l'ouvrage se polarise sur le versant consommation de la mondialisation et évacue totalement tous les aspects relatifs au pouvoir et à la concentration des ressources. Si l'auteur tente bien de faire le lien entre son concept de « rien » et les considérations philosophiques de Kant, Hegel ou Marx, il n'en demeure pas moins que ce concept reste largement non précisé. On ignore ainsi de quelle façon ce « rien » peut trouver sa place dans l'opposition générale entre la forme et le contenu. Il est symptomatique que Georg Simmel, qui est évidemment le sociologue le plus pertinent dans ce domaine, soit cité en passant par Ritzer, mais que ce dernier ne s'appuie explicitement sur aucun des travaux de Simmel [par exemple Simmel, 1903] à partir desquels le « rien » aurait pu être éclairé par la vision complexe d'une « sociologie formelle ». Le problème apparaît dès la définition du « rien ». Une forme élaborée et contrôlée par le centre n'en demeure pas moins une forme limitée localement [Ritzer, 2004, p. 25, 35]. Par ailleurs, le « rien », en tant que mise en forme, n'est pas synonyme d'insignifiance [*ibid.*, p. 42] et les exemples donnés par Ritzer pour illustrer le « rien » et la « grobalisation » n'apparaissent que comme des situations enchâssées dans des contextes

---

2 *Ibid.*, p. 50, et, de façon générale, du chap. I au chap. III.

socioculturels, temporels et locaux spécifiques. Malheureusement, l'ouvrage ne comporte sur la globalisation aucun résultat empirique particulièrement intéressant.

À l'encontre d'une conception niant totalement l'importance de l'espace et sa pertinence en tant que catégorie fondamentale de l'analyse (conception que l'on retrouve chez la plupart des auteurs inspirée par la théorie des systèmes), d'autres chercheurs ont mis l'accent sur l'importance, continue ou croissante, de l'espace et des frontières[3]. Sacrifier la dimension spatiale de toute la vie sociale en insistant sur les notions de délocalisation, de déterritorialisation, ou bien alors en se lançant dans l'abstraction, loin de toute référence territoriale, équivaut à jeter le bébé avec l'eau du bain. De la même manière, il serait tout aussi trompeur de défendre ou de combiner les notions de société nationale et d'État-nation sans réfléchir explicitement à la relation existant entre le social et le spatial ainsi qu'aux différentes significations de l'espace et de la mise en espace (*spacing*).

Du nationalisme méthodologique et au-delà

Comme on vient de le voir, il y a deux façons différentes d'apprécier les processus d'internationalisation contemporains. La première diagnostique le déclin de l'importance et de la fonction de l'espace (géographique) et de la mise en espace en général, tandis que la seconde souligne l'impact toujours actuel, voire croissant, de l'espace dans la prise en compte du territoire, de l'autorité, des droits, du pouvoir, des États-nations et des sociétés nationales. Dans cette section, j'avance que ces deux points de vue gagneraient à incorporer : 1) les critiques du nationalisme méthodologique ; et 2) une réflexion plus systématique sur l'espace (social) et la mise en espace. Selon les critiques du nationalisme méthodologique, les sciences sociales ont subi le poids du « postulat selon lequel l'État-nation-société est la forme sociale et politique naturelle du monde moderne » [Wimmer, Glick Schiller, 2002, p. 302]. D'après le nationalisme méthodologique, les sociétés (nationales) possèdent des frontières (sociales) coïncidant naturellement avec les

---

3 Braudel [1993], Kirsch [1995], Smith [2001], Sassen [2006].

frontières territoriales (géographiques) définies et contrôlées par les États-nations. Épistémologiquement parlant, cette corrélation n'est pas surprenante : l'apparition de la sociologie moderne a coïncidé avec la fondation des États-nations et des sociétés nationales. La critique du nationalisme méthodologique et son insistance sur la coïncidence rigide entre les espaces géographique et sociétal, consolidée sous la forme de l'État-nation et de la société nationale, constituent un défi conceptuel et méthodologique pour la sociologie et pour les sciences sociales en général. Pour un nombre croissant de gens, la vie et les pratiques sociales quotidiennes, les cadres symboliques et de perception, ainsi que la signification et l'usage des objets physiques ne sont plus limités à un lieu ou à un territoire. S'éloignant du paradigme État-nation / immigrant, toute une littérature a fait son apparition sur les thèmes du transnationalisme et des espaces sociétaux transnationaux. Au sens large, le transnationalisme a été défini comme une « mise en relation culturelle, économique et politique d'individus et d'institutions qui relativise le rôle joué par la géographie dans la formation de l'identité et du collectif et crée des possibilités nouvelles d'appartenance au travers des frontières » [Levitt, 2001, p. 202[4]]. Pour autant, il ne faut pas exagérer cette relativisation de l'espace géographique. En fait, le terme, la perspective et le concept de *transnationalisme* mettent l'accent sur les espaces sociétaux nationaux puisque l'on estime que les sociétés et les unités politiques régionales et nationales constituent un élément de base et une condition nécessaire à l'existence de structures et de processus de traversée des frontières, de chevauchement et d'entrelacement [Pries, 1999, 2001, 2008a, 2008b]. C'est une réalité, même si les activités des marchands, des hommes d'Église, des militaires ou des aventuriers ont toujours franchi les limites des tribus, des empires ou d'autres entités. Les deux siècles derniers ont vu la mise en place d'un système dans lequel près de deux cents États-nations ou unités politiques souveraines structurent les espaces géographiques *et* sociétaux du globe. Il s'ensuit qu'on ne peut nier le rôle que joue l'État-nation dans

---

4 Pour d'autres définitions, voir Khagram et Levitt [2008], Levitt *et al.* [2003], Vertovec [2003].

la médiation des activités transfrontières : « La déterritorialisation peut s'accompagner de processus simultanés et tout aussi puissants de reterritorialisation » [Jackson *et al.*, 2004, p. 6]. C'est précisément parce que les activités des migrants, des entreprises ou des organisations à but non lucratif dépendent des différentes géographies matérielles et symboliques, à des niveaux géographiques différents, et s'encastrent dans des espaces sociétaux multidimensionnels, qu'il est nécessaire de différencier et de préciser notre compréhension de l'espace et de la mise en espace.

Tout d'abord, gardons à l'esprit que *toutes* les notions d'espace et de spatialité sont des constructions sociales. Dans son ouvrage monumental en deux volumes intitulé *Der Raum* (*L'Espace*), Alexander Gosztonyi [1976] a recensé le sens et l'usage des concepts d'espace dans les disciplines scientifiques majeures (sciences naturelles, philosophie, économie, science politique, sociologie etc.). Il a identifié vingt-neuf concepts d'espace différents et démontré qu'aucune discipline scientifique ne peut se passer de concepts d'espace. Pour l'objectif qui nous intéresse ici, je me bornerai à signaler trois de ces concepts. Le premier est *l'espace d'expérience*, qui désigne l'espace utilisé par les individus, celui dans lequel ils se déplacent, physiquement et mentalement, sans en avoir conscience. Cet espace d'expérience fait partie de la vie quotidienne des gens [Schütz, 1993 ; Berger, Luckmann, 1980] ; c'est un espace qui va de soi, qui est accepté sans que s'engage une réflexion plus poussée sur sa structure, sa classification ou sa constitution. Cet espace d'expérience est un espace premier pour deux raisons : d'abord, il s'agit de l'espace auquel les êtres humains, en tant qu'enfants, se confrontent en premier pour mieux le « conquérir » ; ensuite, il est premier au sens méthodologique parce qu'il forme la « base » – là aussi un terme possédant une dimension spatiale évidente – pour toute expérience ultérieure de l'espace. L'espace d'expérience constitue une perception partagée, une conscience de la vie en collectivité et du groupement social, une conscience que l'on n'interroge pas mais dont les symboles et les objets structurent la vie sociale quotidienne en termes de distance et de proximité, de position et de direction, de concentration et de distribution, de centralité et de marginalité, d'inclusion et d'exclusion, de situation à l'intérieur ou à l'extérieur des frontières. D'une manière générale, on pourrait appeler ces espaces d'expérience, ou ces espaces de la vie quotidienne construits par l'expérience, des *espaces sociétaux*.

Au cours du passage du mode de vie nomade au mode de vie sédentaire, les espaces sociétaux dans lesquels les individus coexistent et s'engagent dans les processus de socialisation ont noué des liens de plus en plus intimes avec des *sphères géographiques* plus ou moins bien définies. En retour, les espaces géographiques bien définis couvrant une surface physique (un « territoire » ou un « lieu ») étaient censés correspondre à un seul et unique espace sociétal (par exemple une communauté ou une société nationale). De cette manière, la coïncidence entre l'espace sociétal et l'espace géographique était doublement exclusive. D'une part, chaque espace sociétal semblait « occuper » précisément un espace géographique spécifique ; ainsi, des espaces sociétaux comme les familles, les communautés ou les sociétés occupaient un territoire cohérent. D'autre part, un espace géographique singulier devenait un « territoire socialement occupé » n'ayant de place que pour un seul espace sociétal : un appartement ou une maison ne pouvait héberger qu'une seule famille ; un lieu n'appartenait qu'à une seule communauté et le territoire d'un État-nation ne pouvait abriter qu'une seule société nationale. Bien entendu, ces principes n'ont pas été adoptés sans conflit entre les États-nations émergents et les sociétés nationales, mais toujours à la suite de périodes de guerres intensives. L'invention de la double exclusion de l'espace sociétal et géographique remonte sans doute au principe de la Paix de Westphalie en 1648 : *cuius regio, eius religio*. Ensuite, les principales institutions internationales comme les droits de l'homme ou les Nations unies ont été mises en place après les deux guerres mondiales.

À côté du concept d'*espace d'expérience*, il existe d'autres conceptions, importantes mais contradictoires, de l'espace qui nous intéressent directement ici. Une distinction fondamentale est celle qui oppose une vision substantielle à une vision relationnelle de l'espace. Selon la première, l'espace existe en soi, indépendamment de tout objet spécifique, mais il est néanmoins considéré comme étant une entité empiriquement réelle, homogène et « vide ». Ce

concept substantialiste d'espace correspond à la relation mutuellement exclusive mentionnée plus haut et qui relie les espaces
sociétaux et géographiques sous la forme d'associations binaires
(famille / ménage ; communauté / lieu et État-nation / société
nationale). On trouve des concepts substantialistes d'espace dans
la plupart des sciences. Ainsi, les critiques d'Albert Einstein [1960]
envers la mécanique de Newton concernent notamment la vision
newtonienne de l'espace, selon laquelle ce dernier est considéré
comme un « conteneur ». Einstein lui préférait un *concept relationnel
d'espace* à utiliser dans le cadre de la physique et de l'astronomie où
l'espace n'est rien d'autre qu'une configuration d'objets (matériels)
encastrés dans des relations géographiques et au sein d'un ordre
géographique. Une seconde distinction est celle qui oppose les
perspectives essentialiste et constructiviste de l'espace. En géographie, et même dans les sciences sociales, les concepts essentialistes
d'espace ont longtemps prévalu. Dans ce cadre, on considérait
que les bâtiments, les quartiers, les villes et les régions venaient
structurer et limiter le comportement et l'action de l'homme [par
exemple Frémont, 1999]. Les rivières, les montagnes ou les déserts
étaient vus comme des frontières quasi naturelles pour les relations et les pratiques sociales. Les approches constructivistes ont
commencé à prendre de l'importance il y a quelques décennies.
Pour elles, les quartiers, les villes et les régions sont des produits
de l'action humaine. L'arrangement spatial des choses devient
alors une variable dépendante, et non plus indépendante, de la
vie sociale [Werlen, 1993].

Je considère ici que tous ces concepts d'espace, substantiel et
relationnel, essentialiste et constructiviste, sont dialectiquement liés.
Ce qui est vrai des relations entre la structure et l'action [Giddens,
1984] l'est aussi des différents aspects de l'espace, y compris la distinction entre espace géographique et espace social.

Le tableau de la page suivante systématise les combinaisons
entre les espaces géographique et social et les approches substantialiste et relationnelle de l'espace. Selon l'approche choisie, la
signification des combinaisons entre espaces géographique et social
varie grandement. Une perspective substantialiste dans les deux cas
conduit aux concepts précités de nationalisme méthodologique et

Concepts et dimensions de l'espace

Espace géographique / Espace social	Approche substantialiste	Approche relationnelle
Approche substantialiste	Société nationale sur le territoire national *vs* Société mondiale à l'échelle du monde	Diaspora
Approche relationnelle	Société multiculturelle *vs* Diversité sociale en un endroit	Espaces sociaux transnationaux

de double exclusion. Le produit d'une approche relationnelle de l'espace géographique et de l'espace social est le concept d'espaces sociaux transnationaux pris en un sens étroit et spécifique[5]. Le concept de diaspora s'appuie sur la combinaison d'un espace social substantiel et d'un espace géographique relationnel : un système de valeurs fort, une identité forte, tous les deux partagés et substantiels se combinent à un réseau de lieux géographiques différents où vivent les membres de la diaspora, unis par l'idée d'un espace social historique commun, d'une ascendance et d'une « terre promise » imaginée comme étant communes [Cohen, 1997 ; Dufoix, 2008 ; Vertovec, 2000]. Combiné à l'idée relationnelle de l'espace social, l'espace géographique substantiel du « conteneur » (celui de la société nationale par exemple) donne lieu au concept de sociétés multiculturelles ou à celui de la diversité sociale en un endroit donné. Comme je l'ai écrit ailleurs [Pries, 2005], la différenciation entre les visions substantielle et relationnelle et entre les visions essentialiste et constructiviste de l'espace permet ainsi d'organiser les différents concepts de l'internationalisation.

Conclusion

Au cours de l'histoire de l'humanité, la grande majorité des gens ont vécu dans des espaces sociaux où les pratiques de la vie quotidienne, l'usage et la reproduction des systèmes sym-

---

5   Dans la littérature académique, l'expression « relations transnationales » a souvent le sens de « relations transfrontières ». Je l'utilise ici dans un sens plus spécifique correspondant à l'approche transnationale. Il désigne alors une « relation décentralisée, n'ayant aucun lien avec un État, et qui traverse les frontières des États-nations » [Khagram et Levitt, 2008 ; Pries, 2001 ; 2010].

boliques ainsi que les arrangements d'objets et leur utilisation étaient séparés et structurés selon des espaces géographiques distincts perçus comme autant de territoires. Du XVIIᵉ au XXᵉ siècle, le concept absolutiste de « conteneur », enfermant les sociétés nationales (espace social) dans des États-nations (espace géographique-territorial), confondait les deux. Depuis le tournant du XXIᵉ siècle, on estime que la relation entre les espaces sociaux et géographiques s'est fondamentalement modifiée. Non seulement le déplacement d'un endroit à un autre est devenu plus facile, tout comme la communication sur de longues distances, mais la possibilité de maintenir des liens sociaux forts pendant longtemps et sur de longues distances s'est elle aussi accrue. Autrefois, la vie dans des espaces sociaux couvrant de grandes distances, reliant des lieux différents sur plusieurs territoires, était l'apanage d'une petite minorité de marchands, d'artisans ambulants et de groupes ethniques, religieux ou sociaux marginalisés ; aujourd'hui, les espaces sociétaux transnationaux, si l'on entend par là des cadres de référence pluri-locaux, denses et durables, structurant la vie quotidienne, les systèmes symboliques et les objets, deviennent des phénomènes de masse.

Si l'on veut analyser les processus actuels d'internationalisation, ou le « tournant global », il est nécessaire de combiner les approches substantialiste et relationnelle ainsi que les concepts essentialiste et constructiviste des espaces sociaux et géographiques. Il est encore impossible de savoir si le XXIᵉ siècle sera celui des nationalismes, des régionalismes ou encore de toute autre forme d'espaces sociaux « conteneurs », ou bien celui de la diaspora et des espaces sociaux transnationaux. L'internationalisation n'est pas simplement « bonne » ou « mauvaise », au sens où l'on pourrait par exemple considérer que les espaces sociaux relationnels sont bons ou progressistes tandis que les espaces sociaux absolutistes seraient mauvais ou passés de mode. Le grand avantage des sociétés nationales, de l'État-conteneur, combinant le territoire, l'autorité et les droits, apparaît évident là où l'État-nation a échoué ou se désintègre, en Afrique ou ailleurs [Sassen, 2006]. À l'inverse, le caractère illégal et illégitime de certains espaces sociaux relationnels transnationaux est patent dans le cas d'Al-Qaida ou d'autres espaces réticulés transnationaux, qu'ils soient terroristes ou criminels [Passas, 2003].

Une mondialisation substantielle des droits de l'homme sera sans doute impossible si les États-nations ne s'engagent pas fermement à garantir sa mise en œuvre, mais la transformation des droits de l'homme en une institution mondiale dépend très étroitement de la transnationalisation du monde social, pas seulement au sein des entreprises mais également au niveau des ménages et de la vie quotidienne des familles. Il faudra encore beaucoup de raisonnement théorique et de recherche empirique pour mieux appréhender les conditions du développement durable de l'humanité.

Références bibliographiques

BERGER P. L., LUCKMANN T., 1980 (1966), *Die gesellschaftliche Konstruktion der Wirklichkeit. Eine Theorie der Wissenssoziologie*, Fischer, Francfort. Traduction française : *La Construction sociale de la réalité*, Masson-Armand Colin, Paris, 1996.

BRAUDEL F., 1993, *A History of Civilizations*, Penguin Books, New York. Original français : *Grammaire des civilisations*, Flammarion, Paris, 1963.

CASTELLS M., 1998, *The Information Age. Economy, Society and Culture*, vol. III : *End of Millennium*, Blackwell Publishers, Oxford et Malden. Traduction française : *L'Ère de l'information*, t. III : *Fin de millénaire*, Fayard, Paris, 1999.

COHEN R., 1997, *Global Diasporas. An Introduction*, University of Washington Press, Seattle.

DUFOIX S., 2008, *Diasporas*, University of California Press, Berkeley et Los Angeles. Original français : *Les Diasporas*, PUF, Paris, 2003.

EINSTEIN A., 1960, « Vorwort », *in* JAMMER M. (dir.), *Das Problem des Raumes. Die Entwicklung der Raumtheorien*, Wissenschaftliche Buchgesellschaft, Darmstadt, p. 11-15.

FRÉMONT A., 1999, *La Région, espace vécu*, Flammarion, « Champs », Paris.

GIDDENS A., 1984, *The Constitution of Society. Outline of the Theory of Structuration*, PolityPress, Cambridge. Traduction française : *La Structuration de la société*, PUF, Paris, 1987.

GOSZTONYI A., 1976, *Der Raum. Geschichte seiner Probleme in Philosophie und Wissenschaft*, Alber, Fribourg et Munich.

HARDT M., NEGRI A., 2000, *Empire*, Harvard University Press, Cambridge-Londres. Traduction française : *Empire*, Exils, Paris, 2000.

JACKSON P., CRANG P., DWYER C., 2004, « Introduction : the spaces of transnationality », *in* JACKSON P., CRANG P., DWYER C. (dir.), *Transnational Spaces*, Routledge, Londres, p. 1-23.

KHAGRAM S., LEVITT P., 2008, « Constructing transnational studies », *in* PRIES L. (dir.), *Rethinking Transnationalism*, Routledge, Londres et New York, p. 21-39.

KIRSCH S., 1995, « The incredible shrinking world ? Technology and the production of space », *Environment and Planning D. Society and Space*, 13, p. 529-555.

LEVITT P., DEWIND J., VERTOVEC S., 2003, « International perspectives on transnational migration : an introduction », *International Migration Review*, 37, p. 565-575.

PASSAS N., 2003, « Cross-border crime and the interface between legal and illegal actors », *Security Journal*, 16, p. 19-38.

PRIES L., 2010, *Transnationalisierung. Theorie und Empirie neuer Vergesellschaftung*, VS Verlag, Wiesbaden.

— 2008a, *Die Transnationalisierung der sozialen Welt*, Suhrkamp, Francfort.

— (dir.), 2008b, *Rethinking Transnationalism. The Meso-Link of Organisations*, Routledge, Londres.

— 2005, « Configurations of geographic and societal spaces : a sociological proposal between "methodological nationalism" and the "spaces of flows" », *Global Networks*, 5 (2), p. 167-190.

— 2001, « The approach of transnational social spaces : responding to new configurations of the social and the spatial », *in* PRIES L. (dir.), *New Transnational Social Spaces*, Routledge, Londres, p. 3-33.

— 1999 (dir.), *Migration and Transnational Social Spaces*, Ashgate, Aldershot.

RITZER G. 2004, *The Globalization of Nothing*, Thousand Oaks, Sage.

SASSEN S., 2006, *Territory, Autority, Rights. From Medieval to Global Assemblages*, Princeton University Press, Princeton. Traduction française : *Critique de l'État. Territoire, autorité et droits, de l'époque médiévale à nos jours*, Démopolis, Paris, 2009.

SCHOLTE J. A., 2000, *Globalization. A Critical Introduction*, Palgrave, Basingstoke.

SCHÜTZ A., 1993 (6e éd.), *Der sinnhafte Aufbau der sozialen Welt. Eine Einleitung in die verstehende Soziologie*, Suhrkamp, Francfort. Traduction française : *Le Chercheur et le quotidien*, Méridiens-Klincksieck, Paris, 1987.

SIMMEL G., 1983 (1903), « Soziologie des Raumes », *in* DAHME H. J., RAMMSTEDT O. (dir.), *Simmel. Schriften zur Soziologie*, Suhrkamp, Francfort, p. 221-242.

SMITH M. P., 2001, *Transnational Urbanism. Locating Globalization*, Blackwell, Malden et Oxford.

STICHWEH R., 2000, *Die Weltgesellschaft*, Suhrkamp, Francfort.

URRY J., 2004, « Small worlds and the new "social physics" », *Global Networks*, 4, p. 109-130.

— 2001, *Sociology beyond Societies. Mobilities for the Twenty-First Century*, Routledge, Londres et New York. Traduction française : *Sociologie des mobilités. Une nouvelle frontière pour la sociologie ?*, Armand Colin, Paris, 2005.

VERTOVEC S., 2003, « Migration and other modes of transnationalism : Towards conceptual cross-fertilization », *International Migration Review*, 37, p. 641-665.

—2000, *The Hindu Diaspora. Comparative Patterns*, Londres et New York, Routledge.

WERLEN B., 1993, *Society, Action and Space. An Alternative Human Geography*, Routledge, Londres.

WIMMER A., GLICK SCHILLER N., 2002, « Methodological nationalism and beyond : nation-state building, migration and the social sciences », *Global Networks*, 2, p. 301-334.

Chapitre 6

Tricot français ou mailles anglaises

Dénouer l'emmêlement des biographies, des débats et des géographies[1]

Juliet J. Fall

> « Le plus troublant […] est de voir à quel point nous croyons réellement vivre dans un monde où les lieux ont disparu, un monde entièrement globalisé dans lequel nous possédons la capacité de nous déplacer dans le temps et dans l'espace non seulement plus qu'avant, mais aussi plus vite. On ne remet pratiquement jamais cette idée en question. L'ironie veut que, alors même que nous nous définissons comme "délocalisés" dans le temps et dans l'espace, il s'agit en réalité d'une illusion. Nous sommes aujourd'hui, plus que jamais, les esclaves de la géographie – la géographie de la carte. »
>
> Rickie SANDERS, « The triumph of geography », 2008, p. 181.

L'emmêlement des géographies

En 1950, dans une formule devenue célèbre, Heidegger émet l'idée que la « suppression hâtive de toutes les distances n'apporte aucune proximité » [1958 (1954), p. 194]. Je suis bien consciente de l'ironie consistant à citer cette phrase au début de mon intervention alors que je suis bloquée en Suisse, ne pouvant assister à la conférence sur le « tournant global » à cause d'une grève des transports ! Parfois, ce sont de petites choses comme celle-ci qui nous rappellent à quel point nous sommes ancrés et dépendants du lieu et des circonstances. S'il est devenu banal de constater que la mise en contact des lieux et des individus est de plus en plus facile dans un monde globalisé, certains autres demeurent fondamentalement *Autres* et donc éloignés, même s'ils sont proches de nous,

---

1   Traduction par Stéphane Dufoix, revue par l'auteur.

voire parfois précisément parce qu'ils sont proches de nous. La capacité à identifier et à construire la proximité entre les individus et les lieux demeure un enjeu contemporain de premier ordre, un enjeu qui occupe les géographes depuis des siècles. Pourquoi les géographes se préoccupent-ils de cela ? Tout simplement parce que la manière et le lieu où nous faisons les choses sont importantes. Tout est important : d'où les idées viennent, de quel endroit les gens y réfléchissent, les discutent et les publient ; à quel endroit ils les lisent et comment elles se diffusent, comment ils s'en emparent, en quel lieu ils les ignorent. Tout cela est important parce que cela modifie la manière dont nous concevons le monde comme un endroit où et à propos duquel se fabrique de la théorie. C'est important parce que cela modifie la manière dont nous pensons et fabriquons le monde.

Ce chapitre repose sur une idée très simple : la géographie – γεωγραφία – se définit comme une science ayant pour mission de décrire la surface de la terre (*geo* : terre, et *graphia* : écriture, description). Pourtant, de manière paradoxale, la pratique de la géographie, tout comme les résultats de cette pratique, sont très différents d'un endroit du monde à l'autre. Pour tenter d'explorer ce simple paradoxe, ce chapitre met en avant deux questions. Que signifie pratiquer la géographie quelque part ? Que signifie réfléchir à une théorie géographique globale ? Je ne traiterai pas ces questions l'une à la suite de l'autre. Je ne tenterai pas non plus d'y fournir des réponses définitives mais plutôt de tracer des perspectives de réflexion. L'objectif est de voir en quoi ces questions peuvent nous aider à comprendre le sens d'un « tournant global » en géographie et, plus largement, dans les sciences sociales.

En préparant ce chapitre, j'avais pensé à une métaphore qui me semblait parlante : le tricot français[2] contre les mailles anglaises, soit l'opposition miroir entre des noms désignant la même chose. Le fait qu'il existe pour des pratiques similaires des noms différents, en référence à un Ailleurs où, bien entendu, elles portent un autre

---

2   L'expression « *french knitting* » désigne ce que nous appelons en français le tricotin. Nous avons préféré conserver une traduction moins fidèle au sens mais plus proche de l'image que souhaite véhiculer l'auteur en opposant des expressions comportant une dimension nationale. (*N.d.T.*)

nom, n'est pas en soi une nouveauté. Généralement, ces noms décrivent de vilaines maladies, des pratiques sexuelles à risque, ou bien encore des espèces animales ou végétales indésirables : le « mal français » (*French disease*[3]), le « mal anglais[4] », une « *French letter*[5] », le « *French kiss* »...

Imaginez une Anglaise en train de tricoter. Elle tient la laine dans sa main droite, poussant la laine à chaque maille en s'aidant de l'un de ses doigts. Assise à côté d'elle, une Italienne du sud coincerait ses longues aiguilles sous les aisselles, la laine dans sa main droite, tandis qu'une femme de Suisse romande se servirait d'aiguilles courtes et tiendrait la laine dans sa main gauche. Pour autant, quels que soient les mouvements et les positions, les mailles du vêtement final seront absolument identiques. Si l'on regarde une pièce de tricot, il est impossible de dire comment elle a été tricotée. Ces techniques distinctes se transmettent le plus souvent de mère à fille. Les corps sont dressés. « Je suis à la fois italienne et suissesse, mais je tricote à l'allemande », me répondit un jour l'une de mes doctorantes, un peu étonnée de ma question. Une tricoteuse plus que bilingue... En attendant, ma petite fille se bat avec le « tricot à la française », enroulant des boucles de laines autour d'une bobine en bois[6]. Le résultat ressemble à une chaussette tricotée par un lutin.

Quand j'étais à l'école, en Suisse romande, j'ai dû désapprendre ce que m'avait appris mon Anglaise de mère. « Tu tricotes à l'envers ! » me disait mon institutrice. Comment peut-on être accusée de tricoter à l'envers ? Déjà à l'époque, alors que je n'avais que sept ans, je savais que les différentes manières de tenir et d'utiliser la laine et les aiguilles à tricoter pouvaient fort bien produire le même résultat. Je savais aussi que ma grand-mère du Suffolk, que j'adore, restait tout aussi perplexe devant

---

3   Expression désignant la syphilis au XVIᵉ siècle. L'exemple est d'autant plus intéressant qu'en France, à la même époque, on appelait cette maladie la « maladie italienne ». (*N.d.T.*)

4   Utilisée par les Écossais pour désigner la syphilis, l'expression est utilisée en français pour évoquer le suicide. (*N.d.T.*)

5   Expression argotique anglaise désignant un préservatif, tandis que le français emploie le terme de « capote anglaise » ! (*N.d.T.*)

6   Dans ce cas précis, il s'agit du tricotin, bien évidemment. *(N.d.T.)*

ma manière de tricoter que devant ma technique de découpage des oignons. Pour elle, l'une comme l'autre étaient des preuves patentes d'une étrangeté qui ne pouvait s'expliquer que par une enfance passée à l'étranger.

Plus que le simple constat de l'existence de différences nationales, ou même d'une différence entre Français et Anglais, la réalité – inévitablement, et tant mieux – est bien plus complexe : des géographies mêlées prennent forme et se trouvent confortées par la mise en ligne de didacticiels utilisés dans le monde entier. Ma métaphore un peu triviale n'en devient que plus intéressante pour tenter de réfléchir à la circulation des idées, aux différents moyens de faire de la théorie ainsi qu'à leur transformation en pratiques. Ce qui compte ici, ce ne sont pas les différences régionales. En effet, ce sont les traductions, les transpositions et les hybridations de pratiques qui font surgir des choses nouvelles et différentes. Ce sont elles aussi qui façonnent la manière dont nous pensons le monde comme un tout.

Le projet contestataire de la géographie

Pour un géographe, il est tout à fait approprié d'évoquer la nature de l'international. Traditionnellement, la géographie s'est définie par sa capacité à explorer, décrire et cartographier le monde dans le cadre d'une mission consistant à rendre visibles tous ses recoins les plus secrets. Fort heureusement, ce projet viril de conquête, de soumission et de description du monde a été remis en cause depuis quelques décennies, non seulement par les géographes féministes mais aussi par une bonne partie de la discipline. Pour autant, la nature de l'international et du global demeure problématique et les géographes paraissent parfois aussi désemparés que les autres quand il s'agit de théoriser le changement d'échelle qui semble s'être produit entre le local et le global, mais également au-delà du local et du global. John Agnew écrit ainsi que « la mise en relation systématique de l'échelle géographique et de la politique est assez récente et pour une grande part n'a pas été soumise à un examen critique » [2001, p. 2]. Une telle absence est d'autant plus surprenante que l'émergence de l'économie capitaliste mondiale et l'expansion coloniale des puissances européennes ont justifié le fait de penser le monde comme un tout en ouvrant un nouvel espace global pour le politique. Ce postulat a néanmoins été peu remis en question. On considérait généralement que les échelles étaient simplement emboîtées :

> « La stratification du globe, de l'échelle du monde jusqu'au niveau le plus bas – stratification qui n'était envisageable qu'à partir du moment où le monde entier pouvait être pris en compte politiquement par les acteurs dominants – formait une hiérarchie d'échelles géographiques au travers desquelles on pouvait voir et comprendre les transformations de la réalité politico-économique de la politique mondiale » [Agnew, 2001, *ibid.*].

Cette vision du globe comme cadre de référence ou comme espace d'action est cruciale car elle fait partie de ce qu'Agnew nomme l'imagination géopolitique moderne :

> « Sans cette visualisation du monde comme un tout et sans les divisions qu'on lui impose, on ne pourrait ni identifier la hiérarchie des échelles auxquelles correspondent des politiques différentes, ni identifier et nommer le monde lorsqu'il s'agit de protéger son identité à l'intérieur du pays ainsi que les intérêts de la nation » [*ibid.*, p. 14].

En d'autres termes, le « tournant global » repose intimement sur la capacité à penser simultanément le monde comme un tout et comme un ensemble de divisions.

On a récemment assisté, au sein de la théorie critique en sciences sociales, à un examen critique de la notion d'universalisme à l'aune de la prise en compte d'un monde globalisé de macro-indépendances. Selon de nombreux auteurs[7], la spatialité du politique est si souvent absente du paysage contemporain des théories politiques qu'il est tentant d'affirmer, ne serait-ce que par provocation, qu'il n'existe aucune théorie politique convaincante de l'espace et aucune réelle théorie géographique du politique. À l'heure où les géographes et la géographie cherchent à se confronter à la théorie politique et la philosophie politique, on

---

7   Sur cette question, voir Zierhofer et Fall [2007].

ne peut que se réjouir du fait que les frissonnements identifiés comme annonçant une « fertilisation spatiale » ou un « tournant spatial » au sein d'autres champs [Agnew, 1994[8]] deviennent enfin des réalités.

Au cours de la dernière décennie, les débats ont fait rage en géographie sur la nature de l'échelle, à partir de discussions sur des termes tels que *glocalisation*, changement d'échelle (*rescaling*), *mondialité**[9] et *mondialisation**. Cependant, inévitablement, ces débats n'ont pas été des débats *globaux*. Ils sont restés ancrés dans des traditions et des langues géographiques particulières. Il n'existe ainsi aucun équivalent anglais du terme « *mondialisation** », le plus souvent traduit par *globalisation*, ce qui a pour conséquence de faire disparaître les différences subtiles entre les deux termes. Un bon exemple de cet enjeu linguistique a été fourni par Virginie Mamadouh lors d'un colloque bilingue de géographie qui s'est tenu à Reims en avril 2008 sur le concept d'échelle [Fall, Rosière, 2008]. Bien que polyglotte et spécialiste reconnue de ces questions, elle commença sa présentation en expliquant qu'après avoir tout d'abord envisagé de parler en français, elle avait changé d'avis à la dernière minute, estimant que la seule traduction de *scale* par *échelle* n'évoquait pas les mêmes significations, les mêmes débats géographiques ni la même compréhension mutuelle implicite. En d'autres termes, elle estimait que s'exprimer en anglais était un moyen de se situer dans certains débats, de faire de la géographie mais aussi d'utiliser la théorie. Selon elle, parler en français aurait rendu son intervention incompréhensible. Cela fait écho à l'affirmation de Best selon laquelle « les concepts forgés et discutés dans le cadre d'un débat en langue anglaise sont devenus les termes mêmes de la mise sur agenda » [2009, p. 84], reflétant ainsi l'état des forces dans l'univers des publications. Si l'on peut considérer que le monde est un tout, ce que cela signifie varie beaucoup selon les endroits.

---

8 Pour une évaluation de cette idée de « piège territorial » quinze ans plus tard, voir le dossier élaboré par la revue *Geopolitics*, 15 (4), 2010, p. 752 à 784.
9 Les termes suivis d'un astérisque sont en français dans le texte. (*N.d.T.*)

Des espaces pour la théorie

À la conférence annuelle de la Royal Geographical Society, on m'a récemment posé la question suivante : votre cas d'étude ne concerne que la Suisse ? Au « oui » de ma réponse fit écho un « oh », de toute évidence déçu, de la part d'une personne dans le public. Il est possible que j'ai alors accordé trop d'importance au fait que l'on me juge ainsi sur la pertinence et l'intérêt du terrain à partir duquel je souhaitais faire de la théorie. Pourtant, je ne pouvais m'empêcher de penser que j'avais été confrontée au postulat cent fois rabâché selon lequel certains lieux sont plus à même d'engendrer de la théorie universelle tandis que d'autres ne représentent qu'un intérêt local. Il s'agit d'une idée partagée par beaucoup et dont l'expression la plus récente se trouve chez Tolia-Kelly [2010]. Quelle importance pouvait bien avoir l'endroit d'où je parlais ? Quelle importance pouvait bien avoir l'ancrage de ma théorie ?

Au même moment, on me rappelait le cas d'une adorable collègue à qui on avait refusé un article au prétexte qu'il n'était que d'un intérêt local. L'article traitait d'un bassin hydrographique canadien. Imaginez sa fureur lorsque, quelques mois plus tard, elle put lire dans la même revue un article extrêmement proche sur le même problème hydrologique mais à partir d'un terrain aux États-Unis. Je me suis dit : zut ! Si même les sciences physiques connaissent ce problème, quelle issue peut-il y avoir pour les sciences sociales où l'on nous répète que tout dépend du contexte ? Il faut réfléchir plus avant à l'idée forte selon laquelle la production de savoir posséderait des centres et des périphéries. On peut élargir à l'ensemble de la discipline ce que Beck et Sznaider écrivent à propos de la géographie culturelle :

> « Les alignements des chercheurs et de leur géographies de recherche sont très révélateurs de l'horizon géopolitique de la sous-discipline géographie culturelle qui, en pratique, court le risque de voir son agenda de recherche façonné par le provincialisme contemporain » [Beck, Sznaider, 2006, cité *in ibid.*, p. 359].

Il est donc nécessaire d'examiner plus en profondeur les géographies vécues et les incarnations perceptibles dans les matériaux de recherche afin d'identifier les géographies morales de la discipline. Fort heureusement, la géographie a connu, en particulier au cours de la dernière décennie, un débat interne sur les espaces de la production de connaissances. Ma sympathie va clairement aux critiques virulentes du provincialisme dominant dans le savoir géographique [Fall, 2006 ; 2007]. Cette question a fait l'objet de débats passionnés dans les revues anglophones, au travers de réflexions introspectives sur le caractère « anglo » des auteurs les plus lus, et au travers d'appels à l'ouverture en direction d'autres formes géographiques du savoir, identifiables par leur variété et assignables à différentes régions du monde : postcoloniales, subalternes, en langue étrangère, non européennes, non anglophones etc.[10] Les contributions à ce débat étaient d'origines diverses. Tantôt elles perpétuaient ou mettaient en cause l'existence d'une ou de plusieurs fractures disciplinaires, tantôt elles mettaient en question ou redéfinissaient la discipline comme un projet hégémonique anglo-américain largement ignorant de sa propre politique culturelle interne[11]. Dans beaucoup des contributions les plus intéressantes, on trouve l'idée selon laquelle il n'est pas possible d'identifier un « nous » s'opposant à un « eux » dans le cadre d'une structure inégalitaire de la production du savoir géographique. En tout état de cause, il serait difficile de déterminer la place de chacun dans ces oppositions, notamment parce que nombre de ceux qui écrivent sur cette thématique se trouvent eux-mêmes au carrefour de plusieurs espaces et de plusieurs traditions nationales.

Boîtes, centres et marges

En dépit de la richesse de ces contributions, beaucoup continuent à faire comme si l'hégémonie de la géographie anglophone constituait une réalité absolue. À la mi-septembre 2010, j'ai passé un après-midi avec des collègues suisses et français à

---

10 Voir Garcia-Ramo [2003], Minca [2005], Samers [2005], Paasi [2005], Aalbers, Rossi [2006], Tolia-Kelly [2010].

11 Voir Minca [2000], Staszak [2001], Chivallon [2003], Besse [2004], Claval, Staszak [2004], Paasi [2005], Aalbers, Rossi [2006], Fall [2007], Sidaway [2008].

choisir des intervenants pour un séminaire. Il n'est venu à l'esprit de personne de questionner les intitulés que nous avions donné aux deux colonnes de noms : anglophones et francophones. Le fait que beaucoup ne trouvaient guère de place dans cette délimitation ne fut même pas relevé et, assez rapidement, chacun fut assigné à l'une ou l'autre des colonnes. Tout se passe comme si, de manière répétée, nous échouions à saisir pleinement le « paysage des géométries hétérogènes du pouvoir » [Paasi, 2005], ce paysage dans lequel les individus et les lieux ne trouvent plus leur place dans des boîtes bien distinctes.

Je prends un autre exemple. Récemment, *Progress in Human Geography*, revue faisant autorité dans la discipline, a publié une « évaluation du paysage intellectuel de la géographie culturelle au niveau de ce que l'on considère comme étant son "noyau dur" » [Tolia-Kelly, 2010, p. 358]. L'évaluation en question était mesurée et subtile, se présentant comme « mettant l'accent sur la littérature en anglais tout en se donnant pour objectif d'éclairer les lisières et les marges de ces littératures » [*ibid.*]. Malgré tout, j'ai ressenti un malaise. N'y avait-t-il pas là un paradoxe fondamental contredisant de manière indirecte la nature même du projet consistant à rester ouvert à des voix différentes ? Comment peut-on décider que quelqu'un est à la marge, à la manière d'un aspirant au monde académique condamné à vivre à la lisière des beaux quartiers sans en faire vraiment partie ? D'autre part, dans cet article, les autres géographies étaient uniquement catégorisées comme des « géographies de couleur ou non anglophones » [*ibid.*, p. 359]. S'il est bien entendu tout à fait urgent d'écouter ces nouvelles voix, cette définition de l'Altérité semblait laisser le noyau dur en l'état au lieu de le remettre en cause de manière productive. Lorsque Divya Tolia-Kelly en appelait à « embrasser des impératifs théoriques plus mondiaux et non universalistes et à rejeter les pratiques de recherche "nationalistes" » [*ibid.*], elle ne fournissait aucune définition ni aucune critique de l'emplacement du noyau dur. Pourtant, elle affirmait par ailleurs que la réflexivité relative aux aveuglements du monde de la recherche était parfois laissée de côté, notamment lorsqu'il était question des chercheurs noirs – on pourrait facilement y inclure d'autres cas –, « au profit de la réaffirmation des hiérarchies visibles du savoir, présentées en termes de "noyau dur" et de "périphérie" » [*ibid.*, p. 360].

Considérer que l'hégémonie et son corollaire, à savoir la distinction entre noyau dur et périphérie, sont des choses naturelles est un réflexe aussi puissant que dangereux. En dépit de débats très vifs sur, par exemple, l'existence ou la non-existence d'une géographie anglophone dominante par rapport à une géographie francophone subalterne, les chercheurs des deux camps continuent à faire *comme si* cette division binaire était réelle alors qu'ils pourraient tout aussi bien se disputer sur l'existence d'une hiérarchie. Comme Best l'a bien montré, les termes du débat eux-mêmes ne sont pas pris en compte :

> « Quand on regarde les différentes contributions à ce débat, on se rend compte que des termes comme hégémonie, périphérie et inégalité y sont fréquemment utilisés et qu'un effort considérable est accompli pour prouver empiriquement ces inégalités, mais que la réflexion théorique sur les concepts mêmes du débat est quasiment inexistante » [Best, 2009, p. 93].

On peut ainsi constater une grande différence entre l'acceptation de l'hybridité, les pratiques académiques d'interactions multiples et variées avec des traditions différentes, et la présentation explicite de la fracture dans le cadre des conversations et des pratiques de tous les jours. On continue à penser que les géographes anglophones sont obsédés par la théorie, l'innovation théorique, le *name-dropping* et la lecture superficielle d'écrits de philosophie et de sciences sociales, tandis que les géographes francophones, de leur côté, mépriseraient ou refuseraient le fait de se confronter à des auteurs n'appartenant pas à leur *pré carré** bien délimité géographiquement. Les « anglos » aiment à répéter que toutes les géographies francophones partagent cette idiosyncrasie. Pourtant, comme je l'ai suggéré ailleurs, par une singulière ironie il est totalement impossible en France de rassembler sous le même vocable de « poststructuralistes » les principaux auteurs de la *French Theory* car il n'y existe pas de label ou de marque d'appartenance correspondant à cette catégorie [voir Chivallon, 2003 ; ou Cusset, 2003]. Apparier Michel Foucault et Henri Lefebvre, Jean Baudrillard et Gilles Deleuze comme s'ils appartenaient à une seule et même famille très unie est une curieuse manie des « anglos ». Au sein de la géographie francophone, au contraire, on estime le plus souvent que la création de sous-catégories dans la discipline – géographie culturelle, urbaine, politique, sociale... – est inutile voire imprudente. Dans les milieux anglophones, on ne remet généralement pas en question ces subdivisions[12]. J'ai montré quelles pouvaient être les conséquences de cet état de fait, notamment un cloisonnement des débats au sein de la discipline en raison de la réticence à dépasser des auteurs identifiés comme fondamentaux pour chaque sous-faction. L'habitude des états de l'art rapides, sous forme de liste de noms affichés en début d'article, renforce le rôle performatif de l'invocation, même très superficielle, des ténors de chaque sous-faction, la citation fonctionnant alors comme la marque d'appartenance à une équipe [Fall, 2006]. Pourtant, une nouvelle fois, ces distinctions ne sont pas toujours aussi tranchées qu'on peut le penser, tandis que la géographie francophone connaît elle aussi des lignes de partage très rigides et parfois bien plus politiques que dans les milieux « anglos ». Il en va ainsi de la division droite-gauche repérable en France entre la géographie culturelle d'une part et la géographie sociale d'autre part, une division qui, à condition bien sûr qu'ils en aient connaissance, laisserait perplexes les géographes « anglos » dans un contexte où tout le monde est censé être critique, c'est-à-dire plus ou moins à gauche...

Réfléchir à ces distinctions ne consiste pas à remplacer une division binaire par une autre. Ainsi, Aalbers et Rossi affirment, de manière un peu confuse, qu'il n'existe pas une géographie européenne distincte de ce qu'ils nomment la géographie anglo-américaine [Aalbers, Rossi, 2006]. Où se trouve cette géographie européenne ? en quoi consiste-t-elle ? qui en fait partie ? ne ressort pas clairement de leur proposition, même s'ils identifient un certain nombre de caractéristiques communes. Le Royaume-Uni semble être à la lisière de leurs catégories, parfois inclus dans les milieux anglo-américains, parfois rattaché de façon plus ferme

---

12 Claval, Staszak [2004, p. 319]. Voir aussi Lussault [2003], Söderström, Philo [2004], Collignon [2004], Dupont [2004], Fall [2005 ; 2006].

à ce qu'ils appellent la géographie continentale, tout en étant implicitement accusé de ne subir que la seule influence du capitalisme académique [*ibid.*, p. 140]. Le positionnement des individus lorsqu'ils prennent la parole se manifeste de différentes façons. Paradoxalement, ceux qui plaident pour la fin de l'hégémonie anglo-américaine sont souvent « situés dans des lieux qu'on ne considère pas normalement comme étant des lieux périphériques à l'échelle globale des relations de pouvoir » [Best, 2009, p. 84]. Best propose alors de considérer que ce type de positionnement fait partie des stratégies d'une élite transnationale en émergence, une stratégie employée dans des contextes spécifiques dans le but spécifique de construire et de situer les entités limitées de leur choix, que ce soit l'Europe, des pays particuliers ou bien des noyaux et des périphéries à l'échelle mondiale. En se réclamant « de la périphérie » alors qu'il viennent par exemple de France, de Grèce ou d'Italie, et en revendiquant un traitement de faveur dans un contexte académique soucieux d'éviter les exclusions, ces auteurs bénéficient doublement de leur positionnement, alors qu'ils font clairement partie d'une élite non seulement dans leur propre pays mais également par rapport à d'autres régions du monde – les Sud, par exemple – qui appartiennent à des régions dont la marginalité effective n'est pas à démontrer. À l'inverse, Best soutient que c'est la pratique du savoir qui se fait critique, et non le lieu du savoir [*ibid.*, p. 90].

Binaires et frontières

Le plus surprenant, dans ces débats, est la totale absence de réponse argumentée du côté francophone. Tandis que la littérature géographique anglophone a développé une véritable obsession pour la thématique des espaces de production des connaissances, le débat symétrique, à savoir l'articulation d'une réponse ou d'un reproche de la part des géographes de langue française, est inexistant. Comme le dit l'un de mes collègues, « ils s'en fichent ». Cette absence pourrait plaider contre l'existence même d'une hégémonie : si la voix des « anglos » pouvait s'imposer comme incontournable, ne déclencherait-elle pas obligatoirement une réponse dans d'autres contextes ? Dans le cas présent, seul le silence répond aux clameurs... Il faut y voir autre chose qu'une simple résistance dans la dignité. En réalité, je pense qu'il révèle une estime de soi plus importante que les « Anglos » ne veulent le reconnaître. L'excellent ouvrage collectif édité en 2001 par Staszak *et al.*, *Géographies anglo-saxonnes : tendances contemporaines*, et dont l'objectif était, pour la première fois, de fournir aux lecteurs francophones une introduction aux débats anglophones sur les géographies poststructuralistes, féministes et postcoloniales à partir de traductions soignées et de chapitres explicatifs, ne s'est pas bien vendu et n'a pas encore connu d'édition mise à jour. La tentative de confrontation n'a pas eu lieu. Apparemment, elle n'était pas nécessaire.

Cela ne signifie nullement que les géographies francophones ne tireraient aucun bénéfice ni aucun renouveau d'une confrontation plus poussée avec ce qui se passe ailleurs. En tout état de cause, le peu de volonté dont continuent à faire preuve les géographes lorsqu'il s'agit de se confronter aux chercheurs au-delà des frontières nationales ou linguistiques demeure un vrai problème. Cela ne signifie pas non plus que des géographies exceptionnellement novatrices voient le jour de manière endémique au sein de la francophonie. En effet, les géographies francophones se sont montrées par le passé particulièrement rétives à toute innovation en provenance de leurs propres rangs, comme je l'ai souligné à plusieurs reprises à propos du travail de Claude Raffestin [Fall, 2005 ; 2006]. Bien entendu, comme l'ont remarqué Aalbers et Rossi, cette absence de dialogue « contraste fortement avec ce qui se passe dans les sciences dures » [2009, p. 139]. Cependant, cela peut aussi laisser entendre que, à l'instar du tricot, le paysage est ici plus complexe qu'on ne peut le penser de prime abord. Il existe bien plusieurs façons de faire de la géographie sauf que, dans ce cas, les résultats aussi sont différents. Le tricot à la française et les *mailles anglaises** ne sont pas identiques.

Le processus d'internationalisation et de globalisation de la recherche en sciences sociales, et plus spécifiquement de la recherche en géographie, a fait l'objet de nombreux débats. Pourtant, certains auteurs « ont mis en évidence les limites de la mise en place d'une "géographie globale" parce que la persistance d'iné-galités régionales, nationales et continentales sape toute possibilité de globalisation de la géographie humaine » [*ibid.*]. S'ils pointent du doigt les obstacles à une plus grande internationalisation de la géographie en tant que champ de recherches et de débats, ils insistent également sur la nécessité d'accroître le dialogue et la circulation des idées à l'échelle mondiale. Ces deux dimensions ne se confondent pas. Pour certains, cet espace interculturel et postnational de recherches et de débats repose sur une certaine forme de cosmopolitisme situé [*ibid.*, p. 138], fondé sur les pratiques quotidiennes des scientifiques et des praticiens, c'est-à-dire sur l'expérience concrète de la vie dans des sociétés globalisées. Sa mise en place pourrait s'appuyer sur la création d'une revue européenne matérialisant un espace de débats. Aalbers et Rossi concluent sur un apparent paradoxe : alors qu'un nombre croissant de projets de recherche à l'échelle européenne est financé par les institutions européennes, ils ne produisent guère plus qu'en « ensemble de contributions élaborées au niveau national » [*ibid.*, p. 139]. Quelle que soit la manière dont on les conçoit et dont on les définit, les échelles et les frontières ont une fâcheuse tendance à revenir dans le jeu.

Une géographie universelle ?

En France, Roger Brunet a dirigé aux éditions Gallimard une série d'ouvrages intitulée *Géographie universelle*. Chaque volume couvre un ou plusieurs continents selon une tradition bien établie en géographie consistant à décrire le monde par l'assemblage de plus petites unités. Historiquement, ce genre de projet était conçu par les géographes comme devant former le noyau dur de la discipline, souvent – mais pas uniquement – en relation avec les ambitions coloniales et les prérogatives des États territoriaux. En cela, il n'est pas très différent du projet scientifique d'Ératosthène aux alentours de 200 av. J.-C. Beaucoup de *Géographies* de ce genre ont été écrites, chacune d'entre elles étant mise au service d'une forme particulière d'appréhension de la terre comme un tout, la divisant et la décrivant selon des modalités particulières. La première fois que j'ai ouvert cette collection contemporaine, une chose m'a frappée : un tel projet serait impensable en langue anglaise. Cela serait parfaitement incongru pour des chercheurs anglophones contemporains, en particulier pour les chercheurs britanniques travaillant au sein de la tradition critique ! Dans le même temps, quelle ironie de constater que cette riche tradition géographique, cette niche académique, avait pu devenir taboue. Comment peut-on expliquer le fait qu'une pratique exercée par les géographes depuis des siècles, cette même pratique que tout le monde, à l'extérieur de la discipline, considère comme étant justement la mission des géographes, soit devenue politiquement suspecte ?

Une réponse partielle à cette différence de confrontation avec l'international nous est fournie par deux chercheurs travaillant sur la réception différenciée, par les géographes anglophones et francophones, de l'œuvre du géographe français Pierre Gourou sur la notion de « tropicalité » [Clayton, Bowd, 2006]. Comme ils l'écrivent :

> « Les réticences des intellectuels et des structures de la recherche en France à épouser l'esprit relativiste de la revendication post-coloniale – en particulier sa profonde suspicion à l'égard des universaux et des grands récits occidentaux, ainsi que son intérêt concomitant pour les "savoirs situés" – seraient largement dues au fait que la dissolution de l'empire colonial français a été interprétée comme un rejet du don que représentait l'accès exceptionnel et universel à la culture française » [*ibid.*, p. 215].

De la sorte, si les géographes francophones ont bel et bien commencé à reconsidérer les liens existants entre géographie et empire, l'absence d'un fort agenda postcolonial au sein de la discipline géographique francophone s'expliquerait par les impulsions paradoxales de l'universalisme et du républicanisme français.

Cela peut expliquer en partie pourquoi la géographie française refuse pour une bonne part de réfléchir à la nature de l'international. Toute la géographie francophone n'étant pas française, la question du poids relatif du colonialisme et de l'impérialisme pourrait s'avérer une entrée fructueuse pour explorer les différences de confrontation avec l'international.

Comment peut-on espérer sortir de ce piège ? Peut-être en suivant les conseils des géographes féministes pour qui :

« Le corps même du chercheur devient l'instrument de l'interface entre la théorie et la recherche, déplaçant ainsi les fondements ontologiques de la recherche en question. Les corps
des chercheurs qui permettent de relever le défi consistant à
faire de la recherche de manière plus "mondiale" » [Tolia-Kelly,
2010, p. 363].

Accepter cette invitation à ressentir les processus de formulation, de dissémination et d'analyse qui conduisent en pratique
à la production de connaissances permettrait aux géographes de
commencer à parler à partir « d'un lieu incarné et non d'un lieu
surplombant » [ibid.]. En mettant l'accent sur les espaces personnels
de production des connaissances, au-delà des divisions nationales
et académiques, en mettant en œuvre de réelles médiations entre
les différentes traditions de recherche [Rossi, 2008], il n'est pas
impossible que puissent surgir de nouvelles formes de réflexion
sur ce que signifie faire de la géographie en un lieu donné.

Références bibliographiques

AALBERS Manuel B., ROSSI Ugo, 2006, « Beyond the anglo-american
hegemony in human geography : a european perspective »,
Geojournal, 67, p. 137-147.

AGNEW John, 2001, « Disputing the nature of the international in
political geography : the hettner-lecture in human geography »,
Geographische Zeitschrift, 89 (1), p. 1-16, p. 2.

— 1994, « The territorial trap : the geographical assumptions of
international relations theory », *Review of International Political
Economy*, (1), p. 53-80.

BECK Ulrich, SZNAIDER Natan, 2006, « Unpacking cosmopolitanism
for the social sciences : a research agenda », *The British Journal of
Sociology*, 57, p. 153-64.

BESSE Jean-Marc, 2004, « Le postmodernisme et la géographie.
Éléments pour un débat », *L'Espace géographique*, 1, p. 1-5.

BEST Ulrich, 2009, « The invented periphery : constructing
Europe in debates about "anglo hegemony" in geography »,
Social Geography, 4, p. 83-91.

CHIVALLON Christine, 2003, « Country reports : a vision of social
and cultural geography in France », *Social and Cultural Geography*,
43, p. 401-408.

CUSSET François, 2003, *French Theory : Foucault, Derrida, Deleuze & Cie et les mutations de la vie intellectuelle aux États-Unis*, La Découverte, Paris.

CLAVAL Paul, STASZAK Jean-François, 2004, « Confronting geographic complexity : contributions from some latin countries. Presentation », *GeoJournal*, 60, p. 319-320.

CLAYTON Daniel W., BOWD Gavin, 2006, « Geography, tropicality and postcolonialism : anglophone and francophone readings of the work of Pierre Gourou », *L'Espace Géographique*, 35 (3), p. 208-221.

COLLIGNON Béatrice, 2004, « It's a long way to other geographers and geographic knowledges », *GeoJournal*, 60, p. 375-79.

DUPONT Louis, 2004, « Le postmodernisme en géographie. Débat du 17 janvier 2003 », *L'Espace Géographique*, 33 (1), p. 11-12.

FALL Juliet, 2007, « Lost geographers : power games and the circulation of ideas within francophone political geographies », *Progress in Human Geography*, 31, p. 195-216.

— 2006, « Catalysts and converts : sparking interest for Foucault among francophone geographers », *in* CRAMPTON Jeremy et ELDEN Stuart (dir.), *Space, Knowledge and Power : Foucault and Geography*, Abingdon, Ashgate p. 107-128.

— 2005, « Michel Foucault and francophone geography : Circulations, conversions and disappearances », *EspacesTemps. net*, « Textuel », <www.espacestemps.net>, 15 sept.

FALL Juliet, ROSIÈRE S., 2008, « Guest editorial : on the limits of dialogue between francophone and anglophone political geography », *Political Geography*, 27 (7), p. 713-716.

GARCIA-RAMON M.-D., 2003, « Globalization and international geography : the questions of languages and scholarly traditions », *Progress in Human Geography*, 271, p. 1-5.

HEIDEGGER Martin, 1958 (1re éd. allemande : 1954), « La chose », *in Essais et conférences*, traduction d'André Préau, Gallimard, « Tel », Paris, p. 194-218.

LUSSAULT Michel, « Michel Foucault », *in* LÉVY J., LUSSAULT M. (dir.), *Dictionnaire de la géographie et de l'espace des sociétés*, Belin, Paris, 2003, p. 377-379.

MINCA Claudio, 2005, « Review essay on key thinkers on space and place », *Environment and Planning A*, 371, p. 168-170.

— 2000, « Guest editorial », *Environment and Planning D : Society and Space*, 18, p. 285-289.

PAASI Anssi, 2005, « Globalisation, academic capitalism, and the uneven geographies of international journal publishing spaces », *Environment and Planning A*, 37 (5), p. 769-789.

ROSSI Ugo, 2008, « Being here and there : in-betweeness, double absence, and the making of a multi-layered academic citizenship », *Area*, 40 (3), sept., p. 1-6.

SAMERS Michael, 2005, « Dancing on the asymptote, and conveying it : review essay on key thinkers on space and place », *Environment and Planning A*, 371, p. 171-173.

SANDERS Rickie, 2008, « The triumph of geography », *Progress in Human Geography*, 32 (2), p. 179-182, citation p. 181.

SIDAWAY James D., 2008, « The geography of political geography », *in* COX Kevin R., LOW Murray, ROBINSON Jennifer (dir.), *The Sage Handbook of Political Geography*, Londres, Sage, p. 41-55.

SÖDERSTRÖM Ola et PHILO Chris, 2004, « Social geography : looking for geography in its spaces », *in* BENKO G. et STROHMAYER U. (dir), *Human Geography. A History for the Twenty-First Century*, Blackwell, Oxford.

STASZAK Jean-François, 2001, « Les enjeux de la géographie anglo-saxonne », *in* STASZAK Jean-François, COLLIGNON Bruno, CHIVALLON Christine *et al.* (dir.), *Géographies anglo-saxonnes : tendances contemporaines*, Belin, Paris, p. 7-21.

TOLIA-KELLY Divya, 2010, « The geographies of cultural geography I : identities, bodies and race », *Progress in Human Geography*, 34 (3), p. 358-367.

ZIERHOFER W., FALL J., 2007, « Individuals, collectives, and the spatial transformation of the political », *Environment and Planning A*, 39 (7), p. 1540-1544.

Chapitre 7

Rééquilibrer les comptes

La résilience du local et la fragilité d'une conscience globale[1]

Paul Kennedy

L'un des dangers inhérents à la théorie de la globalisation est le fait qu'elle accorde souvent trop d'importance aux prétendues uniformités générales et structurelles du global, en particulier la déterritorialisation, la connectivité et la capacité à faire naître une conscience globale parmi les citoyens du monde. À l'inverse, la résilience ininterrompue des différences locales et idiosyncratiques, la capacité des acteurs sociaux vivant dans chaque sphère locale à s'adapter, à résister et/ou à rester obstinément « extérieurs » aux influences supposément homogénéisatrices de la globalisation – que ce soit par choix, par indifférence ou bien par manque de moyens – sont laissées de côté ou sous-estimées. Dans ce chapitre, je souhaite examiner les raisons et les modalités permettant de rendre compte de la forte persistance du local, de sa résilience face à la globalisation, mais aussi suggérer qu'une part importante de ce que l'on définit généralement comme le « global » gagne à être comprise comme étant profondément enracinée dans le local et alimentée par le local. Pour commencer, je présente deux *scenarii* possibles pour décrire la globalisation contemporaine.

Un monde « en soi », mais pas encore « pour soi »

Les processus et les défis globaux, les interconnectivités globales sont partout ; elles se multiplient sans cesse. Si ces phénomènes offrent des opportunités potentiellement favorables, ils comportent aussi des risques et des dangers, parmi lesquels on peut

---

1 Traduction par Stéphane Dufoix, revue par l'auteur.

citer l'insécurité de l'emploi et des revenus à l'échelle mondiale ; le fossé croissant entre les nations les plus riches et les nations les plus pauvres, avec son cortège de risque de guerres génocidaires et de violences urbaines ; les menaces d'anéantissement environnemental et de pandémie ; la raréfaction grandissante des ressources en eau, en nourriture et en minerai ; l'essor des migrations de masse, du crime transnational et du terrorisme ; et bien d'autres encore. Pour faire face à ces dangers, il n'existe pas qu'une seule solution mais il est certain qu'une des nécessités premières est de s'engager dans une collaboration accrue : inter-nationale, inter-ethnique, religieuse mais aussi une collaboration de classe. Pourtant, bien que nous vivions d'ores et déjà des vies parfaitement globales confrontées à des forces puissantes, nos actions sont la plupart du temps gouvernées par le caractère privé, immédiat et local de nos expériences. Tout se passe comme si nous avions les plus grandes difficultés à penser, à ressentir et à agir en accordant au global une importance réelle et en imaginant qu'il puisse un jour en avoir plus que celle que nous accordons à notre situation locale. Peut-être est-il pertinent de considérer que nous avons affaire à deux versions tout à fait différentes du « global ».

Scénario I

La société mondiale existe déjà : il s'agit d'une totalité, vaste et dense, de relations sociales qui prospèrent hors du cadre national [Shaw, 2000]. Que les modes de mobilité qu'ils déploient s'appuient sur la virtualité, la coprésence, l'imagination ou la médiation – ou une combinaison des quatre –, il existe un très grand nombre de migrants, de criminels transnationaux, d'hommes d'affaires occupés à gérer les filières mondiales de marchandises, de touristes, de professionnels, de terroristes, de chefs religieux, de pèlerins, et bien d'autres encore, cherchant à étendre leurs affaires et leurs relations par-delà les distances géographiques et sociales. Par là même, les individus, les groupes sociaux, les réseaux ou les organisations impliqués dans ces processus construisent d'épais lacis de relations sociales. Pour autant, en dépit du caractère impressionnant de ces phénomènes, ils ne constituent, selon Calhoun [2007, p. 170], que le « noyau minimal » de la globalisation.

Bien entendu, ces échanges sociaux contribuent massivement, en retour, à la formation d'un nombre croissant d'interdépendances et d'interconnectivités. À côté de cela, les expériences culturelles rendues possibles par le consumérisme et le pouvoir des marques mondiales, auxquels il faut ajouter l'impact des *mass media* et les expériences acquises sur Internet ou au cours des voyages touristiques, s'infiltrent dans nos vies et donnent naissance à ce que Beck [2004] appelle le processus de cosmopolitisation, c'est-à-dire l'internalisation quotidienne et superficielle de fragments culturels.

On peut toutefois soutenir que l'extension des interactions à travers l'espace social global, la constitution d'interconnectivités « objectives » et l'essor d'un cosmopolitisme ordinaire ne font que s'ajouter à l'existence d'un monde « en soi » [Robertson, 1992]. En dépit des nombreuses expériences et menaces communes qui relient leurs destins, la grande majorité des habitants du globe ne peuvent ou ne veulent pas encore penser, ressentir ou se comporter – ne serait-ce qu'un peu – comme si l'existence du monde comme un tout avait de l'importance et/ou comme si la vie de gens inconnus à l'autre bout du monde leur imposait parfois une certaine responsabilité. Dans cette version, il est nécessaire de comprendre le global plus comme une condition que comme un projet [Albrow, 1996, p. 94]. Dans ce cadre, la globalisation est avant tout le résultat cumulatif accidentel, involontaire et imprévu, des agendas privés, locaux ou nationaux mis en œuvre par une multitude d'acteurs, hier et aujourd'hui. Pour la plupart, ils n'avaient pas pour objectif l'extension des interconnectivités globales, et leur stratégie n'était certainement pas de rendre le sentiment d'appartenance au monde plus prégnant qu'il ne pouvait l'être auparavant.

Scénario II

Il existe peut-être une deuxième version, très différente, dans laquelle le global comprend de plus en plus un monde agissant « pour soi » [Robertson, *ibid.*], un monde rendu possible par le partage d'une conscience globale. Afin de s'engager clairement dans cette direction, cette société mondiale très différente devra entraîner une masse critique, et croissante, d'agents – même s'il s'agit encore d'une minorité – désireux et susceptibles, parfois seuls, parfois en coopération les uns avec les autres, de considérer que la vie des autres, y compris les plus éloignés de nous, a de l'importance, et que la planète – ainsi que ceux qui y habitent – ont des besoins légitimes qui méritent notre attention et notre soutien. De plus, cette seconde version du global implique, et même exige, de construire et d'adopter un imaginaire global inclusif [Steger, 2008], ainsi que de considérer la globalisation comme n'étant pas seulement une condition à laquelle on parvient presque par accident mais bel et bien un projet conscient, déterminé et concerté, mené par un nombre croissant d'acteurs globaux. Néanmoins, comme en témoignent plusieurs observateurs, ce *scenario* global demeure en réalité embryonnaire et n'est guère confirmé par la réalité. Hollinger [2002, p. 231] estime ainsi que la plupart des gens conservent « un besoin primaire d'appartenance » et qu'ils éprouvent le plus grand mal à le satisfaire s'ils s'engagent simultanément dans des formes de solidarité sociale d'une « ampleur globale » suffisante pour avoir une chance de peser sur les défis mondiaux. Robbins [1998, p. 7] va plus loin en concluant qu'« il ne faudrait pas confondre l'existence d'une condition globale avec l'existence d'un sentiment massif d'appartenance à la communauté mondiale ».

L'opposition entre ces deux *scenarii* de description du global suggère que nous sommes confrontés à une disjonction massive entre le monde « en soi » actuel et la potentialité ou le besoin urgent d'un monde qui soit de plus en plus capable d'agir collectivement « pour soi », au moins de temps en temps. Il est vraisemblable que la capacité des chercheurs à interpréter cette profonde fracture est en partie déterminée par notre formation, nos outils de recherche et nos valeurs personnelles, qui tous tendent à brouiller ou fausser les perceptions que nous nous faisons des processus globaux réels. Il en résulte que notre manière de voir risque de devenir notre manière de ne pas voir.

Il est tout aussi vraisemblable que la façon dont les gens ordinaires perçoivent et font l'expérience de la vie quotidienne, y compris de la globalisation, est très différente car, en tant qu'universitaires, notre métier est d'observer et d'enregistrer la vie sociale à partir d'une perspective plus large, comme si nous étions des « étrangers ». Comme l'affirme Bourdieu [2000, p. 142-143], le savant cultive et utilise une « conscience connaissante » qu'il ou elle établit comme étant extérieure à sa propre vie. Ceci contraste fortement avec les gens ordinaires : ces derniers s'appuient sur une forme très différente de connaissance qui est intérieure à leurs vies et à leurs sentiments, qui n'est presque jamais remise en cause, quelque chose que, en un sens, ils portent « comme un vêtement » [*ibid.*]. Clairement, les processus de globalisation mettent en question la viabilité continue des mondes vécus phénoménologiques englobants dépeints par Schütz [1964 ; 1974] et qu'il décrit comme étant construits au travers d'un savoir de sens commun, tout à la fois intime, minuscule, répété et intersubjectif, mais aussi de significations partagées par de petits groupes d'acteurs sociaux engagés dans la fabrique de socialités largement exclusives. On peut dire la même chose de l'*habitus* de Bourdieu, cet ensemble de dispositions que les acteurs acquièrent par leur participation à des systèmes d'affiliation partagés et durables, établis selon des principes nationaux, de classe, de lieu etc.

Néanmoins, ces auteurs et d'autres nous rappellent que le monde tel qu'il est vu par les gens ordinaires, tel qu'ils en font directement l'expérience, est bien différent des abstractions développées par les chercheurs. Nous ne pouvons pas partir du principe que la compréhension des processus de globalisation qui est à la disposition des communautés épistémiques, des hommes politiques, des journalistes, des membres des organisations non gouvernementales et des organisations internationales, des militants sociaux transnationaux, etc., est partagée en degré ou en intensité par la masse des gens ordinaires. De plus, les savants ont en partage une formation, un *ethos*, ainsi que le besoin de collaborer avec leurs collègues par-delà les frontières territoriales et culturelles, ce qui les dote d'une certaine forme d'*habitus* qui les prépare et les incite à rechercher un style de vie cosmopolite et un monde plus juste, plus démocratique et plus philanthrope. Il est difficile de postuler que les mêmes orientations – ainsi qu'une conscience globale – sont présentes dans les mêmes proportions à l'extérieur du monde académique [Morozov, 2011, p. 254].

Il faut également être prudent au moment de réfléchir aux multiples et grandissantes interconnectivités qui sont au cœur de la globalisation. Dans quelle mesure la majorité des gens considèrent-ils qu'elles façonnent leurs vies ? Les plus puissantes, celles qui possèdent la plus grande portée, sont celles qui résultent du jeu constant de divers processus abstraits, désincarnés et généralisés [James, 2005]. Les plus importants sont le changement climatique et le réchauffement global, dont personne sur la planète ne peut échapper aux effets et auxquels tous contribuent, à des degrés divers. Pourtant, nombreux sont ceux qui nient le changement environnemental et/ou n'ont qu'une vision limitée de ses causes ou de l'impact probable qu'il aura sur leurs vies à l'avenir. On peut aussi penser au pouvoir envahissant et largement invisible de la concurrence des marchés, ou aux contraintes de l'argent. En créant les conditions mêmes de l'économie mondiale, ils lient ensemble le destin des individus et des organisations. Là encore, la plupart des gens sont incapables de saisir la complexité des multiples rouages de ces forces alors même qu'elles façonnent grandement leurs vies quotidiennes – l'accès à un emploi, le prix des marchandises de base ou la sécurité de l'épargne – et alors même que leurs microdécisions de consommateurs, d'épargnants, de téléspectateurs, etc., alimentent de façon cumulative la portée mondiale de ces forces.

Étant donné cette absence de compréhension ainsi que les divisions occasionnées par les différences de langue, de culture ethnique / nationale, de religion, de classe sociale, de sexe, d'âge et de génération, il n'est guère surprenant que seul un petit nombre d'individus soit capable de construire des systèmes de sens partagés qui soient suffisamment robustes pour leur permettre d'entreprendre des actions individuelles ou collectives au-delà des frontières afin de rétablir l'équilibre et d'obtenir que ces forces jouent plus en leur faveur. Au lieu de cela, il est plus facile et plus significatif pour la plupart des gens de déplacer leur mécontentement à l'égard des influences globales sur des personnalités locales ou des institutions nationales plus facilement identifiables.

La résilience continue du local

La réflexion sur le global a souvent institué une division binaire entre local et global. Plusieurs auteurs ont décrit ces deux entités en opposant leurs caractéristiques respectives. Ainsi, selon Gibson-Graham [1996, p. 125], le capitalisme et le global tendent à fusionner car ils ont en partage plusieurs atouts : une puissance irrésistible, la capacité à transformer leur environnement, une certaine forme de virilité et l'aptitude au détachement par rapport au « caractère clos de l'identité » [*ibid.*, p. 9]. À l'inverse, ceux qui vivent dans le local, ceux dont la survie économique dépend de stratégies alternatives non capitalistes, sont condamnés à être des victimes qui finiront par être « subordonnées au capitalisme ». De plus, dans cette vision discursive de l'opposition local-global, ce dernier se trouve d'une façon ou d'une autre « là-bas » ; c'est de l'extérieur et de manière hégémonique qu'il façonne le destin et le caractère du local. Mais tout ceci a pour effet d'essentialiser le local et le global[2] pour en faire des « choses en soi » [Gibson-Graham, 2002, p. 31], de vrais objets ou des structures réelles, alors que l'un comme l'autre ne sont rien d'autre que des manières de penser le monde, des moyens de rendre compte des différentes expériences humaines contemporaines. Quoi qu'il en soit, le « global » n'agit pas de manière identique dans toutes les régions du monde. Tout ce que nous pouvons dire, c'est que le mot fait référence à « quelque chose de plus grand que le national ou le régional, mais qui en aucun cas ne décrit une quelconque totalité » [Dirlik, *ibid.*, p. 16]. Le « privilège accordé au global » [*ibid.*, p. 17] implique la plupart du temps, et dans le meilleur des cas, la marginalisation du lieu et de tous ceux qui tentent de s'engager dans les activités de fabrique des lieux. De même, les endroits qu'ils habitent et les vies qu'ils se fabriquent sont effectivement effacés du discours [Escobar, 2001, p. 140]. Pourtant, il existe plusieurs raisons qui nous imposent de résister à la tendance consistant à minorer le rôle du local.

---

2 Dirlik [2001], Marston, Woodward et Jones [2007].

1.

Malgré les processus de globalisation, le local demeure ubiquitaire. Il nous absorbe, nous distrait et détourne notre attention du global. On peut estimer qu'il englobe trois dimensions qui se chevauchent, même s'il en existe sans doute d'autres. L'une d'entre elles a trait à notre emplacement – physique et corporel mais aussi social – dans le lieu que nous habitons, ainsi qu'aux particularités climatiques, historiques, géographiques, etc., de ce lieu. Les lieux, les endroits, possèdent une viscosité qui assure une forte emprise sur la plupart des gens qui y vivent, et ce en dépit du caractère global des flux qui traversent la zone en question. Puis il y a les expériences quotidiennes, celles qui s'organisent autour d'une multiplicité de pratiques répétées et parfois triviales, dans le domaine familial ou professionnel, dans les loisirs ou ailleurs, certaines d'entre elles étant réflexives, d'autres étant accomplies sans même y penser. Ces pratiques nous fatiguent et nous absorbent ; elles emplissent nos vies de détails, de responsabilités et de règles qui nous détournent du global. La troisième dimension concerne ce qu'Hannerz [2003, p. 26-27] appelle les « formes de vie ». Elles se rapportent aux identités et aux significations partagées, ethniques ou nationales, qui imprègnent « la vie de famille, les lieux de travail, les communautés de quartier » et fournissent « les expériences formatrices » au cours des premières années de nos vies. C'est sur ce point que je vais maintenant insister.

2.

Nous sommes tous affectés par le caractère ordinaire du local, par la puissance de son attraction centripète qui nous ramène vers l'intérieur, même si cela touche plus particulièrement tous ceux qui, au Nord comme au Sud, se débattent dans la marginalité économique et sociale, ceux dont les moyens d'existence et le mode de vie sont grandement menacés par le chômage, mais aussi par l'insécurité économique croissante, deux phénomènes en partie causés par la mondialisation économique. Parfois, contre cette menace, les plus lésés tentent de protéger ce qu'ils estiment être leurs identités ethniques ou nationales en recourant à la violence ou en envisageant la possibilité d'y recourir. Évoquant le rôle joué par la mondialisation dans la fragmentation des sociétés nationales, Friedman [1997] décrit la détermination de certains à « revenir aux racines », à « des identifications fixes » leur permettant de se prémunir contre le changement [*ibid.*, p. 71]. Pour autant, le fait que l'angoisse de certains groupes puisse expliquer qu'ils soient plus enclins que la plupart des gens à invoquer la localité dans le cadre de stratégies de défense, parfois agressives, ne doit pas nous cacher la réalité : le local, sous toutes ses manifestations, est la condition « normale » de presque chacun d'entre nous, quels que soient sa classe sociale, son âge, son sexe, sa religion ou son appartenance ethnique.

3.
Selon certains penseurs du global, le local serait désormais tellement parcouru en tous sens par des influences venues d'autres sociétés que son existence en tant qu'entité unique et cohérente, possédant de façon plus ou moins durable son propre centre de gravité, serait sérieusement compromise. Du coup, il serait alors plus pertinent de parler de « glocal » car les nombreuses influences extérieures qui traversent nos horizons sociaux sont de plus en plus absorbées par le local. Pour d'autres, les processus de globalisation ont tellement recomposé l'idée même du lieu qu'il serait vain de continuer à voir le local comme une entité susceptible de posséder une influence propre. Pour reprendre un terme utilisé par Giddens [1990, p. 140], les lieux sont désormais plus « fantasmagoriques » que réels. Dans les faits, le global a kidnappé le local, y compris les lieux : alors que l'espace des flux devient de plus en plus fondamental, l'importance des lieux concrets ne disparaît pas mais « leur logique et leur signification » sera « absorbée par le réseau » [Castells, 1996, p. 412]. Pourtant, il existe plusieurs manières de contrer ces affirmations.

Tout d'abord, s'il est vrai que la globalisation augmente la probabilité que chaque lieu devienne un point d'intersection où fusionnent les significations et les interactions, celles qui sont produites en interne et celles qui viennent de l'extérieur [Massey, 1993, p. 66], cela ne fait pas disparaître la spécificité de chaque lieu particulier. Cela s'explique par le fait que le mélange résultant des interactions entre un intérieur et un extérieur évoluant de concert et se répondant l'un l'autre sera toujours unique selon le lieu en question. En conséquence, « chaque endroit est le foyer d'un *mélange* spécifique de relations sociales, certaines plus locales et d'autres plus larges » tandis que « la juxtaposition de ces relations peut produire des effets qui n'auraient pas eu lieu sans cela » [*ibid.*, p. 68, souligné par Massey]. Ensuite, comme nous l'avons vu, beaucoup de gens ne comprennent pas ou ne peuvent reconnaître les forces à l'œuvre dans la globalisation. Par exemple, bien que les conditions de la globalisation permettent l'augmentation massive de rencontres se déroulant entre des éléments culturels provenant de sociétés différentes, parfois jusqu'à les mélanger, les chercheurs en théorie culturelle qui observent de l'« extérieur » ces processus d'hybridation les envisagent de manière très différente des membres ordinaires des sociétés. Comme l'affirme Friedman [1997], ce qui est crucial pour ces derniers, c'est la « spécificité » de leur culture, tout comme la façon dont les divers éléments qui la composent ont été « synthétisés » en un ensemble de pratiques et de significations cohérentes et viables [*ibid.*, p. 80-84]. Pour eux, les origines possibles de ces éléments n'ont que peu d'importance.

4.

Dans de nombreux cas, les gens entrent en contact avec des individus provenant de sociétés différentes de la leur parce qu'ils tentent de protéger le caractère local de leurs attaches et de leurs identités. Au lieu d'éprouver de la compassion pour les difficultés que rencontrent d'autres êtres humains distants géographiquement, ou bien de souhaiter s'engager plus avant dans la conscience mondiale, ils cherchent en réalité à obtenir le soutien d'individus n'appartenant pas à leur local afin de perpétuer l'intégrité de ce dernier face à des menaces auxquelles ils ne peuvent faire face seuls. Ils ne sont motivés que par le besoin de préserver le local. On peut en prendre pour exemple ces peuples indigènes ou ces tribus du Sud qui sont très exposés à la perte de leurs terres ainsi qu'aux différentes menaces pesant sur leur intégrité culturelle de la part d'entreprises nationales ou étrangères, ou bien encore parce que leurs gouvernements ont décidé d'autoriser des projets de modernisation dans les forêts, les vallées ou sur les terres arables. Partout dans le monde, des paysans et des petits fermiers se sont battus pendant des générations pour maintenir un certain niveau d'indépendance dans leur région ou dans leur pays mais certaines transformations récentes, en particulier la puissance des grandes entreprises ainsi que la mise en place à l'échelle mondiale de régimes commerciaux plus libéraux, en ont incité beaucoup à rejoindre les mouvements paysans transnationaux. Face à la domination patriarcale et à la pauvreté, des femmes aussi se sont mobilisées dans de nombreux pays dans le cadre d'une action de protestation politique visant à exprimer leur inquiétude locale. En agissant ainsi, elles ont bien souvent rejoint, voire aidé à se constituer, des réseaux reliant entre elles des femmes d'autres lieux et d'autres nations en passant par-dessus les différences ethniques et nationales ainsi que les divisions de classe. Dans tous ces cas, le but premier demeure la sauvegarde d'une situation locale.

De telles configurations où des gens ont recours à l'action politique afin de préserver leurs identités locales existent aussi dans le Nord. Un exemple au hasard : en 2005, une section locale de supporters de l'équipe de football de Manchester United – dont la célébrité est mondiale – s'est mobilisée pour protéger ce qu'elle considérait comme étant les racines locales de l'équipe en protestant contre son acquisition par un homme d'affaires américain. On peut aussi citer le soutien, certes minoritaire mais constant, dont bénéficient dans plusieurs pays de l'Union européenne les partis populistes de droite. Dans ce cas, les militants revendiquent avec véhémence, voire avec violence, le retour à des politiques visant à préserver et favoriser la culture nationale ainsi que les intérêts économiques des autochtones au détriment de ceux des migrants, des entreprises étrangères et des intérêts internationaux [Liang, 2007 ; Mudde, 2007].

En résumé, pour revenir au point soulevé par Marston *et al.* [2007, p. 52], nous devons éviter tout type de raisonnement conduisant à un « surcodage global » dans lequel on attribue aux influences globales bien plus de poids causal qu'elles n'en ont, ou pourraient même en avoir, en réalité. Bien entendu, les flux et les réseaux globaux sont réels et peuvent représenter pour beaucoup une force d'émancipation potentielle. Grâce aux flux de savoir et de ressources, les gens qui le souhaitent peuvent étendre leurs activités aussi loin qu'ils le désirent et établir des relations avec des individus vivant au loin. Pour autant, chacun d'entre eux demeure enraciné dans sa propre situation, dans son propre lieu, avec ses paramètres distinctifs, ses propres exigences, toute sa spécificité, et ce tout le temps que durent ces projets translocaux. De même, s'il est vital de dresser la carte des liens reliant les acteurs sociaux dans l'espace social, il est tout aussi nécessaire d'étudier la coexistence, le caractère situé et la phénoménologie des vies, des besoins et des motivations de tous ceux qui expédient, transmettent ou reçoivent ces communications. Cela se justifie particulièrement lorsque les acteurs sociaux n'accordent pas à cette part de leur existence ayant des implications globales la même signification que lui accordent les théoriciens de la globalisation.

La fabrique du global : le rôle du local dans les processus globaux

Nous avons vu que le local continue à imposer une puissante logique compensatrice malgré les influences globalisantes pénétrant notre espace existentiel, quand ce n'est pas précisément en réaction à ces influences. Il est toutefois possible de pousser l'argument encore plus loin en identifiant les manières dont le local – ou plutôt divers locaux – rendent possible le global et, d'une certaine façon, le constituent.

Les transactions local-local

L'argument relatif au caractère directionnel des flux du global peut aussi être renversé. On peut poser comme hypothèse qu'en réalité les chaînes de causalité vont largement autant, si ce n'est plus, du local vers le global qu'en sens inverse. En résumé, selon certains, le « global » n'est rien d'autre que l'addition de tous les locaux liés les uns aux autres par une multiplicité de connections par-delà les frontières territoriales, formant ainsi des liens translocaux fabriqués par des acteurs qui vivent dans ces lieux mêmes [Flusty, 2004, p. 60]. L'exemple le plus parlant est celui des migrants qui construisent des réseaux transnationaux multiplexes assurant la liaison entre les villes natales au pays et les enclaves dans le pays d'accueil, réseaux où se côtoient remises d'argent, attaches familiales et religieuses, liens d'affaires réciproques, capital d'influence politique, et encore bien d'autres choses. On pourrait aussi citer les mariages binationaux, qui impliquent des relations familiales et amicales complexes ; les étudiants à l'étranger ; les organisations criminelles transnationales ; ou bien encore les employés que leurs entreprises mutent régulièrement de site en site, souvent accompagnés de leurs familles.

Bien entendu, définir le global comme la somme de ces relations translocales ne permet pas de couvrir tout ce que l'on associe généralement à cette notion. Il est tout aussi crucial de prendre en compte et d'identifier le nombre croissant de certains phénomènes plus informes ou bien plus généraux et dont l'enjeu est vraiment global, comme le changement climatique ou encore la crise financière qui a balayé le monde à l'automne 2008. Scholte [2005] a expliqué la spécificité mais aussi les points communs entre tous ces processus globaux. Ainsi, chacun d'entre eux est presque intégralement déterritorialisé ou supranational, qu'il s'agisse de leur nature ou de leur portée : ils se déploient librement et indépendamment des frontières existantes, comme si le monde était un seul et unique espace. De plus, ils concernent et menacent tous les êtres humains, potentiellement ou en réalité, quel que soit l'endroit où ils se trouvent. Pour autant, la distinction entre les échanges translocaux – dont le début et la fin se déroulent dans des lieux particuliers dans lesquels ils sont profondément intrinsèquement enchâssés – et des processus naturellement supraterritoriaux et omniprésents permet de relativiser les affirmations indues relatives à l'emprise qu'auraient les processus de globalisation sur les vies locales.

La reterritorialisation ubiquitaire

Un autre moyen de remettre le local, et les lieux, au centre de l'analyse, consiste à revisiter le concept de déterritorialisation. Brenner [1999] estime que ce concept est important car il nous permet d'échapper au nationalisme méthodologique pour lequel les relations sociales ressortissent d'une « épistémologie stato-centrée » (p. 47) qui les inscrit à l'intérieur d'un espace géographique « fixe, parcellisé et fondamentalement dépourvu de temporalité (*timeless*) ». Cependant, Brenner critique également la position des théoriciens estimant que les territoires et les lieux concrets s'opposent aux nouveaux espaces globaux pour lesquels le temps et la distance n'existent pas. Il semblerait que plus ces derniers prennent de l'importance, et plus les premiers en perdent. Pourtant, d'après Brenner, en dépit de la place croissante qu'occupent les relations déterritorialisées dans la vie sociale globale, elles n'ont de sens qu'au regard de la persistance de points fixes dans l'espace, de lieux concrets offrant les emplacements au travers desquels ces « flux globaux peuvent circuler » [*ibid.*, p. 62]. Il s'ensuit que la déterritorialisation des relations sociales « s'articule intrinsèquement à leur reterritorialisation simultanée » par des acteurs sociaux dont la vie se déroule dans des lieux concrets. La mobilité implique, et nécessite même l'immobilité et la fixité.

De la sorte, même le fonctionnement des entreprises transnationales dépend d'activités enracinées dans des lieux réels. On peut ajouter que le succès de ces activités tout à la fois dispersées et intégrées dépend également de la collaboration continue d'un grand nombre d'employés qui vivent à proximité de ces unités économiques, qui subissent la pression économique, qui sont sous l'administration d'institutions locales ou nationales, qui sont inscrits dans des systèmes de pouvoir hiérarchique, qui occupent une position dans des réseaux informels et/ou domestiques, qui partagent des codes culturels et linguistiques, et encore bien d'autres choses. De plus, comme l'observent Castree, Coe, Ward et Samers [2004, p. 17], c'est précisément l'existence de certaines spécificités géographiques locales ainsi que la disponibilité de ressources particulières dans des lieux particuliers – qu'il s'agisse de pétrole ou d'autres minéraux, de la présence d'une certaine forme de main-d'œuvre ou d'une culture entrepreneuriale florissante – qui attire en priorité les investissements dans certains endroits au détriment des autres.

Le rôle des relations de coprésence dans la vie globale

Paradoxalement, la mondialisation économique a sans doute accru l'importance des relations sociales qui se fondent sur la coprésence et restent attachées à des lieux particuliers, y compris parmi les élites du monde des affaires. Cela peut s'expliquer par le fait que, dans le cas de beaucoup de très grandes entreprises, la tendance à la dissémination de leurs activités dans des lieux géographiquement éloignés repose prioritairement sur la capacité à pouvoir réellement coordonner et gérer ces empires complexes et très étendus. Pour cela, il est indispensable que puissent exister des interactions interpersonnelles régulières et qu'elles soient ré-enracinées dans des lieux réels. Ensuite, l'usage récent et massif des technologies de l'information par les entreprises du monde entier n'a pas fondamentalement modifié le rôle important que jouent l'intimité de la coprésence et les « micro-réseaux personnels » [Castells, 1996, p. 416] dans la vie des affaires, même s'il a évidemment procuré de nombreux avantages. Même les entreprises mondiales qui réussissent le mieux ont encore besoin de la réflexivité économique qui rend possible l'innovation, l'apprentissage continu et la capacité à gérer la complexité [Storper, 1997]. Mais, une fois encore, tout ceci nécessite l'existence de sites où peut être rassemblé le « mélange de talents et de ressources » [Sassen, 2002, p. 23] qui seul peut permettre aux entreprises de mettre à profit l'information spécialisée disponible et de produire des « interprétations, des conclusions » et des évaluations les plus justes possibles [*ibid.*, p. 22]. Ces entreprises mondiales se doivent d'exploiter le savoir local et national autant que le savoir global afin de pouvoir répondre aux besoins de leurs clients et s'accoutumer aux règles et aux cultures nationales [Beaverstock *et al.*, 1999 ; Kennedy, 2005].

Du caractère localement enchâssé des relations globales

Le local est l'endroit où les acteurs sociaux projettent, négocient et accomplissent la plupart des échanges et des relations qui traversent l'espace global – sachant que la grande majorité de ces acteurs demeurent pris dans des localisations et des formes de vie particulières pendant tout le temps où ils sont engagés dans ces relations. Bien entendu, les actions et les échanges qui ont des intentions globales produisent une multiplicité de déplacements et de flux : les échanges de biens entre les sites industriels ou agricoles *via* les routes, les ports et les entrepôts ; les voyageurs de ville en ville ; la couse folle des images, des idées et des informations dans les médias et le cyberespace ; ou bien les liens abstraits, la plupart du temps opaques, qui reposent sur l'argent, la concurrence ou les contrats. Tous ces échanges relient les acteurs économiques les uns avec les autres à l'échelle de la planète. Ils jouent certainement un rôle crucial dans nos vies. Cependant, pour la plupart des gens, ils ne sont pas plus importants ni plus réels que le processus simultané, multiforme, qui inscrit leurs vies dans les situations locales. De même, pour autant que nous puissions les percevoir et les saisir, c'est au niveau du local que nous rencontrons les forces globales venues de l'extérieur, et que nous les domestiquons en tirant profit des multiples ressources sociales routinières qu'il nous fournit.

De plus, c'est dans et par le local que se préparent et s'accomplissent la plupart des échanges et des relations qui permettent et renforcent la vie globale [Kennedy, 2010]. Ce sont donc les significations, les attaches sociales et les loyautés inscrites dans la famille, le village, le groupe ethnique, le voisinage, la région ou bien la nation qui fournissent une large part des ressources rendant possible au-delà des frontières territoriales – dans l'espace global – l'ensemble des actions, les plus grandes comme les plus petites, formant l'interaction transnationale. Ce sont ces mêmes liens largement primordiaux qui fournissent le moteur premier des actions transnationales : il s'agira par exemple de maintenir malgré la distance les liens familiaux avec la patrie, de fournir le soutien dont ont besoin les migrants les plus pauvres lorsqu'ils se trouvent à l'étranger ou bien encore d'assurer la confiance mutuelle nécessaire à la mise en place de certaines transactions commerciales, licites ou illicites.

Il est fréquent que ces micro-actions élaborées au sein des situations locales – partiellement fondées sur les affectivités rendues possibles, à un moment donné, par la coprésence – soutiennent également une autre forme de relations, celles qui concernent une collaboration s'étendant au-delà des frontières culturelles ou qui permettent d'assumer une responsabilité vis-à-vis d'inconnus vivant au loin. Dans ce cas, on voit apparaître de véritables éléments de globalité et de trans-socialité qui jouent un rôle dans la fabrique d'une société mondiale susceptible d'agir « pour soi » au lieu de simplement exister « en soi ». Les amitiés ou les amours transnationales, le partage de compétences et d'expériences professionnelles, la poursuite d'objectifs en matière d'éducation, les voyages de jeunes, etc., tout cela peut entraîner la formation d'arènes concrètes et immédiates présentant la particularité de faire entrer en conjonction des individus qui n'étaient jusque-là que des étrangers et de les inciter à franchir les frontières culturelles et trouver un chemin parmi de nouvelles formes d'entendement. C'est la seule façon pour eux de surmonter leur solitude, de traiter des projets urgents ou bien de supporter l'indifférence sociale qui les entoure localement. Il existe bien sûr d'autres expériences qui, seules ou combinées, peuvent pousser les acteurs sociaux à développer une conscience globale sous une forme ou sous une autre. Cela peut inclure les expériences particulières, liées à l'enfance ou à la famille, qui conduisent l'individu à considérer que l'ouverture culturelle est tout à la fois appréciable et gérable, le dotant ainsi d'un capital cosmopolite, ou bien qui font naître une propension idéologique à refuser par la suite les nombreuses injustices auxquelles doivent faire face les inconnus qui vivent au loin ; le fait d'atteindre un moment de sa vie où le déplacement social prend une telle ampleur qu'il pousse l'individu à se tourner vers des inconnus pour en faire de nouveaux alliés ; ou encore la prise de conscience du fait que des inconnus subissent les mêmes formes d'oppression que soi, auxquelles ils ne peuvent pas non plus résister de manière isolée.

Toutes ces expériences dépendent de ressources et de motivations dont l'apparition dépend en partie, et souvent en grande partie, d'alliances, de besoins, d'orientations, d'opportunités ou bien encore de menaces qui s'enracinent dans le local.

Références bibliographiques

ALBROW M., 1996, *The Global Age*, Polity, Cambridge.

BEAVERSTOCK J. V., SMITH R. G., TAYLOR P. J. , 1999, « The long arm of the law : London's law firms in a globalizing world-economy », *Environment and Planning A*, 31, 10, p. 1857-1876.

BECK U., 2004, « Cosmopolitical realism : on the distinction between cosmopolitanism in philosophy and the social sciences », *Global Networks : A Journal of Transnational Affairs*, 4 (2), p. 131-156.

BOURDIEU P., 2000, *Pascalian Meditations*, Polity Press, Cambridge. Original français : *Méditations pascaliennes*, Seuil, Paris, 1997.

BRENNER N., 1999, « Beyond state-centrism ? Space, territoriality, and geographical scale in globalization studies », *Theory and Society*, 28, 1, p. 39-78.

CALHOUN C., 2007, *Nations Matter : Culture, History, and the Cosmopolitan Dream*, Routledge, Londres.

CASTELLS M., 1996, *The Rise of the Network Society*, Blackwell, Oxford.

CASTREE N., COE N. M., WARD K., SAMERS M., 2004, *Spaces of Work : Global Capitalism and Geographies of Labour*, Sage, Londres.

DIRLIK A., 2001, « Place-based imagination : globalism and the politics of place », *in* PRAZNIAK R., DIRLIK A. (dir.), *Places and Politics in an Age of Globalization*, Rowman and Littlefield Publishers, Oxford, p. 15-52.

FLUSTY S., 2004, *De-Coca-Colonization. Making the Globe from the Inside Out*, Routledge, Londres.

FRIEDMAN J., 1997, « Global crises, the struggle for cultural identity and intellectual porkbarrelling : cosmopolitans versus locals, ethnics and nationals in an era of de-hegemonisation », *in* WERBNER P., MODOOD T. (dir.), *Debating Cultural Hybridity*, Zed, Londres, p. 70-89.

GIBSON-GRAHAM J. K., 1996, *The End of Capitalism (as We Knew It)*, Blackwell Publishers, Oxford.

HANNERZ U., 2003, *Transnational Connections. Culture, People, Places*, Routledge, Londres.

HOLLINGER D. A., 2002, « Not universalists, nor pluralists : the new cosmopolitans find their way », *in* VERTOVEC S., COHEN R.

(dir.), *Conceiving Cosmopolitanism. Theory, Context, and Practice*, Oxford University Press, Oxford, p. 227-239.

JAMES P., 2005, « Arguing globalizations : propositions towards an investigation of global formation », *Globalizations*, 2, 2, p. 193-209.

KENNEDY P., 2010, *Local Lives and Global Transformations. Towards World Society*, Palgrave, Basingstoke.

— 2005 « Joining, constructing and benefiting from the global workplace : transnational professionals in the building-design industry, *Sociological Review*, 53, 1, p. 172-197.

LIANG, C. S., 2007, *Europe for the Europeans. The Foreign and Security Policy of the Populist Far Right*, Ashgate, Aldershot.

MARSTON S. A., WOODWARD K., JONES J. P., 2007, « Flattening ontologies of globalization : the Nollywood case », *Globalizations*, 4, 1, p. 45-64.

MASSEY D., 1993, « Power geometry and a progressive sense of place », *in* BIRD J., CURTIS B., PUTNAM T., ROBERTSON G., TICKNER L. (dir.), *Mapping the Futures. Local Cultures, Global Change*, Routledge, Londres, p. 59- 70.

MOROZOV E., 2011, *The Net Delusion. How Not to Liberate the World*, Allen Lane, Londres.

MUDDE C., 2007, *Populist Radical Right Parties in Europe*, Cambridge University Press, Cambridge.

ROBBINS B., 1998, « Actually existing cosmopolitanism », *in* CHEAH P., ROBBINS B. (dir.), *Cosmopolitics. Thinking and Feeling Beyond the Nation*, University of Minnesota Press, Minneapolis, p. 1-19.

ROBERTSON R., 1995, « Glocalization : time-space and homogeneity-heterogeneity », *in* FEATHERSTONE M., S. LASH S., ROBERTSON R. (dir.), *Global Modernities*, Sage, Londres, p. 25-44.

— 1992, *Globalization. Social Theory and Global Culture*, Sage, Londres.

SASSEN S., 2002, « Introduction : locating cities on global circuits », *in* SASSEN S. (dir.), *Global Networks. Linked Cities*, Routledge, New York, p. 1-37.

SCHOLTE J. A., 2005, *Globalization. A Critical Introduction*, Macmillan, Basingstoke.

SCHUTZ A., 1974, *The Structures of the Life-World*, Heinemann Educational Books, Londres.

— 1964, *Collected Papers Volume II : Studies in Social Theory*, publié et introduit par A. Brodersen, Martinus Nijhoff, La Hague, p. 92-105.

SHAW M., 2000, *Theory of the Global State. Globality as an Unfinished Project*, Cambridge University Press, Cambridge.

STORPER M., 1997, « The city : centre of economic reflexivity », *The Service Industries Journal*, 17, 1, p. 1-27.

Deuxième partie

De quelques mutations d'objets

Chapitre 8

Les tribulations de la religion.

Une cartographie de la production et de la consommation culturelle globale[1]

Peggy Levitt[2]

Les ordinateurs et les téléphones portables n'ont pas seulement transformé la façon dont nous faisons des affaires, ils transforment également la façon dont la « parole » circule. À Noël 2004, les catholiques italiens ont pu, pour la première fois, recevoir sur leurs téléphones portables une retransmission vidéo gratuite de la messe de minuit du pape Jean-Paul II et de son message. Dans les faits, le Saint-Siège demeure en contact quotidien avec ses fidèles grâce à l'envoi, par texto, de la « pensée papale du jour ». Ce service est disponible en Italie, en Irlande, à Malte, en Grande-Bretagne et aux États-Unis pour trente centimes le message. Cependant, les chrétiens ne sont pas les seuls à s'être engagés dans le prosélytisme *high-tech*. Basé en Grande-Bretagne, l'Islamic Prayer Alert Service envoie à ses abonnés 70 000 messages par mois pour leur rappeler les horaires de prière ainsi que, de manière régulière, des citations du Coran pour leur servir d'inspiration. Ce service est plus onéreux – vingt-cinq pence le message ou environ 1 700 dollars à l'année – mais 65 % de ces revenus sont reversés à des œuvres de charité [Curnow, 2005]. Les techniques ne sont qu'un des instruments propulsant la mise en mouvement des religions. Les migrants, les pèlerins, ceux qui participent à des mouvements sociaux, tous transportent de la religion. Les objets,

---

1 Traduction par Stéphane Dufoix, revue par l'auteur.
2 Mes remerciements vont à Kim Knott, Loren Landau, Thomas Blom Hansen, Diana Wong, John Eade, Peter Mandaville Courtney Bender, David Smilde et Nadya Jaworsky pour leurs remarques et leurs commentaires sur les versions antérieures de ce chapitre.

les récits, les esprits, tous circulent de manière active et régulière au sein mais aussi entre les couches des champs sociaux religieux. Pour autant, nous continuons à évoquer des religions nationales, le protestantisme américain ou l'islam français. Beaucoup de récits, académiques ou populaires, partent du principe que les pratiques et les organisations religieuses respectent strictement les frontières nationales et possèdent des caractéristiques nationales uniques et identifiables comme telles. Nous considérons que l'absence de mouvement et l'existence de frontières sont des principes organisateurs de la vie religieuse alors qu'en réalité les idées et les pratiques religieuses sont constamment et ouvertement en train de se déplacer.

Dans ce chapitre, j'utilise l'exemple de la religion afin de proposer une feuille de route pour l'étude de la culture en mouvement, du déplacement, de la mise en relation ainsi que des lieux de rencontre où les éléments religieux entrent en collision. Au lieu de postuler que la vie religieuse est avant tout liée à des espaces fermés (qu'il s'agisse des traditions religieuses, des congrégations ou des nations), nous devrions au contraire partir du principe qu'il existe de la circulation et de la mise en relation. La religion n'est en aucune manière un ensemble stable et fermé de croyances et de pratiques enracinées à l'intérieur des limites d'un temps et d'un espace particuliers. Il faut plutôt l'envisager comme le rassemblement contingent d'objets, de corps et de croyances qui se rejoignent dans un espace encore indéterminé et saturé par le pouvoir et les intérêts, un rassemblement qui se configure et se reconfigure constamment à travers la mise en circulation et la mise en contact. Ce n'est pas un tout cohésif et enraciné mais bien un assemblage construit de façon lâche, façonné par les acteurs, les objets et les idées qui circulent, à des vitesses et des rythmes différents, sur différentes échelles et dans différents espaces. Comment peut-on expliquer ce qui se produit aux différents sites de rencontre où se rejoignent divers éléments et acteurs religieux ? Existe-t-il des schémas systématiques de configuration ou de blocage, et si oui, pourquoi ? Quel travail social et politique accomplit-on, quels intérêts sert-on lorsqu'on conçoit la religion comme un système cohésif et limité, et par conséquent contrôlable en tant que tel ?

Je ne suis pas en train de prétendre que les pratiques et les objets religieux voyagent sans encombre. Si les dieux voyagent sans passeport, les croyances religieuses, tout comme les croyants, rencontrent régulièrement sur leur route des obstacles ou des barrages. Je dis seulement que continuer à étudier la religion dans le cadre d'espaces fermés et en définissant *a priori* les frontières et les niveaux correspondant aux niveaux d'analyse spatiale pertinents nous empêche de voir certains éléments importants relatifs à la façon dont la vie religieuse contemporaine est réellement vécue, ainsi que les hiérarchies de pouvoir qui la sous-tendent. Il nous faut alors entamer le travail à l'aide d'une série de questions plus ouvertes et observer de manière empirique les frontières réelles, ainsi que les strates, des espaces dans lesquels sont encastrés les sujets. De quelle façon ils sont connectés ou non à d'autres acteurs, à d'autres objets, dans les différents sites et aux différentes strates de ce champ social est une question encore ouverte. Peut-être découvrira-t-on que les liens sont finalement peu nombreux et que le mouvement est faible. Néanmoins, organiser la recherche sur le principe de l'absence de mouvement et de la fermeture plutôt que sur la fluidité et la mise en relation risque d'empêcher la prise en compte de dynamiques fondamentales et donc de produire une analyse incomplète. Je ne suis en aucun cas la première à soulever ces questions. De nombreuses études font valoir que les dimensions de la vie religieuse sont fondamentalement mobiles, ce qui a pour effet de produire une certaine forme de rencontre, qu'il s'agisse d'hybridation, de syncrétisme, de convergence ou de transculturation. D'autres suggèrent de passer par l'étude des espaces, des réseaux ou des flux qui commandent le mouvement des religions. De manière générale pourtant, ces travaux ne parviennent pas à expliquer comment et pourquoi ces sites de rencontre évoluent comme ils le font. Ils s'intéressent à la façon dont les éléments religieux convergent localement ou globalement mais pas à la façon dont le matériel et le spirituel se rejoignent, fût-ce un court instant, à tous les niveaux et dans tous les sites des espaces sociaux transnationaux. Nous avons besoin d'une méthode pour déconstruire et expliquer ce rassemblement contingent qui permet au local, au global, ainsi qu'à toutes les strates de l'expérience sociale entre les deux, de rester en relation les uns avec les autres. Nous avons besoin d'une méthode capable d'identifier les schémas systématiques, s'ils existent, et d'expliquer pourquoi le pouvoir et l'histoire les ont créés. Nous avons besoin de comprendre pourquoi certaines choses sont tellement mobiles alors que d'autres échouent à se mettre en mouvement ou restent bloquées en route.

Au début de ce chapitre, je déploie une optique transnationale qui permet de clarifier de nombreuses formes de relations sociales et de processus contemporains. Par la suite, j'esquisserai une présentation de mon approche de la « religion », ainsi que des porteurs, des géographies, des sentiers et des autres facteurs intervenant dans la construction de l'assemblage religieux. J'utiliserai pour cela des exemples tirés de mon propre travail ou de celui d'autres chercheurs. Je conclurai par une discussion relative à la comparaison entre la religion et l'ethnicité avant de me demander comment les formes de conceptualisation et de prise en compte de la différence renforcent les hiérarchies de pouvoir existantes.

Comment conceptualiser la religion

La catégorie « religion » a été forgée par les puissants, à un moment épistémologique particulier, afin de contenir et de contrôler ceux qui n'avaient pas de pouvoir, institutionnalisant sur le plan formel ce qui bien souvent n'était encore qu'un ensemble contesté, disparate et désordonné de pratiques permettant au colonisateur ou à la majorité chrétienne de mieux contrôler l'« Autre »[3]. Les Britanniques, par exemple, ont créé l'hindouisme à partir d'un ensemble disparate et informel de croyances et de pratiques, dans le seul but de mieux administrer et dominer les Hindous. Cela leur a également permis d'institutionnaliser de fausses dichotomies – tradition et modernité, public et privé, religion et politique – privilégiant certains modes de comportement et d'appartenances tout en marginalisant les autres [Vasquez, 2005]. Pourtant, les colonisés ont résisté. Non seulement la tension persistante entre colonisateur et colonisé a fait naître des pratiques religieuses informelles et populaires, mais elle a aussi fait apparaître des modes d'étude de la

---

3   Chidester [1996], Asad [2001], Masuzawa [2005].

vie religieuse incapables de les prendre en compte. Les catégories d'analyse ainsi produites laissaient échapper les aspects matériels de la religion : la corporéité des pratiques, l'emplacement des institutions et la sacralisation des objets [*ibid*.]. Elles ont imposé l'ordre et la cohésion à un large éventail de croyances et de pratiques qui, en réalité, se rejoignaient selon des modalités particulières à des moments spécifiques.

Des études récentes ont apporté un rectificatif bienvenu en s'intéressant à la manière dont des configurations religieuses particulières convergent à un moment particulier et en des lieux particuliers, et en explorant pourquoi certains discours religieux, certaines pratiques et institutions religieuses se retrouvent étiquetés comme « religieux » et comment ils interagissent avec le « non religieux ». Comparer des ensembles censés être distincts, circonscrits, ne suffit pas. Nous devons au contraire enquêter sur le pourquoi et le comment de la constitution des assemblages religieux, que ce soit par des individus, des congrégations ou des organisations mondiales. Nous devons aussi nous demander quels intérêts sert cette conception de la religion et quelle forme ont pris les réponses institutionnelles et légales aux questions de la religion publique et du pluralisme religieux [Bende, Klassen, 2010].

La théorie de l'assemblage fournit une méthode pour étudier ces constellations hétérogènes et en voie de formation car elle privilégie les relations par rapport aux structures, le changement par rapport à la stabilité et la variabilité de l'étendue par rapport à la délimitation des espaces[4]. À l'inverse de la métaphore de l'« arbre » sur lequel les éléments se déplacent le long des branches et des racines qui s'étendent vers le haut et vers le bas à partir d'un centre relié à la terre, la principale métaphore directrice est ici celle du rhizome. Le rhizome n'est pas fixé par des frontières ou des limites conceptuelles, et il se fonde sur l'idée de multidirectionnalité et de diversité. Tout point du rhizome peut, et doit, être relié à n'importe quel autre [Deleuze, Guattari, 1987]. De surcroît, quand se rompent des parties d'un rhizome, elles peuvent survivre par elles-mêmes, s'installant dans l'errance avant de se

---

4   Deleuze et Guattari [1987], Legg [2010], Marcus, Saka [2006].

reformer ou de s'unir à d'autres, mais toujours selon des lignes qui ne cessent de se renvoyer les unes aux autres. Si l'accent est mis sur la « déterritorialisation », il n'empêche que les assemblages eux aussi s'installent, possèdent des périodes de stabilité et se reterritorialisent [Legg, 2010]. On peut utilement se représenter la rencontre contingente entre des acteurs, des pratiques et des objets religieux comme des assemblages qui se constituent selon un couplage plus ou moins serré ou lâche. Continûment, ces assemblages gagnent ou perdent de nouveaux éléments au fur et à mesure de leur circulation entre les différentes couches et aux différentes échelles des champs sociaux transnationaux. Tout, de la religiosité individuelle à la constitution d'organisations religieuses mondiales, peut être lu comme le résultat de tels assemblages conditionnels. À partir d'un noyau central bien défini et reconnu, ou bien encore à peine cohérent, s'organise un assemblage dont la solidité est étroitement dépendante du contexte et se modifie constamment, tout comme les éléments qui s'y rattachent ou s'en détachent au cours du voyage. Pour saisir la manière dont ces constellations prennent forme, pour identifier les sites et les sources d'où proviennent les éléments formant ces constellations, il est nécessaire de se doter d'une optique transnationale.

Une optique transnationale

La religion fait partie des nombreux aspects de la vie sociale contemporaine qui dépassent les échelles et les frontières. Les mouvements sociaux mobilisent des individus dans le monde entier sur des questions telles que les droits de l'homme, l'égalité hommes-femmes ou les valeurs familiales. Les économies sont certes dépendantes de l'investissement, mais elles le sont aussi des chaînes de production et de consommation à l'échelle transcontinentale, et le poulet « tandoori » est devenu l'un des plats de prédilection des Londoniens. Cela n'a rien de nouveau. Qu'on pense au colonialisme et à l'impérialisme, aux campagnes de missionnaires, aux mouvements anti-esclavagiste ou ouvrier, aux réseaux de piraterie ou encore au jazz. Les formations sociales et les processus sociaux ont toujours, à des degrés divers, traversé les limites et les frontières. Pourtant, les sciences sociales étant apparues en même temps que le système actuel de l'État-nation, la plupart des catégories analytiques et conceptuelles qui sont les nôtres considèrent la nation comme le principe organisateur fondamental, automatique et logique, de l'expérience contemporaine. Dans le monde actuel, l'étude de la dynamique sociale par la comparaison d'expériences à l'intérieur des sociétés, ou entre des sociétés ou encore des unités sociales dont on postule le caractère fermé, est évidemment insuffisant. Pour les études transnationales (ET), le global, le régional, le national et le local doivent être analysés grâce à des lentilles méthodologiques, théoriques et épistémologiques résolument transnationales [Khagram, Levitt, 2008]. Les études transnationales proposent une option très différente des perspectives traditionnelles pour lesquelles le transnational se produit quelque part entre le national et le global. Les unités sociales ne sont plus vues comme étant fermées et mises en frontières mais au contraire comme des espaces sociaux en interaction constante, formés de manière transnationale, enchâssés dans le transnational et dépendants de ce qui se passe au niveau transnational. Le monde se compose d'ensembles multiples de champs sociaux transnationaux qui se chevauchent et interagissent de façon dynamique et qui donnent naissance et forme à des structures, des acteurs et des processus donnant l'impression d'être fermés et bornés. Les assemblages religieux se constituent au sein de ces espaces transnationaux et se composent d'éléments qui y circulent également. Des termes comme « transnational », « transnationalisme » ou « transnationalité » sont donc en partie impropres car ils semblent indiquer que nous nous intéressons à ce qui se passe *entre* les nations et les États, au-delà d'eux ou au sein même du système stato-national. Leur signification est bien plus riche. L'optique ou la vision transnationale commence à travailler avec un monde sans frontières. Elle explore de manière empirique l'apparition, à des moments historiques particuliers, des limites et des frontières ; elle explore les relations qu'elles entretiennent avec des espaces et des processus qui ne connaissent pas de frontières. Elle ne considère pas que l'échelle spatiale d'analyse la plus pertinente relève de l'évidence. Un élément fondamental de cette approche est la capacité à interroger l'ampleur et la portée territoriale de n'importe quel phénomène social sans *a priori*. Elle ne privilégie ni le local ni le global mais elle tente de maintenir ces couches de l'expérience, et toutes celles qui peuvent exister entre ces deux-là, en dialogue l'une avec l'autre en accordant toute l'importance nécessaire à la manière dont ces sites et ces couches multiples interagissent et s'informent mutuellement.

Les études transnationales de la religion identifient dans un premier temps les paramètres et les couches des champs sociaux appropriés. Les champs sociaux sont des ensembles de multiples réseaux de relations sociales qui s'interpénètrent et où s'échangent, s'organisent et se transforment les idées, les pratiques et les ressources [Levitt, Glick Schiller, 2004]. Ce sont des interactions structurées, multidimensionnelles et englobantes de forme, de profondeur et d'ampleur différentes. Les champs sociaux nationaux sont ceux qui demeurent à l'intérieur de frontières nationales tandis que les champs sociaux transnationaux tissent entre les acteurs des relations directes ou indirectes par-delà les frontières. Il s'ensuit que toute étude d'un individu, d'un rituel, d'une congrégation ou d'un mouvement social au Mexique ou à Singapour commencerait par déterminer le niveau et l'intensité des relations qu'il ou elle entretient avec des acteurs et des institutions localisées ailleurs, ainsi que les niveaux du champ social dans lequel il ou elle est enchâssé(e). Elle ne traiterait pas les individus et les groupes comme des conteneurs fermés nichés dans des sites locaux, mais les verrait au contraire comme des sites potentiels de rassemblement et de convergence qui, une fois constitués, circulent et re-circulent, se modifiant sans cesse au cours de leurs déplacements. La configuration ainsi produite n'est ni purement locale ni purement globale ; elle se niche à l'intérieur d'une multiplicité de couches et d'échelles entrecroisées de gouvernance régionale, nationale ou mondiale, chacune possédant sa propre logique et ses propres répertoires de ressources institutionnelles et discursives.

L'optique transnationale permet d'identifier la diversité des acteurs, des idées et des objets qui circulent à l'intérieur des champs sociaux religieux, ce que j'appelle les transporteurs de la religion. Elle attire notre attention sur les géographies réelles et imaginées, passées et présentes, au travers desquelles voyage la religion, ainsi que les sentiers et les réseaux qui les composent. Elle met tout particulièrement l'accent sur la manière dont d'autres idéologies, d'autres intérêts circulent au sein de ces champs, croisent ces trajectoires et les façonnent. Enfin, elle permet de nous faire une image plus claire du comment et du pourquoi de la formation de ces assemblages religieux, de l'impact et des conséquences de ces rencontres. Quand la matière première du religieux – qu'il s'agisse d'idées, d'objets, de rituels ou bien de stratégies d'organisation – fait son apparition, comment et pourquoi se conglomère-t-elle comme elle le fait ? Comment les éléments culturels circulant à d'autres niveaux du champ social influencent-ils la forme, la force et la durabilité de cette convergence ?

La religion en mouvement

Tous les aspects de la vie religieuse sont potentiellement mobiles. Les corps, les esprits, les divinités, les âmes, tous et toutes se déplacent. Les modes d'organisation religieuse et les mouvements sociaux religieux voyagent. Les idées, les pratiques, les symboles circulent aussi. Il existe une multiplicité de porteurs pour ces biens : les objets ou les idées de la religion profitent d'objets et d'idées qui n'ont apparemment rien à voir avec la religion, ou bien s'y infiltrent. C'est la matière dont les assemblages sont faits. La religion influence aussi grandement les trajets migratoires individuels, y compris les modes de déplacement, le sens de la respectabilité une fois que l'on est arrivé quelque part ainsi que la transmission et la transformation des valeurs et des pratiques en cours de route [Hagan, 2008]. Enfin, la religion est particulièrement adaptée au caractère déraciné et instable de la vie contemporaine. Ses récits évoquant la rédemption individuelle et la transcendance universelle fournissent des outils pour saisir les transitions entre la jeunesse et la vieillesse, la pauvreté et la richesse, la tradition et le changement. Il n'est donc pas surprenant que la religion et le déplacement géographique soient aussi profondément intriqués. Les individus constituent une source importante de déplacement de la religion. Mais ils se déplacent pour des durées différentes et sur des distances très différentes les unes des autres, ce qui entraîne différents niveaux de contact avec les endroits où ils voyagent et les gens qui y vivent. Tout le monde ne migre pas avec l'intention de s'installer de manière permanente, et tous les pays ne le permettent pas non plus. Les migrants, comme les pèlerins, les touristes, les professionnels, les étudiants, les dirigeants religieux et les universitaires transportent leur foi avec eux. Parfois, ce sont les religions elles-mêmes qui impulsent le mouvement. Dans certaines communautés, la respectabilité impose la mobilité. Pour les mormons, certains chrétiens évangéliques ou les membres du Tablighi Jamaat, être religieux signifie aussi répandre la bonne parole. Le déplacement fait partie de l'histoire collective du groupe et de la manière dont il conçoit sa vocation aujourd'hui. Les modes d'organisation de la vie religieuse voyagent aussi. Des communautés religieuses hautement structurées, comme l'Église catholique, accompagnent leurs fidèles simplement en transplantant leur corps constitué transnational d'un contexte à un autre [Levitt, 2007]. Les objets et les rituels transportent aussi la foi au cours de leurs voyages, leur valeur symbolique et leur signification se modifiant souvent considérablement en cours de route[5]. Les divinités et les esprits sont également socialement mobiles au cours de leurs voyages. Ainsi, Sinha [2005] a montré que si les classes inférieures vénéraient en Inde le dieu hindou Muneeswaran, c'étaient les classes moyennes en voie d'ascension sociale qui le vénéraient après leur migration à Singapour[6]. Le statut religieux, la piété ainsi que l'autorité religieuses se négocient elles aussi à travers le temps et l'espace. Richman [2002] a démontré que les migrants haïtiens en Floride utilisaient la foi pour s'extraire d'un espace sacré et se réinsérer dans un autre. Bien que la plupart des gens aient été catholiques, ils croyaient également aux Iwas (« saints ») qui pouvaient protéger ou bien menacer les membres de leur famille. Au fur et à mesure, de plus en plus de gens ont protesté contre le gaspillage que représentait l'envoi au pays de grosses sommes d'argent qui leur étaient demandées pour prendre soin des Iwas. Ils

---

5 Durand et Massey [1995], Oleszkiewicz-Peralba [2007].
6 Voir aussi Lambek [1993], Meyer et Moors [2006], Hitwelmeier et Krause [2009].

se sont convertis au protestantisme pour se libérer de ce système d'obligation rituelle liée à la parenté.

Si tels sont les éléments à partir desquels se construisent les assemblages religieux, qu'est-ce qui peut expliquer comment et pourquoi ils se forment et voyagent comme ils le font ? Un premier ensemble d'influences concerne la relation entre les porteurs et les receveurs, la différence et la distance sociale qui les sépare, qu'il s'agisse d'individus ou d'organisations. Le « marginal », celui ou celle qui peut se permettre de rester à l'écart parce qu'il ou elle n'est pas contraint(e) par les normes sociales, sera mieux disposé(e) à adopter des innovations plus radicales[7]. Si les individus ou les organisations occupent des positions sociales importantes et puissantes, ce qu'ils disent ou ce qu'ils font a plus de chances de s'imposer. Ainsi, le médecin diplômé, possédant du pouvoir et de l'influence, a plus de poids que le guérisseur traditionnel, et le dirigeant religieux officiel est plus influent que son équivalent séculier. Au pays, les membres de la famille qui dépendent de l'argent envoyé par leurs parents ayant migré se sentent obligés d'accepter des critères de moralité différents. Lorsqu'un membre éminent de la communauté se convertit à une foi nouvelle, les autres ne veulent pas être en reste. Les institutions occupant des positions similaires semblent identiques et agissent souvent de manière identique[8]. Quand des acteurs de différents sites s'identifient de façon suffisamment proche, ils ont également plus de chances de se mobiliser ensemble.

L'adoption et la convergence à un niveau donné du champ social transnational peuvent ensuite se répandre à d'autres niveaux. Les auteurs de *Dynamics of Contention* [McAdam *et al.*, 2001, p. 331] identifient ainsi un *processus de changement d'échelle*, où des situations de conflit migrent du niveau local en direction des niveaux translocal et national. Les dirigeants et les enseignants religieux sont également concernés par ce phénomène de changement d'échelle, vertical ou horizontal. Ils prêchent à leurs fidèles que la pratique de certains rituels ou l'observation de certaines règles les

---

7 Rogers [2003], Strang et Stroule [1998], Wejnert [2002].
8 DiMaggio et Powell [1983], Dobbin *et al.* [2007].

protégera des démons vivant à côté de chez eux ou à l'autre bout du monde. Le croyant qui s'abstient de manger certaines nourritures ou de fréquenter l'autre sexe prévient l'impureté en Inde comme en Occident, se protégeant ainsi du voisin païen à Ahmedabad et du collègue matérialiste et alcoolique en Amérique. Les adorateurs qui avaient l'habitude de participer au *bhakti pheri*[9] dans les villages de basse caste au Gujarat et qui répandent la bonne parole de chez eux, à Boston ou à Atlanta, en direction de Fidji et de Trinidad, pratiquent aussi le changement d'échelle horizontal. La pénétration des femmes à l'intérieur des structures dirigeantes de la mosquée locale devient un changement d'échelle vertical quand les femmes intègrent aussi les structures de direction régionales et nationales.

Un deuxième ensemble d'influences jouant sur le mode d'agrégation des éléments religieux concerne les caractéristiques des objets ou des rituels qui se déplacent. En disant cela, je ne considère pas seulement la plus ou moins grande facilité avec laquelle on peut les conditionner, les communiquer et les transmettre mais aussi la différence entre ce qui circule et ce qui est déjà en place. Il y a plusieurs points à considérer. Tout d'abord, certains rituels et certains objets sont clairement plus transportables que d'autres et certains messages sont clairement plus transposables que d'autres. Avec quelques ajustements, on peut jeûner, prier, chanter, faire des offrandes, jouer de la musique et danser n'importe où. Certains conditionnements sont aussi plus attirants, à l'image de certains matériaux éducatifs musulmans, dont Mandaville [2001] a montré qu'ils étaient plus facilement acceptés par les enfants parce qu'ils utilisaient des personnages de Disney. Pnina Werbner plaide également en faveur de la transportabilité de certaines formes de

---

9 En Inde, les membres de la communauté Swadhyaya, d'inspiration hindouiste, pratiquent le prosélytisme en visitant régulièrement les mêmes villages, contribuant ainsi à lentement introduire auprès des habitants les enseignements de Dadaji (leur fondateur), chaque visite étant l'occasion de les y initier un peu plus. Les membres de la communauté qui ont migré à l'étranger se déplacent chaque fin de semaine en direction de nouvelles villes et agglomérations aux États-Unis et au Canada. Après avoir recherché dans l'annuaire les noms de famille gujarati, ils débarquent chez les gens sans s'être annoncés au préalable. Dès que deux ou trois personnes de la ville en question deviennent membres, une nouvelle communauté est née [Levitt, 2007].

charisme. Si les intrigues des histoires relatives au saint soufi qu'elle étudie sont modelées sur les circonstances locales, les récits en eux-mêmes sont paradigmatiques. Ils sont « marqués par une intrigue "globale" récurrente et par un récit localisé "ici et maintenant" » [Werbner, 2007, p. 286]. La logique sous-jacente des fables étant identique, elles sont transportables et peuvent exercer leur puissance au Maroc, en Irak, au Pakistan et en Indonésie. La logique sémiotique des schémas et de la structure les rend faciles à transporter et à transmettre. De même, Johnson a décrit la façon dont les Garifuna emportent du sable en provenance de leurs villages du Honduras pour l'utiliser au cours de cérémonies rituelles à New York City [Johnson, 2007]. Alors que les liens des migrants avec le Honduras faiblissaient, leur connections avec d'autres lieux, d'autres ancêtres et d'autres pouvoirs prenaient de l'importance. En utilisant certains objets au présent comme ils l'avaient fait par le passé, les migrants manifestaient un lien direct avec la mémoire. En utilisant des objets de manière plus symbolique, dans d'autres contextes, ils manifestaient la différence entre le présent et ce dont on se souvient, ce qui permettait à un « type » générique d'ancêtre, et non à quelqu'un de spécifique, de voyager.

La transportabilité et l'incorporation dépendent aussi, en partie, des limites, c'est-à-dire de la différence entre ce qui est d'ores et déjà en place et ce qui est nouveau ou différent. Ces limites peuvent être hautes lorsque l'adoption implique un changement de grande importance : les barrières à l'entrée sont alors significatives. Les frontières peuvent aussi se révéler plus basses lorsque la nouveauté présente beaucoup de points communs avec ce qui existe déjà. Les limites peuvent être épaisses, donnant naissance à des paquets de données denses et serrées qui voyagent facilement et avec efficacité ; ou bien elles peuvent être fines, formant des ensembles poreux qui se déplacent plus difficilement car ils risquent de se déverser. Les traditions écrites voyagent sous la forme d'ensembles reliés, au sens propre, tandis que les traditions orales seront beaucoup plus sujettes au changement lors de leur traduction et de leur transmission. Certaines limites ne sont perméables que pendant une courte période de temps ou pour un volume limité ; on peut penser au sperme qui doit fertiliser l'œuf rapidement sous peine de perdre son pouvoir : une fois que le sperme a franchi la barrière de la cellule, la membrane redevient imperméable. De la même manière, les idées et les comportements perdent de l'énergie et passent de mode. Par ailleurs, on peut aussi noter l'influence de ce que Herbert Simon [1984] appelait la rationalité limitée, c'est-à-dire la capacité à ne recueillir qu'une certaine quantité d'information en un temps donné. Les adoptants, qu'il s'agisse d'individus ou d'organisations, ne peuvent traiter et répondre qu'à une quantité donnée. Enfin, les limites possèdent une perméabilité sélective ne laissant passer que des choses dotées de formes ou de textures particulières. Certaines idées et pratiques sont ainsi trop « rondes » pour pouvoir passer au travers de portes d'entrées carrées.

La fréquence et la force des contacts entre les éléments en circulation influence également la mise en forme des assemblages. L'un des facteurs concerne la façon dont les idées ou les objets sont introduits dans le champ. On peut songer à la différence entre la victime d'allergies qui s'enduit la peau de crème à la cortisone et celle qui utilise un inhalateur. Le pouvoir du médicament est plus important quand il entre directement en contact avec le flux sanguin. L'étudiante qui entre en contact avec une communauté religieuse au cours d'un séjour de quatre ans à l'étranger vit une rencontre différente de celle qu'expérimente l'une de ses camarades, de niveau social équivalent, issue de parents immigrés, et que la famille a volontairement socialisée au sein de cette tradition religieuse. Le touriste effleure la surface de la vie religieuse tandis que le pèlerin s'y engage de manière plus volontaire, bien qu'il soit également un visiteur de courte durée. Écouter le sermon d'un pasteur ou d'un enseignant itinérant ne signifie pas la même chose qu'entendre, semaine après semaine, prêcher la même personne. De la même manière, convaincre un ou deux membres d'une congrégation du bien-fondé d'une gouvernance démocratique des églises ne possède pas le même pouvoir que le vote d'une congrégation entière en vue de modifier sa structure de gouvernance. Si le catalyseur du changement émane de plusieurs sources distinctes, comme les services confessionnels locaux, régionaux et nationaux, il est vraisemblable que le changement s'imposera plus facilement.

Qu'ils soient réels ou qu'ils dépendent d'un intermédiaire, les sentiers ou les circuits qu'empruntent les éléments religieux affectent également la construction de l'assemblage. La foi se déplace au travers de structures organisationnelles de puissance et d'ampleur variables. La plupart des mosquées sunnites sont autonomes. Elles ne font pas partie d'une hiérarchie organisationnelle plus large. Les autres organisations religieuses présentent, sous une forme ou sous une autre, une relation centre(s)-périphérie(s) par laquelle l'« église-mère » ou les autorités centrales exercent un certain degré de contrôle sur les membres du groupe. La structure plus ou moins serrée de ces réseaux institutionnels, le contrôle plus ou moins intense exercé par le « centre » sur ses bastions influencent fortement le mouvement religieux. Les idées et les pratiques voyageant à travers des structures hiérarchiques institutionnalisées comme l'Église catholique empruntent des circuits dégagés et bien protégés. Des individus puissants sanctionnent leur déplacement, contrôlant et surveillant de manière stricte tout ce qui se déplace afin d'assurer l'intégrité de la marque. Lorsque les objets se meuvent au travers d'institutions plus faibles et plus informelles, ils sont plus vulnérables aux perturbations et aux remises en cause. Il est plus facile à des pratiques transformatrices, non autorisées, de franchir leurs limites et leurs murs. Enfin, la trajectoire de la circulation dépend de la présence d'éléments exogènes favorisant, renforçant ou supprimant ses effets. Certaines idées et certaines pratiques voyagent ensemble en une association produisant des effets d'interaction. Cette relation est parfois d'ordre parasitaire : l'élément introduit prend possession de son hôte qu'il va dévorer au cours du voyage. L'opinion selon laquelle une femme pieuse peut très bien travailler en dehors de chez elle ne pourra pas être entendue si elle circule en même temps que l'opinion selon laquelle les femmes qui travaillent ne sont pas des bonnes mères. Certains flux se détruisent mutuellement, comme c'est le cas lorsque le pasteur estime de son devoir d'encourager ses ouailles émigrées à s'engager politiquement tout en continuant à leur dire qu'ils doivent avant tout s'engager pour le royaume du Christ [Levitt, 2007]. Pour finir, d'autres idées et pratiques dépendent symbiotiquement les unes des autres pour leur survie.

L'accès à une division sexuelle du travail plus équilibrée au foyer est une condition nécessaire pour que les femmes puissent obtenir des responsabilités au sein d'un temple ou d'une église.

Les géographies de la circulation

Pour expliquer et comprendre la fabrication et le déplacement des assemblages, il est nécessaire de prêter attention à un troisième ensemble de facteurs, à savoir la nature des géographies de la circulation, l'entrecroisement des plans et des réseaux constitutifs des champs sociaux transnationaux et de leurs frontières. Les choses voyagent à travers ce que Lefebvre nommait les « textures » de l'espace, les contours des régimes de représentation et les pratiques signifiantes par lesquelles l'espace devient lieu et se remplit de sens [Lefebvre, 1991]. Différents régimes de gouvernance opèrent selon les échelles. Appadurai [1996] les appellerait des religio- ou des sacroscapes. Dans la « société en réseaux » de Castells [1996 ; 2004], des ensembles de noyaux interconnectés ne possédant ni véritable centre ni véritable périphérie constituent les limites sociales à l'intérieur desquelles se produit la circulation.

De toute évidence, certains terrains sont plus stables que d'autres. Les espaces sociaux reliant le Mexique et les États-Unis, la Grande-Bretagne et l'Asie du Sud ou encore l'Allemagne et la Turquie ont une histoire relativement longue et persistante. A contrario, certains espaces sociaux, moins développés et plus incertains, sont plus difficiles à parcourir, comme ceux où sévissent des troubles civils ou des catastrophes climatiques. Non seulement la communication est entravée mais ce qui voyage a également plus de chances de s'égarer ou de rencontrer des obstacles au cours du trajet. Dans certaines parties du monde, les éléments religieux circulent dans un contexte d'États et de marchés, dans d'autres, ils sont accueillis par des États forts et des économies en expansion, les gouvernements contrôlant de manière active l'expression publique de la religion et l'usage de la terre. Les Tibétains en Inde, les Indonésiens en Malaisie ou les Turcs en Allemagne – à qui on refusait jusqu'à une période récente tout accès à la citoyenneté alors qu'ils étaient résidents depuis plusieurs générations – vivent dans un état d'instabilité semi-permanent qui façonne leur rencontre religieuse différemment de celle des groupes que l'on autorise – et qui y aspirent eux-mêmes – à s'assimiler au sein des sociétés d'accueil. Les géographies au sein desquelles voyagent les acteurs et les objets religieux ne sont pas des territoires vierges. Les espaces deviennent des lieux en raison de l'histoire, de la politique et de la culture. Ils sont semés d'ornières. De la même manière que chaque nouvelle éruption de lave s'insinue lentement dans les fissures et les crevasses du volcan, chaque nouvelle injection culturelle doit s'accommoder des contours contextuels existants. De nouvelles couches recouvrent des terrains grêlés, permettant à certaines choses de voyager plus facilement, empêchant le passage des autres. Ainsi, l'hindouisme contemporain voyage essentiellement à l'intérieur de l'espace postcolonial britannique. Ses transporteurs, naviguant entre l'Europe, les États-Unis, la Caraïbe, l'Asie du Sud et l'Afrique, ordonnent leurs vies religieuses en opposition à un cadre commun métaculturel encore influencé, de manière plus ou moins subtile, par les visions coloniales britanniques du droit, de la gouvernance et de la cohésion sociale. Il s'ensuit que la vie en Asie du Sud, à Trinidad et en Afrique de l'Est se caractérise par un *ethos* commun et une même dynamique sociale, et ce même si ces derniers viennent buter contre des arrière-plans locaux très différents. Les éléments et les acteurs religieux en circulation prennent pied sur des terrains qui sont identiques mais distincts, familiers et pourtant étranges. La seule question réellement intéressante consiste à se demander pourquoi et comment l'hindouisme prend des formes aussi différentes à Londres, au Kenya et aux Fidji, sachant qu'il accoste dans des contextes qui sont tout à la fois distincts et connectés. Comment se forme l'assemblage religieux à chacun de ces endroits étant donné que ses éléments les plus fondamentaux rencontrent des répertoires nationaux et globaux très différents ?

Pour obtenir une réponse satisfaisante, il est nécessaire de prendre en compte les structures idéologiques et les structures de gouvernance qui sont en place à toutes les échelles du champ social transnational. Les plus larges, les plus englobantes, sont les normes globales, qui comprennent les modèles d'organisation et de régulation de la vie religieuse mais aussi les idéologies relatives à la liberté religieuse et au pluralisme. Elles regroupent des notions de droit fondées sur la personne plus que sur la citoyenneté nationale. La culture globale est une ressource au sens où elle constitue une sorte de répertoire sur lequel peuvent s'appuyer les acteurs participant au champ social, mais aussi une contrainte car elle délimite l'espace des possibles acceptables et oblige les acteurs du champ social à s'y conformer. C'est la raison pour laquelle des pays aussi différents que l'Inde, l'Irlande et le Brésil appréhendent la diversité religieuse à l'aide de paramètres étonnamment similaires, précisant les relations entre l'État et l'Église, reconnaissant officiellement la liberté religieuse et imposant l'éducation religieuse tout en prévoyant des dispositions spéciales pour les minorités, et ceci même si la mise en œuvre de ces mesures peut varier considérablement d'un État à l'autre [Levitt, 2007].

Cela m'amène au point suivant : le contexte et l'histoire nationales sont des facteurs importants[10]. Tous les pays développent des philosophies de l'intégration et des récits relatifs à leur identité et à l'identité de ceux qui peuvent en faire partie, qui présentent la particularité d'être uniques. Tous les États, qu'ils soient séculiers ou religieux, construisent leurs propres versions nationales des modèles culturels globaux. L'Amérique se présente comme un pays d'immigrants, fondé sur les principes du pluralisme religieux, tandis que la Suède se présente comme une société séculière où tous sont égaux. L'Amérique attend des nouveaux arrivants qu'ils soient croyants, même si l'on suppose qu'ils appartiendront à la foi judéo-chrétienne. En Suède, évoquer la différence religieuse, sans parler de son expression publique, est moins courante. Certaines structures nationales d'encouragement récompensent la revendication de certaines formes d'identité et la constitution de certains types de groupes. L'acceptation d'étiquettes ethniques ou religieuses particulières ou l'établissement formel d'une communauté religieuse légale à but non lucratif peut favoriser l'accès aux ressources ainsi qu'à la protection et au soutien de l'État. Aux États-Unis, on attend des minorités qu'elles embrassent la terminologie des essences culturelles et raciales éternelles et immuables. C'est la raison pour laquelle les Garifunas deviennent des adeptes du

---

10 Pour une bonne synthèse, voir Bramadat et Koenig [2009].

langage de la culture « ethnique » [Johnson, 2007] tandis que les Indiens-Américains se tournent vers l'hindouisme pour prendre « leur place à la table du multiculturalisme » [Kurien, 2007]. La géographie – au sens physique du terme – cohabite avec, et supplante parfois, des paysages sacrés, imaginés et remémorés, souvent créés par la technologie mais qui possèdent leurs propres caractéristiques topologiques. Certains croyants se considèrent comme vivant dans le Royaume de Dieu ou dans l'Umma des musulmans. Ce sont des citoyens globaux de type religieux qui se conforment à un ensemble différent de droits et de devoirs, celui qui est en vigueur dans les territoires peuplés par leurs coreligionnaires [Levitt, *ibid.*]. Dans ces espaces, les points de repère les plus importants sont les tombeaux et les lieux de pèlerinage bien plus que les musées et les monuments nationaux. D'autres se sentent appartenir à un paysage historique, une chaîne mémorielle religieuse qui les relie au passé, au présent et au futur [Hervieu-Léger, 2000]. Lorsque les Américains d'origine cubaine veulent baptiser leurs nouveau-nés au sein de la nation cubaine, ils les emmènent au tombeau sacré du saint patron national qu'ils ont fait ériger à Miami, les enracinant ainsi, d'une certaine façon, dans ce paysage imaginé que composent le passé, le présent et le futur. Ils les initient à un Cuba qui a existé à La Havane, qui existe aujourd'hui à Miami et qui, comme ils le souhaitent, fera la reconquête de Cuba à l'avenir [Tweed, 2006]. La question la plus fondamentale est celle des modalités d'intersection de ces différentes géographies et de l'influence qu'elles ont sur la rencontre circulatoire.

Un exemple empirique

Jusqu'ici, j'ai décrit les divers transporteurs de la religion, la nature et les déterminants des sites où se produit la rencontre religieuse, ainsi que les propriétés des géographies au sein desquelles ont lieu ces rencontres. Il est temps de prendre un exemple pour voir ce que permet de saisir une optique transnationale.

Prenons la question de la piété féminine. Plusieurs assemblages lâches concernant cette question sont en circulation et en compétition les uns avec les autres. De la même manière que les assemblages religieux se regroupent et s'organisent différemment selon l'environnement avant de repartir de l'avant, abandonnant certains éléments et en incorporant de nouveaux au cours de leur déplacement, ces ensembles se déploient dans différents lieux selon des degrés variables de holisme doctrinal et idéologique. Quelle que soit leur destination, ils y trouvent des idéologies locales relatives à la justice sociale, des normes relatives à la question du genre ainsi qu'une écologie organisationnelle qui, toutes, conditionnent fortement leur éventuelle reprise ainsi que les formes de cette reprise. Dans certains cas, le lien au global demeure ténu, dans d'autres, la référence à l'international demeure importante. L'offre néolibérale est peut-être la plus connue. Par l'intermédiaire d'institutions comme la Banque mondiale ou la Fondation Ford, elle met en avant la démocratie, le capitalisme, les droits de l'homme, le règne de la loi, la transparence et la responsabilité ainsi que l'égalité entre les hommes et les femmes. Un deuxième exemple est fourni par l'offre religieuse de type fondamentaliste diffusée par des réseaux religieux comme le Tablighi Jamaat ou les chrétiens évangéliques : elle se fonde sur la complémentarité entre les hommes et les femmes, la tradition, le conservatisme et l'autorité. Une troisième offre, « antimondialisation », s'organise autour des notions d'anticonsumérisme et d'antimatérialisme, d'environnement, de commerce équitable, ainsi que de l'apologie des bienfaits d'un mode de vie simple et local. Chacun de ces assemblages propose un récit distinct sur la question des femmes. Les acteurs religieux s'approprient et exploitent ces discours car ils constituent des sources d'idées nouvelles ou différentes, ou bien encore des repoussoirs permettant aux acteurs de prendre la mesure de leur propre piété et de leur propre pouvoir. Farhat Hashmi, la dirigeante de la Al-Huda International Welfare Foundation (plus connue sous le nom de Al-Huda), une ONG fondée au Pakistan en 1994 dans le but de rendre les femmes plus pratiquantes grâce à une meilleure éducation, construit la piété féminine de manière transnationale. Son travail est imprégné par la culture globale et la question des droits des femmes qui en fait partie, mais aussi par les conditions locales et les régimes nationaux de gestion de la diversité. Si Al-Huda travaille maintenant avec des hommes, des prisonniers, les malades et les pauvres, la majorité de ses membres sont des femmes au foyer et des jeunes femmes pakistanaises, riches, urbaines et éduquées. Elles sont inscrites dans l'une des écoles appartenant au vaste réseau des deux cents institutions créé par le Dr Hashmi pour accroître les connaissances religieuses des femmes. Beaucoup d'étudiantes ignoraient presque tout de l'islam avant leur inscription et elles vivaient ce qu'elles appelleraient maintenant une vie non musulmane. Elles suivent les cours pendant une année ou deux, reçoivent un diplôme puis organisent un enseignement similaire, en utilisant le même matériel, pour d'autres femmes provenant de leur voisinage, de leur travail ou de leur communauté. L'idée sous-jacente est que, lentement, de façon subtile, le caractère religieux du Pakistan sera transformé.

Le Dr Hashmi joue sur toutes les facettes du combat pour le genre en combinant des éléments issus des ensembles de valeurs globales néolibérale et fondamentaliste. Elle s'appuie sur les normes locales, respectant leurs contraintes tout en travaillant à leur dépassement. Ses conférences font appel au désir d'autonomie des femmes mais mettent en avant une autonomie limitée. Alors que, par le passé, seuls les hommes pauvres et sans instruction allaient à l'école musulmane, elle soutient que les femmes ont elles aussi droit à une éducation musulmane et elle les incite à lire le Coran par elles-mêmes pour s'en faire un modèle à suivre dans la vie quotidienne. Si elle ne s'attend pas à ce que les femmes pakistanaises se mettent *en masse*[11] à fréquenter les mosquées dans un futur proche, elle leur procure néanmoins un moyen de se confronter à l'islam collectivement et publiquement à travers l'étude et la prière. Selon le point de vue que l'on adopte, Farhat Hashmi est une sauveuse pour les femmes ou bien leur ennemie. Ceux qui la soutiennent affirment qu'elle ramène les femmes dans le giron musulman en les poussant à se voiler et à adopter des pratiques plus conservatrices mais qu'elle les encourage aussi à personnaliser la relation qu'elles entretiennent avec leur foi. Tout en ayant conscience des revenus socioéconomiques de ses membres, qui sont principalement issues de la classe moyenne, elle s'attaque aux désillusions de la vie séculière de la classe moyenne. Elle permet

---

11 En français dans le texte. (*N.d.T.*)

aux femmes de revenir à la tradition sans pour autant abandonner l'ensemble de leurs libertés. À en croire Sarah Karim, une femme de quarante-cinq ans entièrement dévouée à Farhat Hashmi, « ma vie a changé quand j'ai fait la connaissance du Dr Hashmi. Elle aide les femmes à faire partie de l'islam mais d'une façon qui respecte notre culture nationale ». Pour ses critiques, le Dr Hashmi prêche une forme d'islam intolérant et conservateur qui penche dangereusement du côté des talibans. Selon Tariq Ramadan[12], « Farhat Hashmi a rempli les rues de Karachi de *tortues Ninja* (allusion à ces nombreuses femmes qui portent désormais un *niqab* couvrant entièrement leur visage). Elle importe des pratiques islamiques en provenance du cœur le plus conservateur du Moyen-Orient. Elle renvoie notre pays aux temps du Moyen Âge. » Au fur et à mesure que grossissent les rangs de ses supporters, les espaces séculiers et les espaces religieux modérés se réduisent. Les critiques affirment donc qu'elle conduit le Pakistan dans la mauvaise direction.

L'exemple d'Al Huda montre clairement comment se rassemblent les idées et les pratiques qui circulent à travers le champ religieux transnational. Le Dr Hashmi adopte et combine la rhétorique de plusieurs assemblages relatifs aux droits des femmes d'une manière qui défie les classements trop faciles puisqu'elle emprunte à la fois aux répertoires réformiste et progressiste. Encourager les femmes à s'engager collectivement en faveur de l'islam est un déplacement radical, mais il est effectué d'une façon culturellement appropriée et réceptive à la dimension locale. Sa popularité grandissant, le Dr Hashmi voyage à travers le monde. Elle doit alors sans cesse redéfinir sa version réformiste / progressiste de la piété des femmes musulmanes pour la rendre acceptable aux femmes musulmanes du monde entier.

Vernacularisation ou non ?

C'est par la vernacularisation que Farhat Hashmi crée son propre assemblage religieux. La traduction et la vernacularisation

---

12 Homonyme du Tariq Ramadan que nous connaissons en France. Les propos qui suivent sont tirés d'un entretien que l'auteur a eu avec lui à Karachi en mars 2005. (*N.d.T.*)

sont des processus différents. Les traducteurs travaillent à être compris, les vernacularisateurs travaillent à ce que quelque chose puisse être compris et utilisé dans un contexte particulier. Il existe au moins trois types de vernacularisation : l'action consistant à s'appuyer sur l'espace d'imagination, la vitesse et le pouvoir de certains cadres globaux spécifiques sans les utiliser directement, la traduction d'idées globales de manière à les rendre localement adéquates et applicables à de nouvelles questions, ou bien encore le fait de prendre des concepts fondamentaux, de les articuler localement et de trouver de nouveaux moyens de les mettre en pratique [Levitt, Merry, 2009].

Certains des éléments en circulation au sein des champs sociaux transnationaux ne peuvent être articulés localement. Ils intègrent le champ social mais ils y maintiennent leur intégrité. Il s'agit alors de transmission sans vernacularisation : ce qui entre n'affecte presque pas le *statu quo*. C'est par exemple le cas des groupes catholiques charismatiques, qui se reforment dans les paroisses où s'installent les migrants mais dont le travail s'accomplit à l'extérieur de la vie paroissiale ; ils ne réagissent donc que peu à leur environnement. Les dirigeants de la branche féminine de la communauté hindoue Swaminarayan constituent un second exemple. Elles ont catégoriquement refusé l'égalité entre hommes et femmes (un assemblage) tout en épousant sans réserve l'idée de complémentarité entre hommes et femmes (un assemblage alternatif). Sachant que l'égalité entre les sexes était largement acceptée, elles ont justifié leur propre pratique en anticipant les critiques. Elles affirment qu'elles ont voulu et réussi à obtenir plus de pouvoir que leurs homologues masculins car elles ont la responsabilité de la branche féminine de l'organisation et sont donc totalement indépendantes des hommes [Levitt, 2007]. Dans certains cas, ce qui est déjà en place est plus fort que ce qui est introduit. Lorsque les membres de la Bhaghat Samaj, une caste inférieure hindoue du district de Baroda dans l'état du Gujarat, ont évoqué les projets caritatifs qu'ils souhaitaient entreprendre, ils ont justifié leurs choix en termes gandhiens. Selon eux, il existait pour chaque individu un droit d'accès à la nourriture, à un toit, et un droit à l'autosuffisance. Ils n'ont jamais fait référence au langage global du développement et de l'inégalité qui était pourtant aussi à leur disposition. Les modèles de justice sociale déjà présents ont prévalu sur les autres assemblages en circulation, y compris ceux qui incluent les approches néolibérales de la croissance économique. Selon un deuxième scénario possible, les éléments en circulation sont intégrés dans le champ social sans impact durable. Ils sont trop insignifiants ou trop différents pour être articulés par suffisamment de gens et ainsi produire des effets significatifs. C'est le cas des croyances introduites auprès du grand public par les membres de sectes radicales ou de nouveaux mouvements religieux publics : elles ne trouvent que peu d'adeptes.

Selon un troisième scénario, plus fréquent, la culture en circulation est progressivement incorporée et vernacularisée de sorte qu'il devient difficile de distinguer la matrice de sa postérité. La vernacularisation se produit de manière continue au travers d'une interminable boucle de rétroaction combinant chargement et déchargement, accumulation et délestage. Des assemblages de toutes tailles et de toutes portées prennent forme et sont appropriés par des individus et par des groupes. S'il existait à l'origine un noyau et une périphérie identifiables, la périphérie devient rapidement une source de croyances et de pratiques influençant fortement un centre en voie de disparition rapide. Les premiers migrants hindous et musulmans à Johannesburg ou à Londres avaient emmené avec eux une version de leur religion qui s'articulait principalement à l'Inde, mais cette version a ensuite été transformée de différentes manières par l'ensemble des rencontres se déroulant hors des frontières mais aussi par la persistance des liens avec le pays. Les pasteurs évangéliques brésiliens aux États-Unis appartiennent à des communautés religieuses importées au Brésil à la fin du XIXe siècle avant qu'elles ne prennent leur indépendance [Levitt, 2007]. Lorsqu'elle est réimportée aux États-Unis et adoptée par des adeptes du cru, cette pratique ne conserve qu'une ressemblance lointaine avec ses cousins américains et représente donc une nouvelle piste religieuse. Dans chacun de ces cas, l'histoire, la structure et l'idéologie convergent de toutes les parties du champ social pour former une constellation d'éléments religieux unique.

Les analyses de la mondialisation ont souvent tendance à considérer que les cultures holistiques, parce qu'elles possèdent une forte cohérence interne, se transplantent de façon intégrale et donnent lieu à une homogénéisation encore plus grande. On ne fait que présumer ce qui se passe mais en réalité on ne le précise jamais. En utilisant la religion comme modèle susceptible de déconstruire les grands processus de production et de consommation culturelle globale, non seulement on aide à préciser les paramètres d'une approche plus pertinente pour comprendre la circulation religieuse, mais on met également en lumière les dimensions de la dynamique culturelle mondiale au sens large. Les croyants, tout comme les idées et les objets de la religion, voyagent dans toutes les directions et à travers toutes les couches des champs sociaux transnationaux. Les assemblages de sens ne naissent pas d'une « culture mondiale » unique et ils ne circulent pas non plus dans une seule direction selon une géographie unique et stable. Accumulés à partir de toutes les couches et de tous les sites, les éléments humains et matériels se combinent en réponse à des contextes historiques et politiques spécifiques. Ces éléments produisent de nouveaux mélanges qui modifient et recombinent les formes et les contenus avant qu'ils ne se remettent en route. Le chargement et le déchargement sont continus. Cependant, pour comprendre ces processus, pour appréhender la manière dont leurs configurations singulières se rassemblent dans des contextes historiques particuliers, il nous faut regarder à un endroit et à un moment donné. En raison de la pauvreté de notre vocabulaire conceptuel, nombre d'études relatives à la culture en mouvement supposent une *stasis* et une unidirectionnalité qui sont tout simplement inexactes. Ce chapitre est une tentative pour réécrire le dictionnaire.

Les modèles culturels mondiaux qui apparaissent en réaction à ces conversations itératives et multidirectionnelles poussent la religion vers certaines formes attendues en faisant appel à des normes et en se servant de techniques qui ont une légitimité tant internationale que locale. L'appropriation de ces modèles se fait au sein de réalités nationales particulières qui possèdent déjà leur propre richesse de paysages. Il s'ensuit que l'apparence et les actions des organisations religieuses deviennent de plus en plus similaires alors même que les raisons et les modalités de leur mise en forme restent une question empirique importante. Beaucoup des groupes religieux que j'ai rencontrés dans le monde entier possèdent des architectures institutionnelles similaires et des hiérarchies administratives comparables : ils s'engagent dans le prosélytisme et l'action sociale, ils prennent position sur le rôle que jouent les femmes, ils épousent l'une des approches théologiques disponibles dans un éventail de versions proches les unes des autres, de la plus stricte et moins négociable jusqu'à une théologie de la prospérité en passant par une religiosité de bric et de broc fabriquée dans le but de permettre l'épanouissement personnel de chacun. Ce tournant intérieur va souvent de pair avec l'éloignement par rapport à la religion institutionnelle [Roy, 2004]. Ces groupes religieux possèdent des branches réformistes qui cherchent à retrouver l'état de pureté originelle mais aussi des branches progressistes qui cherchent à s'adapter à la modernité. À quel point cet isomorphisme religieux global est-il répandu ? Quelles sont ses configurations systématiques dans le temps et dans l'espace ?

Une des solutions pour répondre à cette question consiste à comparer les modes de conceptualisation et de déplacement de la religion par rapport à la circulation d'autres types d'identités et d'allégeances. Que dire de ce moment géopolitique particulier qui explique par exemple pourquoi la religion et l'ethnicité sont appréhendées et déployées comme elles le sont ? Quel travail accomplissent ces généalogies et ces usages ? Quels intérêts servent-ils ? D'un côté, on pourrait considérer que la religion est par essence plus facile à conditionner, à transporter, à apprivoiser, que l'ethnicité. Le Coran, la Bible ou la Gita, qui sont tous des livres de référence pour une collectivité, donnent à voir et codifient un ensemble commun de croyances. Même si les individus n'ont qu'une connaissance limitée, idiosyncratique, du contenue réel de ce livre, ils peuvent toujours s'y reporter. Beaucoup y ont appris à lire quand ils étaient enfants. Les textes fondamentaux augmentent la capacité circulatoire de la religion. Par définition, ils sont non seulement conditionnables mais aussi transportables : qu'on pense aux Juifs transportant à travers le désert l'Arche contenant la Torah. On y trouve très clairement indiqués des rites obligatoires et des interdictions relatives à la manière de se comporter. On peut aussi fréquemment y repérer des rituels collectifs, des mises en scène du collectif, dirigés par des autorités officielles dans des lieux de réunion formalisés, autant de pratiques qui ont pour effet de renforcer le groupe.

En revanche, il n'existe aucune chambre d'enregistrement vers laquelle on peut se tourner pour connaître la signification officielle de l'italianité ou de l'irlandité ou pour s'informer de leurs conditions d'appartenance. Il existe bien des histoires nationales et des mythes fondateurs ; il existe de riches traditions que l'on peut transmettre aux enfants, mais tout ceci n'est pas codifié ni homologué de la même manière. Il n'est pas facile d'enfermer l'Italie, en tant qu'incarnation de l'italianité, entre les pages d'un livre. Ses rituels sont bien souvent privatisés et individualisés. Ils ne sont décrétés au sein d'aucune autorité centrale ou structure collective. Il n'existe pas de mode officiel de conversion pour ceux qui viennent de l'extérieur. La logique sémiotique de la religiosité diffère aussi de celle de l'ethnicité car elle est plus propice au mouvement. Elle est plus ouverte à la multiplicité car la plupart des religions comprennent des récits relatifs au syncrétisme et au mouvement. S'il peut n'exister qu'une seule version autorisée de la foi, la réalité vécue, quotidienne, reflète constamment la combinaison et le passage des frontières. À l'inverse, les États-nations contemporains et leurs systèmes politico-juridiques présupposent la singularité. Pour tous ceux qui critiquent la double nationalité, appartenir à deux pays à la fois est comparable à la bigamie : on ne peut être marié à deux pays en même temps. Si les identités doubles sont fréquentes aux États-Unis, la plupart des pays d'Europe rejettent vigoureusement la possibilité d'être réellement franco-marocain ou dano-pakistanais. Même aux États-Unis, on considère implicitement que les deux termes de l'équation sont des partenaires séparés et indépendants. En réalité, pourtant, à ce moment particulier de l'État-nation où les structures de la gouvernance globale, le capital et la migration, sont en pleine ascension et remettent constamment en cause les frontières de l'État-nation, ce ne sont pas seulement les aspects de la vie religieuse mais aussi l'ethnicité et, par défaut, la nationalité, qui épousent des formes bien plus proches les unes des autres qu'on ne le pense généralement. On assiste à une prolifération d'organisations et de mouvements religieux mondiaux mais aussi à l'apparition d'une citoyenneté religieuse mondiale. Les gens vivent à un endroit donné mais ils réclament des droits et des devoirs à l'intérieur d'une communauté religieuse imaginée mondiale. Ces communautés religieuses remettent en cause la souveraineté de l'État-nation lorsque leurs partisans obéissent à des appels en contradiction avec la pratique nationale. De plus en plus, l'ethnicité et la nationalité se constituent par-delà les frontières. Un nombre croissant d'États-nations vont plus loin que le simple octroi de l'appartenance sans la résidence : ils l'encouragent de manière active car ils dépendent du pouvoir politique et économique de leurs citoyens à l'étranger. La fabrique de la mexicanité ne se trouve pas seulement au Mexique ; elle dépend aussi des millions de Mexicano-Américains vivant aux États-Unis, de la même manière que l'indianité se négocie dans la compétition, selon le pouvoir dont ils disposent, entre les Indiens expatriés vivant de par le monde. Les architectures organisationnelles ethniques et nationales organisent et encadrent la diaspora qui est considérée alternativement comme une ressource ou comme une menace. Par conséquent, sur bien des points, la religion et l'ethnicité sont aussi mal comprises l'une que l'autre. Dans les deux cas, il s'agit de catégories analytiques créées et mises en avant afin d'organiser et de contenir la différence, de manière variable selon les contextes : colonial, postcolonial, global. On estime généralement qu'elles s'enracinent et qu'elles sont enfermées dans les nations alors qu'en fait, dans la vie quotidienne des gens ordinaires, elles naviguent tant au sein qu'au-delà des États-nations. On les considère comme étant analytiquement distinctes alors qu'elles sont la plupart du temps constituées et déployées ensemble. On peut ainsi constater dans les deux cas une disjonction fondamentale entre la façon dont sont réellement vécues les dimensions de la vie ethnique et religieuse et la façon dont elles sont conceptualisées, encadrées et récompensées sur le plan juridique et politique.

Les mots dont nous nous servons pour parler de la société ainsi que les méthodes que nous utilisons pour l'étudier ne font que perpétuer la hiérarchie en place. Ils permettent aux dirigeants et aux décideurs de s'obstiner à présenter la religion et l'ethnicité comme étant des créations nationales, et donc contrôlables dans le cadre national, alors qu'elles traversent en permanence les frontières nationales. Ils font partie intégrante de l'illusion selon laquelle au moins certains corps, caractérisés par l'ethnicité et la religion, sont immobiles et contrôlables alors qu'en réalité ils se déplacent fréquemment et sur de longues distances. Ces discours renforcent l'unité nationale et le *statu quo* géopolitique. Ils rendent plus difficile la possibilité de voir et d'évoquer le fait que les gens épousent toutes sortes de loyautés et de devoirs en concurrence les uns avec les autres, et que cela ne signifie pas obligatoirement qu'ils ne ressentent aucune loyauté ni aucun devoir envers les pays où ils vivent. Il nous faut de nouveaux mots et de nouvelles méthodes pour remettre en cause radicalement la notion de société-conteneur et enfin reconnaître à quel point les généalogies des catégories et des méthodes qui sont les nôtres contribuent à entretenir l'aveuglement.

Références bibliographiques

APPADURAI A., 1996, *Modernity at Large. Dimensions of Globalization*, University of Minnesota Press, Minneapolis. Traduction française : *Après le colonialisme*, Payot, Paris, 2001.

ASAD T., 1993, *Genealogies of Religion*, Johns Hopkins University Press, Baltimore.

BENDER C., KLASSEN P., 2010, *After Pluralism*, Columbia University Press, New York.

BRAMADAT P., KOENIG, M. (dir.), 2009, *International Migration and the Governance of Religious Diversity*, McGill-Queens University Press, Montréal.

CASTELLS M. (dir.), 2004, *The Network Society. A Cross-cultural Perspective*, Edward Elgar, Northampton.

CHIDESTER D., 1996, *Religion and American Popular Culture*, University of California Press, Berkeley et Los Angeles.

CURNOW R., 2005, « Wireless : Dial-a-prayer, upgraded », *International Herald Tribune (on-line version)*, <www.iht.com/articles/2005/01/16/business/wireless17.php>, 17 janvier.

DELEUZE G., GUATTARI F., 1987, *A Thousand Plateaus. Capitalism and Schizophrenia*, University of Minnesota Press, Minneapolis.

Original français : *Mille Plateaux. Capitalisme et schizophrénie*, Minuit, Paris, 1980.

DIMAGGIO P. J., POWELL W. W., 1983, « The iron cage revisited : Institutional Isomorphism and collective rationality in organizational fields », *American Sociological Review*, 48 (2), p. 147-60.

DOBBIN F., SIMMONS B., GARRETT, G., 2007, « The global diffusion of public policies : Social construction, coercion, competition, or learning ? », *Annual Review of Sociology*, 33, p. 449-472.

DURAND J., MASSEY D., 1995, *Miracles on the Border*, University of Arizona Press, Tucson.

HAGAN J., 2008, *Migration Miracles*, Harvard University Press, Cambridge.

HERVIEU-LÉGER D., 2000, *Religion as a Chain of Memory*, Polity Press, Cambridge. Original français : *La Religion pour mémoire*, Cerf, Paris, 1993.

HEWELMEIER G., KRAUSE K. (dir.), 2009, *Traveling Spirits. Migrants, Markets and Mobilities*, Routledge Press, New York.

JOHNSON P., 2007, *Diaspora Conversions*, University of California Press, Berkeley et Los Angeles.

KHAGRAM S., LEVITT P. (dir.), 2008, *The Transnational Studies Reader*, Routledge Press, New York.

KURIEN P., 2007, *A Place at the Multicultural Table. The Development of American Hinduism*, Rutgers University Press, New Brunswick.

LAMBEK M., 1993, *Knowledge and Practice in Mayotte. Local Discourses of Islam, Sorcery and Spirit possession*, University of Toronto Press, Toronto.

LEFEBVRE H., 1991, *The Production of Space*, Basil Blackwell, Oxford. Original français : *La Production de l'espace*, Anthropos, Paris, 1974.

LEGG J., 2010, « Transnationalism and the scalar politics of imperialism », *New Global Studies*, 4 (1), p. 1-7.

LEVITT P., 2007, *God Needs no Passport. Transnational Religious Life*, University of California Press, Berkeley.

LEVITT P., GLICK SCHILLER N., 2004, « Transnational perspectives on migration : Conceptualizing simultaneity », *International Migration Review*, 38, p. 1002-40.

LEVITT P., MERRY S., 2009, « Vernacularization on the ground : Local uses of global women's rights in Peru, China, India and the United States », *Global Networks*, 9 (4), p. 441–461.

MANDEVILLE P., 2001, *Transnational Muslim Politics : Reimagining the Umma*, Routledge, Londres.

MARCUS G., SAKA E., 2006, « Assemblage », *Theory, Culture, and Society*, 23 (2-3), p. 101-106.

MASUZAWA T., 2005, *The Invention of World Religions*, University of Chicago Press, Chicago.

MCADAM D., TARROW S. G., TILLY C., 2001, *Dynamics of Contention*, Cambridge University Press, Cambridge.

MEYER B., MOORS A. (dir.), 2006, *Religion, Media and the Public Sphere*, Indiana University Press, Bloomington et Indianapolis.

OLESZKIEWICZ-PERALBA M., 2007, *The Black Madonna in Latin America and Europe. Tradition and Transformation*, University of New Mexico Press, Albuquerque.

RICHMAN K., 2005, *Migration and Voodoo*, University of Florida Press, Gainesville.

ROGERS E. M., 2003 (1962), *Diffusion of Innovations*, Free Press, New York.

ROY O., 2004, *Globalized Islam. The Search for a New Muslim Ummah*, Hurst, Londres.

SIMON H., 1984, *Models of Bounded Rationality*, MIT Press, Cambridge.

SINHA V., 2005, *A New God in the Diaspora ?*, NIAS Press, Copenhague.

STRANG D., STROULE S. A., 1998, « Diffusion in organizations and social movements : From hybrid corn to poison pills », *Annual Review of Sociology*, 24, p. 265-290.

TWEED T., 2006, *Crossing and Dwelling*, Harvard University Press, Cambridge.

VÁSQUEZ M., 2005, « Historicizing and materializing the study of religion : the contribution of migration studies », *in* LEONARD K. I. *et al.* (dir.), *Immigrant Faiths. Transforming Religious Life in America*, Altamira Press, Lanham, p. 219-242.

WEJNERT B., 2002, « Integrating models of diffusion of innovations : a conceptual framework », *Annual Review of Sociology*, 28, p. 297-326.

WERBNER P., 2005, *Pilgrims of Love*, Indiana University Press, Indiana.

Chapitre 9

Territoire, autorité, droits : nouveaux assemblages[1]

Saskia Sassen

Le tournant global présente une caractéristique cruciale qu'on néglige trop souvent : on voit se multiplier des assemblages mondiaux partiels, et souvent très spécialisés, des fragments de territoire, d'autorité et de droits (TAD) qui échappent peu à peu à l'emprise des cadres institutionnels nationaux. Ces assemblages ne correspondent pas à l'opposition du national et du mondial, opposition familière dans la littérature sur la mondialisation. Ils s'enracinent plutôt à l'intérieur du national – dans des structures nationales, qui peuvent être institutionnelles, territoriales et même subjectives – sans pour autant faire partie de la nation telle qu'elle s'est historiquement construite. Ils lui échappent par un processus de dénationalisation qui conduit parfois à la formation de structures mondiales.

Ces assemblages sont extrêmement divers. À l'un des extrêmes, on trouve des structures privées, souvent très spécifiques, comme la *lex constructionis,* une « loi » privée développée par les grands entrepreneurs à travers le monde pour faire face au durcissement des normes écologiques dans de nombreux pays. À l'autre bout du spectre se trouvent des entités beaucoup plus complexes et expérimentales, comme la première cour pénale mondiale, la Cour pénale internationale. Cette cour n'appartient pas au système supranational existant dont la juridiction est universelle, valable pour tous les pays signataires. Au-delà de la diversité de ces assemblages, il faut remarquer leur nombre croissant. Toutefois, leur

---

1   Traduction de Fortunato Israël et Stéphane Dufoix, revue par l'auteur.

prolifération ne signifie pas la fin des États-nations mais signale plutôt le début d'un démantèlement du national. L'argument principal de ce chapitre est que ces formations, qui sont pour l'essentiel seulement embryonnaires, sont pourtant susceptibles d'ébranler en profondeur les arrangements institutionnels dominants (États-nations et système supranational) qui règlent les questions d'ordre et de justice. Des champs autrefois dominés par le national ou le supranational se différencient toujours davantage. Il en résulte une prolifération de cadres spatio-temporels et d'ordres normatifs là où la logique dominante tendait autrefois à produire des cadres spatio-temporels et normatifs unitaires. Une image permet de résumer cette dynamique : nous assistons au passage d'une articulation centripète et étatique à une multiplication centrifuge d'assemblages spécialisés. Cette multiplication peut à son tour favoriser une forme de simplification des structures normatives : ces assemblages sont des formations partielles et souvent extrêmement spécialisées, centrées sur des services et des projets particuliers. Ceux-ci peuvent aller de la quête de justice (la Cour pénale internationale) au strict intérêt personnel (*lex constructionis*).

Ce qui caractérise ces nouveaux assemblages, c'est qu'ils peuvent déborder les ordres normatifs encore aujourd'hui valides, et même en sortir tout à fait. Plus important encore, ils peuvent constituer, à l'intérieur de chaque assemblage, des ordres « normatifs » spécifiques qui répondent souvent à une simple logique d'utilité. Ces assemblages ne sont pas seulement extrêmement spécialisés ou particuliers : ils présentent également une faible différentiation interne, ce qui conduit encore davantage à en faire des sortes de prestataires de services de base. Il ne s'agit encore que d'un processus mineur à l'échelle générale du système géopolitique, mais il pourrait bien s'agir du début du démantèlement de son architecture formelle actuelle. De nombreux éléments (qui comportent des dimensions de TAD) sont soustraits au cadre normatif national, provoquant ainsi une redistribution des alignements constitutionnels. Même des États solides avec une puissante raison d'État ne sont pas en mesure de contrebalancer les normes propres à chacun de ces assemblages, ni leur glissement vers une logique utilitariste des plus étroites. Ce glissement ne constitue pas toujours une mauvaise chose. Lorsque l'objectif unique est la poursuite des droits de l'homme, les résultats positifs sont nombreux. Mais lorsqu'il s'agit de la poursuite du profit au mépris des fonctions de l'État providence, le processus est troublant. Cette multiplication de cadres normatifs de second ordre est donc à double tranchant. Mais qu'il soit bon ou mauvais, ce débordement des cadres normatifs nationaux est un changement profond qui affecte notre manière d'aborder les questions normatives les plus larges, et leurs interactions souvent complexes.

À mon sens, ces développements signalent l'apparition de nouveaux types d'ordres ; ils peuvent coexister avec les ordres anciens que sont l'État-nation et le système interétatique, mais ils ont néanmoins des conséquences cruciales pour les questions normatives plus larges. À la fois stratégiques et spécifiques, ces développements sont souvent difficiles à déchiffrer et demandent des modes d'interprétation variés. L'essentiel des travaux sur la mondialisation ignore cette multiplication d'assemblages partiels. Ces travaux reposent souvent sur l'hypothèse d'une dichotomie entre mondial et national, et se concentrent sur les puissantes institutions mondiales qui ont joué un rôle critique dans la mise en place de l'économie de marché mondiale et réduit le pouvoir de « l'État ». Pour ma part, je souligne plutôt le fait que le mondial peut aussi se constituer au sein du national, c'est-à-dire au sein de la ville globale, et que certains aspects particuliers de l'État ont en fait gagné en puissance précisément parce qu'ils sont chargés de mettre en place les mesures nécessaires à une économie de marché mondiale. Mon projet général [Sassen, 2006] et ce chapitre en particulier ont donc pour objet d'élargir à un bien plus grand nombre d'acteurs l'analyse de ce qui est décrit comme la « mondialisation ». Les puissants organes de régulation mondiale que sont le Fonds monétaire international (réinventé) et l'Organisation mondiale du commerce sont les têtes de pont d'une transformation d'époque qui s'est construite dans les années 1980 et 1990, plutôt que la transformation elle-même. Les dynamiques réelles qui prennent forme sont bien plus profondes et plus radicales que des entités comme l'OMC ou le FMI, aussi puissantes soient-elles. Il faut plutôt voir dans ces institutions le potentiel nécessaire à la mise en place d'un nouvel ordre : mais elles sont des instruments, et pas l'ordre lui-même. La multiplication des assemblages partiels examinés dans ce chapitre indique la mise en place d'un nouvel ordre qui commence à ébranler les vieux cadres qui ont maintenu tant bien que mal des interdépendances complexes entre droits et devoirs, pouvoir et loi, richesse et pauvreté, allégeance et indépendance.

Tout ceci va au-delà d'un changement de pouvoir. Ce processus s'insinue dans les rouages les plus importants de la réalité vécue et de la subjectivité qui en fait partie. Dans un premier temps, je vais étudier les caractéristiques de certains de ces assemblages, avant d'insister sur les points de méthode et d'interprétation qui structurent ma conceptualisation des transformations actuelles. Je conclurai en évoquant leurs conséquences normatives, politiques et subjectives. Des dynamiques à l'évidence mondiales, mais aussi dénationalisantes, contribuent à déstabiliser les significations et les systèmes existants.

De nouvelles formes de territorialité

Vus depuis la perspective d'un État-nation, les assemblages mentionnés ci-dessus peuvent avoir l'air de configurations géographiques inachevées. Ce sont en fait les éléments d'un ordre d'un nouveau genre, d'une réalité naissante. Il sera utile de commencer par quelques exemples élémentaires pour éclairer certaines des questions politiques et normatives qui vont m'intéresser dans la seconde moitié de ce chapitre. Ces exemples permettent de mettre en évidence un processus de dénationalisation au moins partielle de TAD.

Je vais tout d'abord m'appuyer sur le concept de territorialité. Celui-ci désigne habituellement l'articulation particulière de TAD propre à l'État moderne : je l'entends ici de manière un peu différente, afin de saisir différents types d'articulations de TAD. Mais l'État-nation est bien le critère qui permet d'identifier les quatre types suivants de territorialité constitués d'éléments « nationaux » et « mondiaux », chaque exemple particulier présentant des caractéristiques spatio-temporelles spécifiques[2]. Ces quatre exemples

---

2   Dans mon projet général [Sassen, 2006], j'examine encore d'autres assemblages émergents.

ébranlent la territorialité de l'État-nation, c'est-à-dire l'institutionnalisation du territoire qui donne à l'État-nation une autorité exclusive dans un très large ensemble de domaines. Le territoire national est une dimension critique dans les quatre exemples : différents acteurs peuvent sortir de l'institutionnalisation nationale du territoire tout en agissant au sein du territoire national, et tout en dépassant largement les arrangements extraterritoriaux existants. Ce qui donne du poids à ces quatre types d'exemples n'est pas seulement leur nouveauté mais leur profondeur, leur étendue et leur prolifération, qui finissent par produire un saut qualitatif. Nous pouvons y voir des institutionnalisations territoriales émergentes qui déstabilisent l'ancrage national du territoire.

Un premier type de territorialité se constitue à travers le développement de nouvelles géographies juridictionnelles. Les systèmes juridiques et l'état de droit se sont largement développés avec la formation des États-nations. Mais certains de ces instruments renforcent désormais une logique organisationnelle non nationale. Ils s'intègrent à de nouveaux systèmes transnationaux et affectent les pouvoirs traditionnels de l'État-nation. Plus encore, ils poussent souvent ces États-nations à aller contre les intérêts du capital national. Un deuxième type d'exemple est la formation de juridictions transfrontalières triangulaires pour l'action politique, là où autrefois le national seul était en cause. Les activistes qui recourent à Internet utilisent souvent les campagnes mondiales et les organisations internationales pour défendre des droits et des garanties depuis leurs États-nations. En outre, un grand nombre d'actions juridiques nationales concernant des localisations différentes à travers le monde peuvent aujourd'hui être intentées depuis des Cours nationales et construisent ainsi une géographie transnationale des procès nationaux.

Le point critique est donc la manière dont s'articulent le national (comme les cours nationales, le droit national) et une géographie mondiale qui sort des termes du droit international traditionnel ou du droit des traités. Par exemple, le Center for Constitutional Rights, basé à Washington, a intenté dans une cour nationale une action en justice contre neuf entreprises multinationales américaines et étrangères pour atteintes au droit du travail dans leurs opérations industrielles *offshore*, en s'appuyant sur la ressource juridique nationale qu'est l'Alien Torts Claim Act. Autrement dit, c'est une juridiction mondiale qui met en jeu trois sites différents, dont deux au moins ont plusieurs bases géographiques : les sièges sociaux des entreprises (à la fois aux États-Unis et dans d'autres pays), les sites des usines *offshore* (plusieurs pays), et le site de la cour à Washington. Même si ces actions en justice n'atteignent pas complètement leur but, elles montrent qu'il est possible d'utiliser le système judiciaire national pour intenter des procès à des entreprises américaines et étrangères en raison de pratiques discutables dans des opérations menées hors de leur pays d'origine. À côté des nouvelles cours et des nouveaux instruments juridiques qui ont été amplement commentés (par exemple la nouvelle Cour pénale internationale, la Cour européenne des droits de l'homme), cet exemple montre donc que des éléments du droit national qui faisaient autrefois la force de l'État-nation contribuent aujourd'hui à la formation de juridictions transnationales. Un autre exemple est la pratique américaine qui consiste à « exporter » les prisonniers vers des pays tiers (extradition), *de facto* pour permettre de les torturer en toute légalité. C'est un autre exemple de territorialité qui est à la fois nationale et transnationale. Enfin, différentes géographies juridictionnelles peuvent aussi être utilisées pour manipuler les dimensions temporelles. Par exemple, il est possible de ralentir le cours d'un conflit juridique en l'inscrivant dans le système légal national plutôt que dans la juridiction privée de l'arbitrage commercial international.

Un deuxième type d'assemblage spécialisé, qui contribue à un nouveau type de territorialité, naît du travail des États-nations à travers le monde pour constituer un espace mondial standardisé pour les opérations des entreprises et des marchés. Ainsi, certains éléments des structures juridiques et plus généralement des règles de l'état de droit, développées en grande partie parallèlement à l'État-nation, peuvent à présent renforcer des logiques d'organisation non nationales. En s'intégrant à de nouveaux systèmes transnationaux, ces éléments modifient la portée des anciens pouvoirs nationaux de l'État (sans pour autant les détruire, comme on l'affirme souvent). Alors que l'état de droit faisait autrefois la force de l'État-nation et des entreprises nationales, certains éléments de ce système contribuent à présent à la dénationalisation partielle et souvent très spécialisée des systèmes nationaux. Par exemple, les entreprises qui agissent à l'échelle mondiale ont beaucoup fait pour le développement de nouveaux types d'instruments formels, en particulier dans le domaine des droits de propriété intellectuelle et des principes de comptabilité standardisés. Mais pour développer et mettre en place de tels instruments dans le contexte particulier de chaque pays, elles ont besoin non seulement du soutien, mais encore du travail effectif de chaque État particulier. La superposition de ces ordres émergents produit peu à peu un espace opérationnel partiellement inscrit dans les éléments particuliers des systèmes juridiques nationaux qui ont été soumis à des dénationalisations particulières. Ces ordres facilitent une logique organisationnelle qui ne fait pas vraiment partie de l'État-nation alors même que cette logique s'installe dans cet État. De plus, ce faisant, ils vont souvent à l'encontre les intérêts du capital national. Une telle représentation de la mondialisation économique diffère largement de l'image courante qui décrit un retrait étatique piloté par un système mondial. Au contraire, c'est dans une large mesure la branche exécutive du gouvernement qui s'aligne avec le marché mondial et assure ce travail.

Un troisième type d'assemblage spécialisé concerne la formation d'un réseau mondial de centres financiers. Les centres financiers qui appartiennent aux marchés financiers mondiaux constituent une forme de territorialité à part. Délimités par les réseaux électroniques qui les dépassent, ils fonctionnent comme des micro-infrastructures localisées au sein de ces réseaux. Ces centres financiers sont implantés dans les territoires nationaux, mais on ne peut pas les considérer comme nationaux dans le sens historique du terme, ni les réduire à l'unité administrative dans laquelle ils se trouvent, même si celle-ci, la plupart du temps une commune, fait partie d'un État-nation. Pris dans leur totalité, ils hébergent des éléments essentiels du marché mondial du capital, puisque ce dernier est devenu partiellement électronique. Ce sont des lieux dénationalisés de manière spécifique et partielle. On peut donc y voir les éléments d'un nouveau type de territorialité réparti entre plusieurs sites et qui s'écarte nettement de la territorialité de l'État-nation historique.

Les réseaux mondiaux de militants locaux et, plus généralement, les infrastructures sociales concrètes – et souvent localisées
– de la « société civile mondiale » forment un quatrième type
d'assemblage. La société civile mondiale existe grâce aux réseaux
électroniques mondiaux et aux imaginaires qui leur sont associés.
Pour autant, ce sont bien des acteurs, des organisations et des
causes localisé(e)s qui forment les pièces maîtresses de la société
civile mondiale actuelle. L'ancrage local des activités est essentiel,
même si le but des différentes luttes est universel et planétaire. Ce
n'est qu'une fois mis bout à bout que ces engagements deviennent
constitutifs de cette société civile. Les réseaux électroniques mondiaux exploitent davantage les possibilités de cette dynamique
locale-globale. J'ai étudié ailleurs [2006] les conditions de possibilité permettant à des individus ou à des organisations présentant
la particularité d'être peu mobiles et pauvres en ressources de
s'inscrire dans un réseau mondial horizontal reliant différentes
localités. S'ils ont accès aux ressources essentielles des nouvelles
technologies – décentralisation, interconnectivité et simultanéité
des transactions –, des individus et organisations localisés et fixes
peuvent faire partie d'un espace public mondial, qui est en partie
une condition subjective, mais en partie seulement puisqu'il est
aussi enraciné dans les luttes concrètes des localités.

En principe, on peut dire que ce sont les personnes les moins
mobiles qui sont le plus susceptibles de faire l'expérience de leur
mondialité à travers cet espace (abstrait), plutôt que les individus
et les organisations qui ont les moyens et l'occasion de voyager
dans le monde entier. Ces mondialités peuvent prendre des formes
complexes, comme le montre l'exemple des membres des Nations
premières qui exigent une représentation directe dans les arènes
internationales, outrepassant l'autorité de l'État-nation dans le
cadre d'une cause ancienne dont l'efficacité a été significativement
améliorée par le réseau électronique mondial. Elles peuvent aussi
être plus indirectes. Ainsi, le réseau Forest Watch utilise à travers
le monde les habitants des forêts tropicales afin de pouvoir repérer au plus tôt les destructions de forêts. L'information est alors
répercutée par des chaînes de militants, souvent fort longues, qui
finissent par aboutir à l'office central de l'organisation. Les premiers

maillons de la chaîne, ceux qui transmettent l'information initiale, fonctionnent sans recourir aux médias digitaux et dans des langues autres que l'anglais. On a ici affaire à un type particulier d'interaction entre des réseaux digitaux délocalisés et des acteurs / utilisateurs très localisés. Le schéma commun nous montre la formation de juridictions transfrontalières triangulaires orientées vers l'action politique et qui auraient autrefois été confinées au national. Les militants locaux utilisent souvent des campagnes mondiales et des organisations internationales pour exiger des droits et garanties de la part des États-nations. Ils ont désormais la possibilité d'intégrer un site non national ou mondial dans leurs luttes nationales. Ces exemples indiquent l'apparition d'un type particulier de territorialité dans le contexte d'une imbrication des conditions digitales et non digitales. Cette territorialité réside en partie dans des espaces subnationaux spécifiques, et se constitue en partie comme une variété d'un espace public mondial partiel ou spécialisé.

On pourrait avoir tendance à confondre les troisième et quatrième types de territorialité. Ils sont pourtant distincts. Contrairement aux centres financiers, les espaces subnationaux des acteurs localisés n'ont pas été dénationalisés. Les publics mondiaux qui sont alors constitués sont simplement institutionnels et largement informels, à la différence du marché mondial du capital, qui est un espace extrêmement institutionnalisé à la fois par le droit national et international et par les systèmes de gouvernance privés. Malgré ce caractère informel, ces publics mondiaux donnent du pouvoir à des acteurs pauvres en ressources et peu puissants. Les subjectivités qui surgissent à travers ces publics mondiaux constituent les instruments de nouvelles logiques organisationnelles.

Ces assemblages émergents commencent à démanteler la territorialité traditionnelle du national, fût-ce de manière partielle et très spécifique. Dans tous les cas où le mondial est riche de contenu ou sujet à des conditions diverses, son insertion dans un monde institutionnel qui avant tout a été construit historiquement comme un domaine spatio-temporel national unitaire est un événement considérable. C'est l'articulation de l'encastrement du mondial et de sa spécificité. Même si ces quatre types de territorialités émergentes sont très différents puisque chacun d'entre eux présente des exemples variés, partiels et souvent très spécialisés, ils présentent tous des traits caractéristiques. Premièrement, ils ne sont ni exclusivement nationaux ni exclusivement mondiaux : c'est un mélange des deux. Deuxièmement, ils réunissent différents ordres spatiotemporels, différents rythmes et différents buts. Troisièmement, ils peuvent avoir un résultat remarquable, sous la forme de contestations ou d'effets de zone frontière : ces espaces rendent possibles des formes d'engagement pour lesquelles il n'existe pas de règles claires. La résolution de ces affrontements peut être l'occasion de débrouiller des conflits qui ne peuvent pas être facilement abordés dans d'autres espaces. Quatrièmement, de nouveaux types d'acteurs peuvent apparaître dans ces assemblages. Ils permettent l'accès à des champs qui étaient autrefois le domaine réservé d'acteurs plus anciennement établis, et notamment des États-nations. Enfin, dans la juxtaposition des différents ordres temporels qui sont réunis par ces nouvelles territorialités, des outils existants peuvent être redéployés dans de nouvelles logiques organisationnelles. Ces assemblages émergents défont peu à peu la territorialité traditionnelle du national, lorsque ce dernier est défini comme un domaine spatiotemporel national unitaire.

Imbrications et trajectoires : au-delà des dichotomies

Le type d'analyse que je propose a une conséquence méthodologique, théorique et politique majeure : on ne peut pas simplement s'intéresser à l'État-nation et au système global comme à deux entités distinctes et mutuellement exclusives. Il existe certes des formations mondiales distinctes et incompatibles avec l'État-nation, mais les transformations qui m'intéressent ici dépassent cette dichotomie et traversent l'appareil national et même l'État lui-même. Il peut s'agir de conditions mondiales qui sont incorporées par l'État-nation ou bien de conditions propres à l'État-nation qui ont été dénationalisées au cours de ce processus.

Le national et le mondial sont des constructions. Pour mettre ce fait en perspective historique, j'ai choisi trois éléments transhistoriques présents dans presque toutes les sociétés avant d'examiner la manière dont ils se sont organisés selon les époques [Sassen, 2006]. Ces trois éléments sont le territoire, l'autorité et les droits (TAD).

Chacun peut avoir des contenus particuliers, des formes et des relations particulières selon les différentes formations historiques. Je les ai choisis en partie pour leur caractère fondamental, et en partie parce qu'il s'agit là de mes domaines de compétence. On pourrait ajouter ou substituer d'autres éléments. Les TAD sont aussi des constructions. Parce qu'ils constituent des institutionnalisations complexes, ils naissent de processus, de luttes et d'intérêts conflictuels variés. Ce ne sont pas simplement des accidents de parcours. Ils sont interdépendants, même lorsqu'ils conservent leur spécificité. Chacun peut donc être identifié. Cette spécificité dépend en partie de leur degré de formalisation et d'institutionnalisation. À travers le temps et l'espace, les TAD ont été assemblés en formations distinctes au sein desquels ils possèdent différents degrés de performance. En outre, le type d'instruments et de capacités qui les constituent varie, tout comme les sites qui les accueillent : privé ou public, droit ou coutume, métropole ou colonie, national ou supranational, etc.

En utilisant ces trois éléments fondamentaux comme des voies d'analyse pour les deux formations distinctes qui m'intéressent dans le projet général – le national et le mondial –, j'essaie d'éviter un écueil qui menace toute la littérature sur la mondialisation, celui qui consiste à hypostasier ces deux ensembles. Les chercheurs ont souvent considéré ces deux formations complexes comme des touts, et ils les ont comparés pour établir ce qui les distingue. Mais mon point de départ est différent. Plutôt que de comparer deux touts supposés – le national et le mondial –, je décompose chacun d'eux en trois éléments essentiels (TAD). Ces composantes sont mon point de départ. Je les extrais de leurs constructions historiques et particulières (en l'occurrence : le national et le mondial) et j'étudie leur constitution et leur situation institutionnelle dans ces différentes formations historiques, leur changement de valeur éventuelle à mesure que le niveau mondial prend de l'importance. Par exemple, des éléments qui appartenaient autrefois à l'autorité publique se transforment en une variété croissante de formes d'autorité privée. Une thèse surgit à partir de ces analyses : certaines fonctions nationales particulières peuvent être extraites de leur inscription institutionnelle nationale et devenir des éléments constitutifs de la mondialisation, sans être simplement détruites ou marginalisées.

Ce type d'approche produit une grille d'analyse qu'on peut réutiliser pour étudier soit les pays dans le contexte de la mondialisation actuelle, soit différents types d'assemblages au cours du temps et en différents lieux. Dans l'État moderne, TAD évolue vers ce qu'on peut reconnaître comme une échelle centripète où un niveau, le national, réunit l'essentiel de ce qui constitue TAD. Même si ce n'est jamais complètement vrai, chacun des trois éléments est essentiellement constitué comme un domaine national, et de manière exclusive. Alors que, par le passé, la plupart des territoires étaient soumis à de multiples systèmes de règles, l'État moderne conquiert une autorité exclusive sur un territoire donné ; inversement, le territoire coïncide avec cette autorité, ce qui autorise en principe une dynamique similaire dans d'autres États-nations. Cela donne en retour au souverain la possibilité de fonctionner comme le garant exclusif des droits. Le territoire est peut-être la dimension la plus critique pour la formation d'un État-nation, mais ce n'est plus le cas pour le nouveau type de régulateurs mondiaux d'aujourd'hui : leur autorité est plus critique que le territoire. Et ce n'est pas le cas non plus pour le régime des droits de l'homme, pour lequel les droits sont plus critiques que le territoire. La mondialisation ébranle cette architecture particulière que représente l'État-nation. Les chercheurs ont remarqué que l'État-nation a perdu une partie de son autorité territoriale exclusive au profit de nouvelles institutions mondiales. Ce qu'ils n'ont généralement pas étudié en profondeur, ce sont les réarrangements particuliers et souvent spécialisés qui sont intervenus au sein de l'appareil extrêmement formalisé et institutionnalisé de l'État-nation afin de mettre en place l'autorité des institutions mondiales. Cette évolution n'est pas une simple question de mesures politiques : il s'agit de constituer un espace institutionnel d'un nouveau genre au sein de l'État. En négligeant ces réarrangements, ou en les interprétant comme de simples changements nationaux, il est facile d'ignorer à quel point des éléments essentiels du niveau mondial sont structurés au sein du national, et produisent ce que j'appelle une dénationalisation partielle et souvent extrêmement spécialisée de ce qui s'est historiquement construit comme le national.

Certains éléments précis de TAD sont donc aujourd'hui recomposés dans de nouvelles configurations mondiales. Cela affecte à la fois leurs interactions, leurs interdépendances ainsi que leur inscription institutionnelle. Ces changements ont lieu à la fois au sein de l'État-nation (en passant par exemple du public au privé) et au moyen d'évolutions vers les niveaux mondial, inter- et supranational. Ce qui était auparavant rassemblé et vécu comme une condition unifiée (l'assemblage national de TAD) apparaît peu à peu comme un ensemble d'éléments distincts, qui offre différentes prises à la dénationalisation. Par exemple, les éléments particuliers de l'autorité et des droits démontrent une plus grande capacité à la dénationalisation partielle que le territoire : les frontières géographiques ont beaucoup moins changé (sauf dans des cas comme la désintégration de l'Union soviétique) que l'autorité (par exemple, le pouvoir grandissant des régulateurs mondiaux sur les économies nationales) et les droits (l'institutionnalisation toujours plus poussée du régime international des droits de l'homme). Cela indique la possibilité d'une divergence profonde entre les logiques organisationnelles de la phase internationale précédente et de la phase mondiale actuelle. Ces deux phases sont souvent décrites comme analogues à la phase mondiale actuelle, mais je crois que cette interprétation est fondée sur une confusion des niveaux d'analyse. Dans les périodes précédentes, la logique internationale avait pour but la construction d'États-nations, dans une approche souvent impérialiste. Dans la phase actuelle, elle est tournée vers la mise en place de systèmes mondiaux au sein des États-nations et des économies nationales, et, en cela, vers la dénationalisation au moins partielle de ce qui s'est historiquement construit comme le national. Cette dénationalisation peut prendre de nombreuses formes concrètes. Deux exemples critiques de ce processus sont les villes globales, ainsi que certaines mesures et institutions spécifiques au sein de l'État lui-même, qui comprennent des régimes aussi différents que l'institution des droits de l'homme et l'institution des droits des entreprises étrangères. L'accord de Bretton Woods, qu'on désigne souvent comme le début de l'ère mondiale actuelle, ne fait pas partie selon moi de la phase actuelle parce qu'il cherchait à protéger les États-nations des fluctuations excessives de l'économie internationale.

Les études sur l'État et la mondialisation présentent trois positions principales : a) l'État est la victime de la mondialisation, et
son importance décroît ; b) les changements sont minimes, et l'État
continue *grosso modo* à faire ce qu'il a toujours fait ; c), et c'est une
variante de la précédente, l'État s'adapte et peut être transformé,
résistant ainsi au déclin pour demeurer un acteur essentiel. Des
études confirment des éléments importants de chacune de ces
trois positions, en partie parce que leurs différences dépendent
beaucoup de l'interprétation. Pour certains, les États demeurent
les acteurs clés, indépendamment des changements de contexte :
peu de choses ont donc changé pour les États et le système interétatique. Pour d'autres, même si les États demeurent importants,
il existe aujourd'hui d'autres acteurs clés, et la mondialisation a
modifié certaines caractéristiques importantes des États et du système interétatique. Malgré leurs divergences, ces études tendent
à partager l'hypothèse selon laquelle le national et le global sont
mutuellement exclusifs.

Un deuxième axe de discussions porte sur ce qui a changé.
Ainsi, pour Michael Mann [1997], l'époque actuelle est simplement la suite d'une longue histoire de changements qui n'ont
pas modifié le fait essentiel de la primauté de l'État. Les versions
« forte » et « faible » de la théorie néowébérienne de l'État partagent
certains aspects de cette conceptualisation de l'État. Les travaux
de ce type admettent que la suprématie de l'État peut prendre des
formes différentes en fonction des relations structurelles entre
l'État et la société, mais ils tendent à penser que le pouvoir d'État
possède une condition spécifique tout au long de l'histoire : la
capacité à mettre en œuvre avec succès des mesures politiques
explicites. Un second type de travaux interprète la dérégulation
et la privatisation comme une manière pour l'État d'intérioriser
l'amoindrissement de son rôle. Dans sa version la plus formali-
sée, cette position souligne la constitutionnalisation par l'État de
l'amoindrissement de son propre rôle. Dans cette littérature, la
mondialisation économique n'est pas limitée au fait que le capital
traverse les frontières géographiques selon les règles du système
international commercial et financier, mais se trouve conceptuali-
sée comme système politico-économique. Un troisième ensemble

de travaux, qui prend de l'importance, insiste sur le déplacement des fonctions de gouvernance publique nationale vers des acteurs privés, au sein des domaines tant national que mondial. Les institutions clés du système supranational, comme l'Organisation mondiale du commerce, sont des paradigmes de ce changement. Les questions évoquées précédemment traversent les différentes études : les États sont-ils en déclin, sont-ils aussi puissants qu'auparavant ou ont-ils changé en s'adaptant aux nouvelles conditions sans perdre du pouvoir ?

J'essaie d'élargir le terrain d'analyse pour mieux situer la question du mondial et du national. L'effort de recherche et de théorisation doit se concentrer sur des aspects de la globalisation et de l'État qui disparaissent dans les visions dualistes de leur relation. Selon ces dernières, les sphères d'influence du national et du mondial sont conçues comme mutuellement exclusives. Même s'il existe en effet de nombreux éléments du national et du mondial qui sont mutuellement exclusifs, il existe un ensemble croissant et souvent spécifique d'éléments qui n'entrent pas dans cette structure duelle. En combinant ces différentes contraintes, on construit une quatrième position, en plus des trois qui viennent d'être évoquées. Cette quatrième approche n'exclut pas nécessairement toutes les propositions des trois autres, mais elle s'appuie sur des hypothèses substantiellement différentes. Par exemple, j'affirme que l'État et la mondialisation sont bien loin d'être mutuellement exclusifs. Au contraire, l'État est l'un des domaines institutionnels stratégiques où se déroule le travail critique pour le développement de la mondialisation. Cela ne conduit pas nécessairement au déclin de l'État, mais cela ne signifie pas non plus que son fonctionnement est inchangé ou qu'il ne fait que s'adapter aux nouvelles conditions. L'État devient le lieu de transformations essentielles dans la relation entre les domaines privé et public, dans l'équilibre interne des pouvoirs de l'État, et dans le domaine plus large des forces nationales et globales au sein duquel l'État doit désormais fonctionner. Une caractéristique de ce champ de forces est la multiplication des assemblages spécialisés décrits plus haut. C'est vers cette dimension que je me tourne à présent en mettant l'accent sur les conséquences politiques et normatives de ce développement.

Le politique et le normatif face au tournant global

La multiplication centrifuge d'assemblages spécialisés et/ou particuliers de TAD est un développement partiel plutôt que global. C'est pourtant une évolution décisive parce qu'elle ébranle les arrangements normatifs existants et produit un nouveau type de segmentation. Une manière d'en formuler les conséquences est de s'intéresser aux nouveaux types d'inégalités systémiques et aux nouveaux lieux du normatif.

Commençons par les nouveaux types d'inégalités systémiques produits par ces développements. Il s'agit de formes d'inégalité qui traversent chaque niveau : État-nation, ville globale, appareil d'État. Ce n'est pas le type d'inégalité intra-systémique qui apparaît depuis l'intérieur d'un système extrêmement différencié, mais néanmoins unitaire, comme l'État-nation. Ce n'est pas non plus le type d'inégalité qui existe entre régions développées et moins développées du monde. Il s'agit là de deux formes d'inégalités reconnues et identifiées contre lesquelles de nombreuses institutions ont été mises en place et de nombreux discours élaborés. Bien que toutes ces tentatives n'aient que partiellement réduit ces inégalités, celles-ci constituaient la cible officielle des efforts et des moyens existants. En revanche, la prolifération d'assemblages spécialisés qui échappent à l'emprise des cadres normatifs existants et traversent les pays produit une forme d'inégalité particulière, faite de différents types particuliers de segmentations intersystémiques, les systèmes étant ces assemblages spécifiques. Il s'agit donc d'une forme d'inégalité qui peut coexister avec des formes plus anciennes et reconnues de différenciation au sein des pays et entre les pays. Mais il faut l'en distinguer.

Deuxièmement, en ce qui concerne l'inscription des normes, les règles de gouvernance de ces assemblages sont souvent connectées aux structures de leur système d'une manière qui rappelle le fonctionnement du marché libre. C'est-à-dire qu'il ne s'agit pas de règles ni de normes explicites. Se multiplient ainsi, au sein de la branche exécutive du gouvernement et dans les marchés mondiaux, de nouvelles formes de pouvoir qui ne sont pas responsables devant les citoyens ; il en va de même pour le monde des ONG, surtout semble-t-il quand elles fonctionnent au niveau international. Cette inscription de règles et de normes dans la structure même du système peut se distinguer de systèmes formalisés de gouvernance où règles et normes doivent être explicitées et sont situées tant à l'intérieur qu'à l'extérieur du système, puisqu'elles sont responsables devant des autorités extérieures. Le lien qui a longtemps tenu ensemble des ordres normatifs différents sous la dynamique plus ou moins unifiée des États-nations se dissout. La multiplication de systèmes partiels qui ont chacun un petit nombre de rôles constitutifs bien distincts produit une prolifération de systèmes simples. Cela conduit également à une redistribution des règles constitutives. Tous ces nouveaux assemblages spécialisés ne contiennent pas de telles règles constitutives, mais le phénomène est évident lorsqu'ils se constituent en se dégageant de l'autorité et de la norme de l'État, par exemple sous la forme de systèmes de justice et d'autorité (par exemple, la Chambre de commerce internationale), y compris de systèmes de justice privée (par exemple, l'arbitrage commercial international).

Il est peut-être tentant de voir dans ces tendances des arrangements semblables à la féodalité européenne, période marquée par l'absence d'États-nations centralisés. Certaines études sur la mondialisation qui supposent l'affaiblissement, voire la « disparition » de l'État-nation, ont invoqué ce type d'argument. Il me semble que c'est une erreur [voir Sassen, 2006, Ire partie]. En identifiant une multiplication d'ordres partiels, je vois une différence essentielle avec la période médiévale européenne, où il existait des ordres normatifs forts et très englobants (l'Église, l'Empire) et où les éléments indépendants (les fiefs, les villes) proposaient tous une structure relativement complète qui englobait la plupart des aspects de la vie, sinon tous (différentes classes, normes, systèmes de justice, etc.). Aujourd'hui, ces assemblages sont extrêmement spécialisés, partiels et sans grande différenciation interne. Au contraire, le monde localisé et limité du manoir ou du fief du seigneur médiéval était un monde complexe qui englobait des règles touchant l'ensemble des sphères de la vie sociale. Cette multiplication d'ordres normatifs partiels, spécialisés et appliqués, est déstabilisante. Elle crée des défis normatifs dans le contexte d'un monde qui est toujours essentiellement composé d'États-nations. Pour ne prendre qu'un seul exemple, nous pouvons déduire de ces tendances que les ordres normatifs comme la religion retrouvent une grande importance là où les ordres normatifs séculiers des États l'avaient confinée à des sphères spécialisées et distinctes. Je postule donc que l'essor de la religion au cours de ces vingt dernières années, loin d'être le retour de cultures plus anciennes, fait partie d'une modernité nouvelle, quelque « traditionnel » que soit son contenu. C'est le résultat systémique de développements de pointe. Autrement dit : il s'agit non pas d'un phénomène prémoderne mais d'un nouveau type de modernité, né de la dissolution partielle des ordres normatifs (séculiers) dominants et centripètes en multiples segments particularisés.

Cette formation naissante d'ordres spécialisés ou particularisés s'étend à l'appareil d'État. À mon sens, nous ne pouvons plus parler de « l'» État, ni donc de « l'» ordre de l'État-nation opposé à « l'» ordre mondial. Il existe un nouveau type de segmentation à l'intérieur de l'appareil d'État : une branche importante du gouvernement exécutif, toujours plus privatisée, s'aligne sur les acteurs mondiaux particuliers, malgré les discours nationalistes, tandis que s'amenuise un législatif dont l'efficacité risque de se confiner toujours plus à des questions domestiques plus limitées. Avec un législatif faible et limité, les citoyens sont moins à même de demander des comptes à un exécutif toujours plus puissant et privé : les citoyens sont en effet en position plus forte par rapport au législatif qu'à l'exécutif, à cet égard. De plus, la privatisation de l'exécutif a en partie entraîné une érosion des droits privés des citoyens. Il s'agit d'une évolution historique de la distinction public-privé au sein de l'État libéral, même si celle-ci est toujours imparfaite.

Un second élément souligne l'alignement croissant de l'exécutif avec une logique mondiale et le confinement du législatif aux questions domestiques. C'est le résultat de trois tendances majeures. La première est l'importance croissante de certains éléments particuliers de l'administration, comme les ministères des finances et les banques centrales (pour les États-Unis, respectivement le Trésor et la Réserve fédérale), pour la mise en place d'une économie de marché mondiale ; ces éléments ont en fait gagné en puissance grâce à la mondialisation. Deuxièmement, les instances mondiales de régulation (Fonds monétaire international, Organisation mondiale du commerce, etc.) ne traitent qu'avec l'exécutif, pas avec le législatif. Cela peut renforcer l'adoption de logiques mondiales par l'exécutif. La troisième tendance est évidente dans des cas comme le soutien de l'administration Bush-Cheney au projet de gestion de plusieurs opérations portuaires aux États-Unis par l'entreprise Dubai Ports World. À l'inverse, le législatif a longtemps été une part intérieure de l'État, ce qui affaiblit son efficacité à mesure que la mondialisation s'étend. Cela affaiblit également la capacité politique des citoyens dans un monde toujours plus mondialisé.

La participation de l'État à la mise en place d'une économie de marché mondiale engendre un type particulier d'autorité internationale pour l'État à l'égard des entreprises mondiales et une forme d'internationalisme dans la pratique de l'État. Pour le moment, le déploiement de cette autorité et de ce nouvel internationalisme a généralement été limité au soutien d'intérêts commerciaux privés. Cette conceptualisation introduit un biais dans l'analyse de l'État et de la mondialisation économique de marché parce qu'elle cherche à détecter la présence effective d'agendas privés au sein de l'État, plutôt que de poursuivre un objectif largement répandu dans la littérature sur la mondialisation en s'intéressant à l'évolution des fonctions étatiques vers le secteur privé et la croissance de l'autorité privée. De plus, elle diffère d'une tradition de recherche plus ancienne sur l'État captif, qui se concentrait sur la cooptation des États par les acteurs privés. Dans ma propre recherche, j'insiste sur la privatisation de la capacité à faire des normes et à mettre en place au sein de l'État une logique de marché privée présentée sous la forme de normes publiques. Une question importante est de savoir si ces nouvelles caractéristiques de la pratique étatique pourraient être réorientées vers des questions qui concernent le bien commun mondial. Pour que ce soit le cas, il faut aborder plusieurs questions. Quel type d'autorité étatique est ce mélange d'éléments publics et privés : surtout, pourrait-il s'adapter à des intérêts autres que les intérêts de marché privés ? Le poids d'intérêts privés et souvent étrangers dans ce travail particulier de l'État est-il constitutif de cette autorité et produit-il réellement un mélange qui n'est ni totalement privé ni totalement public ? Selon moi, nous assistons à la formation d'un type d'autorité et de pratique de l'État qui implique une dénationalisation partielle de ce qui a été historiquement construit comme national. Cette dénationalisation consiste en différents processus spécifiques, y compris la réorientation des agendas nationaux en fonction des agendas mondiaux, et la circulation à l'intérieur de l'État d'agendas privés présentés comme des mesures publiques. Mais cette dénationalisation peut aussi ouvrir un espace pour des agendas internationaux non liés au marché.

Pour les buts de ce chapitre, il est important de déterminer si cette participation de l'État dans les processus mondiaux (et la dénationalisation partielle qui s'ensuit) peut aussi intervenir ailleurs que dans le domaine économique. On peut citer par exemple les récents développements du régime des droits de l'homme qui permet de poursuivre en justice des entreprises étrangères et des dictateurs étrangers devant des cours nationales (et non internationales). La dénationalisation peut-elle être étendue à d'autres buts que ceux des acteurs du marché mondial pour tenter de promouvoir des objectifs plus larges, en termes de justice sociale par exemple, ou des buts qui ne soient pas strictement économiques ? Je pense que c'est le cas. Comme la mondialisation, la dénationalisation peut avoir plusieurs visages. Elle peut se traduire par l'incorporation dans le national des agendas mondiaux de différents acteurs : pas seulement ceux des entreprises et des marchés financiers, mais également ceux des droits de l'homme et de l'écologie. L'existence d'une sphère dynamique et transnationale croissante est essentielle sur ce point puisqu'elle peut soutenir l'entrée des acteurs nationaux dans les luttes mondiales par l'utilisation les instruments nationaux. Parfois, ces processus de dénationalisation permettent, autorisent ou facilitent la construction de nouveaux types d'échelons mondiaux ; d'autres fois, ils se cantonnent à des domaines qui sont d'ores et déjà largement nationaux.

Une question transversale est celle de la relative illisibilité du passage d'une logique centripète à une logique centrifuge. Il est très difficile de voir à quel point cette logique centrifuge a remplacé d'importants segments de la logique centripète de l'État-nation. Cela tient à plusieurs choses : d'une part, l'État-nation demeure encore aujourd'hui l'institution dominante ; d'autre part, le terrain géopolitique est marqué par la guerre et le contrôle militaire des frontières, deux phénomènes qui ont eu tendance à se renforcer à travers le monde bien plus qu'à disparaître. Beaucoup d'observateurs ont de ce fait oublié que les guerres et les frontières peuvent coexister avec une logique centrifuge. Certaines choses sont encore plus difficiles encore à appréhender. Ainsi, à travers ces processus de dénationalisation, certains des éléments de l'État-nation et de l'appareil d'État constituent une partie intégrante de ce nouveau mouvement centrifuge. J'ai montré ailleurs comment cette tendance se vérifie même pour des segments particuliers de l'exécutif en dépit de la persistance des tendances nationalistes. Le maintien d'une politique d'État puissante est sans doute de plus en plus une question de pouvoir brut plutôt que d'autorité. Les nouveaux types de guerre, « civiles » ou internationales, suggèrent cet accroissement du pouvoir brut par rapport à l'autorité. Pourtant, même si le pouvoir brut des États-nations s'est accru dans de nombreux cas, cela ne signifie pas nécessairement que l'autorité territoriale souveraine en est devenue plus significative. Cette distinction est cruciale pour l'analyse du projet général sur lequel s'appuie cet article.

Un point important de mon argumentation réside dans l'idée que certaines des significations les plus complexes du global se sont construites au sein même du national, que l'on prenne en compte le territoire national, les institutions nationales ou les États-nations. Une grande partie de la mondialisation est constituée par une variété considérable de microprocessus subnationaux qui dénationalisent peu à peu ce qui a été construit comme national : politiques, législations, capitaux, subjectivités politiques, espaces urbains, cadres temporels et encore bien d'autres champs. Cet argument prend toute son importance si l'on observe le rôle crucial que jouent les États-nations dans la mise en place des fondements – ce qui inclut les structures de gouvernance – d'une économie mondiale. Les ministères des Finances, les banques centrales, les corps législatifs et bien d'autres secteurs du gouvernement ont accompli le travail étatique nécessaire pour construire un marché mondial du capital, un système commercial mondial et les règles de concurrence qui lui sont nécessaires pour fonctionner...

En guise de conclusion

Des dynamiques mondiales et dénationalisantes ébranlent les systèmes existants et les univers de sens jusqu'alors dominants. Tandis que l'unité de l'État-nation se défait, ne serait-ce que partiellement, la souveraineté est elle-même soumise à des démantèlements ponctuels. L'affaiblissement de la dynamique centripète de l'État-nation peut également créer des opportunités pour les plus défavorisés. Ces transformations ne sont pas nécessairement globales au sens étroit du terme, et c'est pourquoi j'essaie de les saisir à travers la catégorie de dénationalisation. C'est une catégorie historicisante, qui a une double intention : désessentialiser le national en le limitant à une configuration historique particulière, et en faire un point de référence en insistant sur le fait que sa formidable complexité et l'emprise énorme qu'il a sur la société et sur le système géopolitique en font un lieu stratégique pour une transformation qui ne peut pas simplement venir de l'extérieur. Mettre l'accent sur la dénationalisation ne signifie pas que la forme État-nation ou l'importance qui est la sienne sont vouées à disparaître. Mais en plus d'être le lieu de ces transformations essentielles, l'État est une entité qui se modifie en profondeur. Si l'on écarte les exemples les plus superficiels et les plus évidents (par exemple les marchés de consommation mondialisés), la formation de ces dynamiques mondiales à l'intérieur du national est généralement codée, représentée, formulée ou expérimentée à travers les vocabulaires et les instruments institutionnels du national tel qu'il s'est historiquement construit. En un sens, cela est tout à fait compréhensible : les États-nations et les États nationaux sont des organisations d'une grande complexité, dont les capacités organisationnelles ont mis très longtemps à se développer. Au contraire, la phase actuelle de mise en place d'institutions et de processus mondiaux est récente. Il s'agit d'une réalité qui est encore ténue. Une partie du travail de recherche consiste donc à déchiffrer et, plus généralement, à découvrir et déceler le mondial au sein du national.

Ces différentes dynamiques de dénationalisation, comme par exemple l'insertion de la question des droits de l'homme dans les décisions judiciaires nationales, ont encore d'autres conséquences. Elles contribuent à défaire peu à peu certains des éléments de l'État-nation et de l'appareil d'État. Ce démantèlement est l'une des dynamiques qui nourrit la multiplication d'assemblages partiels, transfrontaliers et souvent très spécialisés de morceaux de TAD qui étaient auparavant logés au sein du national. Un bon nombre d'entre eux fonctionnent au départ comme des entités formelles ou informelles destinées à des tâches à la fois opérationnelles et gouvernementales dans le cadre d'un nombre croissant de processus mondiaux qui s'étendent entre les États- nations. Il s'ensuit une prolifération d'ordres normatifs particularisés qui s'installent progressivement dans une logique utilitaire. Est-ce là le début d'une phase au cours de laquelle se formeraient de nouveaux ordres normatifs plus larges et plus englobants ? Il s'agit d'une question encore ouverte.

Tout cela indique au moins trois pistes de recherche future. La première concerne le degré de spécificité de ces assemblages émergents qui résultent du démantèlement partiel des cadres unifiés de l'État-nation. Autrement dit : quelle est leur lisibilité normative et analytique ? La seconde piste concerne le degré de complexité et de pouvoir que ces assemblages peuvent présenter, étant donné leur caractère encore élémentaire, comparé à la diversité interne, à la complexité organisationnelle et à l'épaisseur sociale du national. Une troisième piste concerne les alignements normatifs et spatio-temporels unitaires susceptibles de se dérouler à l'intérieur des États-nations en réponse à cette prolifération d'assemblages multiples. En un mot : quelles sont les conséquences normatives, politiques et subjectives de ces mouvements inscrits dans une dynamique centrifuge, aux antipodes de la dynamique centripète qui a marqué le développement des États-nations ?

Références bibliographiques

MANN Michael, 1997, « Has globalization ended the rise and rise of the nation-state? », *Review of International Political Economy*, 4, p. 472-496.

SASSEN Saskia, 2006, *Territory, Authority, Rights. From Medieval to Global Assemblages*, Princeton University Press, Princeton. Traduction française : *Critique de l'État. Territoire, autorité et droits, de l'époque médiévale à nos jours*, Démopolis, Paris, 2009.

— 2002, « Towards a socioloy of information technology », *Cultural Sociology*, 50 (3), mai, p. 365-388.

Chapitre 10

Conflits environnementaux et régulation multiniveaux
Éléments pour une analyse sociologique

Franck Poupeau

Chacaltaya, Huayna Potosi, Tuni Condoriri, entre 5 500 et 6 000 m d'altitude : en 2010, les glaciers qui surplombent les villes de La Paz et El Alto, en Bolivie, ont perdu plus de 90 % de leur surface en cinquante ans, mettant en péril l'approvisionnement en eau et en énergie hydroélectrique de la métropole. Mobilisation des autorités municipales et gouvernementales, expertise des institutions internationales, conflit entre l'entreprise de distribution des eaux et les communautés « originaires » (paysannes et indigènes) revendiquant la propriété des ressources naturelles qui traversent leurs terres en amont, protestations et blocages de route des résidants des quartiers les plus affectés par la pénurie, etc. : ce qui aurait été considéré auparavant comme un simple « incident » bien circonscrit, touchant un pays mineur, revêt désormais les apparences d'un problème plus global, mettant en jeu une variété d'institutions et d'agents sociaux confrontés à des inégalités territoriales marquées. Exemple de la crise écologique liée au changement climatique, la fonte des glaciers boliviens suscite des problèmes sociaux d'un genre nouveau, dont le traitement appelle une régulation à plusieurs niveaux, du local à l'international.

L'étude des conflits socio-environnementaux : prolégomènes méthodologiques

De la notion de gouvernance à celle de régulation multiniveaux
Une multitude d'autres cas environnementaux relèvent de configurations tout aussi complexes : l'émission de CO_2 et de

méthane liée à l'ensevelissement de millions d'hectares de la forêt amazonienne par la construction de barrages destinés à approvisionner en énergie les grandes villes brésiliennes ; les effets de l'asséchement de la mer d'Aral sur les relations entre Ouzbékistan, Turkménistan et Kazakhstan, ou les répercussions du barrage des Trois-Gorges sur le Yangzi Jiang, en Chine, sur la stabilité des sols et sur l'environnement des pays voisins ; les bouleversements sociaux liés à l'asséchement des zones humides des Everglades en Floride ; ou encore, de façon peut être moins spectaculaire mais tout aussi lourde de conséquences sanitaires, le taux élevé de nitrates dans les robinets du Grand Ouest breton, et, plus généralement, la pollution azotée des eaux superficielles en France par l'agriculture, qui ont augmenté la facture d'eau des municipalités devant retraiter l'eau potable, et qui suscitent des conflits arbitrés au niveau de la Cour européenne de justice. Autant d'exemples qui illustrent ce qui est désormais appelé la « régulation multiniveaux[1] » en matière de problèmes environnementaux, et qui désigne « l'interaction, le renforcement et la superposition de processus d'élaboration de normes et de gouvernance entre les niveaux international, national, régional et local. Elle émerge selon des processus variés de négociation *top-down* ou *bottom-up* au sein de l'État, entre les États, entre les régions et les villes et entre les intérêts sociaux et économiques » [Doern *et al.*, 2006].

Si de nombreux travaux insistent désormais sur les transformations de la « gouvernance mondiale » des ressources naturelles, au sens où l'action publique est marquée par différents niveaux de régulation (du local au global, du communal au supranational, etc.) qui débordent le cadre étatique Ostrom[2], ils prennent néanmoins, la plupart du temps, la forme d'approches disciplinaires, sans forcément relier les différents niveaux les uns aux autres : la domination des entreprises transnationales, les luttes juridiques pour les terres par les populations autochtones, la remise en question des puissances étatiques face aux processus d'intégration régionaux, l'incidence des facteurs locaux, etc. L'enquête que

---

1   Dabène [2006], Hooghe, Marks [2001].
2   Jaglin [2001], Dumoulin [2005], Hugon [2007], Schneier-Madanes [2010].

j'ai menée depuis plusieurs années sur les problèmes d'accès à l'eau à La Paz et El Alto en Bolivie m'a au contraire conduit à élaborer une grille d'analyse qui intègre ces différents facteurs habituellement étudiés de façon séparée : aussi bien la prise en compte des inégalités territoriales, l'action des institutions municipales et du ministère de l'Eau, la transition d'une entreprise privée à une entreprise publique et sociale, la mobilisation des comités de résidants, la revendication de la propriété des ressources naturelles par les mouvements indigénistes, l'intervention des organismes internationaux, qu'il s'agisse de la Banque mondiale ou des Forums sociaux altermondialistes, etc.

Les préoccupations environnementales,
entre catastrophisme et gestion économique

Cette approche sociologique, intégrant les différents niveaux de régulation des ressources naturelles, présente un autre avantage. En sciences sociales, le problème des relations des sociétés à leurs environnements a principalement été abordé sous l'angle de situations extraordinaires, par la mise en évidence des conséquences négatives (et souvent dramatiques) du changement climatique (dégradation des sols, inondations, ouragans, pénurie d'eau potable, coulées de boue, etc.) : analyse des violences dues aux « guerres du climat » [Welzer, 2009], étude historique des « effondrements » de sociétés [Diamond, 2006], perspective d'une « anthropologie des catastrophes » [Revet, 2007], critique des stratégies de sécurisation des frontières dues au migrations de « réfugiés climatiques » [El-Hinnawi, 1985] ou étude de la reconnaissance de leur statut juridique [Magniny, 1999]. Peu de travaux tentent en revanche de comprendre les ressorts des « préoccupations environnementales » et leurs traductions en termes de pouvoir [Lascoumes, 1999], alors qu'elles ont pris, depuis lors, une importance toute nouvelle liée à l'omniprésence médiatique du « changement climatique » et aux évaluations alarmistes des experts internationaux.

Comme on a pu le voir à l'occasion du sommet de Copenhague en décembre 2009, les discours sur l'environnement oscillent entre un catastrophisme destiné à susciter une prise de conscience et une posture gestionnaire intégrée aux stratégies industrielles et commerciales. Depuis quelques années déjà, les débats sur la gestion publique ou privée des services urbains s'inscrivent en effet dans des systèmes d'action et d'argumentation où la préservation de l'environnement joue un rôle essentiel : mise en accusation des entreprises privées peu soucieuses des effets écologiques de leur modes de distribution des services, contre-feux des mêmes entreprises qui se réapproprient la rhétorique et les thématiques du développement durable, développement d'une économie du traitement de la pollution, etc.

On voudrait ici, au contraire, considérer la gestion des ressources naturelles comme un fait social ordinaire, à l'intersection des politiques publiques, des mobilisations politiques, des pratiques quotidiennes et des normes écologiques internationales. Les conflits pour l'usage et l'appropriation des ressources naturelles, et leur transformation en services urbains, ont en outre généralement des effets sur le fonctionnement des pouvoirs politiques, du local à l'international, sans oublier les États concernés : la notion de « conflits socio-environnementaux » [Fontaine, 2009] correspond alors à la nécessité de prendre en compte à la fois la dimension politique des problèmes environnementaux et les conditions « écologiques » (territoriales, spatiales, physiques, etc.) de leur apparition, sans céder pour autant au catastrophisme et à la banalisation gestionnaire. De ce point de vue, le cas de l'eau en milieu urbain est intéressant à la fois pour ses dimensions politiques et spatiales [Poupeau, 2010] : il y a des inégalités face aux ressources naturelles liées au fait de vivre sur tel ou tel territoire, et ces inégalités territoriales sont aussi des inégalités sociales [Castel, 2009] ; inversement, ce sont souvent les plus défavorisés socialement qui souffrent le plus des problèmes environnementaux.

Le problème de l'eau en milieu urbain : le cas de La Paz-El Alto en Bolivie

Les effets politiques des conflits
socio-environnementaux boliviens
Un rapport de la Banque mondiale [2009] a du reste récemment situé le point d'articulation du changement climatique

dans la régulation écologique des métropoles. Dans cette perspective, la Bolivie est apparue comme un véritable laboratoire pour comprendre les transformations en cours, du fait des bouleversements politiques issus des conflits socio-environnementaux en milieu urbain (les désormais fameuses « guerre de l'eau » à Cochabamba en 2000 et « guerre du gaz » à El Alto en 2003, mais aussi les problèmes de sécheresse qui affectent régulièrement, depuis une trentaine d'années, l'altiplano et ses villes), qui renvoient à la fois à l'ampleur des inégalités sociales, à la brutalité des politiques économiques menées et à la radicalité des protestations qu'elles ont suscitées. Mais par ses caractéristiques propres, la Bolivie constitue aussi une ouverture vers des terrains plus internationaux, qu'il s'agisse de comparaisons avec la zone andine, l'Amérique latine et l'Europe, du fait de l'internationalisation des modes de régulation des ressources naturelles et des relations entre pouvoirs nationaux ou locaux.

L'intérêt des conflits touchant la concession de La Paz-El Alto est qu'ils se situent directement à l'articulation des différents niveaux : un espace urbain en expansion et peu contrôlé, des administrations municipales relativement faibles, un pouvoir national peu résistant aux politiques internationales de privatisation (des années 1985 à 2005 environ), une entreprise publique de distribution devenue concession d'un consortium international en 1997, destinée à être la figure de proue du « modèle français de l'eau » dans le monde [Bonin, 2005 ; Poupeau, 2008], et finalement un contexte international qui a favorisé l'application locale de ces politiques (influence des recommandations et des crédits de la Banque mondiale, constitution d'une « communauté de l'eau » après la conférence de Rio en 1992 [Kamienecki, 1993 ; Meublat, 2001]). Il faut prendre en compte toutes ces dimensions pour comprendre aussi bien les conflits liés à la remunicipalisation à La Paz-El Alto (2004-2007) que les problèmes engendrés dans la dernière décennie par les effets de la fonte des glaciers boliviens (en particulier entre l'organisation des services urbains et les communautés indigènes situées en amont, comme lors de la coupure d'une canalisation desservant La Paz en 2008 [Hardy, 2009]). Si l'on veut aller au-delà d'une énumération analytique des agents concernés, la compréhension de leurs luttes locales ou nationales doit ainsi se situer d'emblée à l'articulation des différents niveaux dans lesquels ils agissent : pour cette raison même, l'étude des conflits fonctionne comme une sorte de révélateur des relations entre agents.

L'importation du « modèle français de l'eau » en Bolivie
L'analyse des problèmes environnementaux et territoriaux gagne à compléter le synchronisme des approches multiniveaux par une perspective historique[3]. La gestion de la ressource en eau et des services urbains à La Paz et El Alto renvoie en fait à l'organisation d'un service qui, depuis le début du XXe siècle, a développé un modèle de distribution inspiré des grandes villes européennes, au niveau de sa conception pratique comme de ses présupposés idéologiques (hygiénisme, modernisme, etc.) [Barraqué, 1995]. Le « modèle français de l'eau », qui a été appliqué depuis les années 1990 à La Paz, s'est inscrit dans le prolongement de politiques d'équipement urbain qui, depuis l'origine (début du XXe siècle), n'étaient pas forcément les plus adaptées aux conditions sociodémographiques de la ville. Cette prise en compte de l'histoire de la production des espaces urbains, du contrôle des populations qui y résident et des services qui leur sont concédés (ou non), permet de voir comment une homogénéisation des modes de gestion (contrat sur l'aire desservie, prix d'installation et de connexion, etc.) s'est peu à peu imposée contre les organisations coopératives locales qui ne constituent plus, aujourd'hui, que des enclaves isolées ; et ce au prix d'un désajustement économique par rapport aux populations les plus défavorisées, dès lors insolvables et non desservies.

Ce niveau des territoires urbains est aussi inséparable des politiques sectorielles menées au niveau national [Bakker, 2003 ; Sassen, 2006]. Les politiques de gestion des ressources naturelles ont toujours subi l'influence de modèles extérieurs qui se sont imposés à elles, en relation avec les grandes tendances de l'économie et de la politique internationales [Weyland, 2004] : c'était vrai au début du XXe siècle avec l'ère libérale qui a présidé à une

---

3   Barton [2002], Miller [2007], Massard-Guilbaud *et al.* [2002].

« modernisation » de la ville et qui a instauré une ère « postcoloniale » (qui se poursuivra jusqu'à nos jours) d'invisibilisation des
populations indigènes au sein des espaces urbains en construction ;
cela l'était aussi dans les années 1980-1990 avec les tentatives
d'exportation du « modèle français de l'eau » qui n'aurait pas eu
autant d'emprise sans le soutien des gouvernements nationaux ;
cela le reste aujourd'hui avec la construction, depuis une vingtaine
d'années au niveau mondial, d'une « communauté de l'eau » au
sein de laquelle gouvernements, entreprises transnationales, institutions internationales, mais aussi ONG et mouvements sociaux
(à l'image du porte-parole de la Coordination pour l'eau en 2000
à Cochabamba, Oscar Olivera) luttent pour imposer les principes
d'une gestion de la ressource et des services qui s'écartent difficilement des modèles antérieurs, avec notamment des politiques de
« participation communautaire » inaugurées dans les années 1990,
et qui contribuent en réalité à instituer des services à deux vitesses
[Jaglin, 2001 ; Swyngedow, 2001], ou plus généralement des modes
d'organisation inadaptés aux styles de vie des populations locales
[Poupeau, Gonzales, 2010], etc.

Au final, on peut dire qu'à l'inverse des approches en termes de
gouvernance, une analyse multiniveaux des problèmes environnementaux permet de prendre en compte l'articulation des différentes
échelles d'action intervenant dans la régulation des ressources
naturelles et des services urbains et les conflits qui sont engendrés
par cette articulation. Replacée dans une perspective historique,
elle ouvre la possibilité de discuter la pertinence des modèles de
gestion mis en œuvre, au croisement des normes internationales,
des politiques publiques nationales, des administrations locales,
de l'organisation des espaces urbains et des mouvements sociaux.
Dans des cas où la notion de champ ne peut pas forcément s'appliquer, en raison de la diversité des échelles (du local au global, ce que
d'aucuns appellent le « glocal »), ou du caractère encore trop récent
et trop éclaté d'une « communauté épistémique » comme celle de
l'eau, la notion de régulation multiniveaux permet néanmoins
de conserver des principes d'analyse relationnels, susceptibles de
prendre en compte la définition différentielle et conflictuelle des
positions et des prises de position des agents concernés.

Références bibliographiques

BAKKER Karen, 2003, « Archipelagos and networks : urbanization and water privatization in the South », *The Geographical Journal*, 169 (4), p. 328-341.

BANQUE MONDIALE, 2009, « Stratégie de la Banque mondiale pour les villes et les collectivités territoriales », Note conceptuelle et de synthèse, département Finances, économie et développement urbain, Réseau développement durable.

BARRAQUÉ Bernard (dir.), 1995, *Les Politiques de l'eau en Europe*, La Découverte, Paris.

BARTON Gregory A., 2002, *Empire Forestry and the Origins of Environmentalism*, Cambridge University Press, Cambridge et New York.

BONIN Hubert, 2005, « Le modèle français du capitalisme de l'eau dans la compétition européenne et mondiale depuis les années 1990 », *Sciences de la société*, n° 64, p. 55-74.

BOTTON Sarah, 2007, *La Multinationale et le bidonville. Privatisation et pauvreté à Buenos Aires*, Karthala, Paris.

CASTEL Robert, 2009, *La Montée des incertitudes. Travail, protections, statut des individus*, Seuil, Paris.

CASTRO Jose Esteban, 2007, « Water governance in the twentieth first century », *Ambiente & Sociedade*, Campinas, vol. X, n° 2, p. 97-118.

CONAGHAN Catherine M., MALLOY James M., ABUGATTAS Luis A., 1990, « Business and the "boys" : The politics of neoliberalism in the Central Andes », *Latin American Research Review*, vol. II-5, n° 2, p. 3-30.

DABÈNE Olivier, 2006, « Existe-t-il une gouvernance multiniveaux dans les Amériques ? », *Visages d'Amérique latine*, n° 3, p. 8-16.

DIAMOND Jared, 2006, *Effondrement*, Gallimard, Paris.

DOERN Bruce, JOHNSON Robert (dir.), 2006, *Rules, Rules, Rules, Rules. Multi-Level Regulatory Governance*, University of Toronto Press, Toronto.

DUMOULIN David, 2005, « Les politiques de conservation de la nature en Amérique latine : au cœur de l'internationalisation et de la convergence des ordres politiques », *Revista de la CEPAL*, n° spécial, juin, p. 71-85.

EL-HINNAWI Essam, 1985, *Environmental refugees*, Banque mondiale, New York.

FONTAINE Guillaume, 2009, *El precio del petróleo. Conflictos socio-ambiéntales y gobernabilidad en la región amazónica*, Flacso Ecuador, Quito.

HAAS Peter M., KEANE Robert O., LEVY Mark A. (dir.), 1993, *Institutions for the Earth. Sources of Effective International Environmental Protection*, MIT Press, Cambridge (MA).

HARDY Sébastien, 2009, « Ruptura del aprovisionamiento de agua potable. Sistema Hampaturi-Pampahasi, La Paz, enero-febrero 2008 », *Bulletin de l'Institut français d'études andines*, 38 (3), p. 545-560.

HOOGHE Liesbet, MARKS Gary, 2001, *Multi-Level Governance and European Integration*, Inc. Rowman and Littlefield Publishers, Bruxelles et New York.

HUGON Philippe, 2007, « Vers une nouvelle forme de gouvernance de l'eau en Afrique et en Amérique latine », *Revue internationale et stratégique*, n° 66, dossier « L'or bleu, nouvel enjeu géopolitique ? », p. 64-77.

JAGLIN Sylvy, 2001, « L'eau potable dans les villes en développement. Les modèles marchands face à la pauvreté », *Revue Tiers Monde*, t. XLII, n° 166, p. 275-303.

KAMIENECKI Sheldon, 1993, *Environmental Politics in the International Area. Movements, Parties, Organizations and Policy*, University of New York Press, Albany State.

LASCOUMES Pierre (dir.), 1999, *Instituer l'environnement. Vingt-cinq ans d'administration de l'environnement*, L'Harmattan, Paris.

MAGNINY Véronique, 1999, « Les réfugiés de l'environnement. Hypothèse juridique à propos d'une menace écologique », Thèse de doctorat, université Paris-I, 646 pages.

MASSARD-GUILBAUD Geneviève, PLATT Harold L., SCHOTT Dieter (dir.), 2002, *Cities and Catastrophes. Coping with Emergency in European History*, Peter Lang, Francfort.

MEUBLAT Guy, 2001, « La rénovation des politiques de l'eau dans les pays du Sud », *Revue Tiers Monde*, t. XLII, n° 166, p. 249-258.

MILLER Shawn William, 2007, *An Environmental History of Latin America*, Cambridge University Press, New York.

OSTROM Elinor *et al.*, 2001, *Protecting the Commons. A Framework for Ressource Management in the Americas*, Insland Press, Washington DC.

POUPEAU Franck, 2010, « Défis et conflits de la remunicipalisation de l'eau. L'exemple de la concession de La Paz-El Alto, Bolivie », *Revue Tiers Monde*, n° 203, p. 7-26.

— 2008, *Carnets boliviens (1999-2007). Un goût de poussière*, Aux lieux d'être, Paris.

POUPEAU Franck, GONZÁLES Claudia (dir.), 2010, *Modelos de gestión del agua en ciudades de los Andes*, IFEA/PIEB, Lima.

REVET Sandrine, 2007, *Anthropologie d'une catastrophe. Les coulées de boue de 1999 au Venezuela*, Presses Sorbonne Nouvelle, Paris.

SASSEN Saskia, 2006, *Territory, Authority, Rights : From Medieval to Global Assemblages*, Princeton University Press, Princeton. Traduction française : *Critique de l'État. Territoire, autorité et droits, de l'époque médiévale à nos jours*, Démopolis, Paris, 2009.

SCHNEIER-MADANES Gabriela, 2010, *L'Eau mondialisée. La gouvernance en question*, La Découverte, Paris.

SWYNGEDOW Erik, 2001, *Social Power and the Urbanization of Water. Flows of Power*, Oxford University Press, Oxford.

WEYLAND Kurt, 2004, *Learning from Foreign Models in Latin American Policy Reform*, John Hopkins University Press.

WELZER Harald, 2009, *Les Guerres du climat. Pourquoi on tue au XXIᵉ siècle*, Gallimard, Paris.

Chapitre 11

La religion à l'ère de la mondialisation
Au-delà de la division privé-public

François Gauthier

Qu'il y ait quelque chose comme une réalité sociale qu'on puisse appeler mondialisation ne semble pas faire de doute. Il est indéniable que certaines mutations auxquelles on assiste depuis trois décennies interrogent et remettent en question plusieurs des outils et des cadres d'analyse des sciences sociales, dont la théorie de la sécularisation, l'État-nationalisme méthodologique et la division public-privé. On semble également assister au brouillage des frontières entre les différentes sphères sociales, avec un effet structurant de l'économique qui va croissant[1]. Une telle situation commande un regard renouvelé et de nouveaux outils. S'il doit y avoir quelque chose comme un « tournant global des disciplines », il doit être de l'ordre de l'interdisciplinarité bien encadrée et rigoureuse, couplée à une attention portée aux dynamiques liant le local et le global. Pour que l'interdisciplinarité soit autre chose qu'un vœu pieux ou un collage épistémologiquement hétérogène et friable, il faut d'abord chercher à définir des concepts communs

---

1   Il sera ici question de culture, de politique, de religieux et d'économique, sans qu'il soit possible de procéder à une définition rigoureuse des termes. Disons simplement que, pour chacune de ces dimensions du social, il faudrait distinguer entre une sphère *largo sensu* (fonctionnelle) et une sphère *stricto sensu* (substantive). Ainsi, *la* politique (les acteurs et les institutions liées au pouvoir, l'État, etc.) n'épuisent pas *le* politique. De même pour les religions et le religieux (voir note *infra*), l'économique (les différents modes d'échanges de biens, y compris les formes non marchandes) et l'économie stricte (le marché, les institutions économiques, le contrat, la finance), la culture (au sens anthropologique) et les institutions, acteurs et productions culturelles.

à même de signifier de nouvelles réalités sans toutefois faire table rase de l'héritage de l'histoire des sciences sociales.

On souhaite ici contribuer à un tel projet en réexaminant la notion de « société civile » à la lumière des développements affectant le religieux. Dans un premier temps, nous présenterons l'analyse du religieux en mondialisation par la sociologie des religions au moyen du paradigme interprétatif s'appuyant à la fois sur l'évidence de la sécularisation, le nationalisme méthodologique et la division public-privé. Ce paradigme demandant aujourd'hui à être renouvelé, nous nous tournerons dans un deuxième temps vers la notion de société civile pour en appeler à une triple expansion de son domaine : vers le haut (l'État), vers le bas (la vie personnelle) et vers l'extérieur (au-delà de la nation, vers l'espace transnational ou mondial)[2].

Religion[3] et mondialisation

La mondialisation est un phénomène qui, certes, a ses fondements dans le « réel », mais elle est également le produit de discours devenus de plus en plus insistants — de la part des écologistes d'abord, puis des économistes, des scientifiques et des médias —, qui en ont fait une évidence sociale[4]. Voici une manière de dire qu'on ne peut pas se satisfaire de définitions de la mondialisation limitées à ses dimensions économiques ou politico-institutionnelles : la mondialisation est en même temps et peut-être d'abord

---

2   Je reprends cette proposition d'une triple expansion de la notion de société civile à ma collègue et sociologue des religions britannique Linda Woodhead, avec sa permission. Cette proposition a fait l'objet d'une conférence et demeure encore inédite : L. Woodhead, « Schizophrenia about religion : "Civil society" as a straightjacket », prononcée à Stockholm en décembre 2009. J'aimerais remercier L.W. pour la très riche collaboration à laquelle elle a eu la générosité de me convier. Je demeure évidemment seul responsable des erreurs ou incomplétudes de la présente formulation.

3   Par commodité, j'utilise « la » religion au sens général, comme synonyme de « le » religieux, pour désigner l'ensemble de la sphère religieuse. Ce niveau est à distinguer des institutionnalisations particulières du religieux à une époque donnée (les religions) ainsi que du religieux tel que vécu par les acteurs et nécessairement à distance de la religion prescrite. J'entends par religieux le système des relations symboliques d'une société (humaine) avec l'altérité (ou l'invisible), incarné et médiatisé par des symboles, des rites et des mythes.

4   Voir l'éclairant article d'Éric Pineault [2004].

culturelle. Pour que le marché mondial devienne un programme, il a fallu d'abord que l'idée en soit rendue possible et souhaitable. En ce sens, la définition que donne Roland Robertson de la mondialisation apparaît particulièrement féconde et apte à ce que l'on y « encastre » les définitions particulières à l'économique et au politique. La mondialisation renvoie, selon lui, à la « la compression du monde et à l'intensification de la conscience du monde comme totalité interreliée » et à la « structuration concrète du monde comme totalité interreliée », ce qui fait que le « monde » apparaît désormais comme la « structure de plausibilité la plus saillante » [Robertson, 1992, p. 8 et 53, je traduis] de notre époque, la toile de fond sur laquelle se découpent nos jugements et nos appréhensions des réalités sociales, voire la nouvelle clé interprétative de nos modèles compréhensifs.

Il faut dire que Robertson était à l'origine un sociologue des religions qui se désintéressait des sempiternels débats sur la fin ou le retour des religions, ce qui lui avait permis de saisir avec d'autant plus d'acuité les dynamiques en cours. Il a été parmi les premiers à voir que le religieux était non seulement affecté par les dynamiques de la mondialisation mais que les développements dans la sphère religieuse en faisaient une des forces motrices. Robertson a bien décrit la manière dont la mondialisation ébranle les identités collectives et individuelles, forçant une redéfinition de leurs fondements. Ainsi, les fondamentalismes ne s'expliqueraient pas par les reflux d'un atavisme prémoderne, voire médiéval. Il y aurait là au contraire l'expression d'une quête de fondamentaux et d'authenticité qui, loin d'être une réaction à la modernité ou à la mondialisation, en serait une expression inventant une nouvelle tradition essentialisée et déterritorialisée mise au service d'une revendication identitaire militante.

Une décennie après ces définitions de Robertson, les attentats terroristes du 11 Septembre 2001 ont résonné comme un choc dans l'ensemble du monde académique comme dans la population. Tandis que la théorie de la sécularisation et l'évidence sociale enseignaient la perte, le déclin, la marginalisation et la privatisation inéluctable du religieux, les attentats perpétrés par des islamistes néofondamentalistes ont soudainement mis à l'ordre du jour la question religieuse. Stimulés par la demande des politiques et par les financements attribués à la recherche autour des thèmes de la religion, de l'immigration et de la sécurité, une foule de non-spécialistes du religieux se sont retrouvés à investir ce champ d'étude en provenance des sciences juridiques, de la philosophie, de l'économie, du marketing, des sciences politiques, de la sociologie (notamment en ethnicité) ainsi que de l'éducation. Or ces nouveaux convertis à l'étude du religieux se sont investis dans leur objet de recherche sans souvent connaître l'épaisseur et la teneur des débats en sociologie et en anthropologie de la religion, et sans toujours bien saisir les enjeux épistémologiques, éthiques, méthodologiques et politiques des définitions retenues alors que le concept même de religion est sans doute l'un des plus difficiles de toutes les sciences sociales et l'un des moins consensuels. Ce genre de débordement des chercheurs en dehors de leur spécialité est bien l'un des effets de la mondialisation *sur* les disciplines. Voilà même un des effets de la mondialisation *des* disciplines dans la mesure où les débats sur les différents enjeux se nouent de plus en plus au sein de réseaux qui débordent les cadres nationaux et linguistiques. Il en va ainsi en raison des moyens de communication, bien sûr, mais également parce que les réalités sociales des différents champs disciplinaires débordent elles-mêmes les frontières instituées par l'autonomisation des sphères sociales et des sphères de savoir propres à la modernité. Il semble avéré que les phénomènes politiques, religieux et économiques brouillent passablement les frontières et interagissent entre eux de manière inédite dans le champ plus vaste de la culture.

Face à cette situation, certains sociologues des religions se sont interrogés sur la spécificité de leur discipline et ont tenté de s'imposer dans le débat. Si la sociologie des religions paraît débordée sur son propre terrain, c'est en partie par sa faute dans la mesure où, baignant dans la théorie de la sécularisation et comme obsédée par le destin des religions nationales et traditionnelles, elle n'a pas su prévoir la forme que prendrait la radicalisation de certaines logiques modernes liées à la mondialisation. La sociologie des religions était donc mal outillée pour comprendre les mutations en cours et reconnaître l'impact que pouvaient avoir des phénomènes *a priori* économiques tels que la massification de l'*ethos* de la consommation et l'application de plus en plus généralisée de politiques néolibérales.

Parmi les conceptions qui ont contribué à la mise sur la touche de la sociologie des religions, on peut citer le parti pris en faveur de définitions souvent substantives, voire institutionnelles du religieux, ce qui a eu pour effet de rabattre le religieux sur les religions (entendre les grandes religions reconnues). Du coup, la bien-nommée sociologie des religions a suivi son objet au sein des marges et des minorités sociales, la religion se retrouvant dès lors coupée des autres dimensions de l'existence. Tandis que les églises se vidaient au profit de quêtes plus personnelles et de recompositions inédites, la sociologie des religions est demeurée largement attachée aux institutions et aux dénominations religieuses nationales. Au terme de ce processus, elle est devenue une sociologie des minorités elle-même en minorité parmi des sociologues souvent hostiles ou, au mieux, indifférents à « la religion » et ainsi peu enclins à considérer cet objet digne d'étude... jusqu'au coup de semence du 11 Septembre 2001. Durant plusieurs décennies, la sociologie des religions s'est pratiquement désintéressée, au-delà des enquêtes statistiques, de la religiosité de l'homme et de la femme de la rue qui, sans fréquenter les lieux de cultes traditionnels, n'en continuait pas moins à croire en quelque chose, à s'interroger et à pratiquer une variété grandissante de pratiques rituelles. Cette marginalisation de la question de la religion est d'autant plus singulière qu'elle s'était imposée à Durkheim ou à Weber comme étant au cœur même de leurs entreprises respectives, dans l'optique d'une sociologie générale pour le premier et d'une explication compréhensive de la modernité pour le second. Il faut espérer que le brouillage actuel des sphères fasse à nouveau sentir la nécessité d'articuler le religieux à une analyse globale du monde contemporain.

L'effritement de la division public-privé

Une autre conception qui fait problème et qui nous intéresse tout particulièrement ici est la division public-privé. Un lieu commun de la modernité est de considérer que cette dernière arrache la religion à ses fonctions de régulation et de totalisation du social au profit de sa privatisation. Or la division public-privé est sans doute l'une des catégorisations les plus mises à mal par les développements des dernières trois décennies, comme en témoigne l'apparition des revendications et des protestations concernant le port de signes religieux dans l'espace public. Si, dans le régime républicain, la division public-privé doit permettre de préserver la neutralité (supposée) de l'espace public des convictions religieuses privées, cette même division doit permettre à rebours, dans le régime libéral, de protéger ces mêmes convictions privées de l'intrusion et de l'abus de l'État et de la tyrannie de la majorité. En somme, la division public-privé permet la formulation et la légitimation de normativités opposées : protection de l'espace public face aux abus du privé du côté républicain, protection de l'espace privé des abus du public du côté libéral. Or cet aménagement, qui trouvait son équilibre dans des sociétés-État nationales constituées de populations relativement homogènes (pour l'essentiel à majorité chrétiennes avec des minorités agnostique et juive), est aujourd'hui contesté des suites de l'immigration et du passage de la société nationale à ce que Jacques Beauchemin [2004] nomme la « société des identités ». La contestation et l'effritement de la division public-privé ont des répercussions qui traversent l'ensemble du social et lancent des défis à l'ensemble de nos sciences sociales.

La radicalisation de ce que Charles Taylor [1991] appelle « la culture moderne de l'authenticité et de l'expressivité », survenue avec l'institutionnalisation de la société de consommation et sa mondialisation subséquente, explique en partie la remise en question du consensus entourant la division public-privé. Par le biais d'Internet notamment – pensons à l'essor fulgurant et planétaire de Facebook, YouTube et Twitter –, ce qui relevait de la sphère du privé est désormais exposé et diffusé activement dans la sphère publique, tandis que la sphère publique souffre du désengagement envers les institutions politiques modernes et montre une recomposition des engagements sous des modalités souvent difficiles à circonscrire avec les outils d'analyse classiques. Dans un ouvrage publié en 1994, *Public Religions in the Modern World*,

José Casanova [1994] argumentait en faveur d'une meilleure problématisation des rapports entre public et privé, de manière à rendre compte de l'impact des religions sur la structuration et la dynamique des autres sphères sociales. Le diagnostic auquel invitait Casanova est le suivant : 1) en premier lieu, les religions ne sont pas à la veille de disparaître ; 2) ensuite, les religions — entendre ici les institutions religieuses — vont continuer à jouer un rôle public significatif, voire plus important que ce qui a été le cas dans les décennies 1950-1970. Selon lui, les années 1980 ont marqué l'entrée dans l'espace public des religions, que ce soit avec l'alliance de Solidarnosc et de l'Église catholique en Pologne, de la révolution iranienne et de l'islamisme politique ou encore avec l'affleurement politique des sectes évangéliques aux États-Unis dans la nouvelle droite chrétienne dont on a pu mesurer l'importance sous le règne de George W. Bush (sans parler de son apparition comme force politique au Canada dans la dernière moitié de la décennie 2000).

Depuis une bonne vingtaine ou une trentaine d'années, il ne semble pas y avoir de conflit qui n'ait eu à voir, d'une manière ou d'une autre, avec la religion, souvent en combinaison avec des considérations ethniques : éclatement de l'ex-Yougoslavie, conflit israélo-palestinien, conflits au Proche-Orient, conflits infranationaux en Afrique subsaharienne, etc. En Occident et ailleurs, le refus des religions de se laisser cantonner au rôle marginal et privatisé auquel les théories de la modernisation et de la sécularisation les avaient assignées aurait consacré, suivant la thèse de Casanova, la « déprivatisation » du religieux. Les religions auraient réintégré l'espace public non seulement pour défendre leurs intérêts stricts mais dans le but de participer à la « renormativisation » des sphères politique, économique, sociale et culturelle au nom de la religion. Refusant de s'en tenir au salut des âmes et à l'offre passive de « conceptions religieuses de la vie bonne », c'est-à-dire là où les modèles classiques tant libéraux que républicains voulaient les cantonner, les religions ont investi la sphère publique pour contribuer activement aux luttes animant la société civile en matière de droit, de famille et de politique. Si elle articule une critique bienvenue de la privatisation univoque du religieux, la perspective de Casanova, et de la production académique à sa suite, demeure toutefois très largement institutionnelle. Ainsi, la sphère publique et la société civile sont-elles à terme reconduites dans leur acception typiquement moderne, c'est-à-dire politique (au sens de *la* politique). En somme, le religieux intéresse Casanova dans la mesure où il est assignable aux religions instituées. Or comme on l'a évoqué plus haut, une des caractéristiques des mutations récentes est le brouillage des frontières institutionnelles et l'effritement des autorités qui les régissent. C'est ainsi que la culture est devenue le lieu où se reportent nombre d'enjeux politiques et sociaux. Dans ce contexte, une approche institutionnelle s'avère d'autant plus limitée qu'elle se désintéresse de continents entiers de faits sociaux mixtes, plus fluides et moins institués (ou institutionnalisés autrement).

Dans son étude, Casanova choisit explicitement de laisser de côté des phénomènes justement moins institutionnalisés tels que l'émergence remarquable des spiritualités holistes ou orientales, des religiosités thérapeutiques, de la nébuleuse Nouvel-Âgiste, des néopaganismes et autres exotismes servant l'expérimentation et l'expression d'un projet de soi authentique ; de même pour la téléprédication, qui s'est mondialisée dans la dernière décennie hors des seuls courants évangéliques chrétiens pour faire son apparition dans les pays arabo-musulmans, avec en figure de proue des personnalités telles que l'Égyptien Amr Khaled qui concurrence désormais sérieusement les autorités traditionnelles en matière religieuse ; *idem* pour l'essor des pentecôtismes en Amérique latine, en Afrique, en Asie du Sud-Est et, plus récemment, dans leurs diasporas émigrées dans les pays occidentaux ; enfin, de l'émergence de l'islam, du sikhisme, du bouddhisme et de l'hindouisme en tant que religions minoritaires dans les pays occidentaux. Phénomènes auxquels on pourrait rajouter les transformations du religieux vécu, que ce soit au sein du catholicisme, du christianisme orthodoxe, de l'islam, de l'hindouisme ou des autres « grandes religions » des suites de la mondialisation de l'*ethos* de la consommation ; par exemple l'essor massifié d'un « islam de marché » moralement conservateur mais valorisant la performance économique et la consommation et qui se manifeste notamment par l'apparition, dans nos villes, de restaurants de *fast-food* hallal et du port du voile ultra-rigoriste ou à la mode (le fameux « tcha-Dior », ou *fashion hidjab*). Selon Casanova, ces phénomènes, dont l'impact s'est fait grandissant depuis le début des années 1990, ne remettraient pas en cause les structures dominantes et les paradigmes interprétatifs hérités de la modernité, dont la théorie de la sécularisation. Il s'agirait plutôt de phénomènes marginaux dans leur incidence publique dans la mesure où ce serait essentiellement des religiosités privées.

C'est ce point de vue que j'aimerais critiquer en suggérant que le télescopage opéré par Casanova des notions de société civile et d'espace public se fait à l'intérieur d'une définition beaucoup trop restreinte. Dire, comme Casanova, qu'il n'y aurait d'incidence politique et publique que dans les formes instituées renvoie à l'insignifiance sociale tout un éventail de phénomènes dont on devrait au contraire chercher à élucider les ramifications, les logiques transversales et les incidences politiques. Ce que les phénomènes mentionnés ont en commun est d'être de purs produits de la mondialisation dans la mesure où ils renvoient à une conscience déterritorialisée de l'unité du monde dans lequel peut (voire doit) s'affirmer une identité particulière, individuelle ou communautaire. Loin de n'avoir aucune incidence publique et sociale, ces phénomènes sont liés aux autres dimensions sociales et nous parlent des logiques profondes des recompositions actuelles. Faiblement institués, enracinés avant tout dans la sphère culturelle, ils nous renseignent d'autant plus sur l'état du monde actuel que les institutions religieuses qui, par le fait même qu'elles sont des institutions, bougent moins vite, résistent aux changements et permettent davantage de confirmer des tendances que de les saisir en émergence.

Comment, alors, rendre compte des effets structurels et transversaux du religieux de manière à ne pas confiner ce dernier dans ses manifestations instituées et minoritaires ? On peut proposer de complexifier la division public-privé en la reconfigurant à l'aide de quatre termes : l'État, le marché, la société civile et la vie « personnelle ». Si, pour certains, la frontière entre État et société civile demande à être la plus nette possible, il convient au contraire de considérer, avec Julien Freund, que la société civile est un lieu d'instituance politique[5] qui se définit à la fois par sa consistance propre en tant qu'espace agonistique de rencontres, d'associations et de tensions, ainsi que par sa fonction d'espace d'interaction et d'interpénétration entre l'État, le marché et la sphère personnelle. Par cette catégorisation, il s'agit de rendre compte des points de jonction entre les sphères de manière à saisir autant ce qui est en flux dans la culture que ce qui est déjà institutionnalisé en dehors des sphères strictement religieuse, économique et politique. Cette perspective permet d'aller au-delà de celles qui, trop institution-nalistes qui réduisent la sphère publique au politico-institutionnel en levant le nez sur la culture.

Redéfinir la notion de société civile par un triple élargissement

Les critiques formulées à Casanova suggèrent que la part du public dans l'opposition public-privé ne doit pas être limitée à la sphère institutionnelle mais étendue pour permettre de saisir l'inci-dence « publique » de tout un spectre de phénomènes religieux autrement supposés relever de la sphère privée. Pour ce faire, on peut reprendre la proposition de la sociologue des religions Linda Woodhead pour qui la notion de société civile devrait être étendue dans trois directions. Vers le haut d'abord, afin de mieux rendre compte du caractère indéfini de la frontière entre la société civile et l'État. Vers le bas ensuite, afin d'insister sur la porosité grandis-sante entre la vie personnelle et l'espace public. Horizontalement enfin, pour mieux saisir les nouvelles logiques transnationales et mondialisées des faits sociaux ainsi que l'incidence croissante de l'économique.

Vers le haut

De manière générale, on ne saurait établir de frontière claire entre la sphère étatique et la société civile. Dans nos sociétés,

---

5 Freund [1965]. La notion de société civile a eu une histoire complexe et fait l'objet, aujourd'hui encore, de définitions contradictoires et hétérogènes. D'arène de la raison en opposition à la nature au XVIIᵉ siècle, l'histoire de la notion en a fait le synonyme de la communauté politique et de l'État ou encore l'équivalent de la société marchande. Voir François Rangeon [1986].

et malgré le retrait de l'État dans plusieurs domaines des suites de l'application de politiques néolibérales, nous rencontrons celui-ci dans la plupart de nos activités. De façon similaire, l'État rencontre le religieux et les religions sur plusieurs fronts, le tout modulé par des contextes nationaux spécifiques mais de plus en plus traversés par des logiques transnationales : financement de certaines institutions religieuses liées à l'histoire nationale, allégements fiscaux ou programmes touchant à l'immobilier, réglementation de l'espace public, éducation, santé, système carcéral, état civil, cimetières, etc. En somme, la séparation des Églises et des États n'est jamais entière même une fois abolis les privilèges des Églises nationales. De même, le religieux n'est jamais entièrement privatisé et l'État n'est jamais totalement séculier. Le religieux n'est jamais cantonné dans une société civile « pure », sans transactions avec la sphère de pouvoir de l'État. Un exemple frappant est l'influence grandissante du juridique en matière de religion, comme en atteste le cas du Canada où la non-interférence de l'État dans les enjeux relatifs à la religion signifie en retour une forte sollicitation du droit dans les affaires religieuses (la question du port de signes religieux par exemple).

Vers le bas

La notion de société civile gagne à être définie de manière à mieux rendre compte de l'incidence publique et politique de la vie dite privée ou, mieux, personnelle. À l'ère d'Internet et de la médiatisation de soi, on ne saurait défendre une frontière nette entre la vie privée et la société civile. Une des caractéristiques principales du religieux serait sa « privatisation » et sa personnalisation, ce que d'aucuns rapportent à une insignifiance sociale et politique. Or les religiosités évoquées plus haut, lorsqu'on les examine au niveau des acteurs sociaux, voire au niveau organisationnel, sont loin de se réduire au « privé ». La littérature et les produits associés à la spiritualité, au développement personnel, au mieux-être et à la santé affichent une très forte croissance et occupent désormais une place de choix dans n'importe quelle librairie. L'industrie du management s'en abreuve abondamment et produit elle-même toute une littérature et une gamme de produits aux frontières de la spiritualité, de la psychologie, du développement personnel et de l'efficacité économique. En matière de santé, des milliards d'euros se dépensent chaque année en traitements et pratiques allant du yoga à l'aromathérapie en passant par le *reiki*[6], l'ostéopathie et l'homéopathie, offerts par des dizaines de milliers de thérapeutes, de guides et de praticiens qui sont autant de citoyens. Ces pratiques sont de plus en plus intégrées aux services publics de santé, et les régimes privés d'assurance en couvrent aujourd'hui une gamme importante. Sans compter la multiplication, dans nos villes, de petites Églises pentecôtistes ayant pignon sur rue dans des locaux souvent à vocation commerciale et offrant toute une gamme de services (aide à l'emploi, contacts, intégration, santé, éducation) à leur clientèle composée souvent de populations immigrantes, quand elles ne sont pas des lieux de fort investissement de la part de personnes issues des classes socioéconomiques moyennes-inférieures.

Ces pratiques qui, au demeurant, sont celles d'une fraction importante de nos sociétés, ne s'inscrivent pas dans des institutions qui correspondent aux « Églises » traditionnelles : elles ne ressemblent pas à des Églises, n'interviennent pas dans l'espace public comme des Églises nationales et n'ont pas les mêmes types de rapports avec l'État qu'ont les Églises. Cela explique sans doute pourquoi on les relègue le plus souvent dans la sphère privée. Il s'agit de nouvelles formes d'institutionnalisation du religieux qui brouillent les repères mais qui comportent des incidences politiques, économiques, sociales et culturelles qu'on ne peut négliger. Ces nouvelles religiosités, tant les spiritualités holistes que les néofondamentalismes (comme les pentecôtismes), prennent forme et se diffusent massivement sur Internet et les autres médias, reconstruisent des réseaux et des régimes d'autorité à distance des institutions établies et promeuvent des mélanges inédits qui tantôt reportent et légitiment les normes véhiculées par l'État et le marché, tantôt les critiquent.

Horizontalement

Afin de pouvoir rendre compte des dynamiques sociales constitutives de la mondialisation, dont la transnationalisation et

---

6   Méthode de soins non conventionnelle d'origine japonaise.

la conscience unitaire du monde, la notion de société civile doit enfin être élargie sur le plan horizontal de manière à l'étendre au-delà des frontières de l'État-nation. Dans la pensée philosophique moderne libérale comme républicaine, la division public-privé suppose l'opposition entre l'Individu et l'État-nation, d'où le nationalisme méthodologique qui a servi de fondement à toute une sociologie (et toute une sociologie des religions) qu'il convient aujourd'hui de critiquer. Certes, il ne faut surtout pas aller jusqu'à se débarrasser de l'idée même de société ou déclarer l'impertinence de l'État-nation pour l'analyse, ces cadres demeurant essentiels. Il ne faut pas entendre non plus par là qu'il y aurait déjà aujourd'hui quelque chose comme une société civile constituée à l'échelle mondiale, au sens de la sociologie politique. Mais étendre la notion de société civile au-delà de l'État-nation permet de saisir certaines réalités qui dépassent le cadre national tout en donnant toute son importance au caractère mondialisé des communications et au caractère conséquemment déterritorialisé de bien des communautés d'appartenance et des réseaux de sens aujourd'hui.

C'est également sur le plan horizontal qu'il convient de penser les transactions entre la société civile et la sphère économique. Cette dernière est active sur deux plans. Les décennies d'après la Seconde Guerre mondiale ont vu s'institutionnaliser et se massifier le phénomène de la consommation et des médias de communication. La consommation et la médiatisation constituent aujourd'hui les vecteurs d'un véritable *ethos* social dont on ne saurait sous-estimer l'importance dans la structuration de la vie sociale et individuelle. Plus récemment, à la fin des années 1970 et au début des années 1980 pour être précis, les critiques à l'égard de l'État-nation se sont cristallisées autour des politiques néolibérales appliquées d'abord aux États-Unis, en Grande-Bretagne et aussi en Chine avant de se répandre dans le monde entier via les institutions internationales du type G5, G7, G8, G20, Fonds monétaire international, Banque mondiale, Organisation mondiale du commerce etc. Ces institutions ne font pas qu'influer sur les États : des transactions complexes circulent à l'intérieur de la société civile et engagent le marché, l'État et la sphère individuelle. Saisir, problématiser et éclairer ces dynamiques au sein desquelles

les dimensions économiques sont effectives et déterminantes doit être un des enjeux principaux de la reconfiguration de la notion de société civile.

L'influence de la consommation et du marché sur le religieux est un champ de recherche en émergence. Il semble indéniable que les modalités du religieux ont été profondément transformées, conjointement à l'avènement de la consommation et des moyens de communication de plus en plus rapides et interactifs, favorisant l'essor de religiosités dont l'enjeu est désormais l'authenticité, l'expérience, l'émotion, le charisme, l'identité et la reconnaissance, que ce soit dans les nouvelles spiritualités holistes ou les recompositions personnalistes ou néofondamentalistes des religions monothéistes. En même temps, l'application de politiques à inspiration néolibérale dans les espaces nationaux et internationaux a également contribué à transformer le paysage religieux. En agissant dans le sens du rétrécissement de l'espace social directement investi par l'État, les politiques néolibérales ont eu pour effet de laisser ces espaces à la société civile et au marché. Aux États-Unis et en Grande-Bretagne, par exemple, le retrait de l'État de plusieurs secteurs de services sociaux s'est accompagné de programmes encourageant les *faith based initiatives*, avec pour effet une nouvelle implication des organismes religieux dans l'offre de ces services (alors que la constitution des États modernes s'était précisément faite en soustrayant les sphères de l'éducation, de la santé et des services sociaux de l'emprise des Églises et du marché). Cette nouvelle réalité a ainsi pour conséquence de remodeler les organisations religieuses sur un modèle marchand, celui de pourvoyeur de services, un phénomène qui semble encourager les groupes religieux aux structures plus souples, souvent plus récents et plus conservateurs, au détriment des Églises de tradition nationale. La conjonction des logiques du marché (politiques néolibérales, consommation et médiatisation) contribue également à l'apparition d'autres phénomènes tels que la mise en marché et la marchandisation du religieux (le *branding*), ou encore le développement des techniques spirituelles mises au service du « projet de vie » personnel, de la réussite et de l'efficacité, du tapis de yoga jusque dans les facultés de marketing. Enfin, il faut insister sur le fait qu'on aurait tort de considérer l'impact du marché et de l'économique sur le religieux dans le seul sens de la détermination (et ainsi retomber dans une analyse de type marxiste ou néomarxiste) : il faudrait montrer en quoi il y a en fait co-constitution, comment l'influence opère dans les deux sens. Le phénomène du *branding*, par exemple, agit comme une influence du marché sur le religieux en même temps qu'il recompose l'économie en fonction des spécificités du religieux[7].

Conclusion

La mondialisation nous met face à des phénomènes inédits qui défient les catégories classiques et révèlent l'arbitraire qui gît au fondement de nos interprétations. Elle entraîne également un accroissement considérable des échanges entre les traditions scientifiques nationales et recompose un nouvel espace de dialogue au niveau mondial. Elle fait également apparaître la nécessité de repenser nos disciplines hors de la seule sur-spécialisation dans une optique d'ouverture disciplinaire. Les écueils possibles relèvent de deux postures opposées : d'une part, l'enfermement dans des modèles ne répondant plus aux exigences de compréhension et de proposition propres aux sciences sociales et, d'autre part, l'adhésion au « nouvel ordre mondial » et à l'interdisciplinarité sans balises épistémologiques, en faisant table rase de la tradition conceptuelle des sciences sociales. À distance de ces attitudes, la redéfinition de concepts en syntonie avec les nouvelles réalités sociales et de manière à être opérationnels par-delà les champs disciplinaires peut offrir des perspectives intéressantes pour affronter les enjeux actuels.

Le cas des nouvelles logiques du religieux témoigne de la nécessité d'inscrire l'analyse de faits particuliers dans une approche sociologique globale de nos sociétés. De nouveaux états de société entraînent de nouveaux modes d'institutionnalisation qu'il faut être disposé à saisir. Les définitions qui rabattent le religieux sur les Églises reconnues, le cadre État-national, la théorie de la

---

7 Sur l'ensemble de ces phénomènes, on me permettra de renvoyer à Gauthier, Martikainen et Woodhead [2011] et Gauthier et Martikainen [2012 ; 2013 (à paraître)].

sécularisation et la division public-privé qui structuraient la socio-logie de la religion en inhibent aujourd'hui les avancées. Dans un contexte où les recompositions s'effectuent dans un brouillage des frontières au sein d'une culture tendue vers l'espace mondialisé, l'élargissement d'une notion comme celle de société civile permet de mieux rendre compte des interactions entre la vie des individus, l'État et le marché dans un espace de communication mondialisé. Dans la mesure où l'individualisme personnaliste propre à la mondialisation et à la société de consommation consiste précisément en la publicisation de l'espace privé et en l'appropriation person-nalisée des contenus institutionnels, elle permet aussi de rendre compte des incidences politiques et sociales de ce qui apparaît, d'un point de vue institutionnel, comme étant strictement privé.

Références bibliographiques

BEAUCHEMIN Jacques, 2004, *La Société des identités*, Athéna, Montréal.

CASANOVA José, 1994, *Public Religions in the Modern World*, University of Chicago Press, Chicago.

FREUND Julien, 1965, *L'Essence du politique*, Sirey, Paris.

GAUTHIER François MARTIKAINEN Tuomas (dir.), 2013 (à paraître), *Religion in Consumer Societies. Brands, Consumers, Markets*, Ashgate, Farnham.

— 2012, *Religion in the Neoliberal Age. Modes of Governance and Political Economy*, Ashgate, Farnham.

GAUTHIER François, MARTIKAINEN Tuomas, WOODHEAD Linda (dir.), 2011, « La religion dans la société de consommation / *Religion in consumer society* », *Social Compass*, 58 (3).

PINEAULT Éric, 2004, « Généalogie de quelques lieux communs sur la mondialisation », *Les Cahiers du 27 juin*, 2, 1, p. 11-15.

RANGEON François, 1986, « Société civile : Histoire d'un mot », *in* CHEVALIER Jacques *et al.* (dir.), *La Société civile*, PUF, Paris, p. 9-32.

ROBERTSON Roland, 1992, *Social Theory and Global Culture*, Sage, Londres, p. 8-53.

TAYLOR Charles, 1991, *The Malaise of Modernity*, Anansi, Toronto.

Troisième partie

Théories de la globalisation entre réalités et idéaux

Chapitre 12

La « globalisation » capitaliste et la classe capitaliste transnationale[1]

Leslie Sklair

Fait remarquable pour une sous-discipline des sciences sociales, il semble que la théorie et les études sur la « globalisation[2] » aient atteint leur phase de maturité – si l'on considère le nombre de publications, pas nécessairement leur qualité – en un temps assez court. En dépit de leurs divergences, la plupart des tentatives de description du champ sont d'accord sur un point : la globalisation met sérieusement en cause les postulats stato-centrés qui constituaient jusque-là le cœur des sciences sociales [voir par exemple Lechner et Boli, 2000]. Pourtant, un grand nombre d'éléments : la « naturalité » apparente des sociétés délimitées par leurs États-nations, la difficulté consistant à fabriquer et utiliser des données transcendant les frontières nationales, plus le manque de spécificité dont font preuve la plupart des théories du global contribuent encore à consolider les défenses vacillantes de la théorie sociale stato-centrée face aux assauts des différentes versions de la théorie de la globalisation. Ainsi, alors que l'idée même de la globalisation est de plus en plus fermement établie, les sceptiques proclament déjà les limites, voire, dans certains cas, le caractère mythique de la globalisation. Dans le discours de ces chercheurs, comme dans celui des populistes, la globalisation n'est rien d'autre que le n'importe quoi global (*globaloney*).

---

1   Traduction par Stéphane Dufoix, revue par l'auteur.

2   Le maintien des termes « globalisation » et « global » là où le français demanderait l'emploi de « mondialisation » et « mondial » résulte d'un accord entre l'auteur et le traducteur. (*N.d.R.*)

J'éprouve une grande sympathie pour les sceptiques. De manière paradoxale, ce que j'appelle la théorie du système global propose une limitation drastique de la portée théorique du concept de globalisation ainsi que de son application dans le domaine de la recherche empirique. Néanmoins, je considère que la globalisation est un phénomène historique mondial qu'il est nécessaire de confronter à la théorie et à la recherche si l'on veut se donner une chance de comprendre quelque chose au monde contemporain. Ce chapitre présente les grandes lignes de la théorie du système global et en illustre les thématiques principales à travers l'examen du discours sur la globalisation exprimé par la classe qui la pilote, la classe capitaliste transnationale.

De prime abord, il est fondamental de distinguer trois conceptions distinctes, mais souvent confondues, de ce qu'est la globalisation. La première est la conception internationale ou stato-centrée, dans laquelle internationalisation et globalisation sont interchangeables. Selon cette version, les unités fondamentales de l'analyse demeurent les États-nations et, en dépit des changements qui l'affectent, l'ancien système stato-national. C'est la position que défendent la plupart de ceux qui nient la globalisation. La seconde conception est la version transnationale : les unités fondamentales sont alors les pratiques, les forces et les institutions transnationales. Dans ce cas, les États – ou, pour être plus précis, les agents et les agences étatiques – ne constituent qu'un des multiples facteurs devant être pris en compte, certaines théories de la globalisation n'en faisant plus le facteur principal. La troisième est la conception globaliste de la globalisation, qui estime que l'État est sur le point de disparaître[3]. S'il semble capital que tous les chercheurs sur la globalisation soient clairs sur le sens qu'ils attribuent à ce terme, ce n'est pas le cas de tous, ce qui a pour effet de créer des confusions. Pour clarifier ma propre position, je précise que j'utilise les mots « transnational » et « globalisation » de façon interchangeable, et ce afin de signaler que l'État – ou plutôt certains acteurs ou orga-

---

3   Rares sont les auteurs qui endossent une position aussi extrême. Le plus influent d'entre eux est Kenichi Ohmae [1995]. S'il n'existait pas, les théoriciens anti-globalisation devraient l'inventer !

nismes étatiques – a bien un rôle à jouer, fût-il diminué, dans le processus de globalisation. Cela permet de mettre l'accent sur la distinction entre les approches « globalisante » et « globaliste ». Le concept de globalisation proposé ici rejette tout à la fois le stato-centrisme (réalisme) et le globalisme (la fin de l'État). La conception transnationale de la globalisation postule l'existence d'un système global. Ses unités d'analyse fondamentale sont les pratiques transnationales (PTN), pratiques qui traversent les frontières étatiques mais ne proviennent pas des organismes ou des acteurs étatiques. Sur le plan analytique, les pratiques transnationales relèvent de trois sphères : l'économique, le politique et le culturel-idéologique. L'ensemble de ces trois sphères constitue le système global. Si le système global n'est pas la même chose que le capitalisme global, cette théorie cherche à démontrer que les forces dominantes du capitalisme global sont les forces dominantes à l'œuvre dans le système global contemporain. Cette théorie s'appuie sur les éléments fondamentaux que sont l'entreprise transnationale (ETN) comme forme institutionnelle caractéristique des pratiques économiques transnationales, la classe capitaliste transnationale dans la sphère politique et l'idéologie culturelle du consumérisme dans la sphère culturelle-idéologique. La littérature relative aux pratiques transnationales et au consumérisme est gigantesque[4]. Je ne me concentre ici que sur la classe capitaliste transnationale et sur la façon dont elle a construit un discours de la globalisation afin de favoriser ses intérêts.

La classe capitaliste transnationale

Sur le plan analytique, on peut diviser la classe capitaliste transnationale en quatre groupes principaux : les propriétaires et contrôleurs financiers des ETN et de leurs filiales locales ; les bureaucrates et les hommes politiques du global ; les technocrates du global ; les élites consuméristes : marchandes et médiatiques [Sklair, 2001]. Dans une certaine mesure, la disposition exacte de ces quatre groupes et des gens ou des institutions dont ils tirent leur pouvoir au sein du système peut varier dans le temps et dans

---

4   Pour une étude plus complète sur cette littérature, voir Sklair [1995].

l'espace. Par exemple, pour étudier les relations entre la globalisation et l'État, il est tout à fait pertinent d'apparier bureaucrates et hommes politiques alors que d'autres alliances permettraient de mieux analyser d'autres thématiques. Il faut également noter que la classe capitaliste transnationale (CCT), tout comme chacune des fractions qui la composent, ne présente pas toujours un front uni selon les enjeux. Néanmoins, considérées ensemble, les couches supérieures de chacun de ces groupes forment une élite, une classe dominante ou encore le premier cercle du pouvoir global, pour reprendre les différents termes utilisés afin de décrire les structures de classe dominantes de certains pays[5]. La classe capitaliste transnationale est combattue non seulement par les anticapitalistes rejetant le mode de vie et/ou le système économique capitaliste mais aussi par les capitalistes qui rejettent la globalisation. Si certaines entreprises locales, orientées en direction du marché interne, peuvent résister aux firmes transnationales et prospérer, la plupart n'ont pas cette possibilité et disparaissent. À en croire les stratèges des affaires et les théoriciens du management les plus influents, les entreprises locales doivent se mondialiser. De la même manière, bien que la plupart des hommes politiques, sur le plan local ou national, prétendent représenter les intérêts des électeurs dont ils recherchent les votes, ceux qui rejettent complètement la globalisation et embrassent des idéologies nationalistes et extrémistes sont plutôt rares en comparaison, et ce en dépit des nombreuses guerres civiles qui ont récemment éclaté dans les régions du monde les plus économiquement défavorisées. De même, si l'on peut repérer des éléments anticonsuméristes dans la plupart des sociétés, il n'existe que peu d'exemples à l'échelle mondiale d'un vrai parti anticonsumériste accédant au pouvoir.

La classe capitaliste transnationale est transnationale (ou globalisante) sur les points suivants :

a) Les intérêts économiques de ses membres sont de plus connectés au niveau global au lieu d'être exclusivement locaux et nationaux. En ce qui concerne les rentiers, leurs biens et leurs

---

5   Domhoff [1967], Useem [1984], Scott [1996].

actions se sont globalisés grâce à la mobilité du capital, une mobilité tout à fait inédite, rendue possible par les nouvelles techniques de communication et la nouvelle économie politique globale[6]. Les cadres, eux, ont assisté à la globalisation de leurs entreprises selon quatre critères : l'investissement étranger, les bonnes pratiques et l'évaluation à l'échelle mondiale, la citoyenneté d'entreprise et la vision globale. Ces quatre critères vont nous servir pour étudier la façon dont la CCT a construit un discours sur la globalisation.

Si l'on considère les idéologues, leurs productions intellectuelles, aussi bien les idéologies néolibérales du libre échange que l'idéologie culturelle du consumérisme, servent moins les intérêts du capital local que ceux du capital global. Il s'agit d'une conséquence directe de l'impératif de croissance actionnarial qui sous-tend la globalisation de l'économie mondiale, mais cela vient aussi du fait qu'il est de plus en plus difficile pour les entreprises exclusivement nationales d'accroître les bénéfices des actionnaires. Bien que, pour des raisons pratiques, le monde soit toujours organisé en économies nationales séparées, la CCT envisage de plus en plus ses intérêts en termes de marchés au pluriel, qui ne coïncident pas nécessairement avec un État-nation particulier, et en termes de marché global, qui ne coïncide avec aucun d'entre eux.

b) La CCT se donne pour objectif d'exercer un contrôle économique sur le lieu de travail, un contrôle politique dans la sphère politique domestique, internationale et globale, et un contrôle idéologico-culturel sur la vie quotidienne de chacun au travers des formes spécifiques de rhétorique et de pratiques concurrentielles et consuméristes. L'accent mis sur le contrôle du lieu de travail

---

6 En dépit de tous les arguments selon lesquels les gouvernements nationaux sont encore à même de réguler les flux de capitaux tandis que la plupart des entreprises financières se concentreraient avant tout sur leurs économies domestiques [Kapstein, 1994], on peut néanmoins affirmer sans se tromper que les dernières décennies ont été celles de la globalisation du capital. Lors des entretiens que j'ai menés avec des cadres appartenant aux entreprises financières (banques et compagnies d'assurance) du Global 500, le classement des cinq cents plus grandes entreprises publié chaque année par la revue *Fortune*, l'idée la plus répandue était la suivante : « Nous devons nous mondialiser parce que nos clients se globalisent » [Sklair, 2001, chap. III]. Pour une analyse allant dans le même sens sur l'augmentation rapide du nombre des investisseurs institutionnels, voir Harmes [1998].

s'explique par la peur de voir disparaître des emplois mais aussi par la crainte, dans le pire des cas, que l'économie ne s'effondre si les ouvriers ne sont pas prêts à travailler plus pour gagner moins dans le seul but d'adapter l'entreprise à la concurrence étrangère. Récemment, la critique radicale a repris l'expression de « nivellement par le bas » – expression forgée aux alentours de 1900 pour décrire la manière dont la classe capitaliste contrôlait la main-d'œuvre – pour décrire ce type d'effets produits par la globalisation économique [voir Brecher et Costello, 1994][7].

Tous ces éléments se reflètent dans la politique électorale locale de la plupart des pays, où les grands partis ne montrent que des différences mineures en termes de stratégie (si elles sont grandes en termes de tactique), tout comme dans la sphère idéologico-culturelle où le consumérisme est assez rarement combattu par la politique du réalisme. Comme nous le verrons plus bas, ce processus est renforcé par le discours sur la compétitivité nationale et internationale.

c) Sur la plupart des questions économiques, politiques et idéologico-culturelles, les perspectives défendues par les membres de la CCT sont globales et dirigées vers l'extérieur bien plus que locales et dirigées vers l'intérieur. Si l'on prend en compte la priorité croissante qu'accordent les pratiques transnationales et les institutions internationales au libre-échange, ou bien encore le passage de la stratégie de substitution aux importations à celle de promotion des exportations dans la majorité des pays en voie de développement au cours des années 1980, force est de constater que ces choix ont été impulsés par les membres de la CCT travaillant dans les agences gouvernementales, les partis politiques, les grands instituts d'opinion publique et les médias. Cette transformation visible de la manière dont les grandes entreprises travaillent à l'échelle globale s'explique aussi par l'énorme croissance du secteur de l'enseignement du monde des affaires depuis les années 1960, en particulier

---

7   Le nivellement par le bas a un lien direct avec la crise de la polarisation de classe du capitalisme global, c'est-à-dire l'enrichissement de certaines minorités dont le nombre augmente rapidement et, simultanément, l'appauvrissement à travers l'ensemble de la planète d'autres minorités encore plus nombreuses et dont le nombre ne cesse lui aussi d'augmenter.

les MBA[8] internationaux, non seulement aux États-Unis et en Europe mais dans le monde entier.

d) Les membres de la CCT ont tendance à partager des modes de vie similaires, à avoir suivi les mêmes études supérieures et à consommer les mêmes produits et services de luxe. Cela comprend l'usage de clubs et de restaurants dont l'accès est réservé, l'achat de résidences secondaires ultra-onéreuses, l'usage de moyens de transport et de formes de loisirs privés par opposition à ceux qu'utilisent les masses, ainsi que l'inquiétante et croissante ségrégation résidentielle des plus riches dans des *gated communities*, protégées par des gardes armés et une surveillance électronique, de Los Angeles à Moscou, de Mexico à Pékin, d'Istanbul à Mumbai.

e) Enfin, les membres de la CCT cherchent à donner d'eux-mêmes une image de citoyens du monde tout autant que de citoyens du lieu ou du pays où ils sont nés. Parmi les exemples les plus emblématiques, on peut citer Jacques Maisonrouge, né en France, qui devient dans les années 1960 le directeur général d'IBM World Trade ; Percy Barnevik, né en Suède et fondateur du conglomérat Asea Brown Boveri, spécialisé dans l'infrastructure et l'électronique, à propos duquel on raconte qu'il passe la majeure partie de son temps dans le *jet* de son entreprise ; Helmut Maucher, né en Allemagne, ancien PDG du gigantesque empire mondial de Nestlé ; David Rockefeller, né aux États-Unis, réputé pour avoir été l'un des hommes les plus influents des États-Unis ; le légendaire Akio Morita, né au Japon, fondateur de Sony mais aussi importateur au Japon de la vision globale ; ou Rupert Murdoch, né en Australie et qui a pris la nationalité américaine pour mieux assurer ses intérêts dans le domaine des médias à l'échelle globale.

Le discours de la globalisation capitaliste : la compétitivité

Il n'est pas nécessaire de croire à la théorie du complot pour saisir pourquoi les hommes politiques et les technocrates se sont autant intéressés à ces notions controversées que sont l'intérêt national et la compétitivité nationale. Si l'article dévastateur de

---

8 Master of business administration, ou master (équivalent européen) en administration des affaires. (*N.d.R.*)

Krugman [1996], « *Competitiveness : a dangerous obsession* », ne rend pas forcément compte de ce point à propos de l'intérêt national, il l'explique avec une clarté remarquable en ce qui concerne la compétitivité nationale. Pour aller vite, il explique que seules les entreprises, ou des institutions similaires, peuvent être en concurrence les unes avec les autres. Par conséquent, l'idée selon laquelle les nations peuvent être elles aussi en concurrence est une « dangereuse obsession » qui perturbe l'efficacité économique des affaires. On peut ne pas être d'accord avec les affirmations néolibérales de Krugman sur l'impossibilité de mettre en place des stratégies industrielles, mais son raisonnement à propos de l'incohérence de la notion même de compétitivité nationale est bien plus convaincant. Ceci est fondamental si l'on veut comprendre comment les hommes politiques, les bureaucrates et les technocrates au service de la CCT se situent par rapport à l'État.

Une bonne illustration des processus à l'œuvre nous est fournie par la trajectoire politique de cinq individus entrant parfaitement bien dans la catégorie de ceux que j'appelle les hommes politiques globalisants, que Jorge Dominguez appelle de son côté des « *technopols* » [Dominguez, 1997]. Il s'agit de Fernando Henrique Cardoso, président du Brésil, d'Alejandro Foxley au Chili, de Domingo Cavallo en Argentine, de Pedro Aspe au Mexique et d'Evelyn Matthei au Chili. Tous prennent au sérieux les idées cosmopolites, ils remplissent les critères professionnels internationaux normaux et leur succès vient de leur capacité à vendre une politique économique saine dans leur propre pays. Les *technopols* sont des technocrates dotés de caractéristiques supplémentaires : ce sont des leaders politiques, ils pensent au-delà des spécialités trop étroites, et ils mènent une politique active de remise en état de systèmes sociaux et politiques abîmés. Les *technopols* démocratiques choisissent le libre-échange (dans le vocabulaire de la théorie du système global, on peut exprimer cela par « soutien à l'entrepreneuriat globalisant ») au détriment de l'intervention étatique car c'est ce qu'ils ont appris à faire lors de leur formation professionnelle. Le soutien qu'accordent les *technopols* au marché libre les rend plus enclins à favoriser la démocratie mais il s'agit alors d'une polyarchie pluraliste et non d'une forme plus large de démocratie représentative. Dans un paragraphe très suggestif pour tous ceux qui oseraient s'opposer au capitalisme global, Dominguez soutient que « seuls les systèmes politiques démocratiques rendent possible les compromis et les engagements susceptibles de faire adhérer librement tant le gouvernement que l'opposition au cadre de l'économie de marché » [1997, p. 3].

Les carrières de ces cinq notables illustrent la manière dont les *technopols* en Amérique latine – mais aussi, selon moi, les hommes politiques globalisants partout dans le monde – combinent les cinq mêmes paramètres : une formation dans des écoles d'élite, une foi religieuse et séculière, des équipes faites pour l'action politique, un contexte mondial favorable et des contextes nationaux spécifiques. Les cinq notables en question ont tous soit directement étudié aux États-Unis soit été inspirés par des gens qui l'ont fait (notamment dans les départements d'économie et de science politique de Chicago, du MIT ou de Harvard). Ils ont mis en œuvre ces politiques après l'échec des démocrates étatistes (Alfonsin en Argentine, Sarney au Brésil, Allende au Chili par exemple), au moment où la crise économique rendait possible l'acceptation d'une certaine forme de consensus néolibéral. Il s'ensuit que les *technopols* incarnent deux communautés d'idées transnationales, celle du libre-échange et celle de la démocratie. Il faut d'ailleurs noter que les *technopols* ne sont pas des néolibéraux extrémistes qui souhaitent la mort de l'État : ce sont plutôt des hommes politiques qui veulent remodeler l'État en lui faisant « perdre du poids », encourager la croissance avec une mesure d'équité. Avant tout, ils savent que les entreprises, tout comme ceux qui les possèdent et les dirigent, ont besoin de stabilité politique pour sauvegarder leurs investissements. Cela signifie que les *technopols* doivent absolument mettre en œuvre un agenda politique et, de plus en plus, global afin de promouvoir la vision cosmopolitique qui permettra de raccrocher leurs pays aux marchés libres, aux accords commerciaux internationaux et à la globalisation, et ainsi offrir des opportunités politiques incitant tous les principaux groupes sociaux à adhérer à l'idée de « développement national au sein d'un marché international concurrentiel ». Ces exemples, et on pourrait en ajouter bien d'autres dans le monde entier [Sklair, 2001], sapent l'idée fausse et pourtant largement répandue selon laquelle la globalisation serait un complot impérialiste occidental. S'il est indubitable que l'économie mondiale est toujours largement dominée par des firmes dont le siège se trouve dans des pays occidentaux, la globalisation a transformé la signification même de cet état de fait. Les visions grossières de la dépendance, pour lesquelles les entreprises américaines exploitaient l'Amérique latine et en faisaient l'instrument de l'État américain tandis que les entreprises britanniques exploitaient l'Afrique comme un instrument de l'État britannique, ont laissé la place à des théories plus nuancées sur le capitalisme d'alliance ou le changement global comme modes d'adaptation aux nouvelles techniques de production, de financement et de marketing[9].

Les grandes firmes partagent ces interprétations pour plusieurs raisons. La plupart d'entre elles voient la globalisation comme la possibilité d'être global à l'échelle locale. Elles satisfont à leurs responsabilités citoyennes au niveau local en mobilisant leur compétitivité nationale au nom d'un intérêt national mythique quel que soit l'endroit du monde où l'entreprise fait des affaires. La fonction de l'homme politique globalisant est de s'assurer que chacune d'entre elles, en particulier les firmes « étrangères », qui avaient fréquemment eu l'impression de subir une discrimination (ce qui était parfois vrai, parfois faux), bénéficient d'une égalité de traitement et, à chaque fois que cela s'avère possible, de privilèges. Ces privilèges – subventions pour le développement, exemptions fiscales, crédits à la formation et autres « édulcorants » – ont généralement été justifiés par l'argument selon lequel la valorisation de l'intérêt national impose d'attirer les investissements étrangers. Il est possible d'y parvenir de manière directe par l'implantation d'infrastructures industrielles de tout premier plan et/ou, de manière indirecte, par l'importation de nouvelles idées, de nouvelles méthodes ou de nouvelles incitations à destination des fournisseurs industriels locaux. La capacité des entreprises en quête de ces opportunités d'investissement à démontrer qu'elles

---

9   Dunning [1998], Dicken [1998], Sklair [2001, chap. IV].

ont une envergure mondiale et pourraient donc mettre en valeur l'environnement industriel auquel elles demandent l'accès est une condition politique indispensable à l'obtention de ces privilèges. Sans la promesse d'un accroissement de la prospérité nationale – qui est le corollaire de la compétitivité globale –, il serait plus difficile de faire accepter le principe de subvention de « firmes étrangères » à des populations locales qui pourraient fort bien imaginer un autre usage de leurs impôts.

C'est par le discours sur la compétitivité nationale que la CCT facilite l'insertion de l'État-nation à l'intérieur du système capitaliste mondial. Elle y parvient en favorisant des alliances entre les hommes politiques globalisants, les technocrates globalisants et le secteur privé. Les premiers créent les conditions favorables au détournement de différentes formes de soutien étatique (soutien financier, fiscal, infrastructurel, idéologique ou en termes de ressources) en direction des grandes entreprises travaillant à l'intérieur des frontières nationales sous la bannière de la « compétitivité nationale ». Ce soutien prend la forme de subventions directes ou indirectes à la classe capitaliste transnationale, ce qui, dans un contexte de recherche d'investissement étranger direct, implique la mise en œuvre de réglementations allant dans le sens des intérêts des grandes entreprises. Les hommes politiques affirment leur soutien à l'industrie et au commerce par la promotion et le vote d'une législation favorisant la croissance du capital, le commerce et l'investissement. Bien que reposant sur l'existence de circonscriptions géographiques, les démocraties parlementaires encouragent cette évolution, ce qui a pour effet de susciter l'électoralisme, aux États-Unis comme ailleurs. Les hommes politiques globalisants ont donc besoin de références « globales », au sens générique du terme, afin de démontrer qu'ils sont compétitifs sur le plan international. Leurs entreprises « nationales » et, par extension, leur « nation », doivent se mettre en quête des meilleures pratiques mondiales dans tous les domaines des affaires. Le capitalisme global doit son succès à sa capacité à transformer toutes les sphères de la vie sociale en entreprise, obligeant ainsi les institutions sociales – les écoles, les universités, les prisons, les hôpitaux, les systèmes d'aide sociale – à penser en termes de rentabilité. Diverses formes de *benchmarking*[10] sont utilisées dans les grandes institutions afin de mesurer leur performance par rapport à leurs concurrents ou par rapport à un objectif donné, comme par exemple l'absence de défauts. L'expression « bonnes pratiques mondiales » ou BPM (en anglais *World Best Practices*) est devenue courante pour désigner tous les indicateurs de performance obtenus par différents systèmes de *benchmarking*.

Si les hommes politiques globalisants créent les conditions grâce auxquelles les BMP deviennent la norme permettant de mesurer l'efficacité de n'importe quelle institution sociale, ils sont rarement impliqués sur le plan technique. Cette dimension relève des technocrates de la globalisation. Le rôle de ces derniers est tout à la fois technique et idéologique. Dans le premier cas, ils ont pour mission de créer et de faire fonctionner les différents types de systèmes de *benchmarking* ; dans le second, ils doivent vendre ces systèmes comme étant le meilleur moyen de mesurer la compétitivité à tous les niveaux et, implicitement, de vendre la compétitivité comme la clé du succès, pour une entreprise comme pour une nation. Paradoxalement, c'est la manière dont la compétitivité économique nationale a été érigée au sommet de la vie publique qui explique le lien empirique existant entre les bonnes pratiques mondiales, le *benchmarking* et la globalisation. Dans le système capitaliste global, les BPM sont forcément des pratiques globalisantes. On peut tout à fait envisager que le *benchmarking* puisse être limité à de petites communautés localisées d'acteurs et d'institutions dont l'objectif est de fournir un service purement local selon des critères d'efficacité convenus. C'est le cas par exemple dans l'industrie du tourisme où plusieurs petites entreprises en concurrence les unes avec les autres offrent des services quasiment identiques à des activités locales qui, elles, sont uniques. Elles peuvent alors, de manière systématique, comparer leurs offres et donc améliorer (ou pourquoi pas déclasser) leurs services afin de s'adapter à ce que proposent des concurrents plus efficaces. Cependant, dans une économie globale, s'exercent

---

10 De *benchmark*, en anglais test de performance ou test comparatif. Voir *infra* la définition qu'en donne l'auteur. (*N.d.R.*)

constamment des pressions pour rendre les petites entreprises locales plus globales, soit par la croissance prédatrice soit, plus fréquemment, par l'alliance avec de grandes entreprises en voie de globalisation. Pour atteindre un rang mondial, il n'est donc pas obligatoire d'être une grande entreprise en tant que telle, mais il est fondamental de comparer vos résultats avec ceux des principaux acteurs de votre secteur et de toujours faire mieux qu'auparavant [Kanter, 1996]. Le *benchmarking* est le système de classement par lequel toutes les institutions sociales, y compris l'État, peuvent vérifier si elles font partie des tout premiers à l'échelle mondiale.

Normalement, le *benchmarking* est défini comme un système d'améliorations continues issu d'une comparaison systématique avec les bonnes pratiques mondiales. Cette idée d'amélioration continue a été introduite peu après la fin de la Seconde Guerre mondiale par William Edwards Deming, qui fut professeur à la New York University avant de se transformer en gourou du management. Elle est devenue la force motrice du mouvement dit de « gestion de la qualité totale » (en anglais, *Total Quality Management* ou TQM) dont les effets ont été profonds, quoiqu'inégaux, sur les grandes entreprises dans le monde entier. Ce sont les entreprises japonaises travaillant avec les organismes gouvernementaux qui les premières ont adopté ces idées, voyant en elles le meilleur moyen de reconstruire une économie décimée par la guerre. Le prix Deming récompensant les meilleurs cercles de qualité a été créé au Japon en 1951. Ces cercles de qualité sont devenus un mécanisme central de la diffusion et du développement du mouvement de la qualité. Dans les années 1990, le nombre de ces cercles dépassait cent mille et comptabilisait plus de dix millions de membres dans tout le Japon. La gestion en qualité totale, les bonnes pratiques mondiales et le *benchmarking* ont reçu un élan supplémentaire quand la compétition globale s'est accrue, quand les murs du protectionnisme ont commencé à s'effondrer un peu partout dans le monde et que de nouvelles firmes à croissance rapide, notamment dans le secteur *high-tech*, ont menacé la domination qu'exerçaient jusqu'alors, sur le marché, des rivaux plus anciens et peut-être moins innovants.

Le Malcolm Baldrige National Quality Award a été créé aux États-Unis en 1987, le European Quality Award en 1991 ; ils ont été suivis par un déferlement d'initiatives sur la qualité dans presque tous les secteurs de l'industrie à l'échelle mondiale. Cela a contribué à offrir une reconnaissance publique, dans le milieu des affaires mais aussi au-delà, au mouvement de gestion de la qualité totale qui s'était répandu depuis le milieu des années 1980 dans les conseils d'administration, les immeubles de bureaux et les ateliers à chaque fois qu'une entreprise devait faire face à la concurrence d'autres firmes, notamment « étrangères ». Une des particularités de ces récompenses, de ces standards de qualité ainsi que du mouvement dont ils faisaient partie était le rôle central que devait jouer la direction, en particulier les cadres supérieurs, dans la quête de l'amélioration continue. Les dirigeants des plus grandes entreprises n'avaient plus été à ce point sous les feux de la rampe depuis les barons voleurs du XIXe siècle. Et leur discours était presque unanime : le succès dans les affaires consiste à mettre le client au premier plan, et la satisfaction du client dépend de la qualité. Les bonnes pratiques mondiales et le *benchmarking* constituent des stratégies tout à fait logiques pour les entreprises en voie de globalisation : quand la concurrence peut, par principe, venir de n'importe quel endroit dans le monde, les firmes désireuses de conserver, voire d'augmenter leurs parts de marché se doivent d'évaluer leurs performances par rapport aux meilleurs mondiaux dans leur domaine. Bien sûr, « les meilleurs » est une notion très controversée. Cela peut représenter le meilleur retour sur le capital investi, la plus grande augmentation de l'indice boursier, la meilleure performance environnementale, le meilleur employeur et bien d'autres choses encore. Autre facteur crucial : la plupart des grandes entreprises opèrent dans des secteurs industriels où la grande majorité de leurs produits sont largement similaires – voire virtuellement identiques parfois – à ceux de leurs concurrents. Il est donc vital de garantir le fait que, pour un produit, le moindre avantage concurrentiel, si petit soit-il, s'accompagne d'avantages concurrentiels dans sa mise sur le marché. C'est la raison pour laquelle les bonnes pratiques mondiales, le *benchmarking* et toutes les mesures d'amélioration de la performance sont si importantes.

Pour le mouvement de gestion de la qualité totale, tous les aspects de la performance de l'entreprise, de la fabrication des *widgets*[11] à la réception des appels téléphoniques, de la livraison et de l'entretien du produit au contrôle de la consommation d'énergie dans les usines et les bureaux, doivent pouvoir être évalués. Les nombreux critères devant être remplis pour l'obtention du prix Deming au Japon et du Baldrige National Quality Award aux États-Unis ont constitué autant de sources de motivation car ils ont rendu opérationnelle la notion de qualité totale pour des entreprises orientées vers la satisfaction de leurs clients. De nombreuses grandes entreprises possédaient leur propre version de ces offres-qualité.

Les pionniers du *benchmarking* global ont été les firmes du secteur de la très haute technologie, dont la survie dépendait de leur capacité à constamment innover, comme Motorola et Xerox. Les consultants en management global, notamment Anderson Consulting et McKinsey, ont joué un rôle important dans le développement de la théorie et de la pratique du *benchmarking*. Il existe littéralement des centaines de normes de qualité différentes, certaines étant spécifiques à une entreprise particulière, d'autres ne s'appliquant qu'à un produit ou une industrie donné(e), d'autres encore visant précisément l'absence de tout défaut. Certaines fournissent des certifications environnementales, d'autres des certifications nationales. Certaines ont une portée régionale (les États-Unis, le Royaume-Uni, l'Union européenne ou le Japon ont tous des types différents de standards de qualité) tandis que d'autres sont virtuellement globaux (par exemple le certificat ISO, International Standards Organization). Les cas de l'Australie, du Brésil et des États-Unis peuvent servir à illustrer rapidement l'existence de liens entre des organismes étatiques et des entreprises pour la mise en œuvre du *benchmarking* et du système des bonnes pratiques. En Australie et au Brésil, les fractions globalisantes de l'État et du monde des affaires étaient rassemblées par l'idée selon laquelle l'entrée dans

---

11 *Widget* est une contraction des mots *window* (fenêtre) et gadget. En informatique, par exemple, il peut s'agir d'un élément visuel d'une interface graphique (bouton, ascenseur, liste déroulante, etc.) ou encore d'un outil permettant d'obtenir des informations (météo, actualité, dictionnaire, carte routière, pense-bête, traducteur etc.). (N.d.R.)

l'économie globale ne pouvait s'effectuer en conservant des pratiques protectionnistes issues du passé. Les deux gouvernements se sont alors engagés dans deux voies distinctes d'application des bonnes pratiques tout en poursuivant un seul et même but : rendre leurs entreprises compétitives sur le plan international. En Australie, l'accent a été mis sur la transformation des pratiques de travail : en 1991, le ministère des Relations industrielles, en collaboration avec le Conseil des industries australiennes, a lancé un Best Practice Demonstration Program. L'objectif du programme était clairement indiqué dans la brochure *What is Best Practice ?* publiée en 1994 : « À l'heure où l'économie australienne s'intègre de plus en plus au marché mondial, les entreprises australiennes doivent devenir compétitives sur le plan international si elles veulent réussir. » Les filiales australiennes de DuPont, ICI et BHP étaient présentées comme des soutiens enthousiastes du programme. Le magazine officiel du Best Practice Program s'appelait *Benchmark* et, tout au long des années 1990, il symbolisait l'alliance entre les fractions globalisantes des hommes politiques, des bureaucrates, des technocrates, des petites et grandes entreprises, tous engagés pour l'obtention de progrès dans le domaine de la qualité afin d'améliorer la compétitivité nationale.

Au Brésil, l'organisme étatique chargé des standards de qualité était l'Institut national de la standardisation, de la métrologie et de la qualité industrielle (Inmetro). Lors d'une rencontre internationale aux Pays-Bas en 1998, le président d'Inmetro déclarait que « les efforts accomplis par les entreprises brésiliennes afin d'améliorer la qualité de leurs produits sont liés à l'apparition de la concurrence dans l'économie brésilienne. Jusqu'en 1990, l'économie était fermée aux importations et nos entreprises ne se préoccupaient guère de la qualité. Après l'ouverture de l'économie en 1992, il est devenu nécessaire de respecter des standards de qualité internationaux[12] ». Inmetro travaillait en relation étroite avec le Programme brésilien pour la qualité et la productivité ainsi qu'avec l'Association brésilienne du commerce extérieur, car l'amélioration de la qualité ne devait pas seulement servir à être compétitif face

---

12 « Brazilian companies invest in quality », *Financial Times,* 26 août 1998.

aux importations mais, de manière encore plus importante, à accroître le potentiel à l'exportation des entreprises brésiliennes. Aux États-Unis, où les standards de qualité et le *benchmarking* sont nés d'initiatives du secteur privé, le Baldrige National Quality Award, qui est peut-être le gage de qualité le plus prestigieux dans ce pays, a été mis en place en 1987 grâce à un partenariat entre le gouvernement et l'industrie. Bien que modelé sur le prix Deming japonais, le processus mis en œuvre pour l'obtention du Baldridge est transparent et peut donc fournir un cadre de certification que les entreprises peuvent utiliser pour s'autoévaluer. Cole [1999] a même été jusqu'à prédire la mort prochaine du mouvement de la qualité tellement cette dernière est désormais partie intégrante d'une gestion normale.

Ce n'est pourtant pas le cas en dehors des États-Unis et de quelques grandes économies. Si plus de soixante-dix pays possèdent des agences d'accréditation et d'inspection des standards techniques, on sait que ces standards diffèrent d'un endroit à l'autre. Le Forum international d'accréditation internationale (IAF) a été fondé précisément pour assurer la compatibilité des standards. En 1998, dix-huit pays en étaient membres tandis que plusieurs autres, dont le Brésil via Inmetro, étaient candidats pour y entrer. L'accréditation par l'IAF signifie la reconnaissance des standards techniques pour les marchés américain, canadien, chinois, japonais et européen ; elle représente aussi une certaine garantie contre la forme de protectionnisme déguisé que peut représenter l'utilisation des règles techniques de l'Organisation mondiale du commerce pour bloquer les importations. Les cas australien, brésilien et américain montrent l'alliance entre les agents de l'État et les technocrates d'un côté, et les entreprises de l'autre, afin de promouvoir les bonnes pratiques au nom de la compétitivité nationale. De cette manière, la classe capitaliste globalisante se sert du discours sur la compétitivité nationale et internationale pour imposer à la force de travail une discipline de plus en plus intense et, dans certains cas, des standards inutilement élevés contribuant à éjecter du marché des concurrents plus petits. De plus, l'imposition des bonnes pratiques mondiales et du *benchmarking* au-delà des limites étroites de l'industrie manufacturière est une étape supplémentaire importante dans le processus de marchandisation de toute chose, processus intimement lié à l'idéologie culturelle du consumérisme.

La captation du développement durable par les entreprises

On observe des processus similaires si l'on examine les réponses qu'offrent les entreprises au défi environnemental. Depuis des décennies, le débat sur les perspectives de vie future sur notre planète oppose les théoriciens de la crise écologique unique à ceux qui envisagent cette question sous l'angle d'une multiplicité de problèmes environnementaux tout à fait gérables. Les très grandes entreprises ont toujours tenté de tenir ces questions à distance mais des désastres comme les marées noires du Torrey Canyon (1967) et de Santa Barbara (1969), la contamination toxique qui a entraîné des centaines de procès au Japon dans les années 1970, les accidents de Bhopal en 1984 et de l'Exxon Valdez en 1989 ont rendu cette thématique incontournable. L'argument environnemental a atteint son apogée à la fin des années 1980 et au début des années 1990 sous la pression de la mondialisation, au moment où le discours sur le développement durable apparaissait comme une forme de langage commun à tous ceux qui réfléchissaient aux enjeux liés à l'environnement [McManus, 1996 ; Sklair, 2001, chap. VII]. Cette vision a reçu une confirmation éclatante dans l'un des textes les plus importants du mouvement affirmant l'importance de la crise écologique pour l'avenir de la planète, *Pour le bien commun*, écrit par Daly et Cobb. Dans la conclusion de cet ouvrage qui a reçu de nombreuses récompenses, les auteurs lançaient un appel :

> « Il y a encore un groupe dont nous aimerions le soutien. Il s'agit d'un groupe assez réduit de personnes faisant preuve d'un intérêt profond et bien informé pour le tiers monde [...] Nous pensons en particulier aux personnes qui ont collaboré à l'écriture du rapport Brundtland Report (Notre avenir à tous) qui met en avant l'idée de développement durable [...] Au fur et à mesure du raffinement de sa définition, nous pensons que la notion de développement durable se rapprochera de ce que nous appelons une économie de la communauté » [Daly, Cobb, 1994, p. 371].

Bien que l'argument paraisse un peu déloyal – le développement durable est devenu une véritable industrie tandis que l'idée d'une économie de la communauté a sombré presque sans laisser de traces –, il exprime une vérité fondamentale : le développement durable était un trophée que chaque acteur impliqué dans ces débats voulait décrocher. Bien entendu, c'est le vainqueur qui redéfinit le concept.

Le premier indice montrant que certains des membres de l'élite entrepreneuriale commençaient à prendre au sérieux la crise écologique remonte à la publication, sous l'égide du Club de Rome, de l'ouvrage *Les Limites de la croissance* [Meadows *et al.*, 1972[13]]. Celui-ci permet alors à la thèse profondément anticapitaliste sur les limites de la croissance d'acquérir un minimum de respectabilité dans le monde des affaires. Cependant, de manière générale, les défenseurs du capitalisme global ont pu se contenter de juger alarmistes et naïves les leçons de l'école de la « croissance limitée ». Pour autant, le problème n'allait pas disparaître et les membres les plus avant-gardistes de la communauté économique globale savaient pertinemment qu'il faudrait en fin de compte s'en occuper. À la fin des années 1980, s'imposa l'idée que la rhétorique du développement durable était une solution commode et les entreprises globalisantes s'en saisirent pour lutter contre les arguments de plus en plus puissants développés par les tenants de la crise écologique unique. Les réponses que donnèrent les entreprises américaines et européennes à toute une série de catastrophes environnementales, en particulier Bhopal, ont progressivement évolué au cours des années 1980. Il est clair que l'industrie chimique était celle dont on attendait le plus. Une initiative lancée aux États-Unis en 1988 par la Chemical Manufacturers Association (CMA) déboucha sur la mise en place du Responsible Care Program. Ce dernier fut adopté par plus de cent soixante-dix entreprises membres de CMA, dont Union Carbide, et son lancement fut annoncé aux investisseurs et à l'ensemble des citoyens par une pleine page publiée dans le *New York Times* et le *Wall Street Journal* le 11 avril 1990. L'Association

---

13 Cette deuxième édition, datée de 1972, est presque passée inaperçue.

des industries chimiques britanniques a adopté son Responsible Care Programme en 1989.

Le cas ne se limite pas aux industries. Diverses organisations internationales ont pris l'engagement de « faire quelque chose » pour l'environnement. La Communauté européenne a lancé en 1993 un programme d'audit environnemental dans tous les pays de l'Union. La Banque mondiale, dont Daly avait été l'économiste en chef, avait débattu des aspects environnementaux du prêt depuis les années 1970, avec des résultats controversés. Le comité environnemental de l'Organisation pour la coopération et le développement économique (OCDE) s'était penché sur la question depuis le début des années 1980. Pourquoi alors s'est-il révélé si compliqué de mettre en œuvre une législation efficace pour la protection de l'environnement ? L'une des raisons tient clairement au fait que certains des braconniers sont devenus des gardes-chasse en entrant dans les instances dirigeantes des organismes chargés de cette protection. Dans les années 1980, même les gouvernements de droite opposés à toute régulation, comme ceux de Reagan et Thatcher, ne pouvaient ignorer plus longtemps les atteintes à l'environnement. Dans le même temps que l'administration tentait d'affaiblir l'Agence de protection de l'environnement, elle autorisait la création au sein du ministère de la Justice d'une puissante unité spécialisée dans les crimes environnementaux. Évidemment, les grandes entreprises ne restaient pas les bras croisés alors que le débat sur l'environnement battait son plein. Leur réponse a été largement orchestrée par la Chambre internationale de commerce (CIC) qui s'était engagée pour la mise en œuvre d'un agenda environnemental depuis la première conférence des Nations unies sur l'environnement en 1972. Si la CIC était surtout active en Europe, elle comptait des membres dans plus de cent pays. Elle créa sa propre commission sur l'environnement dans les années 1970, et la Conférence mondiale sur le management environnemental qu'elle organisa en 1984 attira cinq cents dirigeants issus des secteurs de l'industrie, de l'administration et de l'environnement en provenance de soixante-douze pays. C'est la CIC qui fut choisie pour représenter officiellement le monde des affaires à la conférence ministérielle de Bergen en 1990, conférence qui déboucha sur le rapport de la Commission mondiale de l'environnement des Nations unies dans lequel le concept de développement durable fut formellement consacré. Comme l'avoue en toute franchise l'un des analystes de la CIC, « le rapport Brundtland invitait l'industrie à coopérer [...] La communauté des affaires souhaite jouer un rôle de premier plan et prendre les choses en main » [Willums, 1990, p. 3]. C'est bien ce qui s'est passé.

La conséquence immédiate du travail accompli par la CIC fut en 1990 l'Initiative globale sur le management environnemental (IGME) qui fut lancée pour mettre en œuvre la Charte des entreprises pour le développement durable. Dix-neuf firmes transnationales de premier plan annoncèrent leur soutien à l'IGME, y compris Union Carbide, désireuse de redorer son blason après Bhopal. Rapidement, l'IGME prit une forme institutionnelle dans la ville de Washington. L'organisation qui en résulta, le Conseil mondial des entreprises pour le développement durable, fut certainement le plus influent de tous les réseaux d'affaires « verts » établis dans les années 1990. En dépit de tout ce qui pouvait distinguer ces derniers les uns des autres – local, national ou global, général ou orienté vers une industrie en particulier, plus ou moins bien doté –, ils avaient tous en commun la volonté de mettre l'accent sur l'autoévaluation et le caractère volontaire des codifications partout où cela était possible, mais aussi sur la régulation partout où cela s'avérait nécessaire. Dans cette perspective, la révolution néolibérale globalisante associée à la tentative de Thatcher et de Reagan d'adapter la législation nationale afin de promouvoir, au lieu de restreindre, l'esprit d'entreprise – la « libre-entreprise » puisque c'est ainsi que cela fut construit idéologiquement – a connu un grand succès.

Les racines d'une théorie capitaliste globale du développement durable sont repérables dans les discussions autour du rapport Brundtland, *Notre avenir à tous*, présenté à l'Assemblée générale des Nations unies en 1987. Ce compromis délicat entre une vision du problème sous la forme d'un ensemble de défis environnementaux et une autre l'envisageant comme une crise écologique unique, et donc beaucoup plus grave car menaçant la possibilité même de la vie sur terre, correspondait parfaitement aux intérêts du monde des affaires. Un aperçu de la pensée entrepreneuriale sur la question nous a été fourni par Stephan Schmidheiny, un milliardaire suisse qui devait jouer un rôle crucial pour les grandes entreprises lors du Sommet de la Terre à Rio en 1992. Dans une série d'articles, d'allocutions publiques et de consultations publiques fort commentées [Schmidheiny, 1992], il soutenait que la protection de l'environnement avait constitué un concept défensif, négatif et réactionnaire, mais que les environnementalistes et les industriels étaient sur le point de mieux comprendre leurs points de vue respectifs et de trouver un compromis. Ainsi, l'idée de « croissance durable » avait remplacé celle de préservation des ressources, et l'industrie pouvait continuer ses activités. Les limites de la croissance n'étaient plus, comme on l'avait initialement pensé, la limitation des ressources. Désormais, elles correspondaient au recyclage des ressources utilisées et transformées dans le processus de production. En acceptant que l'industrie fonctionne à l'intérieur de cadres existants, il devenait possible d'utiliser ces cadres à son propre avantage en prenant l'offensive et en formulant la législation écologique. Il en ressort que l'environnementalisme négatif qui avait poussé les industries à relever des défis spécifiques sur la pollution ou les risques toxiques céda la place à des conceptions plus générales de la « croissance durable » et du « développement durable », entièrement compatibles avec l'analyse entrepreneuriale. L'environnementalisme d'entreprise, comme mouvement social et comme discours, a donc facilement coexisté avec cette vision modérée de la durabilité. À partir de cette puissante base conceptuelle, les grandes entreprises ont pu gagner la majeure partie du mouvement environnemental mondial des années 1990 à la cause du capitalisme consumériste à la fois global et durable. Un tel accomplissement est une véritable leçon pour comprendre la façon dont les classes dominantes incorporent leurs ennemis potentiels à l'intérieur de ce que Gramsci appelait des « nouveaux blocs historiques ».

Les blocs historiques sont des rassemblements fluides de forces qui peuvent se coaguler sous la forme de mouvements sociaux quand il s'agit de faire face à des conjonctures historiques spécifiques. Ils sont le reflet de problèmes concrets devant être traités par des groupes sociaux différents. Dans la lutte pour l'hégémonie, les blocs historiques se font, se défont et se transforment. Les grandes entreprises ont constitué autour d'elles un bloc historique du développement durable pour faire face à ce qu'elles considéraient comme une contre-culture menaçante : l'écologie radicale, cette partie du mouvement écologique organisée autour de l'argument puissant d'une crise écologique unique. Le bloc historique du développement durable commença véritablement à se mettre en place au cours de la période qui précéda le Sommet de la Terre à Rio en 1992. Les relations étroites existant entre Maurice Strong – le chef d'orchestre virtuel du Sommet de la Terre – et Stephan Schmidheiny sont de notoriété publique. Le bras environnemental de la CIC, le Conseil des entreprises pour le développement durable, représentait les grandes entreprises à Rio. Il réussit à maintenir à l'extérieur des débats officiels toute mise en cause éventuelle des firmes transnationales [Panjabi, 1997]. Par conséquent, les entreprises participèrent très activement à la création de la Commission des Nations unies pour le développement durable (CDD), qui fut la principale conséquence institutionnelle du Sommet de Rio. La CDD est devenue en soi une grande organisation environnementale transnationale. Elle a fini par se transformer en Division du développement durable (DDD) à l'ONU, division dont la mission est avant tout de contrôler la manière dont les États membres testent, développent et utilisent les indicateurs (plus de cent différents) du développement durable. La manière dont elle parviendra à détourner l'attention de l'idée de crise écologique unique menaçant jusqu'à l'existence du capitalisme global pour la rediriger sur les multiples défis environnementaux auxquels les entreprises doivent faire face, et avec lesquels le capitalisme peut vivre, sera le test décisif pour vérifier le succès du bloc historique du développement durable. Pour l'heure, les signes ne sont guère encourageants pour les écologistes radicaux. La base sur laquelle la CDD fondait son évaluation de la consommation et de la production était la suivante. La consommation durable et la production durable sont les deux facettes d'une même pièce. La consommation durable concerne la dimension de la demande : elle correspond à la possibilité de fournir les biens et les services indispensables aux besoins des individus et à l'amélioration de la qualité de la vie tout en réduisant l'impact sur la planète. L'accent sur la production durable concerne la dimension de l'offre : elle se concentre sur l'amélioration de la performance environnementale dans des secteurs clés de l'économie tels que l'agriculture, l'énergie, l'industrie, le tourisme et les transports [Organisation des Nations unies, 1998].

D'un point de vue strictement écologique, cette approche se fonde sur une série d'erreurs. La première erreur est l'approche anthropocentrique en tant que telle, selon laquelle la durabilité pour les individus et les sociétés prend le pas sur la durabilité pour la planète. La seconde erreur est l'affirmation du fait que la « consommation durable » et la « production durable » sont pour l'essentiel les deux facettes d'une même pièce. Pour les écologistes, l'enjeu est moins de « faire durer » la production et la consommation que de les réduire absolument. De plus, les écologistes soutiennent qu'il est tout à fait faux de considérer que « la réponse aux besoins », « l'amélioration de la qualité de la vie » et « l'amélioration de la performance environnementale » constituent des solutions à la crise écologique. Ce n'est pas le cas. Elles font partie du problème, notamment parce qu'il est nécessaire de distinguer entre les vrais besoins et les besoins artificiels, et qu'il est important d'établir des normes universelles pour une qualité de vie saine et écologique. Nul besoin d'insister sur le fait que ceux qui défendent ces idées – les écologistes radicaux – sont une petite minorité, y compris au sein du mouvement environnemental[14], mais la captation du discours sur le développement durable par la classe capitaliste transnationale a rendu encore plus difficile qu'avant la possibilité d'articuler une critique radicale du consumérisme capitaliste. La combinaison du discours sur le développement durable avec celui de la compétitivité nationale et internationale fournit des armes très puissantes à la classe capitaliste transnationale. En définitive, la globalisation n'est pas une idéologie « occidentale »

---

14 Je ne voudrais pas donner l'impression que mon jugement sur la Division du développement durable est entièrement négatif. Les *success stories* dont elle fait la promotion depuis 1997 sont tout à fait remarquables.

mais celle des capitalistes globalisants ; une idéologie dont les discours et les pratiques sont indispensables pour nier l'augmentation des antagonismes de classe ainsi que l'existence de crises écologiques, l'une comme l'autre étant tout à fait caractéristiques de l'étape actuelle dans la longue histoire du capitalisme.

Références bibliographiques

BRECHER Jeremy, COSTELLO Tom, 1994, *Global Village or Global Pillage*, South End Press, Boston.

COLE Robert, 1999, *Managing Quality Fads. How American Business Learned to Play the Quality Game*, Oxford University Press, New York.

DALY Herman E., COBB John B. Jr., 1994 (1989), *For the Common Good. Redirecting the Economy toward Community, the Environment, and a Sustainable Future*, Beacon Press, Boston.

DICKEN Peter, 1998 (3ᵉ éd.), *Global Shift. Transforming the World Economy*, Paul Chapman.

DOMHOFF G. William, 1967, *Who Rules America ?*, Prentice-Hall, Englewood Cliffs (NJ).

DOMINGUEZ Jorge (dir.), 1997, *Technopols. Freeing Politics and Markets in Latin America in the 1990s*, University of Pennsylvania Press, University Park.

DUNNING John, 1998, *Alliance Capitalism and Global Business*, Routledge, Londres et New York.

HARMES Andrew, 1998, « Institutional investors and the reproduction of neoliberalism », *Review of International Political Economy*, 5, printemps, p. 92-121.

KAPSTEIN Ethan, 1994, *Governing the Global Economy. International Finance and the State*, Harvard University Press, Cambridge (Mass).

KRUGMAN Paul, 1996, *Pop Internationalism*, MIT Press, Boston.

LECHNER Frank J., BOLI John (dir.), 2000, *The Globalization Reader*, Blackwell, Oxford.

MCMANUS Phil, 1996, « Contested terrains : Politics, stories and discourses of sustainability », *Environmental Politics*, 5 (1), p. 48-73.

MEADOWS Donella, RANGERS Jorgen, MEADOWS Dennis, 1972, *The Limits to Growth*, New American Library, New York.

MOSS KANTER Rosabeth, 1996, *World Class. Thriving Locally in the Global Economy*, Simon and Schuster, New York.

OHMAE Kenichi, 1995, *The End of The Nation State*, The Free Press, New York.

ORGANISATION DES NATIONS UNIES, 1998, « Workshop on Indicators for Changing Consumptionand Production Patterns », Division for Sustainable Development, 2-3 mars, New York.

PANJABI Ranee K. L., 1997, *The Earth Summit at Rio. Politics, Economics and the Environment*, Northeastern University Press, Boston.

SCHMIDHEINY Stephan, 1992, *Changing Course. A Global Business Perspective on Development and the Environment*, MIT Press, Cambridge (Mass).

SCOTT John, 1996, *Stratification and Power. Structures of Class, Status and Command*, Polity Press, Cambridge.

SKLAIR Leslie, 2001, *The Transnational Capitalist Class*, Blackwell, Oxford.

— 1995 (2e éd.), *Sociology of the Global System*, Prentice Hall et Johns Hopkins University Press, Londres et Baltimore.

USEEM Michael, 1984, *The Inner Circle. Large Corporations and the Rise of Business Political Activity in the U.S. and UK*, Oxford University Press, New York.

WILLUMS Jan-Olaf, 1990, *The Greening of Enterprise. Business Leaders Speak Out*, International Chamber of Commerce, Bergen.

Chapitre 13

Remettre la mondialisation à sa juste place[1]

Jonathan Friedman

La récente crise mondiale n'aurait jamais du créer une telle surprise dans l'esprit d'une grande partie des élites universitaires et de tous ceux qui croyaient à l'éternelle croissance de ce qu'ils voient comme étant simplement *l'économie*. Le fait est que, depuis que la crise a frappé, beaucoup de choses ont changé dans la conscience des élites. Si cela n'a pas de conséquences directes sur le problème des classes sociales, cette catégorie oubliée a pourtant refait surface et connaît une importance croissante, en particulier à gauche et en grande partie parce que la situation de classe de la gauche a elle-même changé. Au cours de la crise sont apparus des discours de classe au sein, si ce n'est à son sommet même, de la fraction supérieure de l'échelle des revenus, parmi les « intellectuels », les élites politiques et les experts des médias, autant de groupes dont l'identité est liée aux classes supérieures du système mondial et qui fournissent à ces classes leurs principales représentations culturelles.

Nous avons assisté, au cours de l'hiver 2009, à ce que certains ont appelé une débâcle financière, pour l'économie américaine bien sûr, mais aussi pour un nombre croissant de segments de l'économie mondiale à l'exception notable de la Chine et de l'Inde. La réaction principale a été la surprise, mêlée à un sentiment d'indignation morale devant le caractère incroyable de toute cette histoire. Avec l'aide des médias, une véritable « chasse aux sorcières » a été entamée pour identifier les coupables de « cette pagaille ».

---

1 Traduction par Stéphane Dufoix, revue par l'auteur.

Les interprétations sont légion. Certains économistes ont déclaré avoir tiré la sonnette d'alarme un an voire deux ans plus tôt, mais les solutions proposées semblent indiquer qu'il faut aussi remettre en cause leur diagnostic. Le chemin vers une économie saine passe-t-il par la voie de l'amorçage, par l'impression et la distribution de milliards de dollars à des secteurs clés du réseau économique institutionnel ? Même le prix Nobel[2] d'économie Paul Krugman [2011] a récemment admis ce que d'autres avançaient depuis des décennies, à savoir que ce n'est pas le New Deal mais la Seconde Guerre mondiale qui a fait sortir les États-Unis de la dépression. Cela nous amène à la première dimension de la « valeur » que j'aimerais explorer ici, une dimension qui a fait couler beaucoup d'encre au cours des dernières années.

Je ne m'attribue aucun mérite particulier dans la défense d'une approche qui est partagée par d'autres auteurs issus d'autres disciplines, mais il est vrai que j'ai reçu un nombre incalculable de courriels et d'appels téléphoniques venant d'amis ou de non-amis ayant lu nos[3] travaux antérieurs sur la nature dynamique et cyclique des systèmes mondiaux. Depuis le milieu des années 1970, nous évoquions dans ces travaux le déclin de l'hégémonie occidentale et le déplacement de l'accumulation du capital vers une autre partie de la planète. Nous ne savions pas vraiment où, mais l'URSS et la Chine nous semblaient des destinations possibles et nous avions même suggéré que la Chine, en raison de sa moindre dépendance systémique envers les marchés occidentaux, était le meilleur candidat pour devenir un nouveau centre hégémonique. À l'époque, tout cela avait été considéré comme pure spéculation, jusqu'à ce que, en 2008, je lise dans l'un des courriels que je venais de recevoir : « C'est vous deux qui aviez raison, Friedman ». Inutile de le dire, d'autres que nous – André Gunder Frank [1998] ou Giovanni Arrighi pour ne citer que les plus importants – s'étaient engagés dans ce type de raisonnement, avec des variantes plus ou

---

2 En réalité, il n'existe pas à proprement parler de prix Nobel d'économie. Le prix est décerné par la Banque nationale de Suède en mémoire d'Alfred Nobel. Cela dit, tout le monde fait l'erreur…

3 Autrement dit les travaux de Jonathan Friedman et de son épouse Kasja Ekholm-Friedman. (*N.d.T.*)

moins significatives. Le dernier ouvrage d'Arrighi [2007] soutient de manière convaincante que le transfert de l'accumulation du capital se fait en direction de l'Est, ce qui constitue une grande surprise pour beaucoup d'économistes, y compris Krugman[4], qui croyaient tous – en tout cas auparavant, à présent c'est différent – que ce n'était pas un scénario envisageable et que, au mieux, certaines régions pourraient rattraper leur retard dans le cadre des mécanismes classiques de développement mais qu'en aucun cas cela ne correspondrait à un déclin parallèle dans le monde développé. Non seulement cette dernière hypothèse est désormais largement acceptée en dehors de toute considération théorique, mais elle est en fait systémique, incluse dans un processus qui n'est pas seulement consubstantiel à l'histoire du capitalisme occidental mais bien, dans une large mesure, à toute l'histoire des civilisations commerciales depuis le troisième millénaire avant l'ère chrétienne, ainsi qu'à tout système social (qui est la règle générale) fondé sur l'accumulation des richesses dans le cadre de relations de concurrence. S'il y a une « morale » à cette histoire, elle est la suivante : étrangement, depuis le départ, nous sommes partie prenante d'une gigantesque compulsion de répétition civilisationnelle. Ainsi, une fois de plus, Marx et Freud forment le couple insolite qui détient la clé d'interprétation de l'humanité.

Contre les mots-clés

On a assisté au cours des années précédentes à des tentatives excessives, presque obsessionnelles, pour désigner la réalité de la mondialisation plutôt que de rendre compte de sa genèse et de sa dynamique. Il s'agit d'un phénomène complexe qui nécessite d'être étudié en tant que tel [Friedman, 2000 ; 2002b], mais il semble clair que la vacuité de la plupart des débats tout comme la tribalisation du monde académique ont eu pour conséquence de faire surgir un nouveau canon au sein duquel les catégories, les étiquettes et les mots-clés sont devenus l'ingrédient indispen-

---

4   Malgré son récent intérêt pour la géographie économique, Krugman n'a jamais envisagé que les processus systémiques mondiaux puissent être des phénomènes spatio-temporels de type macro.

sable de nos discours. Ainsi, « globalisation » est devenu, depuis un certain nombre d'années, un moyen de désigner la nature de la situation contemporaine : une époque, une étape historique ne ressemblant à rien de ce que nous avons connu jusque-là. La discontinuité qui est au cœur de cet usage constitue une sorte d'énoncé prophétique qui voit dans ses adeptes la nouvelle élite éclairée, qui rend nécessaire de repenser l'anthropologie et qui abrite en son sein tout un ensemble de critiques de ce qui est désormais considéré comme la « vieille école », celle pour laquelle la « culture » était forcément délimitée spatialement et essentialisée, en phase avec le modèle national censé en être à l'origine. S'il y a du vrai là-dedans, cet usage s'accompagnait souvent d'une analyse en termes d'évolution : avant nous étions locaux, à présent nous sommes mondiaux... Il n'existe plus de cultures spécifiques, elles se sont toutes mondialisées, hybridées, ce qui rend obligatoire de les repenser et de les renommer, même s'il fut un temps où, dans les faits, elles ont été locales. Le vocabulaire résultant de ce déplacement mettait l'accent sur ce que j'ai appelé le discours « trans-*x* » [Friedman, 2000]. Si c'est moins le cas aujourd'hui, le discours sur la mondialisation avait tendance à prédire l'avènement d'un monde où le bonheur serait dans la fusion, au moins dans le domaine culturel : nous serons tous culturellement libres, « libérés des contraintes de la nation » [Appadurai, 1996, p. 23]. Mais cette image s'est rapidement trouvée confrontée à la réalité des processus contradictoires qui sont à l'œuvre dans le monde, avec leur cortège de violence fragmentaire et de polarisation de classe. Plus récemment, « globalisation » a vu sa signification modifiée, quand ce terme n'a pas été purement et simplement remplacé par des expressions comme « capitalisme millénaire » et « néolibéralisme », où l'accent est mis sur le « côté obscur » de la mondialisation. Dans tous ces cas, les mots comportent une sorte de magie... La mondialisation est à l'origine de la multiplication des accusations de sorcellerie en Afrique du Sud ou de l'émergence des mouvements xénophobes en Europe ; elle est l'équivalent même de la sorcellerie au Cameroun [Geschiere, 2009]. Tous ceux qui ont traité de manière plus approfondie la matérialité de la mondialisation sont plus sceptiques sur le pouvoir explicatif général de tous ces termes. Ainsi, Arrighi voit très bien que le néolibéralisme n'est en fait que la résurrection de l'accumulation capitaliste après un intermède, post-Dépression, de forte régulation nationale et publique : « Conséquence de cette réintégration et de cette dérégulation, la finance privée mondiale – la "haute finance" comme on disait au XIXe siècle – "tel un phénix renaissant de ses cendres", a pris son envol et s'est élevée vers de nouvelles hauteurs de pouvoir et d'influence sur les affaires des nations » [Cohen, 1966, p. 268]. Cette résurrection de la haute finance mondiale s'est accompagnée d'une autre résurrection parallèle, celle des doctrines longtemps discréditées du marché autorégulé – ce que Polanyi [1957, chap. XII, XIII] appelait la « croyance libérale » [Arrighi, 1999, p. 118]. De son côté, Harvey considère que « globalisation » est un terme générique pour dénoter « le passage d'un système mondial (doté d'une organisation hiérarchique et largement dominé politiquement par les États-Unis) à un autre plus décentralisé et coordonné par le marché, ce qui rend les conditions financières du capitalisme beaucoup plus volatiles et beaucoup plus instables » [Harvey, 1995, p. 8].

Il est bien entendu que l'usage des mots sert à capturer une partie de la réalité et je ne prétends pas que « globalisation » et « néolibéralisme » ne font pas référence à des objets réels. J'affirme seulement qu'ils ont acquis une valeur explicative magique au lieu d'être ce qu'il nous incombe précisément d'expliquer. On en a fait, par un usage qu'on pourrait qualifier de métonymique, les symboles de phénomènes se déroulant à une grande échelle mais cela permet du coup de leur conférer des pouvoirs qu'ils n'ont pas. Cela vient du fait qu'il ne s'agit pas de réalités autonomes mais de dimensions relevant de logiques ou de processus plus larges encore. Kasja Ekholm-Friedman et moi-même considérons la mondialisation comme un phénomène périodique se déroulant à l'intérieur de systèmes mondiaux déjà constitués, et des chercheurs comme Harvey ont fait du « néolibéralisme » une réponse historique, spécifique et structurelle par laquelle une forme ancienne d'accumulation fondée sur la production industrielle s'adapte aux rendements décroissants. Bien sûr, il existe des discours relevant de cette politique néolibérale, comme ceux d'auteurs aussi illustres que Friedrich von Hayek et Milton Friedman, mais ils ne sont pas à l'origine de la mise en place de politiques particulières, ils n'en sont que la rationalisation.

La mondialisation en tant que moment historique spécifique des cycles systémiques mondiaux d'expansion et de contraction

En termes de processus systémiques mondiaux, la mondialisation fait référence à une période de déclin hégémonique au cours de laquelle se produit, au sein du système, une décentralisation relative de l'accumulation du capital tandis que commencent à apparaître en position dominante de nouveaux centres potentiels d'accumulation au niveau mondial. Cette idée est très proche de celle exprimée par Arrighi dans son ouvrage *The Long Twentieth Century* [1994], qui est lui-même un développement des thèses de Braudel sur les processus historiques de l'économie européenne, mais la nôtre s'appuie sur une trajectoire historique bien plus longue, remontant au moins aux premières civilisations commerciales de l'Âge du bronze. La logique interne en est la suivante :

1. Expansion initiale à partir d'un État soit au sein d'un système mondial préexistant soit en parallèle avec la formation de ce dernier. La guerre joue généralement un rôle crucial lors de cette phase initiale car elle constitue elle-même une forme capitale d'accumulation « primitive » des richesses qui fonctionne comme une condition de possibilité des étapes ultérieures.

2. Formation d'une position économique hégémonique : un centre devient « l'atelier du monde », produisant ainsi un grand pourcentage, voire la majorité, des biens de consommation fabriqués dans le monde entier.

3. La principale conséquence de l'accumulation de richesses est l'augmentation des coûts nécessaires à la reproduction du centre hégémonique lui-même. Il s'agit d'une conséquence directe de la façon dont l'augmentation de la richesse s'est traduite par l'augmentation des niveaux de vie et des niveaux de consommation.

4. À la suite de l'étape 3, le centre devient la région du système dans laquelle la reproduction est la plus chère.

5. Cela conduit à la mise en place progressive d'un processus d'exportation du capital – selon des modalités différentes – en direction des régions où l'investissement est plus rentable. Au cours de cette phase, le capital (la richesse accumulée) ne pouvant être investi avec suffisamment de rentabilité dans la production locale, il se transforme en une combinaison d'exportation, d'investissement dans l'industrie du luxe ainsi que dans différentes formes d'accumulation fictive qui tendent à proliférer de manière exponentielle au travers d'une chaîne de conditionnement, de mise aux normes et de vente conduisant finalement à l'apparition des « fonds de couverture » (*hedge funds*), à ce qu'on appelle le capitalisme de casino et, en dernière instance, à des phénomènes de type Madoff.

6. Le centre perd ses activités de production au profit d'autres régions du monde alors que, dans le même temps, il devient un grand consommateur (à crédit) des produits de son propre capital exporté.

7. De nouveaux centres surgissent. Il s'agit d'anciens récipiendaires de l'investissement en capital en provenance du centre, ce dernier étant désormais sur le déclin, puisqu'il est devenu un grand débiteur à l'échelle mondiale après avoir été la principale source de crédit (c'est l'hypothèse braudélienne de l'automne de l'hégémonie).

Les étapes 4 à 7 correspondent à la période de « globalisation ». Il s'agit d'un usage spécifique du terme qui se distingue clairement des périodes d'expansion, telles que la colonisation ou la formation des empires, pendant lesquelles on note également la présence d'exportation de capital mais où ce dernier est plus utilisé pour l'extraction des matières premières et des « hommes » que pour le développement d'activités industrielles compétitives. Si l'on doit se servir du même mot, il est important de distinguer entre des conditions et des processus très différents. Si l'on peut mettre en évidence une grande diffusion culturelle au cours des périodes d'expansion, la globalisation évoquée dans les débats contemporains est elle, en revanche, typique du déclin hégémonique.

La conjoncture historique spécifique du néolibéralisme

De même que « globalisation », « néolibéralisme » peut aussi être considéré comme un terme générique pour un ensemble de transformations dans le domaine de la gouvernance qui accompagnent le déclin de l'hégémonie. Il existe une relation logique entre la globalisation et cet ensemble complexe de processus que l'on appelle le néolibéralisme. La transition du fordisme à l'accumulation flexible est l'expression même du rendement décroissant de la production capitaliste verticalement organisée, celle qui s'est constituée durant la période d'expansion et qui a donné naissance aux analyses classiques du capitalisme d'entreprise sous sa forme moderne. Dans le modèle fordiste, la chaîne de production conduisant de l'extraction des matières premières au produit fini a tendance à appartenir à la même structure hiérarchique d'entreprise. Ce modèle est remplacé par un double processus de contraction des anciennes unités de production sous la forme d'un centre financier – entouré d'un grand nombre de sous-traitants compétitifs et flexibles (remplaçables) – et de diversification des activités pour en inclure un nombre croissant n'ayant plus rien à voir avec l'activité de production initiale (immobilier, hôtels, parcours de golf, casinos, marchés dérivés, de General Electric à GE Money). La finance est ainsi libérée du processus de production. Il s'ensuit que ces périodes se caractérisent aussi par l'expansion massive du capital financier par rapport au capital industriel. L'accumulation flexible implique également la flexibilité de la main-d'œuvre dont le recrutement se fait sur des contrats précaires et de courte durée dans un contexte de dissolution progressive des syndicats. La mise en place des conditions nécessaires à la flexibilité décentralisée exige l'intervention de l'État, essentiellement pour démanteler les anciens contrôles de type keynésien. Le néolibéralisme est alors la transformation des règles politiques et juridiques, la dérégulation ou plutôt la re-régulation du processus économique. Cela concerne donc plutôt le cadre politique de l'activité économique que cette activité elle-même. Le gouvernement met en œuvre les conditions nécessaires à la libéralisation, à la privatisation du secteur public etc., mais il ne faut pas confondre ceci avec le phénomène organisationnel qu'est le postfordisme. La fragmentation de l'activité économique et ce qui s'ensuit, la mise en réseau mondiale des fragments en question, n'est pas directement liée à la re-libéralisation des règles économiques, mais ces deux processus sont articulés dans le cadre d'une réalité plus large qui est celle désignée par le terme de « néolibéralisme », principalement pour des raisons historiques si ce n'est par nécessité structurelle[5]. Ils forment une conjoncture historique particulièrement puissante.

L'accroissement proportionnel du pouvoir du capital financier est un phénomène périodique inscrit dans les cycles longs de l'accumulation capitaliste, ceux que l'on peut appeler les cycles d'hégémonie. Ainsi, le tournant du XIXe siècle était l'époque de ce qu'Hilferding nommait le *Finanzkapital* mais ce n'était pas une époque de néolibéralisme puisque, jusqu'à la grande Dépression, il n'existait *rien d'autre, aucune alternative*. Bien sûr, on pouvait constater alors une tendance à la centralisation et à la monopolisation du capital, ce qui allait devenir un trait permanent du capitalisme moderne, mais elle était parfaitement compatible avec une « économie dérégulée ». Dans ce modèle, les facteurs d'emballement ayant conduit à la Dépression ne sont pas dus à la dérégulation même si, avec le recul, on peut penser que Keynes aurait pu y mettre un terme. Au contraire, la contradiction systémique majeure était, comme je l'ai suggéré plus haut, la divergence croissante entre l'accumulation fictive et l'accumulation réelle. Cette divergence est la conséquence directe de la position hégémonique occupée par le centre. Elle entraîne un déclin de la productivité industrielle. Elle se déclenche dans le cadre d'une configuration systémique mondiale spécifique caractérisée par ce que l'on peut appeler la modification de la pente du profit. Si l'on prend en compte le modèle proposé plus haut, l'émergence d'un centre hégémonique fait augmenter son excédent commercial mais aussi ses niveaux de richesse, ce qui entraîne des conflits de classe internes et une redistribution des revenus qui se traduisent par des coûts sociaux de production. Ainsi, le centre se finance en abandonnant derrière lui son rang de

---

5 Le libéralisme du XIXe siècle et des débuts du XXe est tout aussi « néolibéral » que celui du XXIe. Il en existait des versions avec ou sans tendance à la flexibilisation, même si cette dernière était prédominante avant que les syndicats ne gagnent en puissance.

compétiteur, et le capital se déplace vers des zones plus lucratives. La part du capital qui ne migre pas est investie dans des secteurs non productifs où l'argent peut facilement être converti en encore plus d'argent, préparant ainsi la voie aux phénomènes de bulles. Le prétendu passage du capitalisme industriel au capitalisme financier est la conséquence logique de la supériorité historique antérieure du centre, et il n'est que l'expression de son déclin. Il existe ainsi un lien temporel entre l'hégémonie, l'exportation massive de capital et la financiarisation-spéculation. C'est aussi un processus dans lequel la capacité productive du centre devient de moins en moins compétitive et se voit remplacée par des produits importés en provenance des régions en voie d'industrialisation, moins onéreuses et dont l'organisation repose sur des structures fordistes, régulées et centralisées. La flexibilisation des économies centrales, tout comme leur néolibéralisation, est le produit de cette pression conduisant à la baisse des niveaux de profit. La flexibilité et la dérégulation sont des moyens permettant de contrecarrer cette tendance en séparant les centres financiers des activités de production décentralisées, en allant vers plus de diversité au moyen d'investissements strictement financiers, et enfin, *last but not least*, en rendant la main-d'œuvre plus flexible, c'est-à-dire en recréant le lumpenprolétariat.

Une mise en modèle de ces processus produirait des *scenarii* proche des villes globales décrites par Saskia Sassen [1991], dans lesquelles les centres financiers sont entourés par tout un ensemble de services avancés (des services juridiques à la prostitution), parfois par des unités de production décentralisées mais aussi par une masse de main-d'œuvre pauvre et flexible, une « multitude » mondiale grosse de la fragmentation sociale et de la guerre « ethnique » qui sont caractéristiques d'une société « à la *Blade Runner* ». La seule chose qui manque est l'industrie elle-même. Elle appartient déjà au passé et les industries *high-tech* que l'on trouve au centre sont dispersées dans des parcs industriels lointains où la terre coûte moins cher et où les coûts réels importent plus que pour le capital financier qui, lui, s'intéresse plus aux liquidités. On peut jusqu'à un certain point accepter l'idée que l'ancienne structure du monde en termes de centre-périphérie a disparu dans les limites de la ville globale, mais il ne s'agit pourtant que d'une vérité partielle. Si Tokyo est en passe de devenir un centre financier mondial, le déclin rapide du secteur industriel japonais démontre que nous avons affaire à un changement historique de très grande ampleur, tandis qu'en Chine, où l'exportation de capital japonais est très importante, nous sommes au cœur du monde ancien, celui de la production de masse fordiste dont nous consommons tous aujourd'hui les produits.

La leçon que nous pouvons en tirer est la suivante : la globalisation, le néolibéralisme et d'autres termes similaires ne constituent pas les indicateurs d'une certaine forme de développement ou d'une évolution sociétale. Au contraire, il s'agit de phénomènes de crise qui sont caractéristiques des *scenarii* de fin d'hégémonie. C'est le cas y compris si ces phénomènes se produisent dans le cadre de tendances à long terme rendant les systèmes plus englobants et les vitesses de transaction de plus en plus rapides.

Les dimensions de classe de la crise de reproduction

Dans la longue crise que nous traversons actuellement, la première tendance repérable est ce que l'on appelle le nivellement par le bas (*race to the bottom*), au moins en ce qui concerne la relation entre le capital et le travail. Ce n'est en rien une nouveauté, seulement la répétition de situations antérieures dans l'histoire du système mondial. Au cours des décennies passées, beaucoup ont estimé que le concept de classe avait perdu toute pertinence, mais ce n'est plus le cas à une époque où l'indice de Gini – qui mesure les inégalités de revenus au sein d'une même population nationale – croît rapidement. On définit souvent la classe comme étant une relation spécifique aux moyens de production, en clair les détenteurs et les non-détenteurs. Toutefois, cela n'est vrai que dans le cas où les classes dépendent entièrement de la production. Dans un système capitaliste complexe, il faut plutôt définir la classe comme étant une position occupée à l'intérieur du processus général de reproduction en termes de distribution des revenus et de contrôle du capital au sens le plus large et le plus abstrait.

La « globalisation » dont j'ai parlé plus haut, célébrée hier mais bien moins aujourd'hui, est en fait le produit d'une certaine phase de transformation de la structure hégémonique du système mondial, phase au cours de laquelle les anciens centres de production monopolistiques se mettent à exporter d'énormes quantités de capital, principalement en direction des régions où la production revient moins cher. Paradoxalement, elle est en relation avec l'existence de flux migratoires massifs vers les anciens centres en raison même des dislocations d'un système mondial en voie de fragmentation, système qui lui-même constitue l'un des aspects pris par la décentralisation de l'accumulation du capital et qui tend à produire des sous-prolétariats mondiaux ou bien des bassins de main-d'œuvre flexible. Ce processus entraîne une reconfiguration des identités culturelles, sous la double forme d'une fragmentation locale de plus en plus importante et de l'apparition d'une opposition mondialisée aux anciens hégémons, comme on le voit dans ce qu'on appelle l'occidentalisme, l'inversion de l'orientalisme d'avant.

Au cours de la période qui s'écoule de la fin des années 1970 jusqu'à aujourd'hui, la politique de classe était en déroute. C'était alors le premier pas vers la crise d'accumulation majeure à laquelle nous assistons de nos jours entre l'Occident et le Japon d'un côté – les anciennes puissances hégémoniques – et les hégémonies émergentes d'Asie du Sud et de l'Est, principalement la Chine et l'Inde. C'est cette période que l'on pourrait appeler celle de la « globalisation », comprise alors comme une phase à l'intérieur du processus plus long que Gérard Duménil et Dominique Lévy [2004 ; 2011] ont analysé en termes économiques. Ces auteurs mettent en évidence quatre périodes de crise majeure depuis 1890. Celle des années 1890 et celle des années 1970 sont des crises de rentabilité. La grande crise de 1929-1930 tout comme celle qui a débuté en 2008 sont en revanche des crises d'hégémonie. On peut discerner dans cette intéressante paire de couples une logique plus systémique si l'on considère que les crises de rentabilité débouchent sur des périodes de libéralisation économique, et notamment de financiarisation de l'économie, qui se terminent à leur tour en gigantesques crises d'accumulation du capital avant la recomposition fondamentale du pouvoir mondial, aussi bien économique que politique. Dans l'analyse de Duménil et Lévy, les

Fig. 1. La logique historique de deux formes de crises

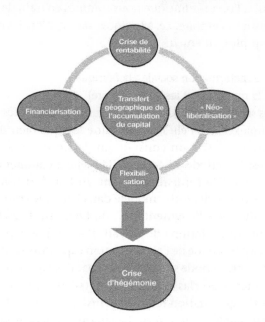

crises d'hégémonie succèdent aux crises de rentabilité après une période d'expansion financière. Si nous y ajoutons une dimension géographique, il est alors possible de voir comment une analyse en termes de système mondial peut lier cette logique et le changement d'hégémonie.

Il existe donc un unique ensemble complexe de relations faisant le lien entre le cycle des crises et la transformation de l'arène mondiale. La transformation de l'ordre social à l'intérieur du centre hégémonique déclinant est une composante supplémentaire. Je me permets de remarquer ici que notre intérêt pour l'étude de la crise a commencé dans les années 1970 et qu'il n'a rencontré que la plus grande incrédulité de la part des anthropologues ainsi que de certains autres chercheurs en sciences sociales. Aujourd'hui, alors que « globalisation » reste encore un mot-clé pour de nombreuses personnes, beaucoup affirment qu'il n'est pas possible d'insinuer que l'hégémonie occidentale est sur le déclin. Si c'est aujourd'hui plus crédible, cela n'apparaissait dans les années 1970 et 1980, quand nous en avons parlé, que comme un fantasme d'apocalypse. Bien entendu, si l'on présume que nous sommes en train de passer de l'impérialisme à l'empire, *i.e.* à la globalisation, alors les centres ne constituent plus un enjeu.

La transformation sociale : la fabrique de la multitude et les élites (encore)

Les structures sociales des changements présentés ci-dessus sont complexes mais elles cachent une logique bien définie. Depuis les années 1970, on constate un déclin de la politique de classe. C'est la période au cours de laquelle a commencé à se désintégrer le modèle fordiste associant un État fort fondé sur une économie nationale forte, modèle dans lequel le compromis de classe conduisait à l'augmentation du bien-être et à la régulation étatique des relations de travail, l'ensemble dépendant d'une croissance soutenue de l'accumulation capitaliste centrée sur l'État-nation. Cette période se caractérisait par l'existence d'importants mouvements de classe tant aux États-Unis qu'en Europe ainsi que par l'augmentation relative du niveau de vie de la classe ouvrière ; mais aussi par une forte hégémonie américaine et par l'appauvrissement croissant de la majeure partie du tiers monde, qui représentait alors l'idéaltype de la périphérie dans le modèle de la dépendance exprimé en termes de développement / sous-développement. Au centre du système mondial, l'indice de Gini décroît. Au cours des années 1960, on assiste à un ralentissement de l'accumulation, d'abord aux États-Unis puis en Europe, cette dernière ayant été la cible principale de l'exportation de capital avant de devenir le principal concurrent des États-Unis pendant cette période. C'est le début d'une crise majeure de rentabilité conduisant à une longue période d'ajustement, et même d'« ajustement structurel », qui voit les salaires stagner, l'inflation enfin combattue à l'aide de méthodes draconiennes (grâce à Paul Volcker lors de son passage à la tête de la Réserve fédérale) et l'accomplissement de la transition entre le postfordisme et le néolibéralisme. L'exportation du capital se fait alors avant tout en direction de l'Asie méridionale et orientale. La division du travail du Nouveau Monde se met en place : la périphérie abrite désormais plus que des matières premières puisque l'on assiste à un véritable transfert de la production industrielle. Au centre, c'est le capital financier qui devient prédominant. Cela ne se manifeste pas seulement par la domination croissante des banques et de l'investissement boursier mais aussi par la restructuration des anciennes firmes centralisées en un centre financier entouré par des sous-traitants dans le domaine de la production et des services. Ainsi, le processus de financiarisation usurpe également les opérations centrales des firmes industrielles. Il s'agit d'un phénomène étudié depuis plusieurs décennies : les anciens chefs de direction, qui étaient ingénieurs ou bien qui venaient de l'industrie, se voient de plus en plus remplacés par des directeurs financiers, à l'image de la restructuration des firmes industrielles. Confrontée à une pression croissante venue d'en haut, la main-d'œuvre se désyndicalise et se flexibilise. Manpower devient le plus grand employeur au monde. La sous-traitance passe la main à l'importation de main-d'œuvre à bon marché pour partir travailler dans les ateliers de misère du centre ou bien pour supplanter la main-d'œuvre anciennement syndiquée. La contraction des économies occidentales puis la chute de l'Union soviétique entraînent la fragmentation du monde global et, dans une situation de raréfaction des ressources, une recrudescence des conflits et de la violence ainsi qu'une ré-identification régionale et ethnique. Il s'en est ensuivi une migration massive à partir de ces régions en direction des anciennes zones riches du centre, où le chômage a augmenté et où les salaires réels ont stagné. Ce processus provoque une sous-prolétarisation généralisée pouvant conduire jusqu'à la confrontation entre les immigrants et les membres de la classe ouvrière en situation de mobilité descendante. Cela pourrait bien ressembler à la formation d'une multitude, d'un sous-prolétariat flexible plus ou moins exclu du reste de la société. Ce sous-prolétariat a été étudié dans de nombreux travaux relatifs aux nouvelles transformations villes/banlieues en Europe ou aux conflits industriels aux États-Unis [en anthropologie, voir Nonini, 2003].

Un exemple typique de cette dynamique des rapports entre classe et immigration nous est fourni par la situation actuelle en Italie du Nord où certaines villes, comme celle de Prato en

Toscane, dans une région anciennement riche, spécialisée dans la production de textiles haut de gamme, sont victimes du nivellement par le bas via l'importation de main-d'œuvre bon marché en provenance de Chine (aujourd'hui 20 % de la population locale) mais aussi de la concurrence croissante de la production chinoise et du rachat par les mêmes Chinois d'entreprises italiennes en faillite. La montée de l'extrême droite un peu partout en Europe est une conséquence du processus par lequel les membres de la classe ouvrière perdent non seulement leurs emplois mais aussi leurs moyens d'existence au profit de populations immigrées. Par effet de polarisation, les élites cosmopolites dénigrent le racisme de la classe ouvrière et d'une minorité de la classe supérieure locale tandis que ces derniers accusent les premiers d'être responsables de tous les maux de la nation. Le déclin hégémonique engendre donc une double polarisation : une fragmentation liée aux conflits ethniques et culturels d'un côté et, de l'autre, une polarisation entre un ensemble regroupant les élites politiques, culturelles et économiques, et un autre où se côtoient le bas de la classe moyenne et la masse prolétarisée et sous-prolétarisée.

On a dépeint cette période, qui débute dans les années 1980, comme étant celle du déclin de la politique de la classe ouvrière, de la politique de classe tout court, voire du déclin de la classe ouvrière en tant que telle. Elle entraîne tout un ensemble de reconfigurations parallèles : la classe est remplacée par la culture, voire par la race (comme terme culturel bien entendu) ; la politique des cultures remplace la politique de classe ; la culture est mise en avant au travers d'une série de ré-identifications où l'identité culturelle se généralise, se fragmente de plus en plus et va jusqu'à s'individualiser. J'ai décrit cela, au moment même où cela intervenait, comme un phénomène systémique des années 1980 [par exemple Friedman, 1987 ; 1988 ; 1994]. En anthropologie, cela a eu pour conséquence la disparition des modèles matérialistes, qu'ils soient matérialistes culturels ou marxistes. C'est ici que se produit une corrélation très intéressante entre l'essor des modèles interprétatifs et la résurgence de la culture d'un côté et, de l'autre, la croissance envahissante des mouvements culturels de toutes sortes dans lesquels l'identification se fonde sur l'être plus que sur le devenir, sur la substance plus que sur la construction d'un état futur de l'humanité, ce qui explique la prolifération de mouvements fondés sur l'ethnicité, le sexe ou autres. De la structure au sens en quelque sorte, comme on a pu l'affirmer à la suite du transfert au cours duquel le matérialisme s'est autodétruit tandis que la culture et l'identité devenaient la nouvelle vague dominante des sciences sociales. Ayant évoqué cette question dans des textes antérieurs, je ne vais pas me répéter ici. Inutile de dire que ce transfert n'est pas passé inaperçu. Les travaux de Touraine [1973] et de Wieviorka sur la fin de ce qu'ils nomment les « mouvement sociaux » et leur remplacement par un éparpillement de mouvements d'identité culturelle [Wieviorka, 1996] montrent éloquemment ce changement. La vision qu'en a Touraine se fonde sur le passage de la société industrielle à la société postindustrielle, ce qu'avait déjà noté Daniel Bell [1973]. Dans la vision que j'en ai, ce passage doit être rapporté à l'exportation massive de l'accumulation de capital industriel en direction de régions de ce que l'on appelait auparavant le tiers monde, en particulier l'Asie orientale, l'Asie méridionale ainsi que des pays comme le Brésil, ce que nous interprétons comme un processus à long terme de déclin du pouvoir hégémonique. Ce déclin implique également le déclin de la force d'attraction que pouvait avoir l'identité moderne mais aussi l'identité occidentale, ainsi que la prolifération d'identifications « à la fois nouvelles et anciennes ». Mais la désintégration de l'État capitaliste moderne organisé sur le mode vertical et fondé sur les compromis de classe ainsi que sur le rôle central joué par l'État redistributif entraîne rapidement une polarisation de classe. En Occident, les nouveaux riches ne sont pas les propriétaires des moyens de production mais les propriétaires du capital financier. Il s'agit de l'assimilation de l'ancien capital industriel aux grands projets de l'accumulation fictive. Cette reconfiguration s'accompagne également d'une reconfiguration de la culture politique que l'on évoque souvent en termes de fusion de la gauche et de la droite tandis que les classes politiques deviennent de plus en plus riches et de plus en plus autocratiques. En Europe, on a tendance à leur associer tout ce qui est cosmopolite et multiculturel et à leur attribuer un dégoût particulier pour la vulgarité des classes inférieures, ou de ce qu'il en reste. Ainsi, la remise au goût du jour d'une différenciation de classe de type keynésien fait partie d'un processus de réalignement plus important par lequel la fraction supérieure de la structure de classe continue à s'élever par rapport au reste du monde, cette fraction supérieure se composant d'un large éventail de groupes au sein duquel les intellectuels cosmopolites jouent un rôle crucial car ce sont eux qui fournissent les discours de ré-identification. Définir la classe comme une position occupée à l'intérieur du processus de reproduction est alors bien plus pertinent que la vision statique où les acteurs de classe sont fixés une fois pour toutes par rapport à la relation qu'ils entretiennent aux moyens de production.

Si je reprends sous une forme légèrement différente les éléments évoqués plus haut sous le nom de double polarisation, on assiste d'une part à une fragmentation des identifications à cause de l'effondrement des modes de formation de l'identité moderne et à cause de l'ethnicisation et de la culturalisation de la confrontation sociale ; d'autre part à l'apparition simultanée d'une différenciation de classe qui, dans la situation culturelle actuelle, s'exprime au travers de l'opposition entre les élites cosmopolitanisées et les classes ouvrières indigénisées qui se trouvent toujours à la limite de la perte d'emploi.

D'une certaine façon, la notion de « multitude » élaborée par Hardt et Negri [2000 ; 2004] n'est pas très éloignée de ce que j'avance ici. Pourtant, mon cadre d'analyse ne concerne pas l'existence potentielle d'une population postcapitaliste composée de « touche-à-tout », y compris des intellectuels comme les auteurs d'*Empire*. Il s'intéresse plutôt aux conséquences de la dynamique diverse du nivellement par le bas, comme par exemple les déplacements massifs, à l'échelle internationale, de main-d'œuvre bon marché en provenance de régions du système mondial où règnent des conflits intérieurs qui sont eux-mêmes le résultat des mécanismes mis en branle par le déclin de l'hégémonie. Ces migrants entrent en concurrence avec les fractions des classes ouvrières nationales en passe de tomber dans le *lumpen*, ce qui provoque une situation de conflit de nature souvent explosive. Il en ressort deux tendances parallèles : une ethnicisation croissante de la part

Fig. 2. La dialectique de la cosmopolitisation et de l'indigénisation

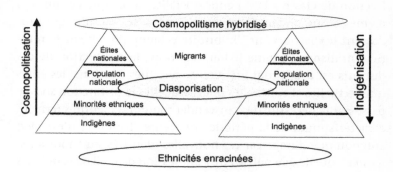

des immigrés mais aussi des nationaux, ce qui, dans ce dernier cas, vient alimenter un type de mouvements nationalistes jugé « inacceptable » par les nouvelles élites cosmopolitanisées et par les classes supérieures dont les revenus augmentent dans cette situation « nouvelle » de financiarisation. Ce phénomène peut être représenté graphiquement comme sur la figure 2 ci-dessus.

L'objectif de cette représentation est de mettre l'accent sur le fait que les relations de classe ne sont pas le simple fait d'acteurs sociaux inscrits à l'intérieur d'un espace plus grand mais bel et bien les produits d'un processus plus étendu de reproduction sociale qui préserve et modifie les relations entre les unes et les autres. Les catégories présentées ci-dessus ne constituent pas des classes au sens traditionnel du terme ; il s'agit de catégories de populations définies par la position qu'elles occupent à l'intérieur du processus de reproduction. La dynamique qui est effectivement à l'œuvre ici est un mélange de cosmopolitisation et d'indigénisation[6].

La tendance à l'indigénisation et à la fragmentation culturelle en général s'accompagne d'une polarisation verticale qui est elle-même entièrement définie en termes culturels. L'émergence des « communautés fermées » (*gated communities*) parmi les élites qui s'autoproclament pourtant comme ouvertes et cosmopolites

---

6 Friedman [1999a], [1999b], [2000], [2002a].

exprime parfaitement ce processus. Cela s'accompagne d'une forte tendance à l'endogamie de classe – voire à l'endogamie de fraction de classe – et à l'endo-socialité[7] alors que ce sont ces mêmes élites, s'identifiant avec ce nouveau monde, qui produisent le discours sur l'hybridité cosmopolite et sur le multiculturalisme. Comme je l'ai déjà noté, la production de ces discours est avant tout l'œuvre de certaines fractions des élites intellectuelles et culturelles pour lesquelles la distinction sociale passe par la nécessité de transcender toutes les identités fermées caractéristiques de la période antérieure. Tout ceci n'est bien entendu que mirage car ces nouvelles identités sont tout aussi fermées, quelle que puisse être l'impression de métissage qu'elles se donnent. De toute façon, le résultat global est le renforcement des catégories et une certaine forme d'hégémonie idéologique partout où ces idéologies se retrouvent liées à l'État, comme c'est le cas en Suède. Le caractère complémentaire de cette structure est bien illustré par la détestation à l'égard des cosmopolites qui sévit dans les zones inférieures du système tandis qu'au sommet règne la révulsion à l'égard des « classes dangereuses », même si, comme l'ont fait remarquer Julliard [1999] et Joffrin [2001], c'est désormais l'immigrant qui devient objet de compassion en lieu et place de l'ancienne classe ouvrière dont l'image est celle de la populace méprisable qui ne peut être sauvée que par le multiculturalisme [Žižek, 2000].

Cette complémentarité est exactement celle qui apparaît dans le livre et dans le film *Blade Runner*, où les relations que je viens de décrire sont transposées en termes spatiaux, mais aussi dans la description que fait Mike Davis [1990] de la ville de Los Angeles où se met en place une verticalisation de l'espace. L'importance de la configuration de classe dans la distribution des positions occupées au regard de l'accumulation et de la distribution du capital permet de mettre en évidence la dynamique à l'œuvre dans la situation actuelle où les relations de classe se culturalisent alors même que l'on assiste à une reclassification de ce qu'est la culture.

---

7 Friedman [2002b, 2007], Wagner [1998], Pinçon et Pinçon-Charlot [2006].

Le nouveau centralisme et l'essor
de la classe politique (*bis repetita*)

Dans la première section de ce chapitre, j'évoquais les relations entre la crise actuelle et les discours qui s'en sont ensuivis. Mais ces discours ne sont pas la conséquence de la crise elle-même. Bien sûr que non ! Au contraire, ils font partie de l'ensemble du discours produit par le processus capitaliste au sens large. Ils constituent un cadre au sein duquel les différentes positions, et les identités qui en sont issues, ne sont pas des entités autonomes mais un ensemble de positions reliées les unes aux autres, comme peuvent l'être les variantes d'un seul et même mythe. Le lieu de production de ces variantes n'est pas la zone inférieure de l'ordre social mais la fraction supérieure de la classe moyenne ainsi que les élites. Les mots-clés mentionnés plus haut sont des mots-clés parce qu'ils entrent en résonance avec la sensibilité de ces différentes élites. C'est ce qui ressort du passage de l'apologie de la globalisation et des termes associés comme « multiculturalisme » et « hybridité » à d'autres termes plus récents liés au néolibéralisme, ce dernier étant considéré, mais de façon secondaire (comme s'il s'agissait d'une surprise), comme la part sombre de ce processus. Il convient de noter que les positions prises par les élites à l'égard de ces termes pour leur donner un « sens » sont avant tout des prises de position morales et non des prises de position politiques. On pourrait y voir le résultat d'une transformation nouvelle, que je ne peux qu'effleurer ici, celle de la sphère politique, qui passe du dualisme diamétral opposant la gauche à la droite à un dualisme concentrique opposant les élites de l'intérieur à la dangerosité de ceux qui viennent de l'extérieur. La conversion de la gauche politique en différentes formes de centrisme (New Democracy aux États-Unis, New Labor en Grande-Bretagne, Neue Mitte, sans doute le terme le plus exact, en Allemagne) s'est poursuivie sans interruption depuis la fin des années 1980. Plus récemment, en France, le gouvernement conservateur a recruté des socialistes pour en faire des ministres, tandis que le Nouveau parti démocrate italien est le produit d'une alliance de démocrates chrétiens et de différents hommes politiques de gauche. Dans tous les cas, la vision de ce qu'est le processus démocratique a changé. La démocratie est désormais essentiellement une qualité incarnée par des individus et la règle n'est plus qu'une affaire de gestion, selon la logique de la *voie unique*[8], une notion qui est socialiste en France mais conservatrice en Suède (*den enda vägen*). Sa signification est simple : il n'existe qu'une manière de gouverner efficacement. Pour les partisans de cette vision de la gouvernance – la nouvelle gestion publique, ou le nouveau management public, notion acceptée à gauche comme à droite –, la démocratie formelle est hors de propos, la souveraineté se trouve transférée (à nouveau) du « peuple » vers la classe politique et nous sommes actuellement, comme le montrent les tendances *désordonnées* de l'Union européenne, sur la voie du retour à l'État absolutiste. En tant que telle, cette transformation renouvelle le mode d'existence des classes sociales. Laissée pour compte et sur le déclin, la classe ouvrière se déplace vers l'extrême droite et le populisme tandis que les fractions en mobilité ascendante de la classe moyenne et de la classe supérieure s'identifient au libéralisme cosmopolite.

Le cadre que je propose est une interprétation de l'émergence de l'Empire, mais elle diffère de celle qu'ont proposée Hardt et Negri, notamment parce qu'elle est bien plus limitée sur le plan géographique. Pourtant, cette interprétation propose de saisir la complémentarité entre la formation de l'Empire et la formation de la multitude, cette dernière étant la forme contemporaine des classes inférieures (flexible, précaire et sous-prolétarisée). Les transformations évoquées ici ne sont pas causées par la crise d'hégémonie actuelle mais bel et bien par celle qui a débuté dans les années 1980, qui a elle-même tenté de répondre à la crise de rentabilité précédente, entraînant ainsi la financiarisation et l'exportation massive du capital décrites plus haut. Aujourd'hui, de nombreuses élites économiques souhaiteraient le retour du keynésianisme à l'échelle mondiale, alors que ces mêmes élites ont joué un rôle de premier plan dans le processus qui a conduit à la crise, cette crise contre laquelle elles ont si vigoureusement réagi. La gouvernance du monde a tendance à se transformer en

---

8   En français dans le texte.

un ordre social « à la *Blade Runner* » dans lequel des élites absolu-tistes centralisées gouvernent des multitudes turbulentes à l'aide des outils économiques de la bonne gouvernance.

Références bibliographiques

APPADURAI Arjun, 1996, *Modernity at Large. The Cultural Consequences of Globalization*, University of Minnesota Press, Minneapolis. Traduction française : *Après le colonialisme. Les conséquences culturelles de la globalisation*, Payot, « Petite Bibliothèque », Paris, 2005.

ARRIGHI Giovanni, 2007, *Adam Smith in Beijing. Lineages of the Twenty-First Century*, Verso, Londres. Traduction française : *Adam Smith à Pékin. Les promesses de la voie chinoise*, Max Milo, Paris, 2009.

— 1999, « Globalization and historical macrosociology », *in* ABU-LUGHOD Janet L. (dir.), *Sociology for the Twenty-First Century. Continuities and Cutting Edges*, Chicago University Press, Chicago, p. 117-133.

— 1994, *The Long Twentieth Century. Money, Power, and the Origins of Our Times*, Verso, Londres et New York.

BELL Daniel, 1973, *The Coming of Post-Industrial Society. A Venture in Social Forecasting*, Basic Books, New York. Traduction française : *Vers une société post-industrielle. Essai de perspective sociologique*, Robert Laffont, Paris, 1976.

COHEN Benjamin J., 1966, « Phoenix risen. The resurrection of global finance », *World Politics*, XLVIII, p. 268-296.

DAVIS Mike, 1990, *City of Quartz. Excavating the Future in Los Angeles*, Verso, Londres et New York. Traduction française : *City of Quartz. Los Angeles, capitale du futur*, La Découverte, Paris, 1997.

DUMÉNIL Gérard, LÉVY Dominique, 2011, *The Crisis of Neoliberalism*, Harvard University Press, Cambridge.

— 2004, *Capital Resurgent. Roots of the Neoliberal Revolution*, Harvard University Press, Cambridge.

FRANK Andre Gunder, 1998, *ReOrient. Global Economy in the Asian Age*, University of California Press, Berkeley.

FRIEDMAN Jonathan, 2007, « Cosmopolitan Elites, Organic Intellectuals and the Re-configuration of the State », *in* KOUVOUAMA Abel, GUEYE Abdoulaye, PIRIOU Anne,

WAGNER Anne-Catherine (dir.), *Figures croisées d'intellectuels. Trajectoires, modes d'action, productions*, Karthala, Paris.

— 2002a, « Globalization, dis-integration, re-organization : the transformations of violence », in FRIEDMAN Jonathan (dir.), *Globalization, the State and Violence*, Altamira Press, Walnut Creek, p. 1-34.

— 2002b, « Champagne liberals and the new "dangerous classes" : Reconfigurations of class, identity and cultural production in the contemporary global system », *Social Analysis*, 46 (2), p. 33-55.

— 2000, « Globalization class and culture in global systems », *Journal of World Systems Research*, « Fetschrift for Immanuel Wallerstein », 6 (3), automne-hiver, p. 636-656.

— 1999a, « Class formation, hybridity and ethnification in declining global hegemonies », in OLDS Kris, DICKEN Peter, KELLY Paul F., KONG Lily, YEUNG Henry Wai-chung (dir.), *Globalization and the Asia Pacific. Contested Territories*, Routledge, Londres.

— 1999b, « Cultural insecurities and global class formation », in TEHRANIAN Majid (dir.), *Worlds Apart. Human Security and Global Governance*, Tauris, Londres, p. 125-152.

— 1994, *Cultural Identity and Global Process*, Sage, Londres.

— 1989, « Culture, identity and world process », *Review*, XII (1), hiver, p. 51-69.

— 1988, « Cultural logics of the global system : A sketch », *Theory, Culture and Society*, 5 (2), juin, p. 447-460.

— 1987, « On the material conditions for the decline of marxism », *Antropologiska studier*, 42.

GESCHIERE Peter, 2009, *The Perils of Belonging. Autochthony, Citizenship, and Exclusion in Africa and Europe*, University of Chicago Press, Chicago.

HARDT Michael, NEGRI Antonio, 2004, *Multitude. War and Democracy in the Age of Empire*, The Penguin Press, New York. Traduction française : *Multitude. Guerre et démocratie à l'âge de l'Empire*, La Découverte, Paris, 2004.

— 2000, *Empire*, Harvard University Press, Cambridge. Traduction française : *Empire*, Exils, Paris, 2000.

HARVEY David, 1995, « Globalization in question », *Rethinking Marxism*, 8 (4), hiver, p. 1-17.

JOFFRIN Laurent, 2001, *Le Gouvernement invisible : naissance d'une démocratie sans le peuple*, Arléa, Paris.

JULLIARD Jacques, 1999, *La Faute des élites*, Gallimard, Paris.

KRUGMAN Paul, 2011, « Oh ! What a lovely war ! », *The New York Times*, <http://krugman.blogs.nytimes.com/2011/08/15/oh-what-a-lovely-war/>, 15 août.

NONINI Donald M., 2003, « American neoliberalism, "globalization" and violence: reflections from the United States and Asia », *in* FRIEDMAN Jonathan (dir.) *Globalization, the State, and Violence*, Rowman & Littlefield Publishers, Altamira Press, p. 159-197.

PINÇON Michel, PINÇON-CHARLOT Monique, 2006, *Grandes fortunes. Dynasties familiales et formes de richesse en France*, Payot, Paris.

POLANYI Karl, 1957 (1944), *The Great Transformation. The Political and Economic Origins of Our Time*, Beacon Press, Boston. Traduction française : *La Grande transformation. Aux origines politiques et économiques de notre temps*, Gallimard, Paris, 1983.

SASSEN Saskia, 1991, *The Global City. New York, London, Tokyo*, Princeton University Press, Princeton. Traduction française : *La Ville globale*, Descartes et Cie, Paris, 1996.

TOURAINE Alain, *Production de la société*, Seuil, Paris, 1973.

WAGNER Anna-Catherine, 1998, *Les Nouvelles élites de la mondialisation. Une immigration dorée en France*, PUF, Paris.

WIEVIORKA Michel (dir.), 1996, *Une société fragmentée ? Le multiculturalisme en débat*, La Découverte, Paris.

ŽIŽEK Slavoj, 2000, « Why we all love to hate Haider », *New Left Review*, 2, p. 37-38.

Chapitre 14

Un « nous » sans « eux »
Manufactures de la société-Monde

Jacques Lévy

La mondialisation crée les conditions d'une possible société d'échelle planétaire, si bien sûr les humains qui habitent le Monde[1] le décident. Or il s'agit d'une configuration inédite qui modifie profondément le faire-société. En effet, celui-ci, jusqu'ici, s'était toujours accompagné du couple « nous-eux », l'un n'allant pas sans l'autre, la dimension communautaire défiant sans cesse le projet d'une société des individus. Ce n'est plus le cas pour la société-Monde, qui peut difficilement se définir dans le cadre d'une interspatialité [Lévy, Lussault, 2003] avec d'autres réalités fondées sur l'interface (le Monde n'a pas de voisins), la cospatialité (le Monde ne se superpose pas à un espace préexistant) ou même l'emboîtement (le Monde est encore loin d'être le niveau supérieur d'une organisation fédérale...). Tout est donc, en un sens, à inventer pour les sciences sociales...

Les humains entre deux identités

En pratique, le *nous* sans *eux* signifie : une société civile mondiale, la fin de la géopolitique, un droit et une gouvernance d'échelle mondiale. On pourrait penser qu'il s'agit d'une utopie et

---

1   Avec une majuscule, le mot Monde désigne l'espace habité par les humains pris comme un tout. Avec une minuscule, il possède un sens plus vague : toute réalité matérielle ou idéelle considérée comme un environnement pouvant revendiquer, dans un domaine au moins, une exhaustivité : le monde de l'art, *le monde selon Garp*, le « monde vécu ». Le tout n'étant jamais que l'un des éléments de l'ensemble des parties, le Monde est aussi un monde, bien évidemment.

que ce n'est qu'à ce titre que cet horizon pourrait figurer comme objet d'études pour les sciences sociales. Si la part d'utopie existe sans doute et si, incontestablement, il s'agit en tout cas d'une intention et non d'une réalité constatable, on peut néanmoins considérer que les prémisses de ce projet sont d'ores et déjà visibles et à certains égards mesurables.

Quatre processus qui semblent indépendants et qui sont lisibles comme les facettes d'une même transformation peuvent être repérés en effet dans le monde contemporain. Il s'agit de la naissance de l'individu-acteur, du changement de paradigme de l'*ethos*, de la morale à l'éthique, de la réflexivité généralisée de l'action humaine et, bien sûr, de la mondialisation. Or ces quatre éléments peuvent être lus aussi comme quatre manières de lire le même processus, celui qui, tendanciellement, construit une société-Monde d'individus identifiée et déjà en partie explorée par Norbert Elias [1991]. Elias décentre le problème en évoquant les transformations du rapport « je-nous ». « Nous-je », « nous-eux » : ces deux couples constituent une bonne manière de résumer la question : le « nous » se définit-il par rapport à un « eux » ou par rapport à un « je » ? On se rend compte alors que le processus d'identification sociale des personnes ou des groupes peut procéder par deux voies distinctes : *oppositionnelle*, elle se définit une identité contre d'autres identités et demeure fixe tant que l'existence des autres de référence est perçu comme visible et stable ; *constructionnelle*, elle se pense comme en mouvement dans un environnement lui-même en mouvement. Proche de l'opposition proposée par Paul Ricœur [1990] entre *mêmeté* et *ipséité*, cette dualité apparaît comme pertinente tant sur un plan psychologique que dans une perspective sociétale, sans qu'il soit besoin pour autant de recourir à la mythologie de l'individualisme méthodologique. C'est simplement que des processus similaires fabriquent la société et, en son sein, l'individu, le second contribuant lui aussi à changer la première.

Universalité, fin et suite

Dans cette perspective, la mondialité constitue l'expression concrète, et la seule possible, de l'universalité. Dans la définition traditionnelle de l'universel, le fait qu'un principe s'applique « en tous lieux » est fondamental. L'autre élément, « en tout temps », pose un problème de compatibilité avec l'historicité. Ce qui est vrai à tout moment de l'histoire de l'humanité ne peut contenir que des réalités non historiques (appartenant aux univers biophysiques) ou posséder une validité transhistorique, ce qui restreint inévitablement leur champ de pertinence. Si l'on s'en tient à la recherche d'une universalité synchronique, notons que celle-ci n'exige nullement l'uniformité. Un « univers » se définit, à toutes les échelles, comme un ensemble de réalités diverses mais admettant des règles de construction, de fonctionnement ou d'évolution communes. L'univers des humains peut donc être peuplé de réalités différences et posséder une existence pertinente à son échelle à condition que l'on puisse penser ces réalités comme interagissant les unes avec les autres en sorte qu'elles contribuent d'une manière ou d'une autre à la mise en place d'une logique qui les réunit. Il ne suffit donc pas de penser ensemble ces différences : archéologues et anthropologues ont souvent l'occasion d'étudier des objets matériels (outils...) ou immatériels (liens de parenté...) qui ont été inventés de manière distincte par des sociétés qui n'étaient pas connectées les unes aux autres. S'il y a universalité ici, elle est donc soit naturelle, soit transhistorique, et ne suppose pas une contemporanéité, une cochronicité des réalités concernées. L'idée d'universalité synchronique suppose une interaction des différents éléments et une interdépendance des situations, au-delà de leurs spécificités, ou plus exactement avec elles.

L'énoncé selon lequel la mondialisation rend possible cette universalité synchronique pourrait ne pas faire débat. Ce n'est pourtant pas le cas. Pour certains courants de pensée, c'est même le contraire : la mondialisation ferait courir un risque à l'universel. Jean Baudrillard [1996] a présenté ces deux notions comme antinomiques en établissant une corrélation entre le développement « irréversible » de la mondialisation et le fait que l'universel est « en voie de disparition ». « Au temps des Lumières, dit-il, l'universalisation se faisait par le haut, selon un progrès ascendant. Aujourd'hui, elle se fait par le bas, par une neutralisation des valeurs due à leur prolifération et à leur extension indéfinie. » « L'universel a eu sa chance », continue-t-il, et l'on comprend alors que ce qu'il nomme universel, ce sont simplement les idéologies occidentales prétendant à l'universalité. Ce qui est appelé « universel », c'est tout simplement l'autoproclamation par un État de l'universalité de son discours et de son action. D'où un tour de prestidigitation : moins un État ou un groupe d'États parviendrait à défendre un espace de toute-puissance où ils imposent leur particularisme, plus l'universalité reculerait. Si le lapin peut ainsi sortir du chapeau, c'est parce que, un peu partout et davantage en France, l'étatisme a été présenté par ses adeptes comme un « universalisme » de manière à se distinguer des autres affiliations communautaires. Comme souvent, le *packaging* postmoderne permet de donner une seconde vie plus clinquante à des antiennes un peu défraichies. Baudrillard ne fait que répéter, presque dans les mêmes termes, mais dans une variante fataliste là où d'autres prônent un sursaut rédempteur, les lamentations des nostalgiques du tout-État.

En adoptant cette posture, on passerait à côté d'une double réalité pourtant difficilement contestable : l'État est d'abord un acteur géopolitique et, à ce titre, ne peut prétendre en aucune manière à l'universalité mais, au mieux (au pire), à une domination impériale mondiale ; la nation, la construction collective qui constitue la ressource primaire de l'État géopolitique moderne, est une communauté parmi d'autres, avec ses caractéristiques communes et notamment la distinction radicale entre un « nous » et un « eux » qui, par construction, ne sauraient disposer des mêmes prérogatives et des mêmes droits. Pour aller plus loin, un détour s'impose par l'exploration du couple géopolitique / politique et, plus généralement, des obstacles à la naissance d'une société-Monde, afin de mieux comprendre en quoi la mondialisation change les conditions d'émergence de l'universel.

Dans ce texte, l'objectif est de procéder de manière négative : quels sont aujourd'hui les obstacles à la dynamique de ce processus ? Qui sont les nous-eux qui résistent ? Et par là de tenter d'évaluer, *a contrario*, quelle est aujourd'hui la part de pertinence du concept de société-Monde.

Géopolitique

William Shakespeare a exploré deux types de situation où une politique fondée sur l'éthique peut naître. Celle où la violence peut être tenue en lisière par la mise en avant de valeurs (*Macbeth, Titus Andronicus, Le Roi Lear*), celle où l'exercice du pouvoir suppose une invention pragmatique d'un cadre rendant possible le juste (*Le Marchand de Venise, Mesure pour mesure, La Tempête*). Dans les deux cas, l'enjeu n'est pas la démocratie mais la république, c'est-à-dire l'état de droit, l'objectif de justice et le dialogue entre le gouvernement et la société. La ruse (« la force de celui qui n'a pas encore la force ») est légitime seulement si elle contribue à diminuer le poids de la violence. Shakespeare ne suit pas Hobbes dans le sens qu'il ne propose pas un monde où, pour vivre dans la paix civile, il faudrait renoncer à la république. En ce sens, il est plus proche de Jean Bodin ou de Machiavel et nous aide à percevoir des situations où la politique se réduit à quelques braises rougeoyantes qu'il ne faut surtout pas laisser refroidir. Or ces situations, le plus souvent, ne sont pas des configurations démocratiques. Comme on le voit depuis 1990 en Afrique subsaharienne, la « démocratie » sans le politique a souvent des effets encore pires que si elle n'existait pas. La situation est différente au Maghreb et en Égypte où la construction de la « république » (libertés civiques, état de droit, indépendance des pouvoirs) et celle de la démocratie semblent pouvoir aller de pair.

L'erreur consistant à faire comme s'il ne pouvait pas y avoir de politique sans démocratie est particulièrement gênante lorsqu'on a affaire à un paysage aussi confus et lacunaire que celui de la politique mondiale. Si l'on attend de voir émerger une démocratie parlementaire du désordre actuel, on risque d'attendre un moment... Et de ne pas voir ce qui déjà existe : des logiques politiques d'échelle mondiale.

Partons d'un constat simple. Dans un système d'États souverains dépourvu d'autorité supra-étatique, il peut y avoir du politique à l'intérieur de chaque État, mais seulement de la géopolitique entre eux. Cette analyse a été faite clairement par Jean-Jacques Rousseau [1761] et par Immanuel Kant à la fin du XVIIIᵉ siècle dans le contexte où le système « westphalien » avait atteint son rythme de croisière. La réflexion a été relancée au tournant du XXᵉ siècle par les théoriciens de la géopolitique (voir notamment les œuvres de Rudolf Kjellen, Friedrich Ratzel et Halford Mackinder) lorsque l'induration des nations et la guerre de masse avaient fait changer de régime aux conflits interétatiques. Elle a été encore confirmée par les observateurs de la Guerre froide qui, tel Raymond Aron [1962], notaient que les relations interétatiques restaient marquées par l'« état de nature » alors même que l'« état de civilisation » progressait à l'intérieur des sociétés. Ce qu'on appelle *réalisme* ou *realpolitik* dans le vocabulaire des « relations internationales », c'est justement le fait qu'il ne faut pas tenter de « mettre de la morale » là où règne la « raison d'État ».

Quelle que soit la manière dont on la nomme – « géopolitique », « géostratégie », « relations internationales », « diplomatie » ou « système international » –, il s'agit d'un ensemble d'interactions entre États, groupes d'États ou organisations visant à créer un État, dont l'enjeu est le contrôle direct ou indirect d'un territoire. La régulation de ces interactions est la violence sous la forme d'une action concrète (la guerre), d'une menace ou d'autres dispositifs permettant de modifier les rapports de forces d'un acteur par rapport à un autre. Le politique obéit, quant à lui, à une tout autre logique, celle de la légitimité. Comme l'a montré Machiavel [1532], autant la conquête est le fait de celui qui possède la force armée la plus efficace, autant la gestion d'une société impose autre chose, un dispositif qui vise à exclure la guerre des options des acteurs pour faire valoir leurs points de vue. Les situations violentes comme celles des guerres civiles se dénouent dans la légitimité. Dans le cas particulier de la démocratie, la violence est exclue même si l'objectif est la prise du pouvoir politique. Les acteurs, d'ailleurs, ne sont plus les mêmes : ce sont les citoyens, plus ou moins égaux ou plus ou moins actifs, mais potentiellement tous les membres d'une société sont présents directement ou par représentation dans la construction d'une méthode de gestion pacifique des intérêts et des conflits. Cela passe, nous dit Antonio Gramsci [1983 (1929-1935)], par une combinaison de coercitions et de consentements entre lesquels le point d'équilibre peut varier. Un régime « autoritaire » impliquera davantage de déploiement policier qu'un régime « libéral », mais, dans l'ensemble du spectre, l'usage de la violence doit pouvoir se justifier au sein d'un projet politique qui, par définition, vise à rendre la présence de celle-ci aussi limitée que possible. Ainsi, le monopole étatique de la violence légitime que repère Max Weber doit être précisé comme monopole d'une violence légitime pour autant qu'elle le reste : un gouvernement qui utilise de manière non légitime les capacités de coercition que lui donne la puissance de l'État perd la légitimité à utiliser ces capacités. Cela signifie que le lien gouvernants / gouvernés fonctionne aussi lorsqu'il est question d'usage de la force de « maintien de l'ordre ». Le totalitarisme commence justement lorsque la circulation de la légitimité entre gouvernants et gouvernés est empêchée par un court-circuit qui supprime tout autonomie à ces derniers et qui ne se contente pas d'interdire l'expression publique de leurs opinions (c'est le fait des régimes dictatoriaux ou pire : despotiques), mais à rendre impossible la construction même de ces opinions en pénétrant dans l'intimité de leur genèse. Régulation par la violence ou par la légitimité, on ne parle donc vraiment pas de la même chose. Or la géopolitique est contradictoire avec le principe même de l'éthique. Sunzi [Sun Tzu] affirme dès les premières lignes de son *Art de la guerre* (1, § 6) : « La guerre repose sur le mensonge. » Cette formule prend tout son sens lorsqu'on prend en compte le fait que, dans la période des Royaumes combattants (481-222 avant J.-C.), qui constitue le contexte de l'ouvrage, les guerres exigent de telles ressources et font tellement de dégâts sur les systèmes productifs des États qui cherchent à prendre l'ascendant les uns sur les autres que toutes les techniques fondées sur la ruse deviennent essentielles pour éviter, si possible, de passer à l'acte. Sunzi montre que la « diplomatie » n'est que l'autre face de la guerre dans des « relations internationales » structurées par la violence.

Une guerre géopolitique ne peut pas être juste car elle poursuit des fins injustes avec des moyens injustes. La problématique développée par Michael Walzer [1992 (1977)] se perd dans les circonlocutions et dans les apories typiques de la Guerre froide. La fin juste avec des moyens injustes (mettre en danger la vie humaine) ne peut se justifier que comme violence légitime, c'est-à-dire comme une violence qui a pour finalité et pour effet de diminuer le niveau de violence. C'est toute la différence entre la guerre, d'une part, et les actions de police dans le cadre de la justice, d'autre part. Déjà en 1914-1918, l'idée de « guerre du droit » était une ressource (incroyable *a posteriori*) pour justifier la guerre. Ce genre d'argument ne nous convainc vraiment plus car nous savons que la plupart des opérations militaires illégitimes ont été menées au nom d'arguments de principe, pas seulement du point de vue du droit international (qui est un complément du « droit de la guerre », donc suspect par nature), mais aussi de valeurs éthiques ou politiques acceptées, comme ce fut le cas pour les guerres coloniales, de l'Indochine (1945-1954) au Viêtnam (1965-1975). Le politique naît donc, sans ambiguïté, de la négation de la géopolitique : chez les Grecs, comme lieu de parole par opposition à la violence intersociétale, ou chez les Romains, avec l'idée de *parcere victis* et de *clementia* [Arendt, 1995].

La guerre est finie

Face à ces considérations générales, que nous disent les observations empiriques ? Les travaux du Human Security Report Project [2010] montrent une diminution générale de la violence, et surtout la fin des conflits interétatiques classiques.

Les graphiques suivants montrent que la mortalité générale dans les guerres diminue de manière très nette depuis les années 1990.

Figure 1. Évolution de la mortalité dans les conflits inter- et intra-étatiques (1946-2008)

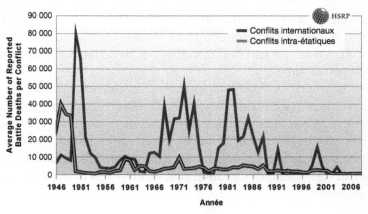

Figure 2. Évolution de la mortalité sur les champs de bataille dans les conflits impliquant les États, par type de conflit (1946-2007)

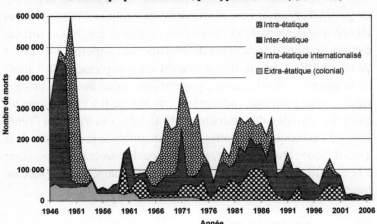

Depuis lors, les conflits concernent surtout l'intérieur des États, en s'internationalisant parfois, mais, même s'ils sont nombreux, le niveau de mortalité est beaucoup plus faible qu'autrefois.

Enfin, le terrorisme, qui est souvent présenté comme l'expression contemporaine de la guerre classique, présente un paysage de violences, certes spectaculaires – le terrorisme est, plus que jamais, une action de communication –, mais très réduit en pertes humaines. Le 11 Septembre a changé les règles de sécurité dans l'aéronautique commerciale, mais une fois la parenthèse George W. Bush close, les effets sur la marche du Monde s'en révèlent limités. L'Afghanistan, le Nord-Ouest pakistanais et la Somalie se sont confirmés comme « chaos bornés ». Les conflits « méridiens » au sein des États sahéliens présentent un emballage un peu modifié.

So what ? Le Proche-Orient reste instable et le restera sans doute tant que le conflit israélo-palestinien ne sera pas réglé. Cette guerre à basse intensité qui a permis aux dictatures arabes de tenir des décennies, et pour certaines jusqu'à aujourd'hui, constitue une sorte de butte-témoin de ce qu'aura été le Monde comme espace géopolitique. Ce conflit était relativement banal, il devient aberrant.

Figure 3. PIB et risque de conflit armé

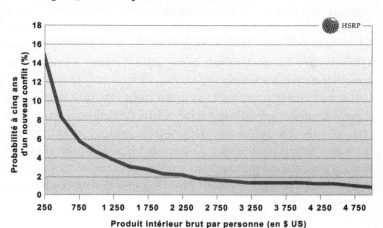

La figure 3 étaie cette thèse en montrant la très forte corrélation entre PIB par habitant et probabilité de conflit. La logique de
guerre, par nature prédatrice, fondée sur un jeu à somme nulle
portant sur des stocks, perd toute rationalité dans une économie
productrice constituant un jeu à somme positive portant sur des
flux. Ce n'est pas nouveau, mais cela commence à se savoir, et ce
d'autant plus facilement que les sociétés concernées sont fortement
engagées dans un processus de développement endogène.

La tentation de la guerre interétatique touche maintenant des
pays qui sont assez peu développés pour que des forces internes à
la société croient à sa rationalité et assez puissants, par la taille de
leur population notamment, pour espérer en sortir vainqueurs, et
ce d'autant plus que l'*habitus* impérial est présent dans leur patri-
moine culturel [Lévy, 2008]. Ce sont typiquement des grands pays
à niveau de développement moyen ou faible (Iran, Russie, Chine,
Inde, Pakistan). D'autres (Brésil, Argentine, Irak, Indonésie), qui
se trouvaient sur la liste il y a dix ou vingt ans, en sont, plus ou
moins volontairement, sortis. Le cas le plus intéressant est sans
doute celui de la Chine, qui se trouve en délicatesse territoriale
avec tous ses voisins et qui pratique des gesticulations menaçantes
face à Taiwan et aux riverains de la mer de Chine du Sud. Deux

calendriers sont en concurrence : celui du développement, qui conduit les élites économiques et culturelles chinoises vers une attitude bienveillante vis-à-vis du Monde en général et des voisins en particulier ; celui de l'activation d'une posture géopolitique agressive, rendue réaliste par la capacité du pays à s'offrir une armée de niveau supérieur.

Ce qui change la donne, ce n'est donc pas que la géopolitique se civilise, c'est qu'elle s'achève. Une évolution des pratiques concrètes modifie nécessairement notre regard, ou alors c'est que nous ne voulons pas regarder. Le livre de Michael Walzer n'est pas devenu plus vrai ou plus faux, il s'est décontextualisé : les sociétés des pays développés ne se font plus la guerre et n'envisagent pas de la faire un jour.

Le crépuscule des communautarismes

L'autre grand mode de segmentation du Monde est celui de la communauté, définie (comme en français et dans l'allemand *Gemeinschaft*) comme un groupe non choisi auquel l'individu délègue sans alternative possible et de manière irréversible son destin personnel. Soyons attentifs au fait que le mot « communauté » peut avoir un sens plus faible en français et, bien plus encore en anglais où le terme *community* signifie le plus souvent « collectivité » (quand il a une composante politique) ou « collectif » (quand il s'agit d'une organisation non institutionnelle). Le sens fort doit à mon sens être retenu car il recouvre une réalité sociale incontestable qui a été dominante pendant la plus grande part de l'histoire humaine et qui reste importante. En outre, le basculement de la logique communautaire vers la logique individuelle-sociétale, repéré sous des terminologies diverses par Ferdinand Tönnies (1855-1936), Émile Durkheim (1858-1917), Georg Simmel (1858-1918), Max Weber (1864-1920) et, plus récemment, Norbert Elias (1897-1990), paraît fortement établi. Au-delà des nuances et des complexifications légitimes dont cette opposition a pu s'enrichir, il serait contre-productif de la retirer de notre outillage conceptuel.

On peut identifier cinq principes communautaires : biologique, territorial, religieux, étatique et monétaire [Lévy, 2011]. On peut ainsi relier la géopolitique à cette réalité : la nation est

l'outil sociétal de la violence interétatique. En ce sens, la géopolitique est un cas particulier de la tendance intrinsèque des
logiques communautaires à fragmenter le monde social en entités
disjointes et mutuellement hostiles. La prise de position de Samuel
Huntington a le mérite de montrer que géopolitique et autres
communautarismes peuvent, sans trop de difficultés, parler la
même langue. Ainsi définie, la logique communautaire apparaît
plutôt en régression. Il n'est pas du tout évident que l'ethnicité ou
la religion exerce davantage d'influence sur le Monde aujourd'hui
qu'il y a vingt, cinquante ou cent ans. Ceux qui défendent cette
thèse ne parlent en général que d'une partie du monde musulman
et, d'une part, ils surestiment grandement l'impact du fondamen-
talisme, d'autre part, ils ne tiennent pas compte du fait que les
régimes « laïques » de référence qui, comme en Turquie, auraient
cédé la place à des régimes religieux, étaient en fait des dictatures
militaires qui tiraient leur légitimité, fragile, d'un cocktail d'allégeances communautaires, parmi lesquelles la religion, loin d'être
absente, était souvent associée au nationalisme. Ce fut le cas de
la plupart des dictatures du monde arabe, certaines (comme en
Arabie saoudite ou au Maroc) ayant également une composante
religieuse forte. Les observateurs du monde arabe[2] convergent
pour dire que l'islamisme radical est partout en régression. Ils ont
montré depuis longtemps, sans être démentis dans les faits ensuite,
que le radicalisme islamique est une idéologie de résistance, non
de conquête, face au rouleau compresseur de l'individuation. Son
apparition ne signifie nullement que l'islamisme gagne du terrain.

Par ailleurs, les évolutions sociologiques dans les pays musulmans, parfois masquées, comme en Iran, par le discours officiel du
pouvoir [Todd, Courbage, 2007], sont spectaculaires. Les changements démographiques au sein du monde musulman occidental
(du Maghreb à l'Iran) le montrent de manière très puissante : les
sociétés ont changé et les femmes y ont conquis des positions
majeures : elles ont accédé à la scolarité, elles ont joué un rôle
décisif dans la baisse de la fécondité, elles se sont impliquées dans
la société civile et même parfois dans la vie politique. L'épisode

---

2   Voir par exemple : Roy [1992], Kepel [2000].

des régimes islamiques (Iran, Afghanistan) ou des contestations massives développées par des partis islamistes est sans doute plus qu'une parenthèse. On a vu que, dans certains cas, le conservatisme sociologique associé à la nostalgie de la grandeur des empires d'antan pouvait donner aux hommes les plus démunis, à travers leur pouvoir conforté sur les femmes, l'impression d'une reconnaissance sociale acceptable. Plus généralement, le projet d'un retour à la tradition a pu pour un temps donner, dans des sociétés désarmées face au constat de leur mal-développement, une légitimité relativement solide à des configurations politiques dominées par la référence religieuse.

Pour le reste, le fonctionnement de la famille, du clan ou de la tribu comme des entités closes destinées à être reproduites à l'identique, l'assignation par le sexe ou par l'âge de rôles sociaux prédéterminés, la répression des pratiques sexuelles, les allégeances territoriales exclusives, le rejet de l'athéisme ou la répression de ceux qui refusent d'appartenir à une religion, les logiques de classe ou de caste ou, comme on l'a vu, la géopolitique, sont certes toujours là, mais apparaissent affaiblies presque partout dans le Monde.

Fatigue d'être soi en Occident

Nous vivons dans un monde de communautés contestées, de communautés finissantes, de communautés molles. La société « liquide » qu'évoque Zygmunt Baumann [2000] est d'abord un regard à partir d'une vision communautaire sur la société des individus : « tout fout l'camp ! » quand les normes qui encadraient l'action individuelle perdent de leur force performative.

En Europe, le succès des populismes de droite rassemble régulièrement les opposants à l'ouverture à l'Europe et au Monde, aux libertés sexuelles et à toute remise en cause de la tradition. Cette révolte contre les « élites » a depuis vingt ans la même cartographie, comme on le voit très clairement en Suisse, où les votations sur ces différents sujets réactivent systématiquement une dichotomie entre les grandes villes et les campagnes péri- ou hypo-urbaines. Tout se passe comme si un « communautarisme du pauvre » survivait, dans des niches symboliques, en partie au deuxième degré, comme affirmation d'une existence menacée par l'univers, tentant mais inaccessible, des individus forts et autoconstruits.

On retrouve une ambiguïté différente, mais comparable, avec le « multiculturalisme ». Ici, on n'est pas toujours sûr de ce dont on parle. Le terme lui-même est ambigu. Évoque-t-on l'installation d'un restaurant thaï ou de l'application de la charia au Canada ? L'enjeu est-il favoriser l'exposition à l'altérité au sein d'une société définie par ailleurs ou de créer une société distincte ? C'est sans doute faute d'avoir identifié clairement ce débat que certains acteurs politiques européens s'interrogent. Le « modèle français » a ceci de particulier que ce n'est pas la société, en fonction de son projet, mais l'État, en fonction de son exigence d'être la seule communauté, qui s'arroge le droit de vérifier qu'on ne sort pas du cadre. Malgré les différences, il est frappant de constater que, à peu près au même moment (2010-2011), des dirigeants importants et non extrémistes des Pays-Bas, du Danemark, de la France, de l'Allemagne et du Royaume-Uni aient affirmé l'échec de ce qu'ils appelaient multiculturalisme. Au-delà des vicissitudes de la vie politique et de la volonté des partis de la droite parlementaire à capter l'électorat, croissant en Europe, de l'extrême droite tribunitienne, on peut noter que c'est l'interprétation dure, communautariste, du multiculturalisme qui se retrouve sur la sellette.

Les chercheurs en sciences sociales ont une responsabilité particulière dans l'absence de rigueur qui a caractérisé les débats publics sur ce thème. Des auteurs brillants et mesurés comme Michael Walzer ou Charles Taylor ont souvent subi une exégèse allant jusqu'à la langue de bois politiquement correcte jusque dans la production universitaire à prétention scientifique. La faiblesse de la notion de *culture* comme « concept » mou, substitutif à celui de société, a permis de jeter dans la même boîte noire des marqueurs sociétaux infrastructurels – des *dominances* (selon le terme de Maurice Godelier) – et des éléments plus susceptibles de migrer d'une société à l'autre sans affecter ses fondements. Par ailleurs, qui veut éviter des dérives ethnocentriques peut être tenté par la relativisation des modèles de société. Cependant, une vision « culturaliste », c'est-à-dire antihistorique, de la dynamique de ces modèles conduit à sous-estimer la force des représentations temporellement situées au sein d'une société donnée. Ainsi, dans une société européenne, l'égalité hommes-femmes est à la fois faite d'acquis récents dans certains domaines et de combats encore incertains dans d'autres. Si on considère une telle société *aujourd'hui*, avec ses consensus et ses dissensus instantanés, on constate que celle-ci ne peut mettre sur le même plan ce qui, vu par elle, est un progrès et ce qu'elle considère comme un dangereux archaïsme. Autrement dit, il n'est nullement nécessaire de partager la conviction que l'histoire est orientée pour constater que, pour un nombre croissant de nos contemporains, l'histoire est, au moins pour une part, une relation d'ordre structurée par nos intentionnalités individuelles ou sociétales.

Ainsi, la notion de « droit collectif » est fragile car elle mélange créances ayant pour effet de créer des collectifs réversibles (si je suis dans une situation de détresse incompatible avec les valeurs de la société, j'ai le droit d'être aidé et par voie de conséquence, le groupe, par définition éphémère, de tous ceux qui sont dans le besoin bénéficie de cette créance) et droit communautaire (liberté ou créance attribuée à un groupe stable, indépendamment du principe de sa composition et du désir de ses membres). À condition de toujours reconnaître le caractère volontaire d'appartenance au groupe concerné, le « droit des minorités » peut être une créance de capacitation (*empowerment support*) s'il est explicitement traité comme visant un objectif éventuellement permanent, par exemple dans le cas d'une minorité linguistique car le problème risque de ne pas être réglé par cette mesure. En revanche, une créance définie par l'appartenance à une race ne peut se justifier puisque le problème ne vient pas du fait d'appartenir à un groupe – dont le racisme est la seule raison d'exister – mais du racisme lui-même, qu'il importe de combattre et dont il faut annuler les effets discriminatoires. L'expérience des *quota* dans le cadre de l'*affirmative action* prouve que les effets pervers sont immédiats sauf s'il ne s'agit que d'un coup de pouce provisoire à un processus qui se développe de lui-même (parité hommes-femmes en Europe) et qu'il intègre dans sa genèse les conditions de sa future extinction. De fait, la tendance à la remise en cause, aux États-Unis, de cet aspect de l'*affirmative action* avait paru être le fait des courants conservateurs à son début, à la fin des années 1990. Aujourd'hui, il ne fait pas de doute qu'il n'en est rien, puisque Barack Obama a fondé une bonne partie de sa campagne sur le rejet de tout communautarisme dans les politiques publiques. « *Yes, we can !* » : ce « nous » est un ensemble de « je » volontairement unis dans un projet. Or ces prises de position sans ambiguïté, qui ont parfois mis mal à l'aise les leaders traditionnels des « minorités », n'ont pas empêché une écrasante majorité des électeurs noirs (dont beaucoup ont voté pour la première fois après une longue abstention) de lui apporter son soutien. L'intelligence de Barack Obama a été de comprendre que c'est dans une société d'individus scellée par des dispositifs publics de solidarité (d'où l'importance cardinale de la réforme des système de santé et d'éducation qu'il a entreprise) et non dans une juxtaposition de communautés que se trouve l'avenir des personnes les plus démunies et les plus victimes de discriminations.

Le féminisme est un autre domaine où le communautarisme perd son sens. À la fois à cause de ses succès et parce que la définition des femmes comme communauté, par exemple sur le modèle de la « classe » marxiste ou à partir du mythe de l'« humanité intrinsèquement sexuée » qui fonderait en nature la spécificité des genres, ne correspond fondamentalement plus aux attentes des individus contemporains. On découvre aussi que les violences faites aux femmes sont d'abord des violences masculines, et qui s'appliquent aussi aux enfants. Ceux-ci seraient (et sont déjà en partie) d'ailleurs les premières victimes d'une vision qui, au nom d'un droit immanent des femmes sur leur progéniture, prolongerait leur infantilisation. Plus généralement, l'affranchissement des pratiques sexuelles vis-à-vis des normes traditionnelles tend à déconnecter sexuation et sexualité. Du coup, surtout en français, la notion de « genre » présentée comme distincte du « sexe biologique » (en anglais, *gender* est, dans le langage courant, souvent utilisé dans un sens plus large là où le français dirait « sexe ») se retourne contre l'émancipation. C'est ce qu'a montré Judith Butler [2005 ; 2006] : la dissociation sexe-genre aboutit à substantialiser le sexe, à en faire une réalité non seulement biologique mais aussi sociale encore plus ancrée, et à délégitimer des pratiques, sexuelles ou non, qui ne correspondraient pas aux rôles censés dérivés du sexe. Le retour du naturalisme guette alors : les femmes lutteraient contre les inégalités de genre pour mieux retrouver leur identité de sexe. L'enjeu est donc clairement de décommunautariser les hommes et non de recommunautariser les femmes.

Dans ces différents cas, on ressent que l'entrée dans la société des individus ne se fait pas sans souffrance. La « fatigue d'être soi » [Ehrenberg, 1998] ouvre des voies de traverses qui, sans êtres assez roulantes pour faire bifurquer les sociétés occidentales vers des logiques communautaires, sont assez visibles pour brouiller les cartes. D'où finalement un étonnement : c'est dans les pays qui sont le plus clairement passés de la *Gemeinschaft* à la *Gesellschaft* (pour reprendre la dualité de Tönnies) que la tentation communautaire semble la plus forte. Au contraire, le tsunami en faveur de la république démocratique qui a déferlé sur le monde arabe à partir de décembre 2010 était porteur de valeurs à la fois à visée universelle et d'origine occidentale. Les manifestants ne s'en sont pas défendus et personne ne le leur a reproché, même ceux qui envoyaient des forces armées contre eux. Les régimes aux abois ont certes parfois accusé les manifestants d'être à la solde des États-Unis, mais c'était surtout du conflit israélo-palestinien ou de l'Afghanistan qu'il était question, non de l'état de droit ou de la démocratie. La notion de « valeurs asiatiques » ou, plus anciennement, de « socialisme africain », a fait long feu. Le gouvernement chinois et d'autres dictatures parlent de non-ingérence, mais ici, on a changé de registre puisque la non-ingérence est un principe de la Charte des Nations unies (1945) conçu pour appliquer au Monde entier le principe westphalien mis au point en Europe. Les Européens seront-ils les derniers à avoir honte de l'universalisme, non celui de l'abstraction arrogante, mais celui, concret et égalitaire, qui s'invente sous nos yeux ? Seront-ils les derniers à « provincialiser » leur apport alors même que la naissance d'un Monde plus équilibré permet de se l'approprier, tranquillement et décidément ?

Les paradoxes de l'échelle ultime

Le dernier obstacle à l'émergence d'un *nous* sans *eux* est, du moins en apparence, d'une autre nature. Il consiste dans la peur de l'événement spécifique qui consisterait en l'émergence d'un système politique au niveau scalaire le plus élevé. L'idée de base est que l'existence même d'un tel système serait liberticide puisqu'il rendrait toute fuite (l'*exit* d'Albert Hirschman [1972]) impossible. On retrouve ici les pensées paradoxales qui, depuis Herbert Marcuse [1967 (1955) ; 1968 (1964)], croient pouvoir déceler du totalitarisme au cœur même des républiques démocratiques. L'idée du « conditionnement » par la publicité consiste à appliquer la théorie des réponses réflexes développée par Ivan Pavlov (1849-1936) à la vie sociale et à représenter les individus comme la proie sans défense de grands manipulateurs. La vogue de la dénonciation des messages subliminaux illustre bien cette vision conspiratoire de « structures » d'autant plus pernicieuses qu'elles se cachent derrière l'apparence de l'état de droit et de la démocratie affichés par les sociétés développées. La mondialisation, vue par beaucoup comme un phénomène piloté par les firmes transnationales avec la bienveillance des pouvoirs de toutes sortes, permet de relancer ces thèses avec une puissance renouvelée. Cette fois, pas de porte de sortie : le pouvoir de Big Brother n'a plus de frontière. On retrouve cette peur dans l'univers de la science-fiction. L'idée d'un monde dominé sans contre-pouvoir par une alliance monstrueuse de l'économique et du politique est tellement banale que c'est devenu un genre, notamment au cinéma, avec des œuvres phares qui ont profondément marqué l'histoire esthétique : *Farenheit 451* (François Truffaut, 1966), *2001: A Space Odyssey* (Stanley Kubrick, 1968), *THX 1138* (George Lucas, 1971), *Blade Runner* (1982, Ridley Scott), *Brazil* (Terry Gilliam, 1985), *The Matrix* (Andy et Larry Wachowski, 1999) ou même, indirectement, *Alien* (Ridley Scott, 1979). À la différence du livre *1984* de George Orwell (1948) – l'adaptation au cinéma (Michael Radford, 1984) est plus ambiguë à cet égard –, la combinaison de technologies futuristes mais faciles à dériver du présent et d'une « société de consommation » familière favorisent l'identification avec les menaces attribuées aux sociétés d'aujourd'hui.

Dans un autre régime discursif, on retrouve cette démarche (le totalitarisme rampant des sociétés contemporaines rendu encore plus funeste par la mondialisation) dans certains essais, qui ont eux aussi marqué les esprits. Chez Giorgio Agamben, le premier moment consiste à dénoncer les tentations totalitaires des républiques démocratiques, notamment dans la gestion de la vie des individus (la « biopolitique » de la « vie nue »), ce qui, *a priori*, est tout à fait pertinent, à ceci près que, dans la pensée d'Agamben il y a, à l'issue d'un long parcours sur les origines des architectures politiques contemporaines, un simple signe égal entre les deux types de régime. Puisque tous les états politiques sont des « états d'exception », Agamben, allant en ce sens encore plus loin que Schmitt dans la banalisation de la violence « souveraine », peut renvoyer dos à dos l'état de droit et les despotismes et, lorsqu'il en vient à des orientations désirables, s'affranchir non seulement de l'étatisme mais emporter avec lui, du même coup, des exigences du politique comme dispositif de construction en public et entre égaux de fins communes. L'essentiel pour lui semble d'éviter à tout prix qu'il existe un lieu d'unification du « corps politique » où les différentes méthodes de définition des fins et des moyens soient en concurrence, autrement dit à empêcher tout synchronisme et toute cospatialité de la délibération. Sur ce socle glissant, il n'est pas surprenant d'observer une jonction entre ces propositions et le discours des courants post-terroristes italiens, qui n'ont jamais renoncé clairement à la violence pour faire accepter leurs idées, y compris dans un régime de république démocratique. Leur radicalité est, comme chez Platon, une radicalité aristocratique, qui consiste à considérer que leurs concitoyens sont tellement « conditionnés » par le pouvoir en place qu'ils ne sont plus capables de pratiquer un raisonnement pertinent sur leur environnement, tandis qu'au contraire eux-mêmes, les « résistants », se proclament en pleine possession de leurs moyens intellectuels. L'usage du mot « résistance » dans le vocabulaire de l'extrême gauche, en France et en Italie, suppose que les moyens de la légitimité : la *publicité*, la conviction, la mobilisation pacifique à visée majoritaire n'ont plus cours.

Proche d'Agamben, Toni Negri [1997] se réclame lui aussi volontiers de Carl Schmitt pour appeler de ses vœux un « pouvoir constituant » qui ne viendrait que de la violence (« souveraine ») déclenchée par [les leaders autoproclamés de] la « multitude » à cette fin et, à l'inverse, pour nier la pertinence même d'un libre débat, dans les conditions de la paix civile, sur les fins au sein d'une société et les moyens de poursuivre ces fins. On retrouve cette glorification de la violence contre les humains comme outil irremplaçable de production de l'innovation historique chez Alain Badiou [2005]. Celui-ci, qui n'a pas rompu avec son passé maoïste (Grand bond en avant : quinze à trente millions de morts, Révolution culturelle : plus d'un million de morts), hyperbolise *Le Rôle de la violence dans l'histoire* de Friedrich Engels (1887-1888) en ajoutant une haine déterminée de la démocratie, réduite à un instrument de propagande capitaliste. Chez Negri comme chez Agamben, on peut noter le caractère central de la figure du pauvre et montrer le lien avec un couple qui, dans toute une partie de l'histoire du christianisme, surtout catholique, associe une mystique du pauvre censé être porteur de valeurs supérieures à l'eschatologie millénariste. Cette connexion remonte en fait à une idée de compensation ici-bas / au-delà présente dans les Évangiles : ce qu'on n'a pas dans le monde, on l'aura après la mort, ce qui permet de donner un avantage bienvenu aux pauvres et aux « pauvres d'esprit » et justifier à la fois l'aumône, qui est un geste de rédemption des riches, et l'ordre social inégalitaire. Le millénarisme, en créant l'urgence par l'annonce d'une prochaine mise à plat des bons et des mauvais points, introduit une tension dans ce système et incite à ne pas remettre à plus tard les ajustements nécessaires pour rétablir l'équilibre. Cette tradition a été relancée dans le communisme, où l'on retrouve, de la Guerre des paysans (1525) au léninisme, l'idée eschatologique que « cela ne peut plus durer ». L'invocation permanente d'un soi-disant état d'urgence permet une symétrisation de ce qu'on croit avoir décelé chez les dominants. Puisque les pouvoirs trouvent toujours les moyens de violer leurs propres lois, les « résistants » eux aussi ont légitimité à pratiquer la désobéissance civile ou d'autres formes illégales d'activisme. Cette idée a également transité de l'extrême gauche vers certains courants des partis écologistes européens qui, à propos du changement climatique ou d'autres dangers potentiels pour l'environnement naturel, usent volontiers de formules du type « si on ne fait rien, on va à la catastrophe » pour justifier qu'on ne puisse plus discuter entre égaux et délibérer en commensurant rationnellement les enjeux mais que c'est la « situation » et non les citoyens qu'il faudrait laisser *décider* seule.

De ce trop court parcours dans une partie des idéologies contemporaines, on peut retenir l'énoncé paradoxal qui s'en dégage. En décontextualisant de manière sauvage les travaux de Hannah Arendt ou de Walter Benjamin qui s'appliquaient au nazisme, en acceptant, avec Carl Schmitt, le primat de la géopolitique sur la géopolitique à l'intérieur des sociétés comme allant de soi, ces auteurs « démontrent » que, plus il y a de droit, de justice et de politique à l'échelle mondiale, plus c'est dangereux. Puisque tout pouvoir est liberticide, il vaut mieux s'opposer à toute création institutionnelle, même républicaine ou démocratique, quitte à défendre l'état existant pour éviter pire. Ainsi, la condamnation de l'Organisation mondiale du commerce par les mouvements altermondialistes, surtout depuis l'action violente contre le sommet de 1999 à Seattle, ou contre d'autres ébauches de gouvernementalité mondiale, ne se fait pas au nom d'un projet de démocratisation de ces institutions, mais avec l'objectif clair de les voir disparaître[3], soit pour imposer un confinement national de la production (pour la production agricole), soit (en matière d'environnement) pour exiger un pouvoir direct des organisations écologiques, sans passer par la validation démocratique. Le changement d'échelle joue ici un rôle de confirmation et de radicalisation. Ce qui était déjà inacceptable au sein de l'État-nation devient insupportable à l'échelle mondiale puisque, d'une part, le rapport des forces entre les acteurs surpuissants qui pilotent la planète et la « vie nue » n'a jamais été aussi écrasant et que, d'autre part, l'absence de recours par la fuite dans un autre cadre juridique ou politique se révèle par définition impossible. En réaction, la mondialisation libère la parole totalitaire et transforme magiquement toute violence politique injustifiable dans le cadre républicain-démocratique en une « résistance » juste, en une simple légitime défense.

---

3 L'organisation Attac demande ainsi que les fonctions de l'Organisation mondiale du commerce soient attribuées à la Cnuced, qui est un « organisme consultatif subsidiaire » de l'assemblée générale des Nations unies, <www.france.attac.org/spip.php?article6439>.

Dans ces débats, par ses positions extrêmes, l'extrême gauche hostile à la république démocratique peut, sinon convaincre, du moins servir d'indicateur. Elle nous aide à voir qu'il y a bien là un seuil à franchir, un pari sur la capacité du politique à ne pas fermer des portes en changeant d'échelle mais à en ouvrir, à réussir une nouvelle fois, comme le dit Hannah Arendt [1995], à rendre possible pour les humains, dans le Monde comme ici, la liberté du « commencement ».

La force du « on »

Si, maintenant, nous cherchions à identifier, ce qui, en positif, rend le concept de société-Monde tendanciellement pertinent pour penser le monde contemporain, nous rencontrerions alors la métaphore des bulles d'écume que développe Peter Sloterdijk [2005] dans sa trilogie des sphères. Ces petits fragments fragiles et imprévisibles se réunissant parfois en une coalescence éphémère correspondent sans doute à ce moment où les individus, partout chez eux [Lévy, 2008], possèdent ce pouvoir de faire nombre, de faire masse – et de faire histoire – sans pour autant entrer dans une cristallisation institutionnelle stable. Le rôle des « amis » de Facebook dans les insurrections tunisienne et égyptienne est une belle illustration de la force de ce mouvement d'« assemblages » pragmatiques [De Landa, 2006]. Cependant, les agencements que nous pouvons observer ne sont pas réductibles à ces mouvements horizontaux ou *bottom-up*. Il existe aussi des horizons plus permanents, des thématiques davantage partagées qui ne produisent pas forcément du *consensus* mais au moins des *dissensus*, c'est-à-dire des plans de conflit peu ou prou acceptés par tous. Le droit et la justice, la relation entre liberté et égalité, entre liberté et solidarité, entre liberté et responsabilité et, plus généralement, les conditions de possibilité à toutes les échelles d'une compatibilité entre agir individuel et devenir sociétal se discutent partout, en tant que tels et dans des langages qui se ressemblent d'un bout à l'autre de la planète.

Le monde n'a pas d'ennemis ; il a des problèmes et certains, comme notre implication croissante sur les *natures de l'humanité*, sont perçus par presque tous comme requérant une attention soutenue et la mise en mouvement de forces organisées, dessinées à cet usage sous le regard de tous, même si elles ne concernent personne en particulier. C'est ce qu'on appelle habituellement le politique, en y incluant non seulement les acteurs labiles et volatils, mais aussi les objets et les environnements.

On retrouve alors un autre « nous », celui que Norbert Elias avait rencontré lorsqu'il avait compris que la mondialisation et l'individuation étaient, au fond, un seul et même événement historique. Ce *nous* est, sans jeu de mots, multiple : il peut justement correspondre à cette écume mobile faite de *je* qui restent des *je* et peuvent reprendre à chaque instant leur liberté. Il peut aussi aller jusqu'à un *on* mondial qui se relie au *je* mais assume qu'une société n'est pas seulement, pas d'abord un collectif, mais une réalité d'un autre genre, irréductible à la somme de ses composantes. En portugais, *on*, dans ce sens du *nous* familier, se dit *a gente*, les gens. Lorsque la violence du rapport « nous-eux » a été exorcisée, il reste une multitude de *je* et de *a gente*. Beaucoup à faire, beaucoup à comprendre pour des sciences sociales qui, tout en développant leur capacité à subvertir l'état des choses, seraient enfin réconciliées avec le m/Monde.

Références bibliographiques

AGAMBEN Giorgio, 1998, *Homo Sacer : le pouvoir souverain et la vie nue*, Seuil, Paris.

— 2003, *État d'exception*, Seuil, Paris.

ARENDT Hannah, 1995, *Qu'est-ce que le politique*, Seuil, Paris.

ARON Raymond, 1962, *Paix et guerre entre les nations*, Calmann-Lévy, Paris.

BAUDRILLARD Jean, 1996, « Le mondial et l'universel », *Libération*, 18 mars.

BADIOU Alain, 2005, *Le Siècle*, Seuil, Paris.

BAUMAN Zygmunt, 2000, *Liquid Modernity*, Polity, Cambridge.

— 2006, *Liquid Times*, Polity, Cambridge.

BUTLER Judith, 2006, *Défaire le genre*, Éditions Amsterdam, Paris.

— 2005, *Malaise dans le genre*, La Découverte, Paris.

DE LANDA Manuel, 2006, *A New Philosophy of Society. Assemblage Theory and Social Complexity*, Continuum, Londres.

EHRENBERG Alain, 1998, *La Fatigue d'être soi*, Odile Jacob, Paris.

ELIAS Norbert, 1991, *La Société des individus*, Fayard, Paris.

GRAMSCI Antonio, 1983 (1929-1935), *Cahiers de prison*, Gallimard, Paris.

HIRSCHMAN Albert, 1972, *Face au déclin des entreprises et des institutions*, Éditions Ouvrières / Économie et Humanisme, Paris.

HUMAN SECURITY REPORT PROJECT, *Human Security Report 2009-2010*, <www.hsrgroup.org/human-security-reports/human-security-report.aspx>.

KANT Immanuel, 1795, *Zum ewigen Frieden* [*Vers la paix perpétuelle*], Friedrich Nicolovius, Königsberg.

KEPEL Gilles, 2000, *Expansion et déclin de l'islamisme*, Gallimard, Paris.

LÉVY Jacques, 2011, *Europe : une géographie. La fabrique d'un continent*, Hachette, Paris.

— (dir.), 2008, *L'Invention du Monde*, Presses de Sciences Po, Paris.

LÉVY Jacques, LUSSAULT Michel (dir.), 2003, *Dictionnaire de la géographie et de l'espace des sociétés*, Belin, Paris.

MACHIAVEL Nicolas [Niccolò di Bernardo dei Macchiavelli], *Le Prince*, 1532.

MARCUSE Herbert, 1963 (1955), *Éros et civilisation*, Minuit, Paris.

— 1968 [1964], *L'Homme unidimensionnel*, Minuit, Paris.

NEGRI Antonio (dit Toni), 1997, *Le Pouvoir constituant*, PUF, Paris.

RICŒUR Paul, *Soi-même comme un autre*, Seuil, Paris.

ROUSSEAU Jean-Jacques, 1761, *Extrait du projet de paix perpétuelle de Monsieur l'Abbé de Saint-Pierre*, Marc Michel Rey, Amsterdam.

ROY Olivier, 1992, *L'Échec de l'islam politique*, Seuil, Paris.

SLOTERDIJK Peter, 2005, *Écumes (Sphères III)*, Maren Sell, Paris.

WALZER Michael, 1992 (1977), *Guerres justes et injustes*, Belin, Paris.

Chapitre 15

Les démocraties globales postmodernes[1]

Jan Aart Scholte

Étant donné le caractère de plus en plus global de la
société contemporaine, comment peut-on formuler de manière
adéquate la question de la démocratie ? On considère généralement que, de nos jours, le « peuple » n'exerce que peu de contrôle
sur la politique à l'échelle globale et n'y participe qu'insuffisam-
ment. Comment surmonter cet obstacle majeur à la mise en œuvre
d'une bonne société (plus globale) ? Ces questions ont récemment
donné lieu à une importante littérature académique consacrée à la
« démocratie globale » ainsi qu'aux notions connexes de « démocratie cosmopolite » et de « démocratie transnationale »[2]. Jusqu'ici,
ce débat a mis en évidence deux voies principales pour une gouvernance démocratique des relations mondiales. Selon l'un de
ces paradigmes, qu'on pourrait appeler l'*étatisme*, la réalisation
optimale de la démocratie globale passe par la collaboration mul-
tilatérale entre États-nations démocratiques. La deuxième grande
perspective, qu'on pourrait appeler le *cosmopolitisme moderne*, soutient qu'on ne peut atteindre la démocratie globale qu'en faisant
passer les piliers de la démocratie libérale occidentale (la citoyenneté, les droits de l'homme, la société civile et le gouvernement
représentatif) du niveau national au niveau global.

---

1 Traduction par Stéphane Dufoix, revue par l'auteur. Une version longue de
  ce chapitre a été publiée en ligne en 2012 sous le titre *Reinventing Global
  Democracy* [Scholte, 2012a].
2 La bibliographie du Building Global Democracy Programme recense plus de
  six cents publications [BGD, 2011b].

Comme je l'ai affirmé ailleurs [Scholte, 2012a], chacun de ces deux modèles présente de sérieux défauts, justifiant ainsi la recherche de conceptions alternatives. Ce chapitre se donne pour objectif d'explorer l'une de ces différentes voies possibles en proposant une troisième orientation, celle des *démocraties globales postmodernes*. Cette reformulation de la démocratie globale va au-delà de l'étatisme comme du cosmopolitisme moderne, en mettant en avant cinq nouveaux piliers – la géographie trans-scalaire, les solidarités plurielles, la transculturalité, la distribution égalitaire et l'*écoloyenneté*[3] – qui constitueront la colonne vertébrale de ce chapitre.

Toutefois, dans un premier temps, il est nécessaire de préciser les limites de ce chapitre. Tout d'abord, compte tenu de sa taille réduite, il se cantonne à une réflexion normative. L'analyse historico-sociologique plus large qui sous-tend cette exploration normative est développée ailleurs [Scholte, 2005]. Ensuite, ce que je présente ici relève plus de la théorie générale que d'une politique spécifique. À titre d'illustration, j'y fais référence à diverses expériences concrètes, mais je reporte à plus tard l'examen détaillé des moyens par lesquels il faudrait inscrire les grands principes dans des dispositifs institutionnels et des stratégies politiques spécifiques. Une troisième limite est d'ordre temporel. Les sceptiques pourraient rétorquer que la vision des démocraties globales postmodernes présentée ici est « idéaliste » et « utopique » dans les circonstances actuelles. Je leur réponds que ce chapitre s'inscrit fondamentalement dans un horizon temporel de plusieurs générations.

Un dernier point sur la méthodologie. La plupart du temps, la littérature consacrée à la démocratie globale émane : a) de débats intellectuels de type introspectif, assez rarement ouverts aux praticiens ; b) du champ de la théorie politique, sans aucun lien, ou presque, avec d'autres disciplines ; c) d'Europe et d'Amérique du Nord, et jamais du monde extra-occidental ; enfin d) d'hommes

---

3   Traduction du terme « *eco-ship* » utilisé par Jan Aart Scholte. Ce dernier ayant refusé une première traduction par « éco-citoyenneté » car elle s'appuyait encore sur le concept de citoyenneté, nous avons opté pour « écoloyenneté ». (*N.d.T.*)

blancs, d'âge moyen, urbains, issus de la technocratie, et se situant au cœur même du pouvoir structurel. Si l'auteur de ces lignes est lui aussi le détenteur d'un grand nombre de privilèges sociaux, la démonstration qui suit s'appuie avant tout sur quinze ans de discussions sur le thème de la démocratie globale avec des centaines de militants, de chefs d'entreprise, de journalistes, de fonctionnaires et d'hommes politiques, mais aussi de chercheurs spécialistes de divers champs, issus de toutes les régions du monde et d'un grand nombre de cultures[4].

La trans-scalarité

La première pierre angulaire d'une démocratie globale réinventée est la trans-scalarité, c'est-à-dire la manière postmoderne d'imaginer et de mettre en scène l'espace politique. Ce principe rejette les dispositifs de la modernité par lesquels la démocratie se réalise dans des lieux *spécifiques* à un *niveau* ou à un autre. Selon ce modèle, les partisans de la vision étatiste ont centré la démocratie au niveau national tandis que les partisans de la vision cosmopolitique moderne l'ont centrée au niveau global. On peut aussi identifier d'autres tentatives visant à privilégier un niveau donné : celle des féministes pour qui la démocratie débute dans la sphère de l'intime, celle des localistes quand ils ont mis le quartier au cœur du dispositif, ou bien encore les régionalistes qui mettaient par exemple l'accent sur le niveau africain ou européen.

L'approche de la démocratie trans-scalaire est tout à fait opposée : elle considère toutes les sphères comme appartenant à un seul espace social et se centre du coup sur les interconnections entre les différentes dimensions. La prise en compte des espaces est alors relationnelle et non plus essentialiste[5]. Il n'existe pas de séparation entre l'international et le domestique, ou entre le global et le local. La politique trans-scalaire aborde les arènes globale, régionale, nationale, locale et intime de manière simultanée et selon des combinaisons variables. De ce point de vue, la démocratie ne se réalise pas à un niveau géographique ou à un autre mais au travers

---

4   BGD [2011a] ; Scholte [2004 ; 2008 ; 2012a ; 2012b].
5   Pries [2010], ainsi que son chapitre dans le présent ouvrage.

de mobilisations fluides entre les échelles. De plus, étant donné que le concept de trans-scalarité propose une perspective holiste sur l'espace social, il évite alors cette tendance caractéristique de la modernité consistant à identifier un niveau *premier* de l'action politique. L'approche trans-scalaire rejette l'idée selon laquelle il existerait une hiérarchie entre des espaces considérés, artificiellement, comme séparés. Aucune échelle – intime, locale, nationale, régionale ou globale – n'est considérée *a priori* comme intrinsèquement plus pertinente, plus puissante ou plus démocratique que les autres. Les démocraties globales postmodernes refuseraient notamment le principe de subsidiarité tel qu'il se manifeste dans beaucoup de présentations de la démocratie « multiniveaux » [Føllesdal, 1998]. Selon ce principe, le « niveau inférieur » est *ipso facto* le plus démocratique. Dans les faits, pourtant, certains États-nations et certains mouvements sociaux à l'échelle globale mettent en pratique la gouvernance par le peuple de manière bien plus claire que certains ordres locaux. De plus, une véritable perspective trans-scalaire se garderait bien d'utiliser le vocabulaire du « transnationalisme » puisque ce terme continue à faire de la sphère nationale le principal point de référence[6]. En dépit de l'accent mis sur le franchissement des espaces, le trans-*nationalisme* persiste à souligner le national là où la trans-scalarité prend garde de ne nommer aucune échelle particulière et, partant, de n'accorder à aucune d'entre elle plus d'importance que les autres. Au lieu de privilégier un niveau sur les autres, le militantisme démocratique dans sa version postmoderne, reste toujours attentif aux opportunités (comme aux dangers) qui se présentent dans chaque arène et dans chaque combinaison d'arènes. Les stratégies trans-scalaires prennent aussi en considération le fait que le schéma de ces opportunités et de ces dangers n'est pas fixé une fois pour toutes et nécessite donc une constante réévaluation. À un moment donné, il peut être opportun de combiner des interventions auprès des instances mondiales et infranationales ; à un autre moment, ces mêmes instances pourraient devenir des obstacles, justifiant ainsi de se tourner plutôt vers d'autres échelles,

---

6 Tarrow [2005] ; Khagram et Levitt [2008] ; Vertovec [2009].

telles que les ménages et les mouvements sociaux régionaux. En résumé, selon les principes de la trans-scalarité, les militants de la démocratie se doivent de collaborer avec l'assemblage d'échelles offrant à un public donné et à un moment donné les meilleures perspectives en termes de reconnaissance, de respect, d'influence et de prise de parole.

La démocratie trans-scalaire est particulièrement adaptée à un mode de gouvernance qui lui-même est récemment devenu de plus en plus trans-scalaire. Là encore, il est plus pertinent de l'évoquer de manière holiste et relationnelle qu'en utilisant le terme « multiniveaux » qui véhicule l'image d'étages séparés et hiérarchisés[7]. De nos jours, les politiques publiques sont mises en œuvre par l'intermédiaire de réseaux qui mettent en relation les différents organismes avec les juridictions et les circonscriptions respectives, globales mais aussi macro-régionales, nationales, micro-régionales et locales. Ainsi, la gouvernance financière s'effectue à travers une quantité d'agences mondiales comme l'International Accounting Standards Board et le Fonds monétaire international, des dispositifs macro-régionaux comme la zone euro ou le franc CFA, les trésors publics et les banques centrales à l'échelle nationale, des organismes infra-étatiques comme l'Alberta Securities Commission et aussi, dans certains cas, des systèmes monétaires locaux alternatifs [Baker *et al.*, 2005]. De la même manière, la gouvernance trans-scalaire s'impose à toute chose, du régime de concurrence au contrôle de la criminalité, en passant par la santé publique et le sport. Si les processus de régulation possèdent un caractère trans-scalaire, alors les efforts visant à les rendre démocratiques devraient également être trans-scalaires. Bien entendu, la démocratie trans-scalaire offre des défis importants. Ainsi, dans les réseaux de la gouvernance trans-scalaire, le pouvoir peut se cacher presque n'importe où, ce qui complique la tache des mouvements démocratiques quand il s'agit de localiser et d'identifier ceux qui prennent les décisions. Il est certain que la plupart des gens n'ont pas l'habitude de penser ni d'agir en termes trans-scalaires ; il s'ensuit probablement que,

---

7   Bache et Flinders [2004], Enderlein *et al.* [2010].

au moins au début, l'organisation de mobilisations effectives sur cette base est une véritable mise à l'épreuve. De surcroît, il peut être compliqué et coûteux de coordonner de telles campagnes dans une multiplicité d'espaces. Vue sous cet angle-là, la politique trans-scalaire pourrait bien favoriser ceux qui possèdent le plus de ressources et par là renforcer les inégalités de pouvoir telles qu'elles existent déjà. Néanmoins, les forces démocratiques contemporaines ne peuvent refuser la trans-scalarité qu'à leurs risques et périls. Il est vraisemblable que les luttes populaires qui continuent à concentrer leur travail à un niveau spécifique (quel qu'il soit) auront du mal à obtenir une réelle participation et une réelle maîtrise dans le domaine de la politique globale car, invariablement, le pouvoir se déplacera vers d'autres lieux moins contrôlés. Toutefois, il faut rester positif : les stratégies trans-scalaires peuvent également ouvrir de nouvelles possibilités pour la démocratie globale. Ainsi, comme l'a montré la question du VIH-sida, lorsqu'un problème relève de plusieurs sites de gouvernance, il est plus difficile pour les autorités d'ignorer les inquiétudes du public. De plus, les mouvements démocratiques peuvent « faire leur marché » parmi les différentes échelles afin de trouver le forum le mieux disposé à leur égard et ainsi promouvoir, parmi les réponses apportées à leurs doléances, celle qui leur offrent la plus grande capacité d'action [Severino, Ray, 2010].

On peut observer la démocratie trans-scalaire à partir de quelques exemples récents et très concrets. Par exemple, le Forum social mondial a organisé depuis 2001 des discussions interconnectées à l'échelle globale, régionale, nationale et locale [Sen *et al.*, 2004 ; Smith *et al.*, 2007]. Il existe de nouveaux modes de militantisme ouvrier impliquant simultanément les usines en tant que telles, des coalitions nationales ainsi que des coordinations mondiales [Munck, Waterman, 1999]. Le mouvement paysan La Vía Campesina s'est organisé comme un ensemble de formations globales, régionales, nationales, provinciales et villageoises toutes reliées les unes aux autres [Desmarais, 2007 ; Borras *et al.*, 2008]. Toujours dans la même veine, divers acteurs de la société civile ont utilisé la tactique dite du boomerang pour étendre leur mobilisation aux arènes globales dans l'espoir de la voir revenir comme un boomerang au niveau de l'action politique nationale[8]. Dans chacun de ces cas, et dans bien d'autres, le militantisme démocratique contemporain ne se concentre plus sur un seul niveau, qu'il s'agisse du cercle des intimes, de la communauté locale, du domaine micro-régional, de l'État-nation, de l'appareil macro-régional ou des institutions mondiales. Au contraire, la démocratie trans-scalaire fonctionne de manière holistique au travers de plusieurs dimensions spatiales qui forment un seul et unique champ politique.

Les solidarités plurielles

Si le passage du cadrage moderne de la démocratie globale à son cadrage postmoderne suppose une nouvelle approche de l'espace social, il implique également un autre déplacement fondamental : une vision alternative des questions d'identité politique. Le principe des solidarités plurielles fournit aux démocraties globales postmodernes une manière bien spécifique de comprendre « le peuple » et de le mettre en scène. L'étatisme et le cosmopolitisme moderne présupposent l'un comme l'autre que le « *dêmos* » repose sur une forme fixe de l'être collectif et de l'appartenance collective. Dans le premier cas, on estime que le moule unique du « public » est la communauté nationale ; le cosmopolitisme moderne avance de son côté que les sujets politiques entretiennent un lien prédominant avec la communauté humaine universelle.

À l'inverse, la notion de démocratie globale postmoderne laisse entendre qu'un individu peut embrasser une multiplicité de solidarités et que le poids relatif de ces attachements est susceptible de fluctuer selon la situation. La transformation de la politique mondiale d'une forme moderne en une forme postmoderne implique le passage de la singularité du *dêmos* vers la pluralité des *dêmoi* [Bohman, 2007]. Les publics de la démocratie globale postmoderne ont « plusieurs visages » [Mignolo, 2000, p. 745]. Tout d'abord, un sujet politique peut y entretenir sans contradiction une relation à la nation et une relation à l'espèce. De la sorte, une personne peut

---

appartenir à un public national dans un domaine, par exemple celui de la politique linguistique, et, dans le même temps, ressentir une solidarité avec l'espèce tout entière à l'occasion, par exemple, d'une catastrophe naturelle à l'autre bout de la terre. Contrairement à la théorie politique moderne traditionnelle, une formulation de type postmoderne n'impose pas de choix exclusif entre le nationalisme communautaire et l'universalisme cosmopolite moderne [Miller, 1995]. De son côté, ce cadre alternatif permet la combinaison des deux tendances, le poids relatif de chacune d'entre elles variant selon l'enjeu. Pour aller plus loin, les démocraties globales postmodernes autorisent un individu à posséder simultanément plusieurs identités nationales. Ces dernières peuvent correspondre à des États territoriaux (la France, l'Inde ou le Nigéria) ou bien concerner des nations sans État (nations basque, naga ou ogoni). La globalisation contemporaine a également stimulé le militantisme politique au sein des diasporas nationales (palestinienne, tatare ou zimbabwéenne). Il s'ensuit que la solidarité nationale est devenue considérablement plus complexe dans le cadrage postmoderne de la démocratie globale qu'il ne pouvait l'être quand la politique moderne présumait et recherchait la coïncidence la plus parfaite possible entre la nation, le pays et l'État.

Continuons à complexifier les choses. Dans les démocraties globales postmodernes, un seul et même sujet politique peut non seulement posséder une ou plusieurs identités nationales mais il peut aussi revendiquer plusieurs solidarités non territoriales. En effet, le rapport d'espèce avec l'ensemble de l'humanité ne constitue pas la seule forme possible de solidarités transfrontières dans le cadre de la politique globale. Il est tout aussi envisageable, sinon plus, de proclamer des affinités non-territoriales reposant sur l'âge, la caste, la classe, le handicap, la religion, le sexe, l'autochtonie, la race, la sexualité ou la profession[9]. Parmi ces « cosmopolites minoritaires » [Pollock *et al.*, 2000, p. 582] fonctionnant à l'échelle globale, on peut citer *inter alia* les mouvements féministes, les associations professionnelles et les liens religieux. On peut d'ores

---

9 Wilmer [1993] ; Adam [1998] ; Antrobus [2004] ; Levitt [2007] ; Hardtmann [2009] ; Rahier *et al.* [2010].

et déjà repérer la mise en œuvre pratique de ces solidarités plurielles postmodernes dans de nombreux domaines de la politique globale contemporaine. Par exemple, de plus en plus d'États autorisent les citoyennetés multiples et certains d'entre eux, comme la Bolivie ou l'Afrique du Sud, ont récemment inscrit ce principe de la plurinationalité dans leur constitution et dans leur droit. Les mobilisations ethniques infra-étatiques se multiplient et gagnent en intensité partout dans le monde, et l'on considère de plus en plus qu'il vaut mieux les reconnaître que les réprimer. Les réseaux de diaspora sont aujourd'hui plus actifs qu'ils ne l'ont jamais été [Cohen, 2008]. D'autres formes d'affiliations globales se sont créées, comme le Réseau international de solidarité entre les Dalit (International Dalit Solidarity Network, IDSN), l'Internationale des personnes handicapées (Disabled Peoples'International, DPI), l'Internationale des habitants des taudis et des bidonvilles (Shack/ Slum Dwellers International, SDI) ainsi que l'Association internationale des lesbiennes, gays, bisexuel(le)s, trans- et intersexe (International Lesbian, Gay, Bisexual, Trans and Intersex Association, ILGA). Dans le même temps, la mise en œuvre de la solidarité à l'échelle globale et les appels à l'aide humanitaire ont rencontré un public sans précédent.

On peut enfin saisir la prise en compte des solidarités plurielles à travers certaines évolutions récentes de la gouvernance institutionnelle globale. Par exemple, et plus particulièrement depuis les années 1990, la plupart des organisations intergouvernementales, transgouvernementales, interrégionales et translocales ont mis en place des dispositifs leur permettant de consulter des entités non nationales comme les groupes religieux, les peuples indigènes, les femmes, les ouvriers et les jeunes. De surcroît, certains publics ont récemment obtenu le droit à une représentation officielle au sein de la gouvernance globale grâce à la multiplication d'accords avec ceux que l'on appelle « les parties prenantes[10] ». Parmi les organisations ayant officiellement accueilli en leur sein des peuples sans État, on compte le Fonds mondial de lutte contre le sida, la tuberculose et le paludisme et l'Évaluation internationale des

---

10 Macdonald [2008], Hallström et Boström [2010].

connaissances, des sciences et des technologies agricoles pour le développement[11] [Brown, 2009 ; Scoones, 2010]. Il est clair que seule une véritable reconstruction de la gouvernance officielle permettrait de réellement donner corps au principe des solidarités plurielles, mais on peut d'ores et déjà constater l'existence de modestes avancées dans cette direction.

La transculturalité

Dans le domaine de la transculturalité, les démocraties globales postmodernes prennent leurs distances par rapport à l'étatisme et au cosmopolitisme moderne parce qu'elles prennent en charge le pluralisme épistémologique. Partout à la surface de la planète, les gens « appréhendent le monde » de manière extrêmement diverse[12]. Si l'on souhaite enclencher une véritable autodétermination collective, il est indispensable de pratiquer la démocratie globale selon des procédures *significativement* démocratiques pour chacun de ces mondes vécus. Comment réaliser cela ? Il est nécessaire soit de trouver un dénominateur commun à toute cette diversité, soit, en l'absence d'une telle « superculture » partagée, de négocier entre ces différents mondes vécus de sorte que tous ceux qui sont concernés puissent définir la situation comme démocratique au sens où ils l'entendent. Les approches étatique et cosmopolite de la démocratie globale n'offrent ni l'une ni l'autre de réponse viable à un problème de ce genre. Au contraire, chacune d'entre elles, à sa manière, laisse de côté la question de la diversité culturelle. D'après la grammaire étatique, les gouvernements démocratiques nationaux peuvent tout à fait « laisser la culture à la maison » dans leurs relations réciproques, ce qui signifie que la gouvernance globale est en elle-même une arène culturellement neutre peuplée de diplomates et de technocrates. Pourtant, la diplomatie comme la technocratie ont un contenu culturel spécifique et tendent à exclure toute autre forme de savoir.

---

11 Respectivement le Global Fund to Fight AIDS, Tuberculosis and Malaria (GFATM) et l'International Assessment of Agricultural Knowledge, Science and Technology for Development (IAASTD).

12 Mozaffari [2002] ; Foot *et al.* [2003] ; De Sousa Santos [2007] ; Katzenstein [2010].

Dans le même temps, sous sa forme dominante, le cosmopolitisme moderne estime que, avec l'avènement du « développement », toutes les cultures vont et devraient être subsumées sous un monde de vie moderne-occidental (supérieur) fondé sur le rationalisme séculier, anthropocentrique, technico-scientifique, instrumental et individualiste. Cependant, la majeure partie de l'humanité se sent aliénée dans et par la modernité occidentale, et par conséquent ne fait pas l'expérience de la participation collective et du contrôle collectif à partir de ce cadre culturel. L'étatisme tout comme le cosmopolitisme moderne contredisent donc la démocratie globale car ils refusent arbitrairement toute possibilité de reconnaissance, de respect, d'influence et de prise de parole à ceux qui vivent à l'extérieur du cadre de référence moderne-occidental.

Afin de garantir une plus grande autonomisation de ces différents mondes vécus, la démocratie globale postmoderne pourrait adopter le principe de la « transculturalité ». Cette approche se différencie de la perspective « multiculturaliste » qui a tendance à diviser la société en groupes bien délimités (selon la religion, la nationalité, la race, etc.) avant de définir les mécanismes grâce auxquels les cultures ainsi séparées peuvent coexister dans une atmosphère de tolérance mutuelle [Taylor, 1992 ; Kymlicka, 2001]. Au contraire, la transculturalité considère que les cartes des mondes vécus sont loin d'être aussi nettes, qu'il existe une diversité considérable au sein de chacune de ces catégories prétendument culturelles, mais que l'on peut aussi constater beaucoup de mélanges entre elles. Du coup, le terme de « transculturalité » est préféré à celui d'« interculturalité » puisque ce dernier laisse entendre que les relations se produisent entre des groupes bien distincts (inter-cultures). Telle que je l'entends ici, la politique de transculturalité repose sur cinq piliers : la reconnaissance de la complexité, la célébration de la diversité, la culture de l'humilité, la promotion de l'écoute et la quête de l'apprentissage et du changement réciproque[13]. Comme cela a été décrit plus haut, la reconnaissance de la complexité implique de partir du principe que la culture n'est

---

13 Pour la présentation d'un ensemble alternatif de points de départ, voir Jordaan [2009].

Les démocraties globales postmodernes

pas l'apanage de populations bien délimitées et mutuellement exclusives [Pieterse, 2004]. Dans la politique mondiale telle qu'elle est vécue aujourd'hui, la culture est une affaire d'intersections et de mélanges et non la seule propriété de groupes spécifiques (quelle qu'en soit la nature). Les démocraties globales postmodernes acceptent et s'adaptent à cette complexité épistémologique au lieu d'essayer d'enfermer les sujets politiques dans des catégories culturelles artificiellement homogènes (« asiatique », « islamique », « occidental », etc.).

La deuxième pierre angulaire de la transculturalité est la célébration de la diversité. Selon cette idée, dans une démocratie globale viable et adaptée à la société contemporaine, le pluralisme épistémologique est non seulement reconnu mais il est aussi proclamé et mis en œuvre. Pour les démocraties globales postmodernes, la différence n'est pas vue comme un problème, et encore moins une menace, pour la gouvernance par le peuple. À l'inverse, on estime que l'exploration des différents mondes vécus représente l'occasion de développer de nouvelles perspectives, d'élargir les potentialités et de découvrir l'existence de réponses alternatives. Cette promotion d'une multiplicité de chemins invite les sujets politiques des démocraties globales postmodernes à inventer des modes de participation et de contrôle susceptibles d'apporter à chacun le sentiment d'un engagement constructif. Dans de nombreux cas, si ce n'est dans la majorité d'entre eux, il est possible de développer côte à côte, de manière complémentaire, des pratiques démocratiques différentes mais qui tendent toutes vers le même objectif global. Il n'est pas nécessaire – et ce serait même anti-démocratique – de faire entrer toutes les forces démocratiques dans un moule unique, qu'il s'agisse d'un parlement global, du récit indigène ou du *jihad*. De fait, la coexistence d'une multiplicité de pratiques démocratiques ne fait que stimuler le débat sur le sens de la démocratie, et l'absence de ces défis permanents aurait pour seule conséquence de transformer toute démocratie potentielle en un rituel vide de tout sens. Bien sûr, il existe des cas où ces expressions culturelles différentes de la démocratie entrent en conflit les unes avec les autres dans le cadre de la politique mondiale, où des visions différentes de la dignité humaine, de la participation collective et de l'autorité responsable entrent en contradiction. Dans ces circonstances, la politique de transculturalité recommande dans un premier temps une attitude d'humilité. Au lieu de présumer tout de go la supériorité de leur propre position, les parties prenantes à la communication et à la négociation transculturelle reconnaissent que chacune d'entre elles n'a qu'une connaissance limitée de la diversité des mondes vécus. Accepter l'idée que l'on ne connaît qu'une petite partie de l'expérience humaine mais aussi s'émerveiller de l'incroyable ampleur de la créativité humaine peut éviter à chaque partie de rejeter de façon impétueuse des positions culturelles contraires à la sienne. Dans ce domaine, les démocraties globales postmodernes pourraient s'inspirer du concept de *noa* tel qu'il existe dans les îles du Pacifique. Cette notion désigne la capacité mais aussi l'obligation morale qu'ont les parties en conflit à entamer les négociations en éliminant autant que possible de leurs perceptions, de leurs réflexions et de leurs sentiments toute forme d'engagement antérieur ou d'agenda prédéterminé [Halapua et Halapua, 2009]. L'adoption d'une certaine humilité au sein des démocraties globales postmodernes entraînerait l'abandon de toutes les « missions civilisatrices » par lesquelles une « culture avancée » autoproclamée absorbe des peuples censés être « arriérés » [Childs, 2003]. En particulier, le rationalisme occidental n'est plus alors l'étalon universel et l'incarnation historique du donneur de leçons mais un acteur parmi d'autres du dialogue global [Chakrabarty, 2000].

L'humilité rend plus facile l'accès à la quatrième pierre angulaire de la transculturalité, celle de l'écoute. La capacité d'écoute des diversités représente dans les démocraties globales postmodernes une compétence fondamentale qui est pourtant restée étonnamment sous-développée dans le domaine de la politique globale moderne. En effet, on peut légitimement soutenir que la capacité d'écoute est tout aussi importante pour la démocratie globale que peut l'être la connaissance du droit et des processus de prise de décision. L'écoute véritable va au-delà du hochement de tête poli dont on se sert pour préparer sa propre réplique. L'écoute transculturelle donne lieu à une attention qui, parce qu'elle est concentrée, entend vraiment l'autre, entre en empathie avec elle/

lui et lui répond. Cette écoute profonde étend la capacité de l'auditeur à comprendre l'expérience de la démocratie que possède son interlocuteur, mais elle augmente également la conscience réflexive de sa propre position culturelle. Sur cette base, les parties en présence sont mieux équipées pour entreprendre sur des questions mondiales des actions qui respectent la diversité épistémologique mais qui laissent aussi la possibilité à ceux qui le souhaiteraient d'émettre des réponses différentes avec lesquelles ils se sentiraient plus à l'aise.

Enfin, la transculturalité présume que la démocratie globale est un processus permanent d'apprentissage et de changement réciproque entre les différents mondes vécus. Selon la vision postmoderne, les cadrages cognitifs du social – ce qui comprend les symboles et les rituels de la démocratie – ne sont pas des « traditions » statiques. L'inévitable interaction entre les diversités engendre des reconstructions culturelles continuelles. La vision transculturelle est non seulement capable de voir ce dynamisme mais elle accueille aussi de manière positive les potentialités créatrices rendues possibles par ces transformations mutuelles. Il est ici tout à fait clair que l'histoire – tout comme la démocratie globale au sein de cette histoire – ne tend pas vers une destination finale, qu'elle soit étatique, cosmopolite ou autre. Les démocraties globales postmodernes elles-mêmes ne sont certainement qu'une étape sur la voie d'autres formes de gouvernance par le peuple.

La distribution égalitaire

Les trois fondements des démocraties globales postmodernes sur lesquels j'ai insisté jusqu'ici – la trans-scalarité, les solidarités plurielles et la transculturalité – ont mis l'accent sur les dimensions idéelles d'un paradigme alternatif pour affirmer la notion de gouvernance par le peuple au sein de la société contemporaine. Cependant, la gestion démocratique des affaires globales possède également des aspects matériels. Pour que les sujets politiques se mettent en quête d'une réelle participation et d'un réel contrôle dans le cadre d'un monde plus global, il ne suffit pas de reconnaître leurs différentes identités ni leurs différentes épistémologies. Cette reconnaissance de principe doit être complétée par une économie politique fournissant à toutes les parties des ressources globalement équivalentes afin qu'elles puissent exercer leur participation aux affaires globales. En effet, jusqu'ici, la plupart des solidarités dont il a été question dans le domaine de la politique globale se sont formées sur la base d'une expérience partagée de subordination matérielle. La marginalisation économique a contribué à la formation d'une mobilisation politique mondiale parmi les Dalits, les peuples indigènes, les paysans, les personnes vivant un handicap, les citadins pauvres, les femmes, les jeunes, etc. En principe, les luttes démocratiques en faveur de la justice socioéconomique pourraient aussi inclure des alliances entre ces différents groupes à l'échelle globale [Bullard, 2005 ; Byrd, Jasny, 2010]. De telles coalitions ont déjà émergé *inter alia* dans le cadre du Forum social mondial mais aussi de la campagne mondiale pour l'élimination de la dette des pays les plus pauvres. Dans les démocraties globales postmodernes, la distribution des ressources devrait offrir à tous des possibilités à peu près équivalentes pour exercer leur prise de parole et leur influence [Bardhan *et al.*, 2006]. Fini le « milliard d'en bas » (*bottom billion*[14]), fini le « précariat » [Collier, 2007 ; Standing, 2011]. L'égalité formelle et morale de tous ceux qui souffrent n'est pas suffisante pour instaurer une véritable démocratie, à moins qu'elle ne soit complétée par une certaine égalité matérielle. Il ne s'agit pas de réclamer pour chacun l'accès aux mêmes types ni aux mêmes niveaux de ressources. Il s'agit en revanche d'insister sur le fait que de profondes inégalités matérielles se traduisent par la marginalisation politique de ceux qui ont les moyens les plus faibles et que cette subordination politique tend en retour à perpétuer, si ce n'est aggraver, les inégalités matérielles.

La prise en compte de cette corrélation entre ressources économiques et opportunités politiques a déclenché dans les démocraties modernes stato-centrées de nombreuses luttes pour l'obtention d'une progressive redistribution des ressources au sein de la population de chacun des pays concernés. En Europe occidentale et en

---

14 L'expression « *bottom billion* » est utilisée par l'économiste britannique Paul Collier dans un ouvrage éponyme de 2007, dans lequel il affirme qu'environ un milliard d'habitants de la planète vivent sur le territoire d'un des soixante pays qui sont exclus du développement économique. (*N.d.T.*)

Amérique du Nord, les classes populaires se sont servi du suffrage universel et des mobilisations de travailleurs pour obtenir la mise en place d'États providence assurant une forme de redistribution. Dans la plupart des pays d'Europe de l'Est et d'Asie, l'avènement des « démocraties populaires » communistes s'est accompagné de réformes agraires. Au cours du XXᵉ siècle, les luttes de décolonisation reposaient largement sur des promesses de justice socioéconomique, promesses qui bien souvent n'ont guère été tenues. En Amérique latine, les récents renouvellements démocratiques ont mis en avant des programmes de redistribution, notamment en Bolivie et au Brésil. De même, les luttes démocratiques qui se déroulent actuellement en Afrique et au Moyen-Orient ont généralement pris pour cible la kleptocratie des régimes autoritaires en place. Il est vrai que des mouvements démocratiques différents n'envisagent pas tous de la même façon la notion de « juste distribution » ; ils l'adaptent à des priorités différentes et poursuivent cet objectif selon des stratégies elles-mêmes différentes. Pour autant, la recherche généralisée d'une plus grande équité socioéconomique est tellement partagée qu'elle semble faire partie intégrante de la démocratie nationale moderne.

Il semble donc totalement absurde que les visions cosmopolites modernes de la démocratie globale aient pour la plupart négligé les dimensions économiques de la question. Pourquoi la distribution équitable des ressources dans une population donnée deviendrait-elle un enjeu moins vital quand la démocratie concerne des espaces supranationaux ? Le développement des démocraties globales postmodernes nous fournit la possibilité de corriger cette négligence. Elles pourraient prendre un ensemble de mesures concrètes en faveur d'une redistribution progressive à l'échelle globale : par exemple la mise en place de monnaies alternatives, la modification des régimes mondiaux de la propriété intellectuelle et de l'impôt, la diminution du niveau de consommation des classes moyennes globales, le tourisme équitable, des programmes de commerce équitable ainsi qu'un revenu minimum universel mondial[15]. Si les mesures précises doivent faire l'objet de discussions ultérieures,

---

15 Patomäki [2001] ; Frankman [2002] ; Aliprandi [2010] ; Bowes [2011].

le principe d'une distribution globale égalitaire est indispensable à la mise en œuvre dans le domaine des affaires globales d'une gouvernance par le peuple qui puisse être constructive.

L'écoloyenneté

Quand bien même les démocraties globales postmodernes s'appuieraient sur cette question de la justice socioéconomique, qui a marqué la démocratie moderne de l'État-nation au XXe siècle, pour mieux tenter de l'étendre, cela ne suffirait pas. Ce paradigme alternatif devrait de surcroît rendre consubstantiel à la démocratie une préoccupation qui a été incontestablement absente des constructions modernes de la participation publique et du contrôle public : l'intégrité écologique. Une telle démocratie, écologiquement accordée, fournirait à la démocratie sociale la conscience de l'ensemble du réseau de la vie, ainsi que l'envie d'en prendre soin.

Dès les débuts de la rationalisation des relations sociales, des critiques se sont élevées pour protester contre la logique écologiquement destructrice de la modernité et de ses orientations anthropocentriques, technico-scientifiques et instrumentales [De Jonge, 2004]. Cependant, il était possible de ne pas prendre en compte toutes les implications de ces critiques tant que la modernité ne mettait pas en danger les capacités de la planète Terre. Ces limites sont devenues étonnamment visibles dans les années 1980 avec la découverte d'une dangereuse diminution de l'ozone stratosphérique. Depuis lors, l'urgence n'a fait que croître en raison du changement climatique à l'échelle globale, de l'urbanisation, des menaces sur la biodiversité, de l'exploitation croissante des ressources en énergie et en matières premières, des perspectives de raréfaction de l'eau potable et des terres arables ainsi que des éventuelles redéfinitions de la vie elle-même à cause du développement effréné des biotechnologies et des nanotechnologies. La durabilité écologique de la planète sera encore plus menacée lorsque la population humaine atteindra, aux alentours de 2050, le chiffre de neuf milliards, soit environ 10 % de tous les *Homo sapiens* ayant jamais vécu à la surface de la terre [BBC, 2011]. De plus, cette quantité inégalée d'êtres humains vivra plus longtemps et disposera de capacités technologiques sans précédent pour en exiger toujours plus de son environnement naturel. Dans cette situation, si la cécité moderne pour l'écologie – telle qu'elle se reflète également dans les pratiques démocratiques – continue, des dommages irréparables seront causés, peut-être au point de mettre en danger les conditions même de la vie humaine. Il est donc fondamental de renoncer à la dissociation entre la démocratie et l'écologie.

Il n'est pas possible dans le cadre de ce texte d'élaborer l'ensemble de la construction postmoderne des démocraties écologiques globales. Je me contenterai donc d'identifier deux points de départ assez généraux. Le premier a trait à la nécessité de défaire la séparation moderne entre la société et la nature, telle qu'elle se reflète dans les pratiques de démocratie extérieure à la nature qui caractérisent aussi bien l'étatisme que le cosmopolitisme moderne. Les mondes vécus qui décrivaient ou décrivent encore l'univers de diverses civilisations classiques ou de nombreux peuples indigènes montrent que les relations sociales peuvent être imprégnées par la conscience et la sensibilité écologique. Les démocraties globales postmodernes pourraient donc tout à fait réinventer la gouvernance par le peuple pour qu'elle puisse être exercée dans le cadre de la totalité du monde vivant, et dans le respect de ce dernier. La mise en œuvre de ce respect nécessite une deuxième reconstruction écologique des relations sociales, pour les faire passer de l'anthropocentrisme au biocentrisme. La modernité – et la démocratie moderne à l'intérieur de cette formation sociale – a reposé sur la prémisse implicite selon laquelle le reste de la nature n'existe que pour servir le projet humain. Sur la base de l'anthropocentrisme, la citoyenneté moderne a fait des droits et des devoirs du sujet politique une question essentielle, mais qui ne concerne que les êtres humains, sans prendre en considération leur inscription au sein du monde écologique. De fait, historiquement tout comme étymologiquement, le terme « citoyenneté » vient de la cité, un établissement humain se situant délibérément en dehors et au-dessus de l'« état de nature ». Dans leur tentative visant à remplacer l'anthropocentrisme par le biocentrisme, des peuples amazoniens ont forgé le terme *florestania* (que l'on peut traduire par « citoyenneté forestière ») afin de désigner une entité politique où les droits et les devoirs sont dus à l'intérieur de l'ensemble du monde vivant [Maldonado, 2009]. Le nouveau gouvernement « plurinational » de Bolivie, qui s'appuie fortement sur les peuples indigènes, a présenté sa loi sur « les droits de la Terre-Mère » devant les Nations unies et d'autres forums mondiaux [Bolivia at UN, 2011]. De la même manière, on pourrait envisager d'inscrire les démocraties globales postmodernes dans le cadre de l'« écoloyenneté », au sein de laquelle les droits de l'homme seraient limités par les besoins écologiques et où les devoirs de l'homme seraient encadrés par la protection de l'environnement.

Conclusion

Dans ce chapitre, j'ai voulu explorer la façon dont il serait possible de conceptualiser la « gouvernance par le peuple » pour la rendre applicable dans le contexte de relations sociales de plus en plus globales. J'ai défendu l'idée que les deux principales visions de la démocratie globale actuellement offertes par la pensée dominante – l'étatisme et le cosmopolitisme moderne – souffraient toutes deux de graves défauts rendant indispensable l'élaboration d'une conception alternative, celle des démocraties globales postmodernes. Selon cette perspective, la gouvernance des affaires globales pourrait se voir convenablement démocratisée grâce aux principes de la géographie trans-scalaire, de l'identité plurielle, du savoir transculturel, de l'économie égalitaire et de l'écologie holiste. Bien sûr, l'argumentaire développé ici n'est pas complet. Une présentation plus détaillée des démocraties globales postmodernes impliquerait de passer plus de temps sur chacun des cinq piliers principaux ainsi que sur les relations entre eux. Il serait également nécessaire d'intégrer la vision de la « gouvernance par le peuple » développée ici au sein d'une vision plus large de ce qu'est une bonne société. En cours de route, il faudrait envisager les liens – et les possibles compromis – entre la démocratie et d'autres valeurs fondamentales comme le bien-être matériel, la décence morale et la paix. Par ailleurs, ce chapitre n'a fait que survoler les problèmes liés à la mise en œuvre institutionnelle concrète des démocraties globales postmodernes. J'ai également laissé de côté l'analyse stratégique des forces qui, sur la scène politique contemporaine, défendent ou refusent cette vision. Un tel travail nécessite beaucoup plus de place. L'objectif du présent texte est plus modeste : il ne vise qu'à présenter les principes essentiels de la démocratie globale et ainsi poser les fondations d'une analyse et d'une action plus poussée. Ce travail plus poussé, cette réinvention de la démocratie globale, est vital. Au niveau de la politique globale, les structures sociales et les configurations de pouvoir sont en train de changer. Ces transformations de grande ampleur exigent une reconstruction tout aussi radicale de la démocratie pour aller plus loin que l'étatisme et le cosmopolitisme moderne. Il n'est pas toujours agréable de faire ainsi bouger les choses, surtout quand cela implique d'interroger mais aussi de modifier différents principes de base. Pourtant, refuser de relever ce défi pourrait lourdement compromettre le futur même de la démocratie.

Références bibliographiques

ADAM B. D. *et al.* (dir.), 1998, *The Global Emergence of Gay and Lesbian Politics. National Imprints of a Worldwide Movement*, Temple University Press, Philadelphie.

ALIPRANDI S., 2010, *Creative Commons. A User Guide*, copyleft-Italia.

ANTROBUS P., 2004, *The Global Women's Movement. Origins, Issues and Strategies*, Zed, Londres.

BACHE I., FLINDERS M. (dir.), 2004, *Multi-Level Governance*, Oxford University Press, Oxford.

BAKER A. *et al.* (dir.), 2005, *Governing Financial Globalization. International Political Economy and Multi-Level Governance*, Routledge, Abingdon.

BARDHAN P. *et al.* (dir.), 2006, *Globalization and Egalitarian Distribution*, Princeton University Press, Princeton.

BBC, 2011, *The World at 7 Billion*, <www.bbc.co.uk/news/world-15391515>.

BGD, 2011a, « Building Global Democracy Programme », <www.buildingglobaldemocracy.org>.

— 2011b, *Online Library of the Building Global Democracy Programme*, <www.buildingglobaldemocracy.org/building-global-democracy-library>.

BOHMAN J., 2007, *Democracy across Borders. From Dêmos to Dêmoi*, MIT Press, Cambridge.

BOLIVIA AT UN, 2011, *Bolivia at UN : "We Cannot Command Nature Except by Obeying Her"*, <http://climateandcapitalism. com/?p=4295&utm_source=feedburner&utm_medium=feed&u tmcampaign=Feed%3A+climateandcapitalism%2FpEtD+%28Cl imate+and+Capitalism%29>.

BORRAS S. M. *et al.* (dir.), 2008, *Transnational Agrarian Movements. Confronting Globalization*, Wiley-Blackwell, Oxford.

BOWES J. (dir.), 2011, *The Fair Trade Revolution*, Pluto, Londres.

BROWN G. W., 2009, « Multisectoralism, participation, and stakeholder effectiveness : Increasing the role of nonstate actors in the global fund to fight AIDS, tuberculosis and malaria », *Global Governance*, 15 (2), p. 169-178.

BULLARD N. (dir.), 2005, « Special issue : The movement of movements », *Development*, 48 (2).

BYRD S. C., JASNY L., 2010, « Transnational movement innovation and collaboration : Analysis of world social forum networks », *Social Movement Studies*, 9 (4), p. 355-372.

CHAKRABARTY D., 2000, *Provincializing Europe. Postcolonial Thought and Historical Difference*, Princeton University Press, Princeton. Traduction française : *Provincialiser l'Europe. Pensée postcoloniale et différence historique*, Éditions Amsterdam, Paris, 2009.

CHILDS J. B., 2003, *Transcommunality. From the Politics of Conversion to the Ethics of Respect*, Temple University Press, Philadelphia (PA).

COHEN R., 2008 (2e éd.), *Global Diasporas. An Introduction*, Routledge, Londres.

COLLIER P., 2007, *The Bottom Billion. Why the Poorest Countries Are Failing and What Can Be Done about It*, Oxford University Press, Oxford.

DE JONGE E., 2004, *Spinoza and Ecology. Challenging Traditional Approaches to Environmentalism*, Ashgate, Aldershot.

DE SOUSA SANTOS B. (dir.), 2007, *Another Knowledge is Possible. Beyond Northern Epistemologies*, Verso, Londres.

DESMARAIS A. A., 2007, *La Vía Campesina : Globalization and the Power of Peasants*, Pluto, Londres.

ENDERLEIN H. *et al.* (dir.), 2010, *Handbook on Multi-Level Governance*, Elgar, Cheltenham.

FØLLESDAL A., 1998, « Survey article : Subsidiarity », *Journal of Political Philosophy*, 6 (2), p. 190-218.

FOOT R. *et al.* (dir.), 2003, *Order and Justice in International Relations*, Oxford University Press, Oxford.

FRANKMAN M., 2002, « Beyond the Tobin tax : global democracy and a global currency », *Annals of the American Academy of Political and Social Science*, 581 (1), p. 62-73.

GOULD C. C., 2006, « Self-Determination beyond sovereignty : relating transnational democracy to local autonomy », *Journal of Social Philosophy*, 37 (1), p. 44-60.

HALAPUA S., HALAPUA P., 2009, « Global democracy as Talanoa : A pacific perspective », <www.buildingglobaldemocracy.org/content/cgd-case-studies>.

HALLSTRÖM K. T., BOSTRÖM M., 2010, *Transnational Multi-Stakeholder Standardization. Organizing Fragile Non-State Authority*, Elgar, Cheltenham.

HARDTMANN E. M., 2009, *The Dalit Movement in India. Local Practices, Global Connections*, Oxford University Press India, New Delhi.

JORDAAN E., 2009, « Dialogic cosmopolitanism and global justice », *International Studies Review*, 11 (4), p. 736-748.

KATZENSTEIN P. J. (dir.), 2010, *Civilisations in World Politics. Plural and Pluralist Perspectives*, Routledge, Londres.

KECK M., SIKKINK K., 1998, *Activists beyond Borders. Advocacy Networks in International Politics*, Cornell University Press, Ithaca.

KHAGRAM S., LEVITT P. (dir.), 2008, *The Transnational Studies Reader : Intersections & Innovations*, Routledge, Abingdon.

KYMLICKA W., 2001, *Politics in the Vernacular. Nationalism, Multiculturalism and Citizenship*, Oxford University Press, Oxford.

LEVITT P., 2007, *God Needs No Passport. Immigrants and the Changing American Religious Landscape*, New Press, New York.

MACDONALD T., 2008, *Global Stakeholder Democracy. Power and Representation beyond Liberal States*, Oxford University Press, Oxford.

MALDONADO M. T., 2009 (6e éd.), *Florestania. A cidadania dos povos da floresta*, Saraiva, São Paulo.

MIGNOLO W. D., 2000, « The many faces of cosmo-polis : Border thinking and critical cosmopolitanism », *Public Culture*, 12 (3), p. 721-748.

MILLER D., 1995, *On Nationality*, Oxford University Press, Oxford.

MOZAFFARI M. (dir.), 2002, *Globalization and Civilizations*, Routledge, Londres.

MUNCK R., WATERMAN P. (dir.), 1999, *Labour Worldwide in the Era of Globalization. Alternative Union Models in the New World Order*, Palgrave, Basingstoke.

OSTERWEIL M., 2005, « Place-based globalism : Theorizing the global justice movement », *Development*, 48 (2), p. 23-28.

PATOMÄKI H., 2001, *Democratising Globalisation. The Leverage of the Tobin Tax*, Zed, Londres.

PIETERSE J. N., 2004, *Globalization and Culture. Global Mélange*, Rowman & Littlefield, Lanham.

POLLOCK S. *et al.*, 2000, « Cosmopolitanisms », *Public Culture*, 12 (3), p. 577-589.

RAHIER J. M. *et al.* (dir.), 2010, *Global Currents of Blackness. Interrogating the African Diaspora*, University of Illinois Press, Urbana.

SCHOLTE J.A., 2012a, « Reinventing global democracy », *European Journal of International Relations*, disponible en attendant la version papier sur Online First à l'adresse suivante : <http://ejt.sagepub.com/content/early/2012/05/29/1354066111436237.full.pdf> + html.

— 2012b, « More inclusive global governance ? The IMF and civil society in Africa », *Global Governance*, 18 (2), p. 185-206.

— 2008, « Reconstructing contemporary democracy », *Indiana Journal of Global Legal Studies*, 15 (1), p. 305-350.

— 2005 (2e éd.), *Globalization. A Critical Introduction*, Palgrave Macmillan, Basingstoke.

— 2004, *Democratizing the Global Economy : The Role of Civil Society*, <www2.warwick.ac.uk/fac/soc/csgr/projects/englishreport.pdf>.

SCOONES I., 2010, « The Politics of Global Assessments : The Case of the IAASTD », *in* GAVENTA J., TANDON R. (dir.), *Globalizing Citizens. New Dynamics of Inclusion and Exclusion*, Zed, Londres, p. 96-115.

SEN J. *et al.*, 2004, *World Social Forum. Challenging Empires*, Viveka Foundation, New Delhi.

SEVERINO J. M., RAY O., 2010, *The End of ODA (II) : The Birth of Hypercollective Action*, Center for Global Development Working Paper 218, Washington DC.

SMITH J. *et al.*, 2007, *Global Democracy and the World Social Forums*, Paradigm, Londres.

STANDING G., 2011, *The Precariat. The New Dangerous Class*, Bloomsbury, Londres.

TARROW S., 2005, *The New Transnational Activism*, Cambridge University Press, Cambridge.

TAYLOR C., 1992, *Multiculturalism and "The Politics of Recognition"*, Princeton University Press, Princeton. Traduction française : *Multiculturalisme*, Flammarion, coll. « Champs », Paris, 1999.

VERTOVEC S., 2009, *Transnationalism*, Routledge, Abingdon.

WADDELL S., 2011, *Global Action Networks. Creating Our Future Together*, Palgrave Macmillan, Basingstoke.

WILMER F., 1993, *The Indigenous Voice in World Politics. Since Time Immemorial*, Sage, Londres.

Quatrième partie

Re-fonder, re-penser, ré-organiser les sciences sociales ?

Chapitre 16

Penser global et monter en généralité

Michel Wieviorka

Les sciences sociales ont connu un âge d'or dans les années 1950 et 1960, et même s'il faut éviter une représentation mythique du passé, il est possible d'indiquer les principales caractéristiques de cet âge d'or, sans pour autant l'idéaliser et en sachant aussi en marquer les limites ou les impasses. Cela nous aidera pour aborder la période actuelle, qui pourrait bien devenir celle d'un nouvel âge d'or, même si, de par le monde, des institutions (centres de recherche, départements, instituts) se consacrant aux sciences sociales sont menacées, s'il se constitue ici et là un prolétariat de diplômés ne trouvant pas à s'employer, ou si les préventions vis-à-vis de nos disciplines dans certains milieux sont loin d'avoir disparu.

L'âge d'or des années 1950 et 1960

Dans les années 1950 et 1960, et au début des années 1970, la pensée, qui se voulait pour l'essentiel universaliste, trouvait son origine dans un espace intellectuel dominé par l'Europe occidentale et l'Amérique du Nord, avec, ajoutons-le, de réels prolongements en Amérique latine. Elle avait même un centre plus lumineux que d'autres, Paris, et ses intellectuels prestigieux, qui attiraient étudiants, enseignants, chercheurs, plus ou moins activistes, venus du monde entier se frotter le plus près possible à la pensée de Michel Foucault, Roland Barthes, Jacques Lacan, Jacques Derrida, Alain Touraine, Louis Althusser, Pierre Bourdieu, Nicos Poulantzas et beaucoup d'autres.

Le cadre principal de l'analyse était donné par l'État-nation, et son prolongement direct, les « relations internationales », complété éventuellement par des comparaisons elles aussi internationales, l'objectif étant lors, par exemple, de mieux comprendre *Les Vingt Amériques latines* [Niedergang, 1962] ou les *Sept syndicalismes* [Martinet, 1979][1]. Il existait alors une forte volonté de théoriser, et, ce qui n'est pas la même chose, de monter en généralité, c'est-à-dire d'installer l'analyse, même limitée, même portant sur un problème ou un point précis, à un niveau relativement général. On était fonctionnaliste, marxiste, structuraliste, etc. (je n'entre pas ici dans le détail des grandes orientations qui balisaient la vie intellectuelle), tout en étant mobilisé par l'étude d'un objet bien délimité. C'est pourquoi les chercheurs en sciences sociales pouvaient être répartis en deux catégories principales, les « professionnels », prédominants (mais pas toujours autant qu'on a pu le dire) dans les sciences sociales nord-américaines, et les intellectuels, à la française si l'on veut. Le « professionnel » avait pour règle de ne dialoguer en tant que tel qu'entre pairs, ou avec ses étudiants, l'« intellectuel » intervenait dans le débat public. Il existait un lien assez direct, pour ceux des chercheurs qui se voulaient des « intellectuels », entre leur production et leurs engagements : ils se sentaient directement concernés par la politique, au point d'accepter d'être tenus, pour certains d'entre eux, pour « organiques » selon la terminologie de Gramsci. Enfin, la relative diversité des grands paradigmes de référence dessinait un espace à l'intérieur duquel chacun pouvait se situer, et entrer éventuellement en débat avec d'autres. La montée en généralité, possible pour tout chercheur, se complétait d'une inscription dans un champ assez large de modes d'approches ou d'orientations générales, elles-mêmes, donc, on vient de le dire, éventuellement compatibles avec des choix politiques.

Vu avec le recul, il y avait de fortes doses d'idéologies dans les choix des chercheurs et, parfois même, la « théorie » était une sorte de moule défini une fois pour toutes, *a priori*, et dans lequel tout travail, même très empirique, devait être capable de se glisser.

---

1   Marcel Niedergang était journaliste, Gilles Martinet acteur politique et intellectuel.

Il pouvait aussi y avoir de la mauvaise foi, des interventions plus partisanes que commandées par la rigueur du savoir ; souvent, une position prestigieuse acquise du côté de la science servait à couvrir un discours politique qui n'avait rien à voir avec le travail scientifique – il est vrai que tout ceci avait été presque théorisé par Jean-Paul Sartre expliquant, dans ses célèbres conférences de 1965 au Japon, qu'un intellectuel est quelqu'un qui se mêle de ce qui ne le regarde pas [Sartre, 1972].

Décomposition

Cet âge d'or est loin derrière nous et les années 1970 à 2000 ont été dominées par sa décomposition. Le fonctionnalisme, très tôt, a été délaissé, à commencer par sa version parsonienne, sorte de cathédrale théorique impuissante à rendre compte du fonctionnement de la société américaine, avec ses mouvements pour les droits civils, puis étudiants, noirs ou contre-culturels : Alvin Gouldner l'a fort bien dit dans un ouvrage paru en 1970 [Gouldner, 1973] et l'ambitieuse tentative de Jeffrey Alexander [1983] pour lui donner un deuxième souffle, dans les années 1970, a fait long feu. Précisons que l'œuvre de Robert Merton, moins ambitieuse, et plus soucieuse de validation empirique, a mieux supporté l'usure du temps que celle de Talcott Parsons [Calhoun, 2010]. Le structuralisme, avec de nombreuses variantes, avait apporté les paradigmes dominants dans les années 1960 et 1970, ruinant les pensées de la liberté à la Sartre, jusqu'à ce que lui-même se décompose au profit du retour du Sujet qu'il se plaisait à pourchasser. Le « deuxième » Michel Foucault, celui de *La Volonté de savoir*, par exemple, est fort éloigné du « premier » ; il s'éloigne dans les années 1980 de la pensée structuraliste pour s'intéresser au sujet et à la subjectivité. Le dernier livre significatif de cette immense famille de pensée est peut-être celui de Pierre Bourdieu sur *La Domination masculine* (1998).

Plus généralement, les années 1980 à 1990 sont celles de l'épuisement de la plupart des grandes approches des années antérieures, et leur déclin ouvre la voie à des modes de pensée, nouveaux ou renouvelés, qui tranchent avec la période antérieure. Les uns deviennent postmodernistes, s'approchant d'un certain relativisme qui faire craindre à Irving Horowitz la fragmentation des sciences sociales, et des paradigmes spécialisés relativement indifférents à tout ce qui n'est pas leur objet se développent : *cultural studies, genocide studies, gay and lesbian studies, African-American studies*, etc. [Horowitz, 1994]. D'autres ne veulent plus voir que le vide social, d'autres encore renouent avec des paradigmes qui relèvent d'une nébuleuse où se côtoient l'interactionnisme symbolique, l'ethnométhodologie, l'école dite de Palo Alto, la sociologie phénoménologique, etc., toutes approches qui ont en commun de se désintéresser de la politique et de l'histoire. D'autres encore se réclament de l'individualisme méthodologique, avec, dans le contexte des années Thatcher et Reagan, un fort tropisme libéral (Raymond Boudon).

Dans ce climat général de décomposition des paradigmes jusque-là dominants, les chercheurs ne délaissent pas l'effort théorique, et certains travaux sont de ce point de vue plutôt sophistiqués. Mais l'effort pour monter en généralité, s'installer au niveau des grands changements historiques ou politiques est plutôt réduit, on se méfie des « grands récits » et de la « *grand theory* ».

L'entrée dans une ère nouvelle

Mais tout ceci est également derrière nous, et le paysage contemporain est fort différent de ce qu'il était dans les années 1980 et 1990. Il faut dire que le monde aussi a changé, profondément : fin de la Guerre froide, montée en puissance du radicalisme et du terrorisme islamiques, émergence des BRICS[2], globalisation et, plus récemment, crise financière et autres transformations débordant le seul cadre des États-nations d'une part, et d'autre part, au sein même des sociétés, poussée de l'individualisme, essor des identités particulières, culturelles et religieuses, accroissement des inégalités – pour citer quelques faits majeurs. Les sciences sociales non seulement ne sont pas restées indifférentes à

---

2   Organisation qui regroupe les cinq grandes puissances émergentes : Brésil, Russie, Inde, Chine et Afrique du Sud (précédemment appelée BRIC avant l'ajout du dernier pays en 2011). *(N.d.R.)*

ces évolutions et à ces ruptures, mais elles en sont parties prenantes et elles s'efforcent de les penser.

Les sciences sociales se sont donc elles-mêmes globalisées et étendues à des parties du monde qui ne sont pas celles où elles sont nées et se sont développées, elles aussi sont déterritorialisées. Les anciennes colonies, en particulier, sont de ce point de vue, au-delà du postcolonialisme, capables, bien souvent, de promouvoir leurs propres chercheurs. L'Asie – ou plutôt : les pays d'Asie – est aujourd'hui un laboratoire que défrichent nombre de chercheurs formés sur place, ou revenus de l'étranger, avec trois tendances principales, particulièrement nettes si l'on considère l'expérience chinoise : certains chercheurs s'alignent sur l'Occident, et plus par-ticulièrement sur les sciences sociales américaines et leurs princi-paux paradigmes ; d'autres tentent de promouvoir des paradigmes non, voire anti-occidentaux, ils parlent au nom du « Sud », contre le « Nord » hégémonique (parfois aussi contre l'Ouest, le recours aux points cardinaux devient quelque peu étrange) – le Nord, ou l'Ouest, et sa pensée qui serait inadaptée. La critique peut elle-même provenir du Nord ou de l'Ouest, et pas nécessairement du Sud ; elle s'en prend à ce qui serait une illusion universaliste recouvrant une idéologie faite de domination. Cela peut déboucher sur l'enfermement dans ce qui devient un relativisme par exemple chinois, ou asiatique, proposant des catégories inscrites dans une culture nationale propre. En Chine, par exemple, la sociologie aca-démique, qui demeure en partie sous contrôle idéologique du pou-voir, promeut l'idée toute confucéenne d'« harmonie ». D'autres encore s'installent au meilleur niveau du débat mondial, tout en proposant de nouvelles approches. Je pense par exemple à Yuan Shen développant une méthode d'intervention sociologique qu'il compare avec celle d'Alain Touraine, et expliquant que, lorsque la société civile est forte, une méthode « faible » est adaptée : elle conviendrait pour les sociétés qu'étudie Touraine, tandis que, selon lui, une méthode « forte » (la sienne) est nécessaire si la société (en l'occurrence chinoise) est faible [Shen, 2007]. Des paradigmes venus de ces nouveaux espaces des sciences sociales globalisées conquièrent parfois le monde, on l'a vu avec le succès des *subaltern*

343

studies, nées en Inde, et elles-mêmes fortement marquées par la pensée de Gramsci.

Il faut en fait distinguer deux dimensions dans cette globalisation des sciences sociales. D'un côté, elles fonctionnent globalement, ce qui implique une vie intellectuelle et des modes d'organisation en réseaux débordant le cadre planétaire et ne se réduisant pas à des relations internationales. Internet est ici un instrument de la plus haute importance. D'un autre côté, elles proposent des modes d'approche « globaux », elles pensent « global ». J'y reviendrai dans un instant.

Dans ce nouveau contexte, il faut le dire au passage, Paris a perdu son rôle central et, trop souvent, les sciences sociales françaises semblent même devenues provinciales ou marginales par rapport aux principaux réseaux mondiaux, relativement peu présentes dans les lieux où se construit et se débat la pensée contemporaine. Il ne suffit pas ici d'incriminer la langue anglaise, à laquelle les chercheurs français seraient plus que d'autres réfractaires. Il y a là un phénomène plus profond, qui doit certainement beaucoup à l'effondrement des approches intellectuelles et politiques organisées autour du communisme, du marxisme, de la rupture révolutionnaire, ainsi que, moins centralement, du tiers-mondisme et de l'anticolonialisme : en France, le débat s'est construit très largement autour de ces approches, pour ou contre, avec toutes sortes de variantes, notre pays a constitué un phare sur ces enjeux qui, aujourd'hui, ont perdu de leur pertinence, laissant la recherche assez nettement orpheline d'un passé dont l'historien François Furet, bien mieux que les « nouveaux philosophes », a montré qu'il était révolu, qu'il s'agisse de la Révolution française ou du communisme. La globalisation des sciences sociales est devenue un fait majeur, bien mis en évidence par un rapport de l'ISSC[3] (*World Social Science Report*, 2010). Les chercheurs, dans le monde entier, accordent une place importante aux logiques économiques, mais aussi culturelles, politiques, religieuses de la globalisation, ils s'écartent du « nationalisme méthodologique » critiqué par Ulrich Beck, ils pensent « global », ce qui modifie leur regard sur bien des

---

3   International Social Science Council.

objets classiques, ou les encourage à en aborder de nouveaux. Ainsi, ils s'intéressent aux phénomènes migratoires en s'interrogeant sur leurs éventuelles dimensions transnationales, ils considèrent les sociétés dites d'accueil, mais aussi celles de départ, et celles de transit ; s'il s'agit des « nouveaux mouvements sociaux », ils envisagent leurs aspects « globaux » et ne s'enferment pas dans le cadre de l'État-nation pour étudier, par exemple, l'altermondialisme – d'ailleurs, les anglophones parlent de « global movements ». Les historiens sont de plus en plus nombreux à développer une *global history*, sauf peut-être en France, où il faut néanmoins citer les noms de Serge Gruzinski ou d'Olivier Pétré-Grenouilleau.

La globalisation des sciences sociales encourage des rapprochements entre disciplines des sciences sociales, au-delà de la pluridisciplinarité ou de l'interdisciplinarité tant vantées. J'en donne un exemple précis : président d'un panel européen de l'European Research Council appelé à sélectionner une quinzaine de dossiers pour des bourses d'en moyenne chacune 1 200 000 euros (parmi environ cent quatre-vingts candidats, dont une quarantaine de premier ordre), j'ai été frappé de constater que la plupart des bons candidats n'affichaient guère une approche disciplinaire, et circulaient, avec certes une dominante, sans avoir à le dire, entre plusieurs disciplines. Une conséquence de cette évolution pourrait être d'ouvrir, ou plutôt de rouvrir le débat, récurrent depuis le XIXᵉ siècle, sur la façon dont nous nous percevons : sommes-nous des sociologues, des anthropologues, etc., ou relevons-nous des sciences sociales, ou même de *la* science sociale – ces dernières hypothèses se heurtant aux logiques institutionnelles et au fonctionnement de l'Université. La globalisation des sciences sociales, en obligeant les chercheurs de nos disciplines à envisager de grands problèmes jouant à l'échelle globale, les conduit à se rapprocher de scientifiques d'autres disciplines, notamment dès qu'il s'agit d'enjeux planétaires comme l'environnement, la question de l'eau, la faim dans le monde, le sida, les épidémies, les catastrophes dites naturelles (et dont nous savons bien qu'elles ne le sont que très partiellement) etc. Elle n'implique pas nécessairement une sorte d'homogénéisation de l'univers des sciences sociales, au contraire. Le rapport de l'ISSC déjà cité met l'accent sur les conditions profondément inégales de leur production et de leur diffusion, notamment géographiques, ou géopolitiques, ou sociales, et il apporte des indications chiffrées qui montrent que, dans la production scientifique, l'Amérique du Nord et l'Europe se taillent la part du lion : « *The Western dominance of social science remains a pertinent issue* », signale ce rapport de l'ISSC.

Par ailleurs, « globalisation » ne signifie nullement ignorance ou sous-estimation d'autres dimensions que globales, mais plutôt articulation des niveaux ou des échelles de l'analyse. Dans ce nouveau contexte, la figure du chercheur (ou de l'enseignant-chercheur) ne peut plus être réduite au choix élémentaire entre « professionnels » et « intellectuels ». C'est ainsi que l'expert a conquis une place d'importance : l'expertise consiste à mettre un savoir, une compétence au service d'un pouvoir ou d'un contre-pouvoir, et non à produire une connaissance de type scientifique. L'intellectuel classique, organique, voire engagé politiquement, sans disparaître complètement, a plutôt donné à deux nouvelles figures, éclatées en quelque sorte : l'intellectuel que j'ai appelé hypercritique, qui soupçonne, dénonce et s'enferme dans la radicalité, d'une part, et, d'autre part, l'intellectuel qui participe au débat public à partir de ses compétences et en mettant son savoir en discussion, notamment avec les acteurs les plus concernés. Cette évolution a certainement à voir avec ce qui constitue le problème majeur à mes yeux : la difficulté à monter en généralité, et, corrélativement, le peu de netteté, le manque de repères clairs et forts de l'espace d'ensemble où de grands paradigmes nouveaux, ou renouvelés, pourraient être mis en débats. Mais ici, un trop grand pessimisme doit être écarté. La prise en compte de la globalisation et le fait de penser « global » constituent à l'évidence un élément fort de la reconstitution de grands paradigmes, et il en est de même d'un phénomène massif dans la recherche contemporaine : la prise en compte, sous un vocable ou sous un autre, du « sujet », de la subjectivité, l'intérêt pour les processus de subjectivation et de désubjectivation. Avec la mondialisation, il y a là, depuis en fait les années 1980, comme l'ont indiqué chacun à sa façon Anthony Giddens et Alain Touraine, deux points majeurs qui permettent de baliser l'espace des débats généraux et d'inviter les chercheurs à faire une sorte de grand écart, non plus entre l'acteur et le système, comme le disait Crozier il y a une quarantaine d'années, mais entre le sujet (qui joue en amont de l'acteur et ne se transforme pas nécessairement en acteur) et le global.

La montée en puissance des thématiques du « sujet » peut être inscrite dans un mouvement plus large de prise en compte de l'individualisme qui implique que l'on s'intéresse, par exemple, au narcissisme souligné dès la fin des années 1970 par Richard Sennett ou Christopher Lasch, ou à la souffrance des individus, au « malaise », par exemple, dont parle Alain Ehrenberg [2010]. Elle débouche elle aussi sur des rapprochements des sciences sociales entre elles, ou avec d'autres disciplines scientifiques ou professionnelles, en particulier dans tout ce qui touche aux questions éthiques de vie et de mort : pour faire face aux problèmes que peut poser le sujet « fragile », ou « vulnérable », ou encore impuissant, ou trop faiblement constitué, la réflexion éthique se centre de plus en plus sur chaque cas, un par un, en mobilisant, par exemple à l'hôpital, dans des centres d'éthique clinique, des compétences où des chercheurs en sciences sociales travaillent, notamment, avec des professionnels de la médecine ou des juristes. Qu'il s'agisse de la globalisation ou, au plus loin apparemment, du sujet personnel, des forces convergentes sont à l'œuvre qui font que certains observateurs des sciences sociales parlent d'un *postdisciplinary age*, où la production des connaissances s'organiserait autrement. Mais cela ne ruine pas pour autant l'idée de l'importance des disciplines, qui continue à être défendue et promue ; l'essentiel est peut-être, ici, qu'un débat s'est ouvert pour savoir comment les disciplines se situent entre elles, comment se recomposent, se déplacent, se dissolvent ou se renforcent leurs liens ou leurs frontières.

Les sciences sociales éclairent le débat public, partout dans le monde, et cela transite par de multiples chemins, variables d'un pays à un autre : livres et autres publications à caractère scientifique, ou plus proches de l'essai, participation à des *think tanks*, activités d'expertise ou de consultant, articles ou interventions dans les médias, blogs, etc. Une tendance puissante est à l'œuvre, au sein des organisations internationales et nationales, privées ou publiques, qui financent la recherche, pour que les sciences sociales se mettent davantage au service des politiques publiques. Parfois aussi les chercheurs travaillent en relation avec des mouvements de protestation ou de contestation, avec des ONG, des associations, des syndicats, des partis politiques d'opposition. Ce qui pose de bien intéressantes questions. Ainsi, les responsables politiques ou administratifs, les dirigeants de façon générale, attendent souvent de la recherche qu'elle les aide, éventuellement, à prendre une décision, à faire des choix, et donc qu'elle débouche sur des propositions relativement nettes, claires, et les plus simples possibles, qu'elle réduise la complexité. Au contraire, le chercheur a d'autant plus le sentiment de remplir sa mission qu'il élève le niveau de perplexité de ses interlocuteurs et rend compte de la complexité du problème abordé dans toutes ses nuances.

Tout ceci dessine un paysage nouveau, dense, et suscite un regain de la réflexion sur l'engagement du chercheur, on l'a vu aux États-Unis avec la *Public Sociology* proposée par Michael Burawoy [2005]. Comment s'engager sur la base d'une compétence, et en producteur (et pas seulement diffuseur) de connaissances ? La démonstration, le test de la pertinence des analyses du chercheur, au-delà du jugement des pairs, n'est-il pas aussi dans la façon dont des acteurs se saisissent de ces analyses, n'y a-t-il pas là un lien à penser, entre production de connaissances, intervention dans le débat public et démonstration scientifique ? Ces questions agitent la communauté de la recherche, renouvelant profondément les vieilles interrogations sur l'engagement politique du chercheur, et on peut faire l'hypothèse qu'elles se préciseront au fur et à mesure que se construira l'espace des montées en généralité que nous avons évoqué plus haut. Nous avons longtemps été prisonniers de vieux modes d'analyse, au point de lire bien des réalités nouvelles à l'aune de paradigmes épuisés. Cette époque est derrière nous, et rien n'interdit de penser que les années à venir seront celles où se préciseront de nouveaux paradigmes qui permettront de situer des travaux, même limités quant leur objet, et qui dessineront un nouvel espace de débats.

Références citées

ALEXANDER Jeffrey, 1983, *The Modern Reconstruction of Classical Thought : Talcott Parsons*, Routledge et Kegan Paul, Londres.

BURAWOY Michael, 2005, « The Critical Turn to Public Sociology », *Critical Sociology*, 31 (3), été, p. 313-326.

CALHOUN Craig (dir.), 2010, *Robert Merton : Sociology of Science and Sociology as Science*, Columbia University Press.

EHRENBERG Alain, 2010, *La Société du malaise*, Odile Jacob, Paris.

GOULDNER Alvin Ward, 1973, *The Coming crisis of Western Sociology*, Basic Books, New York.

HOROWITZ Irving, 1994, *The Decomposition of Sociology*, Oxford University Press, Oxford.

MARTINET Gilles, 1979, *Sept syndicalismes. Grande-Bretagne, RFA, Suède, Italie, France, États-Unis, Japon*, Seuil, « L'histoire immédiate », Paris.

NIEDERGANG Marcel, 1962, *Les Vingt Amériques latines*, Plon, Paris.

SARTRE Jean-Paul, 1972, *Plaidoyer pour les intellectuels*, Gallimard, Paris.

SHEN Yuan, 2007, « Intervention forte et intervention faible : deux voies d'intervention sociologique », *Cahiers internationaux de sociologie*, « La Chine en transition », n° 122, p. 73-104.

Chapitre 17

Face au multiversalisme scientifique

*Les transformations du système mondial
des sciences sociales*[1]

Michael Kuhn

Il s'agit certainement de l'un des phénomènes les plus
frappants du début de ce siècle : le processus d'adaptation du
monde entier au modèle de société occidental a entraîné une
demande croissante, de la part des sociétés d'individus à l'échelle
mondiale, de redéfinition de leur rôle au sein d'un système mondial économiquement unifié. Après que l'Union soviétique puis
la Chine se sont transformées en économies de marché, la Guerre
froide opposant des systèmes sociétaux concurrents a cédé la place
à l'hostilité mondialisée, tant politique qu'économique, entre les
principaux prétendants au pouvoir mondial, compétition qui ne se
limite plus à menacer la seule existence des protagonistes les plus
petits. Comme le démontrent les crises financières mondiales, les
puissances globales s'affrontent directement, avec le risque permanent d'une destruction physique et économique du monde. La
radicalisation des nationalismes politiques de toute sorte accusant
les autres nations de menacer les fondements de leur existence
économique et politique accompagne donc l'internationalisation
politique et économique du monde à l'ère de la mondialisation.

Dans le domaine des sciences, l'intégration du monde anciennement colonisé scientifiquement et l'internationalisation de la
production des connaissances ont conduit à un paradoxe. C'est
le succès même de l'universalisation du modèle local de la science
occidentale qui engendre l'érosion de sa validité universelle et,
partant, rend de plus en plus visible le fait que le savoir universalisé

---

1 Traduction par Stéphane Dufoix, revue par l'auteur.

du monde n'est que l'universalisation des visions occidentales du monde. Dans les pages qui suivent, je me contenterai d'esquisser certains aspects des défis épistémologiques, discursifs et organisationnels auxquels les sciences sociales doivent faire face à l'ère de la mondialisation. J'y discute aussi les raisons pour lesquelles la nécessité d'une communauté mondiale des sciences sociales non hégémonique ne peut s'accomplir qu'au travers d'un nouveau paradigme systémique, le multiversalisme scientifique.

Les transformations du système mondial des sciences sociales

Les faits sont là : il est de plus en plus évident que d'importantes et de puissantes communautés de recherche apparaissent dans des pays comme la Chine, l'Inde, le Brésil, l'Afrique du Sud, la Corée ou le Mexique parallèlement à la croissance saisissante de leurs capacités dans les domaines du *hard* comme du *soft power*[2]. Si à l'heure actuelle l'Amérique du Nord et l'Europe sont à l'origine de 75 % des articles scientifiques publiés dans le monde, on s'attend à ce que cette proportion change notablement. Il en sera ainsi non seulement parce que le nombre de pays non membres de l'Organisation de coopération et de développement économique (OCDE) est bien plus important que le nombre de ceux qui en sont membres – il représente 85 % de la population mondiale – mais parce que, selon la plupart des projections, la croissance économique dans ces régions du monde permettra à de nombreux pays d'investir durablement dans l'enseignement supérieur et la recherche. L'augmentation de ces institutions et du nombre d'étudiants dans le monde en voie de développement est exponentielle même si elle demeure trop faible pour répondre aux besoins.

Les sciences sociales représentent une part importante de cette croissance. La Chine et l'Inde se développent rapidement et elles ont le potentiel pour devenir des superpuissances scientifiques

---

2   En relations internationales, depuis l'ouvrage de Joseph Nye *Bound to Lead : The Changing Nature of American Power* (New York, Basic Books, 1990), on distingue le *hard power*, qui relève de la force militaire et de la contrainte, du *soft power*, qui relève de l'influence culturelle, médiatique, scientifique que peut exercer un pays sur un autre. (*N.d.T.*)

riches d'une population très nombreuse et d'un nombre croissant
de citations par article : sur la base de ces observations – relatives
aux sciences naturelles et aux sciences exactes –, on peut s'attendre
à une évolution similaire dans le domaine des sciences humaines
et sociales[3] (SHS). De plus, l'augmentation du potentiel local en
matière de SHS entraîne la mise en place de collaborations de
recherche internationales au niveau régional et la formation de
zones de recherche globales n'incluant pas nécessairement l'Union
européenne ou les États-Unis. De nouveaux univers de référence
viennent au monde, comme « l'Asie » pour le Japon, la Chine et la
Corée du Sud, tandis que s'établissent des forums régionaux favorisant la mise en œuvre d'agendas de recherche locaux détachés
de la tradition scientifique européenne.

S'ils sont moins visibles que les transformations de la hiérarchie
mondiale du pouvoir scientifique, les changements de concepts et
de paradigmes orientant la recherche en SHS sont plus importants
en réalité. Tandis que les communautés scientifiques euro-améri-
caines sont largement responsables de la mise en place, au cours
du siècle dernier, des standards scientifiques mondiaux régissant
la production de connaissances en SHS, l'ère de la mondialisation
ouvre un espace pour le développement de nouvelles approches
en SHS. Ces dernières remettent en cause les prétentions à la validité universelle des paradigmes et des concepts européens, indépendamment du temps et de l'espace. Dans les anciennes colonies européennes et dans les nouveaux États, les communautés
de recherche ont commencé à se plaindre d'être les victimes de
la colonisation scientifique occidentale qui continue à envahir
leurs formes de pensée et leurs réflexions. Même les chercheurs
en sciences sociales n'ayant que peu ou pas connu l'expérience
coloniale se plaignent de l'imposition des concepts et des agendas et ils revendiquent un nouveau rôle dans la mondialisation
des pratiques et des discours scientifiques. D'éminents auteurs
en provenance d'Asie refusent catégoriquement de continuer à
utiliser les concepts du savoir occidental. Ils préfèrent parler de

---

3   L'auteur écrit : le domaine des sciences sociales et des humanités, ou SSH.
     (*N.d.T.*)

sciences sociales « islamiques » ou « hindoues » appuyées sur un contexte indigène religieux et culturel mais aussi explicitement opposées aux paradigmes occidentaux. En Afrique, les communautés de recherche connaissent une évolution similaire en dépit de la segmentation et de la dispersion des communautés scientifiques locales mais aussi en dépit de la division supplémentaire entre ceux qui défendent l'idée du rattrapage fondé sur une meilleure inclusion dans l'ordre scientifique mondial et ceux qui, au moins sur le plan rhétorique, rejettent toute collaboration avec les communautés dominées par les Occidentaux et invitent à se réfugier dans des alternatives indigénistes et nativistes. Les chercheurs latino-américains, qui défendent depuis longtemps déjà la nécessité d'une pensée véritablement « latino-américaine », associent savoir local et relecture radicale des auteurs occidentaux afin de battre en brèche l'hégémonie politique et intellectuelle occidentale.

Les discours sur les sciences mondiales dans le système scientifique mondial actuel

Les réflexions relatives aux changements affectant l'architecture mondiale des sciences sont encore très rares, surtout dans le monde occidental où l'on semble largement ignorer ces transformations car l'on croit encore au règne intouchable de l'universalisation de l'approche occidentale de la science. Si débats il y a, ils restent dans le cadre paradigmatique d'un monde scientifique où les communautés scientifiques sont nationalement construites, comme si le modèle occidental de la science était la fin dernière de l'histoire mondiale des sciences.

Il existe fondamentalement quatre ensembles de discours. Le premier entreprend une sorte d'inventaire du rôle que jouent les communautés scientifiques nationales dans le monde. Nombre de ces comptes rendus relatifs au *Who's who* scientifique sont produits par les études bibliométriques ou tentent de mettre en évidence le statut/classement des communautés scientifiques ainsi que le rôle qu'elles jouent dans un monde fondé sur les communautés scientifiques nationales [Gaillard, Krishna et Waast, 1997]. La dernière version, la plus en vue et la plus élaborée, de cette approche est celle du *World Science Report* de l'Unesco [Unesco, International

Social Science Council, 2010]. Ce discours de l'inventaire représente une forme de pensée sur les sciences sociales mondiales qui non seulement considère ce système scientifique mondial comme naturel mais, comme dans le domaine économique, en fait la sismographie, en observe les hauts et les bas et apparaît donc comme un ensemble de réflexions parfaitement adaptées à un monde scientifique gouverné par la compétition des communautés scientifiques nationales. Les débats sur le local, le global, le glocal, les relations Nord-Sud ou toute autre variation utilisant une opposition spatialisée dichotomique ne font en définitive que désigner une architecture mondiale fondée sur les communautés scientifiques nationales, le rôle qu'elles jouent, la position qu'elles occupent et l'influence dont elles font preuve au sein de cette hiérarchie mondiale de communautés scientifiques nationales ou régionales en compétition les unes avec les autres. Le deuxième ensemble est plus ancien mais tout aussi actuel. Il élabore une critique du système mondial des sciences sociales en stigmatisant l'« hégémonie » occidentale et le pouvoir scientifique des communautés établies de l'Ouest ou du Nord. Cette critique débouche sur la revendication, pour les « autres », d'un rôle plus important et mieux reconnu dans ce monde scientifique [Alatas, 1972]. Le troisième ensemble est plus récent. Il traite des transformations du monde de la science à l'ère de la mondialisation. À l'inverse des deux précédents, qui traitent de la question selon une logique spatiale de compétition entre communautés scientifiques locales ou nationales au sein du système existant, celui-ci met en scène deux positions opposées : l'une inspirée par un conservatisme politico-scientifique politiquement biaisé, l'autre par la réactivation d'un vieil idéalisme scientifique relatif à l'internationalisme. L'approche conservatrice du surgissement nouveau d'une communauté scientifique internationale insiste sur le fait que les sciences, en tant qu'elles sont nationalement construites, constituent le fondement théorique et organisationnel du monde des sciences sociales. Son meilleur représentant est sans doute Calhoun [2007] et son argument selon lequel « les États-nations comptent ». La vision contraire, idéaliste, d'un nouvel internationalisme scientifique ne veut pas prendre en compte toutes les contradictions, tous les conflits épistémologiques et organisationnels d'un nouveau monde scientifique émergent. Elle est incarnée par les idées un peu naïves de Beck [2010] sur la possibilité d'un cosmopolitisme scientifique. Alors que Beck n'ignore pas que l'architecture de la science mondiale est fondée sur le national, il semble pourtant que son plaidoyer pour un cosmopolitisme scientifique refuse de voir que les nombreux conflits qui traversent ce monde scientifique nationalement fondé ont jusqu'ici été grandement « modérés » par le règne incontesté des sciences sociales occidentales. Apparemment guidé par une vision idéale du projet transnational européen, sa vision du cosmopolitisme scientifique ignore que c'est bel et bien le modèle occidental de l'État-nation qui a épistémologiquement donné naissance au système actuel de la science mondiale.

Qu'elles critiquent de manière radicale ce système scientifique mondial « hégémonique », qu'elles défendent les idéaux du cosmopolitisme ou qu'elles plaident pour le maintien réaliste, à l'heure du postcolonialisme, du monde des États-nations tel qu'il existe depuis la fin de la Seconde Guerre mondiale, toutes ces réflexions ont une chose en commun : elles ne tentent jamais de poser la question des prémisses épistémologiques et structurelles sur lesquelles ce système scientifique s'est construit, préférant conserver leurs discours à l'intérieur de ces prémisses comme si le système scientifique mondial constituait la nature anhistorique de la science. *Last but not least*, la multiplication des batailles pour le pouvoir au sein de ce système à l'ère de la mondialisation, ainsi que tout ce qui les accompagne, les nombreuses érosions de la hiérarchie actuelle de la science mondiale mais aussi l'érosion des prémisses épistémologiques sur lesquelles ce système se fondait révèle, pour chacun des éléments qui le constituent – la base épistémologique du système mondial de la science, la culture du discours global mais aussi la structure organisationnelle appuyée sur les disciplines –, que ce système a été créé par et pour la société et les sciences occidentales.

Et les Européens d'Europe ?

Le système mondial de la science actuel étant appuyé sur l'interprétation européenne de la science [Wallerstein, 2006], il est important, avant de se concentrer sur les paradoxes liés à l'universalisation du concept occidental – c'est-à-dire local – de la science, de s'intéresser aux discours des chercheurs européens sur ce qu'ils estiment être l'apparition d'un « monde scientifique multipolaire » afin de saisir ce qu'ils peuvent nous apprendre des prémisses de ce concept. La critique de l'eurocentrisme est certainement la plus répandue à l'heure des collaborations internationales en sciences sociales[4]. Les programmes les plus récents dans le domaine des politiques scientifiques européennes confrontées à la recherche internationale en sciences sociales révèlent pourtant explicitement que l'approche européenne ethnocentrique constitue encore aujourd'hui une mission stratégique de la recherche en sciences sociales telle qu'elle apparaît dans le septième programme-cadre de l'Union européenne. La priorité de recherche 8.4, intitulée « L'Europe dans le monde », est présentée de la manière suivante :

> « Les interactions et les interdépendances globales prennent désormais des formes nouvelles, des formes différentes. Elles influent fortement sur l'économie, la société, les institutions et la sécurité en Europe comme dans le reste du monde. Dans le même temps, les pays européens et l'Union européenne ne se contentent pas de réagir à ce qui se passe ; ils œuvrent à jouer un nouveau rôle dans les affaires du monde. Il est donc fondamental de comprendre les transformations des interactions et des interdépendances, quelles en sont les implications pour les trajectoires de développement dans les différentes régions du monde, pourquoi des conflits naissent et comment il serait possible de parvenir à un état de paix. Il est indispensable d'analyser les conséquences pour les régions concernées, en particulier pour l'Europe, mais aussi pour l'économie et les institutions globales, ainsi que pour d'autres évolutions sociétales et culturelles.
>
> L'inclusion de perspectives extra-européennes par la collaboration de chercheurs extra-européens et la participation active d'équipes en provenance de pays tiers ne peut que contribuer

---

4   Voir les travaux de Wallerstein [1996] ; Said [2001] ; Alatas [1972 ; 2003] ; Chakrabarty [2000], entre autres.

à l'excellence scientifique du projet et donner à cette recherche un impact accru » [Commission européenne, 2009, p. 23].

Une telle perspective internationale, fondée sur la distinction entre l'Europe et ce que le programme appelle « le reste du monde », confirme que l'intitulé donné à cette priorité, « l'Europe dans le monde », n'est en rien le fruit du hasard. Regarder le monde et « le reste du monde » extra-européen à partir des intérêts politiques hégémoniques de l'Europe est l'idée fondatrice de cette priorité de recherche, dont l'objectif est de construire pour les sciences sociales des visions du monde européennes et eurocentriques. Cet eurocentrisme est parfois exprimé avec une certaine fierté, notamment lorsque le texte invite à inclure « des perspectives extra-européennes ». Le programme de recherche définit également la manière dont il faut voir le monde. Puisque les pays européens cherchent à modifier le rôle qu'ils jouent dans les affaires mondiales, le « reste » du monde est divisé en deux catégories, d'un côté les concurrents de l'Europe, « les partenaires régionaux comme la Chine, l'Inde, l'Amérique latine et la Caraïbe » [*ibid.*, p. 23], de l'autre les partenaires potentiels en vue d'alliances purement matérielles dans le cadre de la compétition pour la nouvelle distribution du pouvoir (scientifique) mondial.

Les programmes de recherche de l'Union européenne ayant toujours poussé le perfectionnisme jusqu'à anticiper les résultats des projets financés, ils savent à l'avance pourquoi et comment les « perspectives extra-européennes » augmenteront l'impact d'une recherche qui n'a pas encore été menée :

> « Impact attendu :
> Les projets feront progresser les connaissances qui sous-tendent la formulation et la mise en place des politiques internationales et des politiques extérieures européennes. Elles produiront une masse critique de ressources et impliqueront dans la recherche les communautés, les acteurs et les praticiens les plus pertinents, dans le but affiché d'identifier les trajectoires que pourrait suivre l'Europe dans sa quête d'un monde multipolaire équilibré après le déclin de la position hégémonique occupée dans les relations internationales par les États-Unis, étant donné en particulier l'engagement pris par l'Europe de ne

pas chercher à imposer une nouvelle vision hégémonique, mais
plutôt d'améliorer la connaissance qu'elle peut avoir de la réalité socioéconomique et politique de ses partenaires régionaux
comme la Chine, l'Inde, l'Amérique latine et la Caraïbe dans
l'évolution de sa politique extérieure » [*ibid.*, p. 23].

Dans ce programme, non seulement l'ethnocentrisme régional n'est l'objet d'aucune critique, mais la collecte de visions
ethnocentriques régionales est la mission principale sur laquelle
repose l'agenda des politiques scientifiques européennes. Il est
donc facile d'anticiper de quelle manière ces stéréotypes devraient
être construits dans l'intérêt de l'agenda de la politique impériale
européenne. Pour autant, l'Europe doit être vue de manière positive puisqu'elle se déclare en faveur d'un monde multipolaire
équilibré. Si elle représente le « Bien » dans le monde, en ce sens
qu'elle cherche à accroître ses connaissances sur la réalité de ses
partenaires, le « Mal » est ailleurs et il faut le chercher dans la position hégémonique des États-Unis, position qui, dans les rêves de
la puissance mondiale émergente, en tout cas au moins dans ceux
de ses élites politiques les plus ambitieuses, est déjà sur le déclin.

Pour que les choses soient claires, ce programme de recherche
n'est pas scandaleux pour la simple raison qu'il afficherait ses
ambitions politiques impérialistes. Ces ambitions ne sont un secret
pour personne en Europe et elles ne sont pas scandaleuses car, pour
les Européens, l'Union européenne constitue l'héritage culturel
de l'humanisme et ses ambitions à l'échelle mondiale prennent
la forme d'un dialogue avec les « partenaires régionaux ». Qu'y
a-t-il là d'étonnant si l'on considère que l'on assiste à une redistribution du pouvoir mondial ? Le scandale est ailleurs, et il est
scientifique : c'est la franchise avec laquelle la mise en place d'un
agenda international en direction d'une élite européenne et internationale de chercheurs en sciences sociales s'accompagne d'une
invite explicite à produire un recueil de positions ethnocentriques
régionales politiquement biaisées dans le but de découvrir comment les principaux acteurs mondiaux en compétition voient la
nouvelle distribution des relations entre les puissances mondiales
et leurs partenaires concurrents, servant ainsi les intérêts de l'élite
politique européenne dans sa stratégie et ses ambitions impériales.

Fournir à cette élite des connaissances relatives à « l'Europe dans le monde » pour l'aider à fourbir leur pensée stratégique contre les États-Unis est la mission des sciences sociales européennes, un service que les politiques scientifiques européennes semble considérer comme naturel de la part de l'élite académique. Les chercheurs européens ou leur organisations protestent-ils contre l'idée qu'ils seraient au service des ambitions impériales européennes ? Que pensent les meilleurs chercheurs européens de cette volonté de recueillir des stéréotypes régionaux afin de permettre aux élites politiques européennes de prendre en compte les visions du monde en provenance de régions concurrentes pour mieux construire leurs stratégies impériales ? Le monde des chercheurs européens en sciences sociales se plaint, à juste titre, de ce que l'élite politique n'a jamais pris conscience des services politiques qu'ils peuvent rendre. Les services que l'élite politique demande aux chercheurs européens dans le cadre de cette recherche à venir sur « L'Europe dans le monde » ont non seulement déjà été fournis, mais cette demande en provenance de l'élite politique, l'agenda que les chercheurs sont censés fournir pour le futur des politiques scientifiques européennes, est bel et bien le résultat de leur expertise scientifique antérieure.

Il semble en réalité que les politiques scientifiques européennes précédentes, celles qui ont familiarisé les chercheurs européens au concept de « recherche pertinente sur le plan de l'action publique », ont permis à ces politiques de mieux savoir ce qu'ils peuvent attendre de leurs clients académiques. Il est vraisemblable que les services de la Commission ont beaucoup appris en lisant les « suggestions pour l'action » d'anciens programmes et s'en sont servi pour préparer la priorité concernant « l'Europe dans le monde ». Il n'est pas difficile de trouver dans certains programmes antérieurs financés par l'Union européenne des suggestions recommandant de réfléchir à la question de « l'Europe dans le monde ». Au lieu de considérer que cette priorité de recherche impose un agenda de recherche politiquement biaisé à un monde européen de la recherche en sciences sociales politiquement indépendant, il est au contraire évident que cet impérialisme scientifique européen faisait partie des recommandations présentes dans au moins un projet de recherche achevé récemment. Ainsi, le rapport final du « Global SSH Project » présente à la Direction générale de la recherche la recommandation suivante :

> « Les sciences humaines et sociales sont plus que jamais nécessaires. Elles sont d'une importance sociétale particulièrement grande. Elles sont plus cruciales que jamais en ce qui concerne la capacité de l'Europe à affronter son interconnectivité globale en termes économiques et culturels. L'Europe a besoin de toute urgence de développer des capacités et un environnement de recherche de premier ordre au plus haut niveau international afin de saisir et de maîtriser les transformations globales qui sont en cours et l'émergence de nouveaux centres économiques, culturels et scientifiques » [Global SSH, 2009, p. 5].

La terminologie européenne de cet énoncé implique quelques postulats qui, s'ils peuvent sembler « naturels » aux chercheurs européens, méritent néanmoins qu'on s'y attarde un peu avant d'analyser plus en détails le contenu politique du rapport ci-dessus. Les postulats les plus importants sont les suivants :

— Premièrement, pour l'élite intellectuelle européenne, les collaborations internationales sont moins des coopérations internationales que des compétitions internationales avec les chercheurs du reste du monde. La mise en concurrence n'a pas le même sens que le partage ou la création conjointe des connaissances. La phraséologie relative au fait d'« apprendre les uns des autres » ou d'« étendre le cercle des connaissances », qui guidait les générations antérieures de la recherche européenne, font désormais partie de l'histoire ancienne. Il est désormais naturel pour l'élite académique européenne de considérer les chercheurs extra-européens comme des concurrents dans la lutte pour le pouvoir scientifique mondial.

— Deuxièmement, les concurrents en question ne sont pas définis scientifiquement mais politiquement. Ils sont sélectionnés selon le rôle qu'ils jouent dans les batailles pour le pouvoir scientifique européen. Les principaux chercheurs européens tiennent pour acquis que leurs activités scientifiques globales ont un objectif politique. Ce que la Commission appelle « identifier les trajectoires que pourrait suivre l'Europe dans sa quête d'un monde multipolaire équilibré » devient, en termes sociologiques, « affronter son interconnectivité globale » pour mieux recommander à l'élite politique européenne de « saisir et de maîtriser les transformations globales qui sont en cours et l'émergence de nouveaux centres économiques, culturels et scientifiques ». Dans leur réflexion sur les collaborations internationales, les chercheurs européens estiment que leur mission est de rivaliser avec les communautés scientifiques en provenance des nouveaux centres scientifiques dans la lutte pour le pouvoir scientifique mondial, réalisant ainsi leur part de travail dans l'obligation d'affronter l'interconnectivité des nouveaux centres scientifiques.

De toute évidence, les chercheurs européens possèdent aussi un sens politique distinct lorsqu'il s'agit de déterminer qui est un concurrent et qui ne l'est pas mais aussi – et ceci est encore plus important – qui est l'ennemi. Sans doute ne faut-il voir qu'une pure coïncidence dans la correspondance entre leurs choix scientifiques et les intérêts politiques quand « le reste du monde », c'est-à-dire la science sociale dans les pays en voie de développement, devient le « partenaire extra-européen » et trouve une place de choix, instrumentalisée, dans la bataille scientifique en cours pour une nouvelle distribution du pouvoir scientifique mondial, la cible des Européens étant ceux qui définissent jusqu'à maintenant les standards du « plus haut niveau international », c'est-à-dire le monde de la recherche américain. Les principaux chercheurs européens ne cherchent pas à coopérer avec ceux qui sont en dessous de ce « plus haut niveau international ». Pour eux, il est clair que la création désintéressée de connaissances avec n'importe quel chercheur n'est pas une raison suffisante pour une coopération internationale. La science sociale européenne a une mission à remplir : défier l'hégémonie scientifique des sciences sociales américaines à l'échelle mondiale. Bien entendu, les chercheurs américains n'apparaissent jamais comme faisant partie des « partenaires extra-européens », ni dans les politiques scientifiques ayant aidé à construire le programme de recherche européen, ni dans les considérations scientifiques sur les « transformations globales » des chercheurs européens. Le concept de sciences occidentales ou, selon la terminologie de l'Unesco, de « sciences du Nord », où l'Europe fait partie de l'hégémonie scientifique occidentale, n'appartient pas à la stratégie impériale européenne. Seules les sciences sociales américaines sont clairement identifiées comme étant hégémoniques, menaçant les ambitions de la recherche européenne ainsi que les alliances qu'ils cherchent à établir. L'arrogance rêveuse avec laquelle les chercheurs européens évoquent l'ancien « centre scientifique » mondial en parlant de la recherche américaine (ont-ils déjà démissionné ?) coïncide avec la nouvelle vision politique, légèrement plus agressive, de l'Europe à propos des États-Unis telle qu'on la retrouve dans le programme de recherche. L'ancien « partenaire transatlantique » des Européens est désormais présenté comme détenant une « position hégémonique dans les relations internationales ». Dans le projet scientifique susmentionné, on retrouve la même vision, même si sa formulation est plus académique :

> « Le fait que les États-Unis aient créé de tels instituts[5] des décennies avant l'Europe constitue vraisemblablement l'une des raisons pour lesquelles les Américains ont connu de telles avancées dans le domaine des sciences du comportement et des sciences humaines et sociales au cours des décennies post-1945, leur offrant une position dominante que les sciences américaines ont longtemps réussi à maintenir dans ces domaines » [Global SSH, *ibid.*, p. 9].

Une communauté scientifique dominante, et qui parvient à maintenir cette position, constitue un tel défi pour les ambitions de l'élite académique européenne que, dans ses rêves de conquête de cette position dominante, elle relègue, ne serait-ce que grammaticalement, la domination américaine dans le domaine du passé. Dès lors qu'on identifie un déclin de cette domination des sciences américaines sous la pression d'une Europe qui décolle, il devient possible à des chercheurs européens de premier plan de recommander, comme on peut le lire dans le rapport Metris [Commission européenne, 2009b], de combiner la vision du monde politique et eurocentrique avec les traditions scientifiques européennes locales, faisant de la redécouverte de l'héritage culturel européen une arme

---

5   Tels le Massachusetts Institute of Technology ou MIT.

scientifique dans les batailles pour le pouvoir scientifique international qui se font jour dans le monde multipolaire de la science. Ainsi, il devient possible à ce rapport scientifique de répondre à la question soulevée de manière mélodramatique par l'élite politique européenne – « comment doit s'organiser l'Europe pour faire face aux changements inhérents à ce monde multipolaire et promouvoir ses propres valeurs dans la mise en place des possibles modèles futurs de gouvernance mondiale ? » [Commission européenne, *ibid.*, p. 23] – avant même qu'elle ne soit vraiment formulée :

> « Les sciences humaines sont nées d'une double confrontation avec l'héritage culturel grec et romain ainsi que des efforts déployés par les pays européens, aux XIXᵉ et XXᵉ siècles, pour interpréter leur propre héritage et leur identité culturelle et nationale. Il est désormais urgent de donner un nouveau rôle très important aux sciences humaines du XXIᵉ siècle, à savoir fournir les ressources nécessaires à la mise en œuvre à l'échelle mondiale d'un dialogue constructif et de véritables interactions mutuelles. Ce sont précisément ces disciplines des sciences humaines, que l'on a parfois considérées comme superflues, insignifiantes ou encore décoratives, qui peuvent être d'une grande importance à condition que les relations avec les autres sciences humaines et sociales soient clairement indiquées » [*ibid.*, p. 5].

Les sciences sociales européennes très sécularisées redécouvrent ainsi les « ressources nécessaires à la mise en œuvre à l'échelle mondiale d'un dialogue constructif et de véritables interactions mutuelles », fournissant ainsi aux chercheurs européens en sciences sociales un savoir leur permettant d'entrer en lice dans ces compétitions mondiales, dans cette bataille culturelle, avec leur « propre héritage et leur identité culturelle et nationale ».

Si l'on s'en tient à l'image plutôt saisissante, dressée par le rapport, du rôle déclinant des sciences européennes dans un monde qui, dans le même temps, vise à dépasser la domination des sciences américaines, on pourrait penser que l'eurocentrisme scientifique et les traditions scientifiques européennes sont sur le point d'être mondialement marginalisées. C'est encore le « fardeau de la civilisation » qui gouverne la pensée des chercheurs européens. Poser l'identité européenne comme une « question globale » [Commission européenne, *ibid.*, p. 103], c'est encore et toujours considérer les maux de tête de l'empire comme le fardeau culturel du monde : le meilleur des eurocentrismes a toujours eu pour objectif d'inviter les victimes mondiales de l'impérialisme européen à consoler les pauvres Européens, surtout les intellectuels, de leurs chagrins, et du casse-tête moral consistant à devenir la puissance mondiale hégémonique, sur le plan scientifique ou politique, à moins que ce ne soit les deux.

Les paradoxes d'un monde scientifique en mutation

La confrontation entre la transformation en cours de la hiérarchie scientifique mondiale et le règne du système mondial des sciences a donné naissance à quelques paradoxes frappants qui caractérisent les sciences sociales mondiales à l'ère de la mondialisation.

Sur le plan épistémologique

— La mondialisation rend nécessaire un savoir internationalisé. Elle impose aux sciences sociales le fait que tout savoir se crée dans des cadres analytiques ethnocentriques au sein de sociétés nationalement définies.

— La globalisation des sociétés impose de comprendre les conditions préalables, sociales et culturelles, qui font la particularité de la pensée sociale dans toutes les sociétés, ce qui ouvre la voie à une grande diversité des interprétations du global. Pourtant, la globalisation des sciences sociales présuppose aussi que la production des connaissances sur le social est universelle et indépendante des contextes sociaux, politiques et culturels.

— Les phénomènes globaux rendent nécessaires la prise en compte réflexive des multiples interprétations du social alors même qu'ils ont été construits à partir de l'hégémonie réflexive des visions du monde occidentales.

— Cette hégémonie réflexive de l'Occident ne se manifeste pas seulement au travers des théories dominantes sur la façon dont il faut voir le monde. La manière dont l'Occident approche épistémologiquement la pensée du social a consisté non seulement à la séparer institutionnellement de la pratique sociale et du social mais aussi à en faire le domaine exclusif d'une élite de penseurs professionnels. Selon cette approche, la pensée est a) toujours *ex post*, et b) interprétative.

Sur le plan discursif

— L'étude de la mondialisation du social requiert un dialogue mondial entre tous les chercheurs en sciences sociales. Pourtant, la majorité d'entre eux sont rendus invisibles et ne participent pas au discours global.

— Le mode discursif du modèle occidental relatif à la concurrence entre les théories est celui du relativisme scientifique infini, dans lequel l'important n'est pas d'avoir la meilleure théorie mais d'avoir le contrôle des moyens de circulation du savoir global.

— La mondialisation n'a pas seulement accru la demande de savoir partagé et inclusif, elle invite également à l'échange d'un savoir commercialisé et privatisé, créant ainsi une culture du discours conceptuellement exclusive puisque le savoir devient la propriété exclusive de celui qui le possède.

Organisation internationale de la science

— Alors que la recherche en sciences sociales sur les phénomènes sociaux mondialisés nécessite une production des connaissances à la fois collaborative et interculturelle, l'organisation disciplinaire des sciences sociales s'appuie sur une perspective théorique de confinement national.

— Les phénomènes mondiaux ne peuvent être compris que sous la forme d'une entité à la fois sociale, culturelle, économique et politique ; pourtant la vision disciplinaire de ces mêmes phénomènes continue de compartimenter la réflexion selon l'importance politique accordée à chacun de ces domaines dans les discours sur le social de chacune des sociétés nationales particulières.

— Tandis que les discours sur le monde rendent nécessaire d'aller au-delà des limites de l'approche disciplinaire, les associations scientifiques internationales et leurs discours sont construits sur une base organisationnelle et théorique disciplinaire.

Les paradoxes ci-dessus illustrent bien le fait que, par rapport aux changements paradigmatiques [Kuhn, 1972] auxquels devaient faire face les sciences sociales au siècle dernier, l'ère de la mondialisation remet véritablement en cause les fondements historiques, épistémologiques et organisationnels sur lesquels l'ensemble du système des sciences sociales s'était construit. Il faut considérer ces remises en cause comme une véritable révolution dans l'histoire des sciences sociales, révolution dont le seul équivalent est le surgissement même des sciences sociales sur les ruines de la philosophie classique à l'époque de la mise en place des États-nations et des sociétés nationales. La mondialisation des sociétés ne se contente pas de révéler l'écart réflexif dans la manière d'analyser des phénomènes que l'on ne peut comprendre qu'à condition de dépasser les cadres analytiques traditionnels et nationaux. Les collaborations internationales ne sont pas seulement organisées et conceptualisées sur le plan théorique à travers les lentilles étroites de la pensée disciplinaire, échouant ainsi de toute évidence à saisir la nature complexe des phénomènes mondiaux. Le plus important est ailleurs. Le fait que la formation historique, l'évolution et la construction actuelle des sciences humaines et sociales s'est déroulée et se déroule à l'intérieur du contexte limitatif des sociétés nationales, ainsi que les implications que cela entraîne sur le plan de leurs structures organisationnelles et des catégories qu'elles utilisent, tout cela est en opposition directe avec les besoins d'une science sociale ouverte considérant le monde comme le cadre analytique à partir duquel penser la globalité du social. En réalité, le paradoxe qui s'avère être le plus déroutant, quand on s'intéresse à l'internationalisation des sciences sociales à l'ère de la mondialisation, est le suivant. Les sciences sociales mondiales possèdent bel et bien des théories universalisées sur la question du monde. Pourtant, la mondialisation rend également manifeste le fait que ces théories sociales sont des interprétations du monde élaborées dans le contexte particulier des sociétés occidentales et qu'elles constituent un ensemble de paradigmes que l'on a réussi à ériger en interprétation universalisée du monde, ce qui a eu pour effet d'empêcher, et de plus en plus, les communautés naissantes en sciences sociales dans le reste du monde d'interpréter la mondialisation à partir du rôle que jouent véritablement ces sociétés à l'échelle du monde. Tous ces paradoxes ne font que souligner tout à la fois le caractère fondamental des défis et des transformations que connaissent effectivement les collaborations internationales à l'ère de la mondialisation mais aussi le processus d'intégration de tous les éléments du système scientifique mondial qui en subissent l'influence.

Au cours de la section suivante, je ne peux que brièvement indiquer certains de ces éléments et la façon dont ils sont affectés par le décalage engendré par la domination mondiale du système scientifique occidental et la nécessité de modifier la hiérarchie mondiale de la science. Je m'attacherai particulièrement à l'érosion épistémologique des théories occidentales, à quelques-uns des paradoxes relatifs au discours sur le monde ainsi qu'au décalage entre l'organisation disciplinaire des sciences sociales et les fondements organisationnels d'un nouveau système scientifique mondial.

Les transformations du système scientifique mondial

On perçoit de manière croissante les décalages qui ont été produits par l'application de certaines théories et catégories fondamentales de l'Occident à des sociétés qui ne se sont pas construites à partir des mêmes éléments sociaux que les sociétés occidentales – au niveau social comme individuel –, où les interactions sociétales ne s'organisent pas sur le modèle d'un ensemble de règles de droit grâce à l'intervention des États-nations, et où l'État-nation lui-même ne joue pas un rôle modérateur des tensions sociétales et des conflits entre les groupes sociaux. Le fait que ces décalages entre les modèles sociétaux ne permettent pas de comprendre ces sociétés extra-occidentales signale un problème encore plus important. C'est désormais le concept même de la science, ainsi que le rôle joué par la pensée scientifique, qui sont de plus en plus remis en question en tant que moyens théoriques de comprendre le monde par-delà le modèle de la science et de la société occidentales.

Le savoir occidental présente plusieurs caractéristiques : il se fonde sur la représentation, il repose sur la ségrégation sociale et il constitue toujours une interprétation *ex post*. Pour chacune d'entre elles, le modèle occidental de la pensée scientifique représente et reflète le rôle spécifique qu'occupe le savoir scientifique dans le modèle de la société occidentale. Il se fonde sur la représentation au sens où l'on considère que la théorisation est une construction du monde de l'esprit qui a le pouvoir de créer son propre monde indépendamment de ce que la science définit comme étant la réalité empirique. Cette dernière est un produit de la pensée scientifique et en aucun cas elle ne coïncide avec une existence réelle du social. Ce savoir fondé sur la représentation constitue à la fois le modèle légitime de la science dans les sociétés occidentales et le modèle légitime de gouvernance pour les démocraties représentatives. Il repose sur la ségrégation sociale au sens où, dans ce modèle de société, la prise de décision et la théorisation constituent deux activités sociales et deux sous-systèmes sociaux séparés, tant sur le plan conceptuel qu'organisationnel, la théorisation étant l'apanage d'une élite académique exclusivement spécialisée dans la pensée scientifique. La prise de décision est le domaine exclusif des élites politiques, qui sont strictement séparées tant de la pensée scientifique que du reste de la société. La majorité des gens sont exclus de l'un comme de l'autre : de la science via un système éducatif sélectif, de la prise de décision politique via la délégation de pouvoir inhérente au modèle de la démocratie représentative. Cette majorité de citoyens dans les sociétés occidentales ne participe à la production de la société par le savoir scientifique qu'en rattrapant son retard de connaissances, par bribes, en adaptant ses « capacités » à la demande extérieure, processus que l'on connaît sous le nom de « formation tout au long de la vie ».

L'idée selon laquelle la pensée scientifique est épistémologiquement « libre », ne s'attachant pas à susciter des décisions politiques mais bien à tenter de comprendre ces dernières, qui sont produites et exécutées sur la base de critères non scientifiques, coïncide avec le fait qu'elle constitue toujours une interprétation *ex post* d'une société. C'est toujours *ex post* que l'on peut affirmer que la reproduction économique d'une société est réussie ou non. Dans cette vision, la société se dote d'un système économique qui confie à la pensée scientifique la mission consistant à observer l'évolution des données économiques et leur impact sur la société, comme si les décisions politiques d'une société tout comme sa reproduction économique étaient le produit de lois naturelles extérieures à la société en question. Il en résulte que toute pensée scientifique observant les produits sociaux d'une société à la manière de la pensée religieuse, comme s'ils étaient le résultat d'une autorité plus haute, extérieure aux humains, s'organise sous la forme d'une entité sociale séparée, le monde académique, dans laquelle le savoir est produit par et pour les scientifiques. Cette séparation sociale entre la pensée scientifique et l'ensemble des pratiques sociales de la société trouve un écho dans l'un des principaux thèmes de la pensée scientifique du social depuis son apparition, à savoir la relation entre « théorie » et « pratique », ou l'une quelconque de ses innombrables variations.

Pour conclure, les principales caractéristiques du modèle occidental de la pensée scientifique représentent et reflètent la manière dont la pensée scientifique a été construite en tant qu'élément des sociétés occidentales ainsi que la division entre leurs différentes fonctionnalités politiques, économiques et sociales. L'application de ce système scientifique à des sociétés construites différemment, dont beaucoup ignorent même le concept d'État-nation centralisé, ne parvient pas à rendre compte des phénomènes qui s'y produisent, comme le montrent de nombreux exemples de par le monde, y compris avant l'exportation des théories occidentales en sciences sociales. Enfin, plus ces sociétés éprouvent le besoin de réfléchir à ce qu'elles sont et au rôle qu'elles jouent dans le monde, plus elles remettent en cause et érodent l'universalisation du modèle occidental de la science ainsi que le monopole explicatif de ses théories.

Le discours scientifique dominant et la monopolisation théorique

Une récente décision du Conseil scientifique allemand, le Deutsche Forschungsgemeinschaft, adoptée ensuite par quelques autres conseils scientifiques, notamment par celui des États-Unis, illustre parfaitement la nature de la culture discursive du système scientifique occidental. Dans cette décision, le Conseil scientifique allemand oblige les chercheurs – et non l'inverse, notons-le – à ne pas inclure plus de dix références dans les bibliographies de leurs projets de recherche afin d'éviter que les chercheurs représentant les théories les plus en vogue dans ces pays soient les plus représentés et donc les seuls à obtenir régulièrement des financements, ce qui constituerait un obstacle à la créativité de la production scientifique. En raison des fondements épistémologiques du modèle occidental de la science, qui repose sur la perspective analytique des sociétés nationales ainsi que sur les théories correspondantes, les communautés scientifiques nationales et leurs disciplines, et donc les sociétés fermées, matérialisées par les limites de leurs espaces linguistiques, constituent dans ce système scientifique l'environnement « naturel », spatialement fermé, de leurs discours dominants.

Cependant, le besoin croissant de comprendre, au minimum, la logique de ces perspectives nationales sur le social, sans même parler d'un social en voie de mondialisation, exige de plus en plus de comprendre le monde au-delà de ces entités sociales spatialement limitées et de leurs communautés scientifiques fermées. En l'absence de discours se projetant au-delà des communautés scientifiques nationales et de leurs programmes discursifs spatialement – nationalement – bornés, les théories élaborées dans les cadres théoriques nationaux échouent à comprendre quoi que ce soit de social, fût-il local. Dans les sciences sociales plus que dans les sciences naturelles, les discours constituent un mode de production des connaissances. Les humains partagent la même nature alors que les phénomènes sociaux incorporent des intérêts sociaux différents, opposés ou concurrents. C'est encore plus vrai pour les sociétés en voie de mondialisation, qui estiment nécessaire de dépasser l'étroitesse conceptuelle des sociétés locales qui ne sont plus encapsulées. Si la nature sociale des phénomènes sociaux se construit principalement au travers de la capacité de mise en forme des entités sociales, les États-nations, à l'ère de la mondialisation de la science sociale, comportent des éléments sociaux qu'ils partagent avec d'autres entités sociales ou que d'autres entités sociales leur attribuent.

Les schémas discursifs du modèle des sciences occidentales
– dont l'origine est à chercher dans le dogme du relativisme
infini des connaissances, à partir duquel les critères d'évaluation de la qualité scientifique ne s'appuient pas sur la cohérence
théorique – débouchent sur une culture du discours scientifique
à la fois exclusive et non critique sur le plan conceptuel. Cette
culture, *in fine*, remplace le discours sur le savoir par la dissémination du savoir, voire par la « vente » du savoir. La culture discursive du savoir occidental entre ainsi en conflit avec les besoins
des discours mondialistes qui se doivent de remettre en cause
l'ethnocentrisme conceptuel imprégnant les visions du monde
nationalement construites. La culture discursive disséminatrice
du système scientifique occidental est exclusive en ce sens qu'elle
met en œuvre un discours dominant tautologique qui donne la
priorité aux formes de pensée les plus répandues dans le domaine
discursif et écarte toutes celles qui ne s'inscrivent pas dans le discours dominant. Elle est conceptuellement non critique car elle
ne juge pas les idées selon leur capacité explicative mais selon
la hiérarchie des théories au sein des discours, complétant ainsi
la tautologie des discours dominants par la tautologie de ce que
l'on nomme « l'excellence scientifique ». Enfin, la nature sociale
du partage du savoir est remplacée par les vertus économiques du
savoir marchand, ce qui transforme la quête collective du savoir
en individualisation du savoir privatisé. Il s'ensuit que le partage
du savoir constitue une menace à la possession du savoir dans
le cadre d'une concurrence entre tous les possesseurs de savoir
privatisé sur le marché mondial du savoir. La culture discursive
du système scientifique occidentale repose sur la massification des
idées et, autant que possible, sur des discours dominants, voire
monopolistiques, ce qui implique naturellement l'exclusion de
toute autre théorie. Est-il utile de préciser que cette concurrence
pour le savoir se fonde sur une définition particulière de ce qu'est
ou n'est pas le savoir et que cette définition est circulaire : il s'agit
du savoir qui domine dans les discours. Il n'est que naturel qu'un
tel système discursif déclenche les critiques et les accusations de
ceux qui sont les perdants de cette lutte pour le savoir et de cette
définition du pouvoir scientifique. Cette compétition pour le

savoir est mortelle pour une science mondiale qui a au contraire besoin de controverses sur ses propres prémisses, ses fondations épistémologiques et ses grands systèmes théoriques.

Un mode d'existence en structures confinées : la disciplinarité

Les disciplines constituent la structure organisationnelle du modèle scientifique occidental. Je souhaite ici seulement émettre quelques remarques sur la manière dont la disciplinarité est un élément structurant de la science, et plus particulièrement de la production du savoir au sein d'équipes de recherche internationales et pluridisciplinaires. Contrairement à la plupart des activités internationales des chercheurs, qui consistent à échanger *ex post* les résultats de leurs recherches, la réflexion au sein de telles équipes est capitale car il est clair, sans aucun doute possible, que la production collective de savoir sur les phénomènes mondiaux n'est envisageable que dans ce cadre, ces équipes représentant certainement le format d'avenir pour la production du savoir à l'ère de la mondialisation. Une étude réalisée à partir des projets de recherche transnationaux réalisés dans le cadre des European Framework Programmes 4 et 5 [Commission européenne, 2009a] permet de se rendre compte de la façon dont les chercheurs interprètent la question de l'interdisciplinarité pour la pratique de la recherche collaborative [Kuhn, Remoe, 2005]. Les résultats de l'étude sont édifiants pour comprendre la force structurante de la disciplinarité pour la communauté mondiale des sciences sociales. En particulier, si la mise en place de l'agenda de la recherche était censée représenter l'intégration des diverses contributions, fournissant un panorama des différents aspects disciplinaires d'un thème de recherche à partir des travaux disciplinaires des membres des équipes de recherche, il a fallu en revanche redéfinir la mise en synthèse des contributions individuelles à l'agenda de la recherche. Les équipes ont été confrontées au fait que l'horizon thématique couvert par les disciplines selon leur communauté scientifique nationale n'était pas identique et qu'il était par conséquent difficile de produire un corps de connaissances unifié à partir des contributions individuelles. Par ailleurs, il leur a fallu aussi constater et accepter le fait que le concept de disciplinarité n'a pas la même signification selon les communautés scientifiques nationales.

Contrairement à l'idée commune selon laquelle les disciplines ont été construites autour de thématiques assez larges et se distinguent entre elles par leurs thématiques, nos enquêtes sur la pratique de la recherche interculturelle et interdisciplinaire montrent que le cœur des disciplines scientifiques reflète plutôt l'importance politique que la société nationale accorde aux sous-systèmes sociaux ainsi que l'intégration de ces sous-systèmes au système social tout entier. Cela permet notamment d'expliquer pourquoi l'éducation est une discipline à part entière en Allemagne, alors qu'ailleurs, au Royaume-Uni par exemple, la distinction sociétale entre éducation et formation a pour conséquence d'inclure la question de l'éducation au sein de la discipline psychologique tandis que la question de la formation trouve sa place au sein des disciplines de gestion. De plus, l'attribution d'une même thématique à plusieurs disciplines montre non seulement que les corps disciplinaires sont eux-mêmes constitués de corps différents, mais aussi que le concept même de discipline varie selon les communautés scientifiques nationales. Ainsi, les études sur le genre forment une discipline dans certaines communautés scientifiques alors que dans d'autres elles sont considérées comme une perspective théorique traversant les disciplines. Encore une fois, il faut y voir le reflet de la vision nationale des sous-systèmes sociaux. Étant donné cette grande diversité d'interprétation sur ce qu'étudient les différentes disciplines, mais aussi sur l'idée même de disciplinarité, et étant donné par ailleurs que la disciplinarité ne peut pas constituer pour les équipes de recherche européennes un élément organisationnel qui permettrait de structurer et de synthétiser la production d'un savoir coopératif, il est évident que, à l'heure de la mondialisation de la production des connaissances, le rôle des disciplines en tant que structure d'organisation des sciences sociales est appelé à s'éroder et à être remplacé par d'autres modes d'organisation du savoir permettant de dépasser le format des « guildes » de l'Europe médiévale.

Les associations scientifiques internationales construites de façon disciplinaire représentent un mode d'organisation adapté pour l'échange de connaissances *ex post*. Elle constituent une plateforme discursive inter-nationale [*sic*] pour les résultats de recherche obtenus en suivant les cadres théoriques des disciplines nationalement construites, cette construction nationale se vérifiant au niveau des agendas, des fondations théoriques comme des objectifs à atteindre. L'organisation d'un agenda de la recherche dans la perspective d'une production collective de connaissances sur des thèmes « globaux » montre que les disciplines constituent plus un obstacle qu'un mode de structuration efficace. Il s'ensuit que les collaborations internationales érodent la forme disciplinaire. La réflexion relative à la construction d'une nouvelle communauté mondiale des sciences sociales doit faire en sorte de débarrasser ces dernières des multiples contraintes de la pensée disciplinaire.

Le multiversalisme scientifique
contre l'universalime idéaliste

Nous l'avons vu, le système scientifique occidental implique la monopolisation du savoir par le pouvoir scientifique. Il se fonde sur la technique de l'interprétation et sur une vision des sciences sociales qui reflète le rôle joué par la connaissance scientifique dans le modèle de la société occidentale. Pourtant, cette vision d'une science mondiale fondée sur une origine géographique spécifique qui opposerait un Occident hégémonique et un Sud non hégémonique est une erreur de la part d'une opposition qui refuse de mettre en cause les prémisses épistémologiques de ce système scientifique et ne souhaite pas réellement s'opposer aux fondations théoriques du savoir mondial. Mettre en avant l'idée d'une science mondiale fondée sur une origine géographique particulière vise bien plutôt à remettre en cause, *à l'intérieur même* de ce système, le *monopole* du pouvoir scientifique exercé par les communautés scientifiques occidentales. Le fait que les sciences occidentales monopolisent dans les faits les modes de distribution de leurs théories ne signifie nullement que quiconque soit dans l'obligation de partager ces théories. La notion de savoir occidental hégémonique est principalement mise en avant par une opposition désireuse de croire que le modèle scientifique *de* l'Occident est avant tout celui qui prévaut *dans* le monde scientifique occidental et qu'il a pour conséquence de réduire au silence tout autre savoir en provenance du Sud. Cette vision crée une image du monde des sciences dans laquelle l'existence d'espaces de savoirs spatialement différenciés et de modèles scientifiques opposés permet de faire du Sud la victime des sciences occidentales.

Pourtant, la réalité est bien celle, paradoxale, de *l'universalisation d'un modèle scientifique local.* Le système scientifique mondial fondé sur la science occidentale *est bel et bien* la science sur laquelle les sciences *du monde* se sont construites, et ce sans aucune limitation spatiale. La critique émanant des sciences non occidentales, l'opposition entre le Sud et l'Ouest, de même que tous les discours sur l'antinomie entre local et mondial, etc. ne constituent en aucune manière une opposition au système et à ses prémisses épistémologiques, mais ils font partie intégrante d'un système scientifique occidental dont le but n'est pas de partager le savoir au niveau mondial mais de régner mondialement sur le monde des idées. Un tel système implique forcément qu'il existe un savoir dominant dans le cadre d'une compétition pour le savoir, ce qui débouche inévitablement sur une opposition entre des vainqueurs et des vaincus.

Il est tout à fait exact de dire que, pendant la période coloniale, le savoir scientifique a été imposé au reste du monde. Pour autant, comme le montrent plusieurs exemples récents dans le domaine des sciences sociales, *un savoir qui n'est pas reconnu comme un savoir ne peut devenir le savoir du monde* sans être partagé par les scientifiques du monde entier. La science soviétique est le seul cas où l'hégémonie occidentale était niée. Les notions de « savoir hégémonique » ou de « dépendance à l'égard des théories occidentales » [Alatas, 2003] ne sont que les grandes illusions d'une opposition à l'hégémonie qui, en fait, ne remet pas en cause la domination scientifique des théories occidentales mais la distribution du pouvoir scientifique au sein d'un système où la monopolisation théorique repose sur le pouvoir politique, économique mais aussi, et ce n'est pas le moindre, militaire. Ces modes d'exercice du pouvoir scientifique ne peuvent avoir de l'importance que dans une vision de la science où la quête du savoir partagé a laissé la place au dogme d'un infini relativisme du savoir, instaurant cette compétition pour la possession de théories ne cherchant pas à être partagées et dont la valeur dépend de leur degré de diffusion à l'échelle de la planète. Dans le cadre de ce dogme-là, le critère de diffusion rend obligatoire la mise en œuvre d'instruments de pouvoir scientifique pour lesquels c'est le nombre absolu de théories qui entre en compte pour la concurrence entre les « flux de savoir » mondiaux. Tant que l'opposition à ce système scientifique se contente de dénoncer non le système en tant que tel, ses fondations épistémologiques ou ses bases théoriques, mais l'inégale distribution des moyens et des opportunités permettant de promouvoir une autre forme de savoir mais aussi des carrières universitaires, ce système scientifique reste inchangé. Un tel système, qui organise moins les efforts collectifs des chercheurs que la concurrence entre eux au travers de la compétition pour le savoir, est un système qui reproduit de manière paradigmatique les sociétés qu'il sert. Encore une fois, cela n'est pas seulement vrai dans les sociétés occidentales. Si les sciences sociales du Sud n'entraient pas en compétition avec les théories occidentales mais refusaient au contraire de reconnaître la pensée occidentale comme constituant la base de leurs propres théories, les sciences européennes auraient été « provincialisées » depuis longtemps.

En d'autres termes, si l'on souhaite mettre fin au système scientifique mondial existant et à l'architecture hégémonique qui l'accompagne, il est nécessaire de réfléchir en premier lieu aux prémisses scientifiques sur lesquelles a été construite l'interprétation du modèle occidental des sciences, prémisses qui fournissent la base épistémologique sans laquelle aucune hégémonie ne trouverait place dans les discours scientifiques sur le monde. Faire pencher la balance vers le Sud au détriment de l'Ouest peut certes modifier l'équilibre des forces, mais d'une part cela n'abolit pas le rôle que joue le pouvoir scientifique dans les sciences sociales, et d'autre part cela ne change rien aux bases épistémologiques du système scientifique occidental ni à ses théories dominantes. Pour échafauder un système scientifique non hégémonique – et qui ne cherche donc pas à créer d'hégémonies scientifiques alternatives –, il est capital de comprendre et d'interroger les fondements scientifiques de l'architecture scientifique mondiale et, plutôt que de victimiser le savoir perdu du Sud ou d'idéaliser les possibilités d'universaliser le modèle scientifique occidental selon le rêve cosmopolite [Beck, 2010], il faut passer au multiversalisme scientifique dans lequel les interprétations antagonistes, épistémologiquement alternatives, de la science tout comme l'opposition entre les grandes théories sur le social deviennent l'objet même de controverses non exclusives, au-delà des frontières théoriques et organisationnelles de la structure disciplinaire du monde scientifique.

Pour réfléchir à des sciences mondiales alternatives, il faudra l'effort collectif de tous les chercheurs, qu'ils viennent du Sud, de l'Ouest ou d'ailleurs. L'érosion du système scientifique occidental témoigne de la nécessité de mettre en œuvre des sciences non hégémoniques où la quête collective du savoir, une quête sujette à discussions et à controverses, prendra le pas sur la possession exclusive des théories (ou sur la mise en concurrence des chercheurs et des communautés scientifiques nationales via les classements internationaux) et gouvernera les pratiques des chercheurs dans le monde entier. Pour construire un tel système, au lieu de stigmatiser les savoirs scientifiques différents ou de les exclure en les indigénisant, il faut ouvrir les discours sur le monde, remettre en cause les grandes théories existantes, sans oublier de réfléchir de façon critique au rôle que doit jouer l'enseignement supérieur dans ce défi qui nous attend tous.

Références bibliographiques

ALATAS S. F., 2003, « Academic dependency and the global division of labour in the social sciences », *Current Sociology*, 51.

— 1972, « The captive mind in development studies », *International Social Science Journal*, 34 (1), p. 9-25.

BECHER T., TROWLER P. R., 2001, *Academic Tribes and Territories, Intellectual Inquiry and the Culture of Disciplines*, SRHE et Open University Press, Ballmore.

CALHOUN C., 2007, *Nations Matter. Culture, History, and the Cosmopolitan Dream*, Routledge, New York.

BECK U., 2010, « Kiss the frog. The cosmopolitan turn in sociology », *Global Dialogue*, ISA Newsletter, vol. I, Issue 2.

CHAKRABARTY D., 2000, *Provincializing Europe. Postcolonial Thought and Historical Difference*, Princeton University Press, Princeton. Traduction française (de l'édition américaine de 2007) : *Provincialiser l'Europe. La pensée postcoloniale et la différence historique*, traduit de l'anglais par Olivier Ruchet et Nicolas Vieillescazes, Éditions Amsterdam, Paris, 2009.

COMMISSION EUROPÉENNE, 2009a, « Work programme 2010, Cooperation, Theme 8, Socio-economic sciences and humanities », <ftp://ftp.cordis.europa.eu/pub/fp7/docs/wp/cooperation/ssh/h_wp_201001_en.pdf>, Bruxelles.

— 2009b, « Emerging Trends in socio-economic Sciences and Humanities in Europe », *The Metris Report*, <http://ec.europa.eu/research/social-sciences/pdf/metris-report_en. Pdf>.

GAILLARD J., KRISHNA.V., WAAST R. (dir.), 1997, *Scientific Communities in the Developing World*, Sage, New Delhi et Londres.

GLOBAL SSH, 2009, *Rethinking the Social Sciences and Humanities, Towards a Framework for Creativity in Global Context. Policy recommendations for funding and support of research in the social sciences and humanities*, <www.globalsocialscience.org/uploads/Policy_Recommendations.pdf>.

KNORR Cetina K., 2000, *Epistemic Cultures. How the Sciences Make Knowledge*, Harvard University Press, Cambridge.

KUHN T., 1972, *The Structure of Scientific Revolution*, University of Chicago Press, Chicago. Traduction française : *La Structure des révolutions scientifiques*, traduit de l'anglais par Laure Meyer, Flammarion, « Champs », 1999.

KUHN M., REMOE S. O. (dir.), 2005, *Building the European Research Area. Socio-economic Research in Practice*, Peter Lang, New York.

KUHN M., WEIDEMANN D. (dir.), 2009, *Internationalization of the Social Sciences and Humanities*, Transcript, Bielefeld.

NISBET R., 2005, *The Geography of Thought*, Brealey, Londres.

SAID E.W., 2001 (1re éd. américaine : 1978), *Orientalism. Western Conceptions of the Orient*, New Delhi, Penguin. Traduction francaise : *L'Orientalisme. L'Orient créé par l'Occident*, traduction de Catherine Malamoud, préface de Tzvetan Todorov, Seuil, Paris, 1980 (rééd. augm., 2003).

UNESCO, 2010, *World Social Science Report 2010 : Knowledge Divides*, Unesco, Paris.

WALLERSTEIN I., 2006, *European Universalism. The Rhethoric of Power*, The New Press, New York.

— 2001 (2ᵉ éd. augm.), *Unthinking Social Science. The Limits of Nineteenth-Century Paradigm*, Temple University Press, Philadelphia. Traduction française : *Impenser la science sociale*, PUF, « Pratiques théoriques », Paris, 1999.

WALLERSTEIN I. *et al.*, 1996, *Open the Social Sciences. Report of the Gulbenkian Commission on Restructuring of the Social Sciences*, Stanford University Press, Stanford. Traduction française : *Ouvrir les sciences sociales*, Descartes et Cie, Paris, 1996.

Chapitre 18

Lire le tournant global[1]

Gayatri Chakravorty Spivak

Je ne pense pas que l'apparition des « études sur la domination occidentale » soit liée aux effets de la mondialisation. Elles
constituent des sous-groupes identitaires qui s'inscrivent à l'intérieur du mouvement général donnant naissance à la sociologie de
la connaissance, mouvement qui a débuté avec l'*Idéologie allemande*
et qui a connu différents visages au fur et à mesure des changements de l'histoire.

La transformation générale du monde s'est produite de manière
tellement inégale que le fait même de l'appeler « générale » équivaut à évacuer la question, à considérer comme acquis ce que
nous voulions démontrer, à présumer qu'une société en réseaux
est un « monde » sans même rechercher des contre-exemples. La
société en réseaux est à la fois la condition et la conséquence des
mouvements du capital électronifié. Pour un spécialiste de théorie
politique comme Jon Elster, la théorie de la valeur travail pourrait
bien être tout simplement fausse et Gramsci n'être qu'un « marxiste
de pacotille ». Pour John Roehmer, un autre spécialiste de théorie
politique, le marxisme a désormais prouvé son inutilité, ce qui lui a
permis de faire son entrée parmi les humanités[2]. Je n'ai été formée
dans aucune des disciplines énumérées par les organisateurs dans
leur texte introductif : sociologie, anthropologie, philosophie,
histoire et géographie. La formation disciplinaire nous entraîne à

---

1   Traduction par Stéphane Duphoix, revue par l'auteur.
2   Intervention lors du symposium « Taking stock of analytical marxism »,
    Columbia University, 14 septembre 2010.

construire un objet connaissable et l'on ne perd jamais vraiment cette habitude, quelle que soit l'interdisciplinarité que l'on puisse atteindre. Ma formation disciplinaire m'oblige à faire la remarque suivante : nous continuons à nous assumer comme des sujets d'analyse transparents, capables de produire des changements. Alors même que je comprends tout à fait le point de vue des collègues que je viens de citer, je souhaite donc y ajouter la vision de quelqu'un qui a été formé à lire, afin de lire le monde, de lire le soi-disant « tournant global ».

Les humanités nous enseignent la performance épistémologique. Je ne sais pas vraiment comment un économiste lit la théorie de la valeur travail. Cependant, lorsqu'il le lit comme un texte sur le désir de transformer le monde, le lecteur exercé peut faire l'hypothèse que Marx a proposé la théorie de la valeur travail afin de suggérer que la commensurabilité (c'est-à-dire la forme valeur) peut être calculée en travail, pas seulement à l'aide d'un équivalent général. La valeur est une forme vide, irréductible à une chose économique réelle ou potentielle. Marx estimait que la chose-valeur – pour lui l'or – perdait de sa substantialité. Aujourd'hui, nous pouvons considérer que les données constituent la substance ubiquitaire de la valeur. Que pourrait bien signifier le fait de désubstantialiser cette chose-valeur que sont les données ? Aujourd'hui, au début de la deuxième décennie du XXIe siècle, la notion de réseau a comme un air de déjà-vu. Au lieu de la romancer à l'aide de conclusions d'ordre psychique qui s'appliqueraient aux sujets bien entretenus que nous sommes, il nous faut nous concentrer sur la diversité de la substance des données. C'est à cet endroit-là, après quelques rapides remarques, que je traiterai du cosmopolitisme vernaculaire et des nouveaux sujets de droit.

Aujourd'hui, l'État étant décimé, les grandes universités comme la mienne deviennent souvent les auxiliaires de la société civile internationale. Cependant, vous avez souhaité lancer une discussion sur les disciplines et je pense que c'est une sage décision. Par conséquent, je laisserai de côté le « militantisme » direct pour me concentrer sur l'enquête disciplinaire.

Je l'ai dit, nous devons nous concentrer sur la substance des données, hors de toute sentimentalité et de tout romantisme : a) sur des descriptions denses de ce qui est mis en réseau, tout en prenant garde à la diversité historique de la formation du sujet ; b) sur la position qu'occupent les individus dans le réseau, sur leur *Verhältnis* – suivant la logique de la structure – plutôt que sur leur *Beziehung* qui n'est qu'une relation incidente pourtant souvent présentée comme étant le sujet dans la représentation que s'en fait l'enquêteur[3] ; et c) sur ce qui échappe au réseau. C'est c) qui m'intéresse le plus. À l'une des extrémités de ceux qui y échappent, on trouve de larges segments de populations. À l'autre extrémité, l'événement épistémico-épistémologique. Ce qui m'amène à parler d'éducation institutionnelle.

Aujourd'hui, les institutions d'enseignement supérieur dans les différentes versions de la métropole doivent réfléchir au fait que la globalisation a mis en place une sorte de contemporanéité accessible et qu'elle nous y a fait une place, ce qui n'a pas fait disparaître les méthodes traditionnelles de connaissance de l'histoire, mais les a rendus obsolètes. Les méthodologies opposant la modernité à la tradition, ou bien le colonial au postcolonial restent pertinentes dans leur domaine propre, mais elles ne sont plus d'aucune aide pour comprendre la situation nouvelle qui semble mieux se prêter à une approche quantitative, statistique, et, de manière moins rigoureuse, purement arithmétique : la démocratie assimilée à la tenue d'élections libres sous le contrôle d'observateurs et les propositions épistémiques non mises à l'épreuve vont ainsi de pair avec tout un ensemble de curiosités « globales » censées servir de preuves.

Ne nous demandons pas comment nous pourrions injecter encore plus d'argent et plus d'information dans les spectaculaires courants alternatifs qui se sont développés aux marges des disciplines. Demandons-nous plutôt ce que nous devons changer *en nous* pour faire face à ce défi à la connaissance ; comment il serait

---

3   L'auteur fait ici référence à deux termes qui, en allemand, peuvent avoir le sens de « relation » ou de « rapport », mais qu'elle distingue ici en « structure » (*Verhältnis*) et « relation » (*Beziehung*). Sur la possibilité de traduire *Verhältnis* par « structure », voir Spivak, Gayatri Chakravorty, 1999, *A Critique of Postcolonial Reason. Toward a History of the Vanishing Present*, Cambridge, Harvard University Press, p. 327, note 23. (*N.d.T.*)

possible de réorganiser le cœur des disciplines pour que nous, et nos étudiants, puissions apprendre à penser différemment au lieu de séparer l'histoire et la méthode sérieuses d'un côté, le glamour de la globalité facile de l'autre. De tels défis se sont déjà présentés au cours de l'histoire. Les spécialistes de l'histoire intellectuelle et de l'histoire de la conscience nous ont raconté, après coup, comment ces changements s'étaient produits. À cet égard, nous aussi nous devons nous abandonner à ce que nous appelons le futur antérieur, à ce qui se sera produit malgré tous nos efforts. Mais à l'université, nous devons aussi accomplir ces efforts sans aucune garantie, moins pour acquérir plus de savoir substantiel que pour nous transformer.

> « Le globe est sur nos ordinateurs, écrivais-je en 1999. Personne n'y vit. La planète fait partie de l'espèce de l'altérité, elle appartient à un autre système ; pourtant nous y habitons, nous sommes la planète même. On ne peut pas lui opposer le globe terme à terme. Je ne peux pas dire "d'un autre côté" » [Spivak, 1999, p. 44].

J'ai abandonné l'espoir que se diffuse l'usage contre-intuitif que je fais de « planète », même si beaucoup, y compris des théologiens chrétiens, ont évoqué la « planétarité » *à la Spivak*[4]. Quand on lui demanda pourquoi elle avait accepté de devenir artiste en résidence à la NASA, la musicienne expérimentale Laurie Anderson répondit :

> « J'aime l'échelle de l'espace. J'aime réfléchir sur les êtres humains, sur les vers de terre que nous sommes. C'est ce que nous sommes en réalité, des vers de terre, des miettes. J'éprouve un certain réconfort à penser cela » [Anderson, 2005].

Si elle l'exprime d'une manière plus agressive que ne le permet mon style intellectuel, nos deux points de vue sont proches[5]. Dans

---

4   En français dans le texte.
5   Pour ne pas entrer dans le débat sur le créationnisme, je préfère citer Richard Dawkins en note de bas de page. Bien entendu, « planétaire » est encore plus grand que « géologique » : « Ce sont les organismes vivants qui sont au service de l'ADN, bien plus que le contraire [...] Les messages contenus dans les molécules d'ADN sont presque éternels si on les rapporte à l'échelle

un cas comme dans l'autre, il ne s'agit pas de considérer que nous sommes les gardiens de notre propre planète, même si je n'ai rien contre un tel sens de la responsabilité. L'ouvrage d'Isabelle Stengers, *Cosmopolitiques*, constitue un bon entraînement épistémologique à cette question [Stengers, 2010].

L'idée selon laquelle nous serions les gardiens de notre planète a conduit à une sorte de féodalité sans féodalisme, associée à la méthode de la « durabilité ». À la différence des impérialismes traditionnels, ce travail n'a pas affaire à l'interférence épistémique. Au sommet, les participants ne sont formés à rien qui ressemble à la préparation épistémologique soulignée plus haut. La seule préparation est d'ordre téléologique et, dans le meilleur des cas, elle s'accompagne d'un relativisme culturel déconnecté et superficiel. Dans le Sud global, les partenaires émergents sont dans un rapport de féodalisme bienveillant envers les plus pauvres, la lie de la terre, qu'ils représentent avec un archaïsme des plus romantiques. Je pense que les arguments du « cosmopolitisme vernaculaire » proviennent d'une réaction-formation consécutive au fait de considérer comme acquise le sujet-victime. Il s'agit d'un moyen d'empêcher la mise en place dérégulée d'une espèce de gouvernance mondiale (ou de « management » mondial) dans un monde qui, par nécessité, ne peut pas être prêt pour la *cosmopolitheia*. L'usage du genre est ici tout à fait frappant, comme il l'est dans toutes les études sur la société civile internationale et la durabilité. Redonnons à ce mot son sens politique : une constitution pour le monde, une structure abstraite juridico-légale qui doit correspondre aux abstractions de la mondialité. On ne peut pas se contenter de son sens courant pour suggérer, comme le fait Bruce Robbins, que le cosmopolitisme vernaculaire n'est qu'un changement de définition [1998, p. 1-2]. Pour qu'une instance

---

temporelle des vies humaines individuelles. La durée de vie des messages ADN (à quelques mutations près) se mesure en millions d'années, voire en centaines de millions d'années. En d'autres termes, cela correspond à une période comprise entre dix mille et mille milliards de vies humaines. On peut ainsi considérer que chaque organisme individuel est un contenant transitoire dans lequel les messages ADN passent une minuscule fraction de leur durée de vie géologique » [Dawkins, 1986, p. 127].

cosmopolite vernaculaire puisse opérer, il faut un monde gouvernementalisé équitablement. Suggérer aujourd'hui que ce sont les minorités globales – travailleurs exportés, femmes immigrées sans papiers – qui réalisent le cosmopolitisme, c'est oublier qu'ils existent dans une situation fracturée par la race et par la classe, qui ne permet pas de ressentir ou d'exercer le principe général d'égalité qui est le prédicat nécessaire d'un cosmopolitisme épistémique. On ne peut pas appeler cosmopolitisme des solidarités qui ne prennent pas en compte l'importance de l'origine nationale dans la situation générale d'oppression des immigrés. Aujourd'hui, le cosmopolite global ressemble plutôt à ceci :

> « Mon informateur, un homme qui présentait bien, décontracté, dont la taille était en voie d'élargissement sous la pression du stress et de la vie facile, se décrivait en fait comme étant un membre de la culture cosmopolite : très bien connecté à l'extérieur du pays, constamment en voyage, percevant un salaire en dollars mais vivant en Inde, libre de valoriser ses compétences dans le cadre d'une mobilité globale et dont les aspirations étaient toujours bien informées » [Spivak, 2008, p. 163].

J'avais pris cet exemple à propos de la question de « la division sexuelle du travail dans la culture de la mégapole : à l'homme les affaires et la mondialisation, à la femme l'éducation des enfants et l'américanisation. Le lien n'a pas été fait » [*ibid.*].

Les routes commerciales prémodernes, articulées à la théorie des systèmes-monde, se rapprochent sans doute des différentes variétés de cosmopolitisme masculiniste. Ce sont le nationalisme et le continentalisme, qui n'ont absolument pas disparu aujourd'hui, qui sont alors venus mettre fin au « tournant global » à cette période. Lorsqu'on en parle, leurs marges commencent d'ailleurs à se fondre avec ce que j'ai appelé le « civilisationnisme » [Spivak, 2004].

À l'autre pôle de la féodalité sans féodalisme qu'est le tournant global, on trouve dans le monde académique des appels à l'empire sous une forme ou sous une autre, en phase avec le sens initial de *cosmopolitheia*. Au point le plus extrême se tiennent ceux qui se contentent de recommander l'empire pour le bien de l'empire, s'appuyant sur leur propre puissance pour affirmer que gagner des guerres apporte la paix, et que les États-Unis devraient plus se comporter comme un empire. Des études historiques comme celles de Niall Ferguson [2005] assument l'argument selon lequel l'impérialisme est une « violation habilitante[6] ». Certains comprennent le caractère « habilitant » mais refusent la « violation ». Deepak Lal écrit ainsi que, « n'en déplaise à la vulgate nationaliste et marxiste, ce premier ordre libéral [l'empire britannique] a rendu de très grands services au monde, en particulier en direction des plus pauvres » [Lal, 2004, p. 207]. Selon lui, Woodrow Wilson a renversé l'ordre westphalien [*ibid.*, p. 192]. La question épistémologique est résumée à une formule simple : « moderniser sans occidentaliser » [*ibid.*, p. 203]. De son côté, Ferguson se demande si « on peut avoir la mondialisation sans la canonnière » [Ferguson, 2005, p. XIX], avant de conclure son livre sur un plaidoyer en faveur de la transformation des États-Unis « d'un empire informel à un empire formel », même si cela impliquerait « un grand nombre de petites guerres comme celle qui se déroule en Afghanistan » [*ibid.*, p. 314].

Trois livres récents, non académiques, écrits par Joseph Stiglitz sont représentatifs d'une position en faveur de l'État providence libéral. Il sait que le passage à une mondialisation équitable est la seule solution pour les pays « en développement » et que les pays « développés » ont le devoir de se transformer en conséquence. Il est très critique envers le « colonialisme » du Fonds monétaire international et l'absence d'équité de l'Organisation mondiale du commerce[7] mais cette prise de position en faveur du fardeau des peuples développés conduit à un « bon » impérialisme ; on ne peut pas s'attendre à mieux. Quand Stiglitz évoque l'« information asymétrique », cela peut, bien entendu, se rapprocher de notre position, si on fait attention aux différences entre contrôle de l'information et accès à la lecture, de quelque lecture qu'il s'agisse.

---

6   Sur la notion de « violation habilitante » développée par l'auteur, voir Spivak G. C., 1996, « Bonding in difference : interview with Alfred Arteaga », *in* Landry Donna, MacLean Gerald (dir.), *The Spivak Reader*, Routledge, New York, p. 15-28. *(N.d.T.)*
7   Stiglitz [2003, p. 39-42], Stiglitz et Charlton [2005].

Sa vision de l'éducation est bien entendu conditionnée à l'accès à l'emploi [Stiglitz, 2003, p. 59]. Dans *Making Globalization Work*, l'accent s'est déplacé : il s'agit désormais d'appliquer les nombreuses propositions de politiques publiques, excellentes, qu'il avait suggérées afin de rétablir l'équilibre entre la sphère économique et les « valeurs fondamentales » [Stiglitz, 2006, p. 129-132 et 155 *sq.*] Mais quelles sont ces valeurs ? Comment sont-elles produites ? Ce sont ces questions peu pratiques qui m'intéressent. Stiglitz voudrait imposer le « bon comportement » [*ibid.*, p. 159]. Cela commence à ressembler à l'impatience justifiée dont font preuve, localement comme globalement, les militants des droits de l'homme, qui eux aussi commencent à réclamer l'imposition par la force. L'opinion émise par Charles Tilly – pour qui « porter des fardeaux pour le bien commun » et permettre à un gouvernement de traiter les subalternes de manière équitable conduit à une « transformation et à une amélioration » [Tilly, 2008, p. 96 et 185] – rend nécessaire de produire épistémologiquement les conditions internes d'une citoyenneté qui soit capable de tordre ses conditions externes sans pour autant ouvrir la voie à une interminable bienveillance mondiale ou à l'absolue priorité du rappel à l'ordre. La solution proposée par Obama est l'économie comportementale. C'est sur ce point également que Hardt et Negri demeurent conservateurs. Leur vision de la démocratie ignore la double contrainte – de l'ipséité et de l'altérité – qui pèse sur la démocratie, de Platon jusqu'à Gandhi. Je ne peux souscrire à leur analyse de la scène contemporaine, où l'Empire aurait dépassé le rêve américain avant d'être lui-même dépassé par la multitude qui doit se constituer en sujet. « Un univers de réseaux linguistiques productifs » [Hardt, Negri, 2000, p. 385] – c'est leur terminologie – doit tenir compte du fait que, en raison de l'immense richesse linguistique du monde, nous ne parvenons pas toujours à nous comprendre (au-delà même de l'irréductible problème de compréhension qui se pose dans toute communication humaine réussie, y compris dans la même langue) et certains pourraient souhaiter préserver ce mystère face à la transparence, fondée sur les données, dont fait preuve le capital globalisé au service d'un monde. Cela implique d'ignorer l'exemple de l'Afrique. Si nous saisissons l'importance que représente pour un enfant l'acquisition première du langage, celle qui active les circuits métapsychologiques de la *semiosis* éthique, nous comprendrons que la mondialisation en elle-même est une voie à sens unique et que la mission des sciences humaines est de tenter d'y ajouter un supplément. Même une bonne mondialisation (le rêve perdu du socialisme) requiert une uniformité contre laquelle la diversité des langues-mères doit lutter. Sinon, elle périra, encore et encore, à cause d'un trou en forme d'éthique.

Ceci est une « lecture ». Acceptez-la ou laissez-la. La planète n'en fera qu'à sa tête. Ce n'est pas le cas du globe ou du monde.

Références bibliographiques

ANDERSON Laurie, 2005, « Post-Lunarism » (entretien avec Deborah Solomon), *The New York Times Magazine*, 30 janvier.

DAWKINS Richard, 1986, *The Blind Watchmaker*, Norton, New York. Traduction française : *L'Horloger aveugle*, Robert Laffont, Paris, 1989.

FERGUSON Niall, 2005, *Colossus. The Rise and Fall of the American Empire*, Penguin Books, New York.

HARDT Michael, NEGRI Toni, 2000, *Empire*, Harvard University Press, Cambridge. Traduction française : *Empire*, Exils, Paris, 2000.

LAL Deepak, 2004, *In Praise of Empires. Globalization and Order*, Palgrave, New York.

ROBBINS Bruce, 1998, « Introduction : Part I. Actually Existing Cosmopolitanism », *in* CHEAH Pheng, ROBBINS Bruce (dir.), *Cosmopolitics. Thinking and Feeling Beyond the Nation*, University of Minnesota Press, Minneapolis, p. 1-19.

SPIVAK Gayatri Chakravorty, 2008, *Other Asias*, Blackwell, Malden.

— 2004, « Righting wrongs », *The South Atlantic Quarterly*, 103 (2-3), printemps-été, p. 523-581.

— 1999, *Imperatives to Reimagine the Planet/Imperative zur Neuerfindung des Planeten*, Éditions Willi Goetschel, Passagen, Vienne.

STENGERS Isabelle, 2010, *Cosmopolitics I*, University of Minnesota Press, Minneapolis (1re éd. française : 1996).

STIGLITZ Joseph E., 2006, *Making Globalization Work*, Norton, New York. Traduction française : *Un autre monde. Contre le fanatisme du marché*, Fayard, Paris, 2006.

— 2002, *Globalization and Its Discontents*, Norton, New York. Traduction française : *La Grande désillusion*, Fayard, Paris, 2002.

STIGLITZ Joseph E., CHARLTON Andrew, 2005, *Fair Trade for All. How Trade Can Promote Development*, Oxford University Press, New York.

TILLY Charles, 2008, *Democracy*, Cambridge University Press, Cambridge.

Chapitre 19

Le *global turn* entre philosophie et sciences sociales

Le paradigme hybride du don

Francesco Fistetti

S'il est vrai que la crise actuelle dépasse largement la dimension économique parce qu'elle est un « creuset de mutations planétaires et globales dont les retentissements sont nécessairement locaux et inattendus » [Mongin, Padis, 2009], alors la philosophie et les sciences sociales doivent être capables de dégager ce que Heidegger aurait nommé la tonalité émotive fondamentale (*Befindlichkeit*) du *Dasein* d'aujourd'hui. En employant cette expression de *Dasein*, nous ne renvoyons pas à la psychologie des individus (bien qu'elle en soit un aspect important) mais à la configuration structurelle tout à fait inédite de l'identité contemporaine et surtout aux processus de sa formation représentés par les nouvelles techniques de la révolution digitale (Internet, iPod, iPad, etc. [Canclini, 2007]), autrement dit à un *Dasein* qu'on peut définir comme « médial » parce que l'existence des individus, dans une large mesure, est filtrée par les médias (être-au-monde, on pourrait dire, c'est être-dans-les-médias). Il s'agit donc d'un *Dasein* cosmopolite, qui vit dans une pluralité de temps historiques rythmés par l'intersection du global et du local.

Comme Olivier Mongin et Marc-Olivier Padis [*ibid.*], nous sommes convaincus que « la technicisation et l'hyperspécialisation sont néfastes » et que « les questions économiques sont aussi des questions philosophiques ». C'est pourquoi nous jugeons qu'il ne suffit pas de reprendre l'analyse des transformations du capitalisme dans le droit fil d'André Gorz et d'Ivan Illich. Si l'on se trouve face à des « mutations planétaires dont les retentissements sont nécessairement locaux et inattendus », et si l'existence du *Dasein* contemporain se situe dans l'horizon de la *cosmopolis*, peut-être le temps est-il venu d'amorcer un travail collectif, et à plusieurs voix, visant à élaborer un paradigme hybride chargé d'utiliser et de valoriser les apports de toutes les disciplines scientifiques dans une optique qu'on peut définir comme syncrétique ou de *global studies*. Pour adopter le langage de Thomas Kuhn, nous dirons que les *global studies* sont la réponse épistémologique nécessaire pour sonder et comprendre la réalité complexe et contradictoire de la mondialisation/globalisation, une fois que l'on a constaté que la « science normale » des philosophes et des spécialistes des sciences sociales ne réussit pas à déchiffrer l'objet nouveau – l'énigme – de la société-monde, de l'économie-monde ou de la multiculturalité et de l'interculturalité.

Bien entendu, l'élaboration d'un paradigme hybride ne conduit pas à supprimer les disciplines et leurs méthodes respectives mais plutôt à les reconfigurer, à les réajuster (*to reset*, en anglais). De fait, l'exigence de penser et travailler dans une perspective de *global studies* naît précisément des « mutations planétaires » qui ont changé les schémas à travers lesquels les individus perçoivent le monde : les schémas perceptifs du *Dasein* « médial ». Aussi, la situation théorique y est-elle le contraire de celle envisagée par Thomas Kuhn. Kuhn nous apprend que les scientifiques, après un changement de paradigme, regardent d'une manière tout à fait différente le monde et, conformément à cette réorientation gestaltique, « voient choses nouvelles et différentes ». Ainsi, les canards d'avant la Révolution scientifique apparaissent après elle comme des lapins [Kuhn, 1972, chap. X]. À l'inverse, l'horizon de la mondialisation / globalisation, paradoxalement, ouvre des espaces d'expérience – et des attentes et *Erlebnisse* correspondants – qui débordent sans les transformer les catégories familières des disciplines en vigueur. C'est pourquoi la tâche des *global studies* est de construire un paradigme s'emparant de la Gestalt du *Dasein* contemporain, un paradigme qui sera forcément multicentré et multifocal, donc hybride par antonomase.

Mais à quoi ressemblera-t-il ? Si, dans l'histoire des sciences, selon Kuhn, on passe d'un théorie T_1 à une théorie T_2 non pas par un procès d'accumulation mais de radicale transformation de la structure conceptuelle antérieure, où T_2 explique les phénomènes expliqués par T_1 et, en plus, les « anomalies » non élucidées par cette dernière, ce modèle herméneutique ne peut pas être appliqué aux *global studies*. Le modèle des *global studies* est celui d'un paradigme « encyclopédique » qui – si l'on admet qu'aujourd'hui l'encyclopédie des sciences n'est plus pyramidale, c'est-à-dire composée de disciplines rigoureusement délimitées et hiérarchisées, mais horizontale et structurée comme un espace « fibré », « labyrinthique », « océanique »[1] – renvoie à un modèle *réticulaire* de la rationalité, où s'établissent des liaisons transversales et des contaminations mutuelles entre les disciplines. Ce paradigme « encyclopédique » répond au besoin épistémologique de totalité qui renaît à la fin d'une longue phase, dans l'histoire de la culture philosophique occidentale, où l'on avait considéré la quête de la totalité du sens comme une illusion métaphysique et donc la scission – sanctionnée par Kant – entre la raison scientifique, la raison pratique et le monde de l'art comme un fait incontestable, en particulier après la crise du marxisme et de la pensée dialectique[2].

Il est évident que le paradigme encyclopédique en question n'a rien à voir avec la notion de holisme à laquelle se référait Popper [1988] dans *Misère de l'historicisme*, où il dénonçait la postulation de l'existence de sujets collectifs hypostasiés comme la classe, le peuple, la nation, etc. Nous sommes au-delà de l'opposition entre holisme et individualisme méthodologique parce que les *global studies* n'ont un sens révolutionnaire (dans l'acception de Kuhn de déclencher une vision nouvelle et différente des choses) que si elles sont capables, comme le suggérait Edgar Morin [1999], de relier ou de recomposer nos savoirs disjoints, fractionnés et partagés entre spécialités disciplinaires. Car l'hyperspécialisation empêche de voir les « ensembles complexes », les « interactions »

---

1 Voir l'ouvrage de Michel Serres [1980] en cinq volumes dédiés significativement au dieu grec des échanges : *Hermès. La communication. L'interférence. La traduction. La distribution. Le passage du Nord-Ouest.*

2 Une forme de kantisme, médiatisée par le « tournant linguistique », a été exemplairement représentée par Jürgen Habermas dans sa *Théorie de l'agir communicationnel*.

et les « rétroactions » entre la totalité et ses parties, les « enti-tés multidimensionnelles » et les vrais problèmes [*ibid.*]. Dans ce cadre, « encyclopédie » n'est pas synonyme d'un savoir ordonné alphabétiquement avec des entrées séparées, il désigne plutôt un style particulier de rationalité, c'est-à-dire l'attitude qui consiste à « mettre le savoir en cycle » (en-cyclo-pédie), à apprendre à arti-culer, dans un « cycle actif », les points de vue disjoints du savoir [Morin, 1977, p. 19[3]].

Morin cite deux exemples instructifs de ce style encyclopédique de rationalité, que nous pouvons situer dans la perspective des *global studies*. Le premier concerne la recomposition pluridisci-plinaire et interdisciplinaire entre des sciences comme l'écologie, les sciences de la terre et la cosmologie qui, jusqu'ici, travaillaient séparément. Le deuxième, plus délicat, concerne les sciences cogni-tives au sein desquelles la recherche vise à découvrir les connexions entre le cerveau (organe biologique), l'esprit (entité anthropolo-gique) et l'ordinateur (intelligence artificielle [Morin, *ibid.*]). Un autre exemple, cette fois vraiment extraordinaire, est celui avancé par Dipesh Chakrabarty à propos de la distinction, consacrée par la théorie traditionnelle de l'histoire et de l'historiographie, entre histoire naturelle et histoire humaine. Chakrabarty, l'un des grands noms des *subaltern studies*, a souligné que les spécialistes du climat ont rendu involontairement caduque la distinction entre histoire naturelle et histoire humaine dès qu'ils ont démontré que les êtres humains ne sont plus seulement l'agent biologique qu'ils ont toujours été mais sont devenus pour la première fois, à partir de la révolution industrielle, une « force géologique » dont la puissance d'agir (*agency*) est parvenue à modifier les processus physiques fondamentaux de la terre. Ainsi, l'un des principes de base de la science géologique, l'idée que rien de ce que nous pouvons faire ne peut modifier les processus terrestres (que Braudel résumait dans

---

3 « L'effort portera donc, non pas sur la totalité des connaissances dans chaque sphère, mais sur les connaissances cruciales, les points stratégiques, les nœuds de communication, les articulations organisationnelles entre les sphères disjointes. Dans ce sens, l'idée d'organisation, en se développant, va constituer comme le rameau de Salzbourg autour duquel pourront se consteller et se cristalliser les concepts scientifiques clés. »

la formule selon laquelle il est impossible de « faire le climat »), s'est effondré. La temporalité historique et l'action humaine ont désormais un impact sur la planète à une échelle géologique : modification de la composition chimique de l'atmosphère, élévation du niveau des eaux, fonte des glaces, changement du climat. Nous sommes entrés dans l'« anthropocène », c'est-à-dire dans une nouvelle ère géologique au sein de laquelle l'être humain ne vit pas seulement en interaction avec la nature mais où il peut y intervenir jusqu'à provoquer la destruction des autres espèces et l'altération des équilibres de l'écosystème, de la Terre comme *oikos* de tous les êtres vivants. Il s'agit d'une catastrophe partagée à laquelle l'humanité entière est confrontée.

Cela met à l'ordre du jour, sur le plan politique, l'instance d'une gestion mondiale durable de l'environnement et, dans le même temps, sur le plan théorique, l'impératif de penser l'histoire de l'humanité – devenue une « force géologique » et entrée dans l'époque de la mondialisation / globalisation – comme l'histoire « profonde » d'une espèce appelée à la responsabilité de sauvegarder la planète. Une responsabilité où s'imbriquent mutuellement la perspective planétaire et la perspective mondiale, la pensée de l'espèce et les critiques des graves injustices de l'ordre dominant. En conséquence, Chakrabarty [2010] en appelle explicitement à une pensée globale, à « un dialogue entre disciplines et entre l'histoire consignée et l'histoire profonde des êtres humains, de la même manière que la révolution agricole qui eut lieu il y a dix mille ans ne peut être expliquée qu'à travers la convergence de trois disciplines : la géologie, l'archéologie et l'histoire ». Donc, à une pensée planétaire pour un *Dasein* planétaire qui ne se découvre pas seulement dans son être-au-monde, mais aussi dans son être-un-élément-d'un-jeu-plus-grand-et-complexe (la chaîne de la nature dans ses multiples connexions et relations) qui, pour sauver le monde, doit reconnaître sa finitude et, en conséquence, modérer sa tendance à l'illimitation. Ce *Dasein* ne peut être qu'écologique dans la mesure où il prendra soin de l'*oikos* commun de tous les êtres vivants, avec une sensibilité particulière pour la nature que, souvent, nous trouvons chez les Anciens. Il suffit de citer le grand poète-philosophe latin Lucrèce qui affirmait : « *Vitaque mancipio nulli datur, omnibus usu* (La vie n'est donnée en propriété à personne, mais en usage à tous).⁴ » Bien entendu, le milieu naturel n'est pas l'*oikos* dans le sens d'une matière inerte, mais il est, pour ainsi dire, la demeure de tous les êtres mortels, selon l'acception que Spinoza donnait à la nature, celle où chaque organisme vivant a une puissance limitée, le *conatus sese conservandi*. Ce que savait parfaitement Gregory Bateson [1980] quand il parlait d'« écologie de l'esprit ».

Mais, à bien y réfléchir, la révolution digitale a été elle-même l'aboutissement d'un nouveau paradigme que Manuel Castells nomme « informationnel », c'est-à-dire relatif à l'interaction entre différents champs de savoir comme la biologie, l'électronique et l'informatique. Dans cette perspective, le milieu humain est langage et communication et tous les systèmes vivants sont interprétés en termes d'information et de codes de communication. Ce nouvel inter-paradigme, comme on pourrait le nommer, a lancé à la philosophie et aux sciences sociales le défi d'étudier et de comprendre les interactions entre les changements produits par les nouvelles techniques d'information et de communication et les changements sociaux, à partir des métamorphoses d'une économie toujours plus globalisée et d'un statut du travail et de l'emploi toujours plus flexible (travail partiel, temporaire, sous-traitance, etc.⁵). Dans ce cadre, émergent des questions inédites qui se situent dans un espace intermédiaire, au croisement de la pratique philosophique et des recherches empiriques des sciences sociales : que devient l'identité humaine en réponse à ces processus transnationaux ? Comment se redéfinissent les rapports entre la dimension nationale et la dimension internationale ? Que deviennent les cultures des États nationaux et les cultures des minorités ? Quels retentissements ont ces processus transnationaux sur la citoyenneté, sur la redistribution mondiale de la richesse, sur les formes de la modernisation, sur la conception du développement, etc. ?

On commence à voir que les *global studies* sont une sorte de méta-paradigme ou d'inter-paradigme, un espace trans-ductif ou

---

4   Lucrèce, *De rerum natura*, III, v. 971.
5   Castells [1998], Kazancigil et Makinson [2001].

encore, dans le langage de Homi Bhabha, un « tiers espace », un espace « en-cyclo-pédique », où les catégories et les concepts des sciences sociales sont déplacés, réinventés et réinterprétés parce qu'ils sont soustraits à leur stabilité et fixité primordiales et soumis à une incessante dialectique d'hybridation et de contamination mutuelle [Bhabha, 2007]. Face aux défis provenant de l'entrée des êtres humains dans l'ère de l'antropocène, qui coïncide avec l'époque de la mondialisation / globalisation, il faut répondre par un *global turn*, par une perspective épistémologique nouvelle, fondée sur une pratique de travail critique qui valorise les interactions, les dislocations et les négociations entre les différentes disciplines.

***

Mon hypothèse est que la théorie du don de Marcel Mauss, dans les nombreux et fins développements qu'elle a reçus grâce à ses partisans regroupés autour de la *Revue du MAUSS* (Caillé, Godbout, Chanial et beaucoup d'autres), peut former le bon point de départ pour construire ce nouveau paradigme tranversal et « en-cyclo-pédique ». Si nous interrogeons la dimension épistémologique du paradigme du don, nous découvrons qu'il s'agit d'un paradigme originairement multicentré et multifocal. Déjà, chez Mauss, l'élaboration de la théorie du don s'appuie sur les découvertes et les moyens conceptuels de toutes les sciences jusqu'alors existantes. C'est le principe heuristique des « faits sociaux totaux » qui réclame la pratique transversale et hybride de l'« en-cyclo-pédie » des savoirs. Lisons ce lieu épistémologiquement crucial qu'on trouve dans la conclusion de l'*Essai sur le don* :

> « Les faits que nous avons étudiés sont tous, qu'on nous permette l'expression, des faits sociaux totaux ou, si l'on veut – mais nous aimons moins le mot – généraux : c'est-à-dire qu'ils mettent en branle dans certains cas la totalité de la société et des institutions (potlatch, clans affrontés, tribus se visitant, etc.) et, dans d'autres cas, seulement un très grand nombre d'institutions, en particulier lorsque ces échanges et ces contrats concernent plutôt des individus » [Mauss, 1924-1925, p. 102].

Selon ce principe heuristique, on voit que la sociologie dont parle Mauss n'est pas une discipline scindée et reléguée dans un domaine circonscrit mais qu'elle est le centre, l'intersection d'un réseau de savoirs : histoire, ethnologie, anthropologie, psychologie, statistique, géographie, science des systèmes politiques, sciences du droit, sciences des religions, économie politique, linguistique, sciences des mythes, éthique, etc.

> « Tous ces phénomènes [ajoute-t-il] sont à la fois juridiques, économiques, religieux, et même esthétiques, morphologiques, etc. Ils sont juridiques, de droit privé et public, de moralité organisée et diffuse, strictement obligatoire ou simplement loués et blâmés, politiques et domestiques en même temps, intéressant les classes sociales aussi bien que les clans et les familles. Ils sont religieux : de religion stricte et de magie et d'animisme et de mentalité religieuse diffuse. Ils sont économiques : car l'idée de la valeur, de l'utile, de l'intérêt, du luxe, de la richesse, de l'acquisition de l'accumulation, et d'autre part, celle de la consommation, même celle de la dépense pure, purement somptuaire, y sont partout présentes, bien qu'elles y soient entendues autrement qu'aujourd'hui chez nous. D'autre part, ces institutions ont un côté esthétique important dont nous avons fait délibérément abstraction dans cette étude » [Mauss, *ibid.*].

Si l'on prend au sérieux le principe heuristique des « faits sociaux totaux », on comprend que la sociologie de Mauss dépasse les classifications des savoirs consignées par la tradition. On pourrait dire que le paradigme du don renferme *in nuce* une théorie de la rationalité réticulaire. Mieux : Mauss introduit dans toutes les sciences sociales le paradigme du don pour montrer, comme l'a relevé avec une heureuse expression Philippe Chanial [2008], « ce que le don donne à voir », et, comme on pourrait ajouter avec Mauss lui même, donne à voir comme des « touts », comme des « systèmes sociaux entiers » [Mauss, *ibid.*, p. 103]. C'est la méthode proposée par Mauss qui est globale, pas seulement parce qu'elle refuse d'établir entre les faits sociaux « ces cloisons étanches qui existent d'ordinaire entre les diverses sciences spéciales » [Mauss, Fauconnet, 1901, p. 25-26], mais surtout parce que les faits étudiés sont toujours des faits « totaux » : ils cristallisent croyances collectives, fonctions institutionnelles, une multitude de règles d'agir et de penser qui sont préétablies et, donc, obligatoires. C'est pourquoi Mauss affirme qu'il faut adopter les grandes divisions disciplinaires (sciences du droit, des religions, économie politique, etc.), mais en même temps apprendre à dépasser l'approche fragmentée en construisant chaque fois les connexions heuristiquement plus fécondes.

> « Le sociologue qui étudie les faits juridiques et moraux, écrit-il, doit, souvent, pour les comprendre, se rattacher aux phénomènes religieux. Celui qui étudie la propriété doit considérer ce phénomène sous son double aspect juridique et économique, alors que ces deux côtés d'un même fait sont d'ordinaire étudiés par des savant différents » [Maus, Fauconnet, *ibid.*, p. 26].

Nous ne retrouvons pas chez les fondateurs de la tradition sociologique, ni chez Durkheim (l'oncle de Mauss), ni chez Weber, ni chez Simmel, cette aptitude du sociologue à employer les savoirs comme si ces derniers étaient les tesselles d'une grande mosaïque. Chacun de ces auteurs a une culture encyclopédique immense mais aucun d'eux ne théorise, comme le fait Mauss, l'approche « encyclo-pédique » et « réticulaire ». En même temps, et en cela réside l'autre aspect de l'actualité épistémologique de Mauss, le paradigme du don assigne aux sciences sociales une tâche tout à fait nouvelle : déchiffrer derrière les relations sociales anonymes et aliénées des sociétés modernes la *force normative* d'un rapport entre les êtres humains qui ne peut être ramené ni à la logique de l'équivalence monétaire dominant dans le marché, ni à la logique impersonnelle des prestations de l'État providence[6]. Par conséquent, découvrir dans l'intrigue de la mondialisation / globalisation (qui est aussi l'ère de l'anthropocène) le cycle du don – donner-recevoir-rendre –, c'est comme retrouver le « roc » de la socialité humaine, un fondement « trans-culturel », voire « *une morale [...] éternelle commune [...] aux sociétés les plus évoluées, à celles du proche futur*, et aux sociétés les

---

6   Alain Caillé et Jacques Godbout ont insisté sur ces aspects du paradigme du don dans de nombreux ouvrages. Voir au moins Godbout et Caillé, *L'Esprit du don* [2007], et Caillé, *Le Tiers paradigme* [1994].

moins élevées que nous puissions imaginer » [Mauss, 1924-1925, p. 94]. Le « roc » en question n'a rien à voir avec les spéculations métaphysiques et de philosophie de l'histoire, que Mauss critiquait avec vigueur. Mauss ne recherche aucune condition transhistorique de l'existence humaine, de même qu'il ne croit pas qu'il existe un but dernier de l'évolution humaine.

Que dit, au bout du compte, cette « morale éternelle » ? Elle dit qu'il faut chaque fois conquérir un sens de l'équilibre, un sens de la mesure, ce qui, pour une société ou une civilisation, demande la capacité de conjuguer ensemble l'égoïsme et la générosité, l'intérêt pour soi et l'intérêt pour les autres. Mauss sait parfaitement que les Anciens appelaient vertu (*areté, virtus*) cette habileté à exister, cette capacité de maîtriser ses propres passions, et il la découvre comme un principe de régulation de toutes les formes de société. Après avoir affirmé la nécessité de recouvrer une notion sociale de la richesse – semblable au jubilé, aux liturgies, aux chorégies et aux triérarchies ou aux dépenses obligatoires de l'édile et des personnages consulaires dans les civilisations antiques –, Mauss rétablit le fragile équilibre entre les deux pôles. Et avec le regard dirigé vers l'URSS bolchevique, il ajoute :

> « Cependant, il faut que l'individu travaille. Il faut qu'il soit forcé de compter sur soi plutôt que sur les autres. D'un autre côté, il faut qu'il défende ses intérêts, personnellement et en groupe. L'excès de générosité et le communisme lui seraient aussi nuisibles et seraient aussi nuisibles à la société que l'égoïsme de nos contemporains et l'individualisme de nos lois. Dans le Mahabharata, un génie malfaisant des bois explique à un brahmane qui donnait trop et mal à propos : "Voilà pourquoi tu es maigre et pâle". La vie du moine et celle de Shylock doivent être également évitées. Cette morale nouvelle consistera sûrement dans un bon et moyen mélange de réalité et d'idéal » [Mauss, *ibid.*, p. 93].

Quant aux sociétés modernes, si elles veulent survivre « sans se massacrer », elles doivent s'approprier cette « morale éternelle ». Cela impose aux institutions l'impératif de tempérer égoïsme et générosité, intérêts des sujets individuels et solidarité collective : en bref, de réactiver en permanence le cycle du don à travers lequel se reconstruit le lien social entre les personnes, entre les cultures vivantes ou entre les peuples, ce lien qui a été confisqué par la primauté des relations monétaires et par la logique impersonnelle des appareils bureaucratiques. Sur le plan de la mondialisation / globalisation, cela implique, par exemple, de mélanger global et local, modernité et archaïsmes, territorialisation et dé-territorrialisation. Ici, on peut constater que l'aptitude « en-cyclo-pédique » du paradigme du don provient du noyau « trans-culturel » de ce que Mauss nomme la « morale éternelle » : le cycle du don traverse, sous des formes historiques variées, toutes les sociétés et toutes les civilisations. Il est partout opérateur et symbole d'alliance, de socialisation et d'individuation, de reconnaissance des identités humaines et de redistribution des ressources économiques et des positions de pouvoir. La tâche que Mauss prescrit à l'« en-cyclo-pédie » des sciences sociales est une tâche qui doit s'accomplir à au moins deux niveaux. Il y a un niveau national : construire une société où faire régner les principes de l'assurance sociale, de la sollicitude envers les autres, de la mutualité, de la coopération, « celle du groupe professionnel, de toutes ces personnes morales que le droit anglais décore du nom de *"friendly societies"* » [Mauss, *ibid.*]. La société du *welfare State*, que nous avons connue dans le cours de l'histoire du XXe siècle, n'a été qu'une des nombreuses variantes de l'application de ces principes. Mais il y a aussi un niveau supra- ou inter-national où ont lieu les alliances entres peuples, nations et cultures. « Il faut les alliances tribales et intertribales ou internationales, le *commercium* et le *connubium* » [*ibid.*, p. 103]. Qu'est-ce que peut signifier, aujourd'hui, relier « *commercium* » et « *connubium* » sinon conjuguer économie et morale, promouvoir le dialogue entre les cultures, soutenir la multiculturalité et l'interculturalité ? À l'époque de la mondialisation / globalisation, qui est aussi l'ère de l'anthropocène, c'est à ces deux niveaux que le paradigme « en-cyclo-pédique » du don nous oblige à penser pour retrouver la force normative du lien social et celle d'une nouvelle alliance avec la nature. La conviction de Mauss est donc à la fois épistémologique et éthico-politique : étudier le « comportement humain total, la vie sociale tout entière » conduit à des « conclusions de morale » relatives à l'art de gouverner soi-même par les hommes dans leur conduite individuelle : conclusions que Mauss inscrit dans l'histoire de la « civilité » ou du « civisme ».

Mais l'approche « en-cyclo-pédique » conduit aussi à restaurer la primauté de la politique. Regarder les phénomènes sociaux comme des « faits sociaux totaux » permet de comprendre

> « les divers mobiles esthétiques, moraux, religieux, les divers facteurs matériels et démographiques dont l'ensemble fonde la société et constitue la vie en commun, et dont la direction consciente est l'art suprême, la Politique, au sens socratique du mot » [*ibid.*, p. 106].

La « politique », au sens socratique, c'est l'art de « diriger » en connaissance de cause, rationnellement, les affaires de la Cité, ce que réclame la capacité de découvrir chaque fois l'équilibre – le juste milieu – entre générosité et égoisme, intérêt pour soi et intérêt pour les autres, redistribution des ressources matérielles et symboliques et reconnaissance des instances et des individus, des peuples et des cultures.

Références bibliographiques

BATESON Gregory, 1977, *Vers une écologie de l'esprit*, t. I, Seuil, Paris.

BHABHA Homi, 2007, *Les Lieux de la culture. Une théorie postcoloniale*, Payot, Paris.

CAILLÉ Alain, 1994, *Le Tiers paradigme. Anthropologie philosophique du don*, La Découverte / MAUSS, Paris.

CANCLINI Néstor García, 2007, *Lectores, espectadores e internautas*, Gedisa, Barcelone.

CASTELLS Manuel, 1998, *La Société en réseaux*, Fayard, Paris.

CHAKRABARTY Dipesh, 2010, « Le climat de l'histoire : quatre thèses », *La Revue internationale des livres et des idées*, n° 15, janvier-février.

CHANIAL Philippe, 2008, « Introduction », *in* CHANIAL P. (dir.), *La Société vue du don. Manuel de sociologie anti-utilitariste*, La Découverte, Paris.

GODBOUT J., CAILLÉ A., 2007, *L'Esprit du don*, La Découverte, Paris.

HABERMAS Jürgen, 1987, *Théorie de l'agir communicationnel*, Fayard, Paris.

KAZANCIGIL A., MAKINSON D. (dir.), 2001, *Les Sciences sociales dans le monde*, Unesco et Maison des sciences de l'homme, Paris.

KUHN Thomas S., 1972, *La Structure des révolutions scientifiques*, Flammarion, Paris.

MAUSS Marcel, 1924-1925, *Essai sur le don. Formes et raisons de l'échange dans les sociétés primitives*, édition électronique réalisée par Jean-Marie Tremblay, professeur de sociologie au Cégep de Chicoutimi, <http://bibliotheque.uqac.uquebec.ca/index.htm>.

MAUSS Marcel, FAUCONNET Paul, 1901, « La sociologie, objet et méthode », *in Grande Encyclopédie*, v. 30, Société anonyme de la Grande Encyclopédie, Paris, édition électronique réalisée par J.-M. Tremblay, professeur de sociologie au Cégep de Chicoutimi, <http://bibliotheque.uqac.uquebec.ca/index.htm>.

MONGIN O., PADIS M.-O., 2009, « Introduction... », *Esprit*, novembre.

MORIN Edgar, 1999, *La Tête bien faite. Repenser la réforme, réformer la pensée*, Seuil, Paris.

— 1977, *La Méthode. La nature de la nature*, t. I, Seuil, Paris.

POPPER Karl, 1988, *Misère de l'historicisme*, trad. par H. Rousseau, Pocket, Paris.

SERRES Michel, 1980 (1969), *Hermès. 1. La communication. 2. L'interférence. 3. La traduction. 4. La distribution. 5. Le passage du Nord-Ouest*, Minuit, Paris.

Chapitre 20

L'Essai sur le don, un texte pionnier de la critique décoloniale

Paulo Henrique Martins

Le propos de ce chapitre est de montrer que Marcel Mauss, dans son *Essai sur le don*, publié en 1924, développe une réflexion postcoloniale[1] avant la lettre qui structure toute sa critique anti-utilitariste de l'occidentalisme et qui, selon nous, peut éclairer un certain nombre d'aspects de la critique décoloniale[2], notamment dans ses liens actuels avec la pensée anti-utilitariste élaborée en Europe.

---

1   Il existe une nuance entre les formes de pensée postcoloniale et celle que nous désignerons plutôt sous le terme décoloniale. Le terme postcolonial se réfère à la réflexion intellectuelle qui fait suite au processus colonial. Dans ce type de réflexion, on soulève en général la question des rapports entre centre et périphérie – c'était là l'élément essentiel de la critique anti-impérialiste –, sans rompre pour autant avec le dogme de la croissance économique qui est le dogme central de la modernisation [Wallerstein, 2006]. Des théories comme le structuralisme ou la théorie de la dépendance ont ainsi représenté des innovations postcoloniales. Ce que nous appelons la pensée décoloniale rompt toutefois avec cette idéologie en relativisant l'idée de science universelle. Les thèses décoloniales procèdent de l'apparition de nouveaux paradigmes dans les sciences sociales en Europe, en partant du structuralisme pour aller vers d'autres cheminements dès les années 1980. La pensée décoloniale est ainsi tributaire de la philosophie de Michel Foucault et de Jacques Derrida. Tout en restant pour partie postcoloniaux, ces cheminements nouveaux sont également anti-utilitaristes en ce qu'ils visent à revaloriser des pratiques et des savoirs qui avaient été refoulés par le rationalisme scientifique occidental [Martins, 2010].

2   Nous avons choisi de conserver cette francisation de l'anglais *postcolonial* et *décolonial* adoptée par l'auteur. (*N.d.R.*)

L'un des aspects principaux de la pensée décoloniale[3] est la revalorisation des savoirs oubliés ou dissipés. Précisément, Mauss qui, dans la toute première partie de l'*Essai*, déploie des efforts intellectuels considérables pour décrire et valoriser les richesses historiques, culturelles et symboliques de rituels non européens (tels le *potlatch*), fait à nos yeux figure de pionnier de cette pensée. Ne serait-on pas tenté de dire, du reste, que le charme du don vient précisément de son origine non européenne et que, de fait, cette théorie puise à la source de cultures étrangères pour réaliser une critique morale et esthétique de l'utilitarisme économique européen ?

Un autre de ces aspects est le rapprochement inattendu que l'on peut faire entre la démarche de Mauss et la thèse de l'historien indien Dipesh Chakrabarty [2008], de l'Université de Chicago, l'une des plus intéressantes parmi les études postcoloniales, sur la « provincialisation de l'Europe ». Selon Chakrabarty, l'hégémonie de l'universalisme libéral a occulté le fait que le rationalisme et la science ne sont pas seulement des traits européens particuliers mais aussi le résultat d'une histoire « globale » qui implique l'ensemble des sociétés coloniales dans l'épopée européenne de la modernisation. Cette hégémonie de l'Europe, explique-t-il, a contribué à diffuser une image inversée où le savoir européen apparaît universel et les « autres » savoirs particuliers. Revenant à l'auteur de l'*Essai*, on peut alors avancer l'idée que, en cherchant à organiser un paradigme critique de l'occidentalisme inspiré des cultures non européennes – le don, à travers le cycle donner-recevoir-rendre –, Mauss contribue à déconstruire l'universalisme européen, ou, comme le dirait Chakrabarty, il « provincialise » l'Europe. Ce

---

3   Le terme *décolonial* ne fait pas l'unanimité. Par exemple, Dipesh Chakrabarty *et al.ii* [2007, p. 3] le considèrent comme équivoque car il supposerait, selon eux, une complète libération du colonialisme. Ils préfèrent parler de « *hybridizing accounter* ». Alain Caillé note que nombre de ces critiques restent négatives sans fournir de possibilités de réconciliation [Caillé, 2010, p. 51]. Pour notre part, nous pensons que ces critiques sont légitimes. Le défi central n'étant pas de rompre avec la sociologie moderne, mais de libérer ce qui a été refoulé par la colonisation. Il nous semble juste de dire que la pensée *décoloniale*, c'est la déconstruction du pouvoir et du savoir, suivie de la reconstruction et/ou de la naissance d'autres formes de pouvoirs et de savoirs.

type de rapprochement montre que la critique postcoloniale ou décoloniale ne se limite pas aux seules revendications identitaires d'intellectuels nés dans les anciennes colonies. La colonisation[4] du savoir est un processus de domination patriarcale plus élargi qui s'est réalisé à travers la colonisation de la planète et, au même moment, en Europe, à travers la soumission des populations aux hiérarchies coloniales de sexe, d'ethnicité, de travail, de culture, de religion etc. C'est pourquoi se dessinent déjà, chez les auteurs européens[5] qui portent un regard sur la décolonisation de l'Europe et de ses hiérarchies de domination fondées sur des éléments non économiques, des voies de recherche visant à déconstruire l'eurocentrisme.

Cela n'est pas sans importance pour la critique générale du capitalisme. En effet, colonisation du pouvoir et organisation du capitalisme de marché vont de pair : en instaurant une articulation entre l'État et le marché, la mise en place des États nationaux a soumis les populations vivant sur le territoire des sociétés modernes (en Europe ou ailleurs) à un classement en ordres binaires utiles à la biopolitique moderne [Foucault, 2004]. C'est cette opération de distinction entre citoyens blancs/citoyens noirs, nationaux/ immigrés ou hommes « rationnels »/femmes « émotionnelles » qui a permis d'organiser la domination simultanée des oligarchies économiques et des colonisateurs, dans et hors de l'Europe. En d'autres termes, la biopolitique, selon les principes énoncés par Foucault, a été une condition nécessaire pour organiser la colonisation du pouvoir et les rapports entre patriarcat, christianisme et capitalisme, indépendamment des sociétés du centre ou de la périphérie. Cela signifie que la déconstruction de l'eurocentrisme nécessite une critique *à la fois* décoloniale et anti-utilitariste.

---

4 L'auteur emploie à plusieurs reprises le néologisme « colonialidad » qui pourrait être rendu en français par « colonialité ». Dans la mesure où « colonisation » se comprend à la fois comme processus et comme état et où le terme conserve, en français, toute sa force, nous l'avons préféré à « colonialité ». (*N.d.R.*)

5 Boato [2010], Cairo et Bringuel [2010], Kramsch [2010], Caillé [2010], Costa [2010].

C'est la thèse que nous allons chercher à approfondir, dans les pages qui suivent, en considérant que Mauss, dans son *Essai*, a très tôt saisi l'enjeu d'une discussion sur le rapport entre critique décoloniale et critique anti-utilitariste. Ce chapitre n'est pas du tout original d'un point de vue descriptif, le texte de Mauss ayant été largement lu et commenté. Il l'est, en revanche, dans le sens où nous cherchons à déplacer le regard du lecteur vers la tension que contient l'*Essai* entre l'éloge (implicite) des savoirs non européens et la critique (explicite) de l'utilitarisme économique eurocentré.

De la pensée classificatoire cognitiviste à la pensée symbolique

L'idée selon laquelle il faut articuler pensée anti-utilitariste et pensée décoloniale s'impose d'autant plus à nous que la critique de la pensée mercantiliste qui a été développée par les sociologues durant les deux derniers siècles s'avère aujourd'hui insuffisante à contenir l'onde expansive du néolibéralisme, comme l'a déjà expliqué à plusieurs reprises Alain Caillé [2000 ; 2009]. Dans ce sens, la réaction des sciences sociales contre les menaces inquiétantes d'une pensée unique utilitariste se fonde aussi sur la reconsidération de thèmes non économiques qui s'exprime dans les aspects politiques, militaires et idéologiques de la colonisation planétaire. La problématique de l'esprit colonial aide à démontrer que le capitalisme est une production culturelle et historique déterminée, comme l'a fait en son temps Karl Polanyi dans *La Grande transformation* ; comme l'a fait également Marcel Mauss, dans l'*Essai*, en révélant que la société est constituée d'une série de prestations totales qui engagent l'ensemble des institutions sociales, qu'elles soient juridiques, économiques, religieuses et esthétiques [Mauss, 1999, p. 274].

L'étude de ces ouvrages devenus aujourd'hui des classiques nous conduit à reconnaître l'importance, pour la critique théorique, de pratiques et d'expériences nées au sein de sociétés non européennes, certaines issues de traditions millénaires. En particulier, reconnaître l'importance de l'œuvre de Mauss pour la critique décoloniale conduit nécessairement à penser le rapport entre capitalisme et colonisation en tenant compte des deux aspects du processus colonisateur : celui du dedans, de l'eurocentrisme, et celui du dehors, des marges de l'Europe. Cela veut dire que la description de la modernisation doit être réalisée depuis le regard européen mais aussi depuis celui de l'extérieur, depuis le regard des pays « centraux » aussi bien que de celui des « périphéries[6] ». La critique anti-utilitariste s'enrichit avec la critique décoloniale lorsque nous comprenons que cette dernière cherche aussi à intégrer, dans l'analyse sociologique, les divers phénomènes culturels, traditionnels, religieux, politiques, linguistiques et rituels[7]. Nous avons montré ailleurs [Martins, 2010 ; 2011] que la critique post-coloniale est un vaste processus qui change en même temps notre vision de la colonisation : depuis le Sud et depuis le Nord, depuis le « dedans » et depuis le « dehors » du processus colonisateur[8]. Or à notre avis, l'approche relationnelle du don permet d'avancer dans cette réflexion dans la mesure où elle appréhende les anciennes connaissances comme des systèmes symboliques complexes et

---

6   Avec la pensée *décoloniale*, ce sont les notions de centre et de périphérie qui peuvent enfin être déconstruites. La pensée *décoloniale* constitue, de fait, une vaste réaction théorique qui a ses origines à la fois au centre et dans les marges du système-monde, dans la mesure où les mécanismes de domination du capitalisme moderne ont contribué à coloniser également la vie des pays au centre, et non pas seulement à la périphérie du système-monde.

7   La critique postcoloniale, dans le questionnement des relations inégales entre centre et périphérie, a permis l'élargissement de la critique théorique à des champs de savoirs et de pratiques situés dans les périphéries. Avec la critique décoloniale, ce sont les notions mêmes de centre et de périphérie qui tendent à être déconstruites afin de faciliter la démultiplication des regards et des compréhensions du système-monde. La critique décoloniale constitue, de fait, une vaste réaction théorique qui a des énonciateurs importants aussi bien au centre que dans les marges du système-monde, dans la mesure où les mécanismes de domination du capitalisme moderne ont eux aussi contribué à coloniser la vie des pays centraux, et non pas seulement celle de la périphérie du système-monde.

8   L'élargissement de cette compréhension des relations entre l'eurocentrisme et l'alter-centrisme engendre au moins trois types de programmes d'investigation, nous explique Sérgio Costa : 1) le programme emphatique qui dénonce la théorie pour proposer un savoir « *beyond theory* » ; 2) le programme intermédiaire qui se propose de montrer l'interdépendance structurelle entre science et domination coloniale et ; 3) le programme modéré qui défend la thèse selon laquelle les récits nationaux ont été importants pour penser l'organisation de la modernité européenne [Costa, 2010].

contribue ainsi à libérer la pensée critique moderne des réduction-
nismes théoriques imposés par l'approche utilitariste. En outre, en
mettant au jour la dimension symbolique des « autres savoirs »,
Mauss se libère du positivisme cognitiviste – qui s'appuie sur la
pensée classificatoire – pour valoriser les dimensions morale et
esthétique de la vie sociale, lesquelles sont décisives pour la pensée
symbolique. Comme biens symboliques, les dons peuvent avoir
une valeur morale (la loyauté) mais aussi une valeur esthétique (un
geste d'accueil, une accolade, un rituel de célébration ou une fête
religieuse...). Ce double registre révèle la richesse du don comme
dispositif de déconstruction des hiérarchies occidentales de domination morale et esthétique. Nous comprenons alors que L'*Essai*
n'est pas seulement une étude morale de l'occidentalisme propre
à l'école française de sociologie mais aussi une étude esthétique
qui apparut à son auteur comme telle lorsqu'il prit la mesure des
conséquences théoriques produites par la reconnaissance du symbole dans les pratiques sociales diverses [Tarot, 1999 ; Caillé, 2000].

Les deux lectures possibles de l'*Essai sur le don*

Dans cette perspective, on peut faire deux lectures complémentaires de l'*Essai* : la première, morale, contribue à démysti-
fier l'idéologie utilitariste de l'occidentalisme et la perversion de la
domination coloniale ; la seconde, esthétique, permet d'appréhender la modernité comme un processus d'hybridation (*hybridization
encounter*) au sein duquel la science rationaliste doit nécessairement
dialoguer avec la pensée symbolique qui se déploie dans les activités artistiques et littéraires. Remarquons ici que cette ouverture vers
la pensée symbolique est un argument de plus contre le réductionnisme scientifique de l'Europe et de ses anciennes colonies. Sont
manifestes, en effet, dans les deux interprétations, les efforts de
rupture de Mauss avec la pensée simplificatrice de l'économisme
utilitariste.

Première lecture : un discours explicitement anti-utilitariste

Il existe en premier lieu, dans l'*Essai*, un discours explicitement anti-utilitariste et critique des fondements moraux de la
modernisation occidentale, discours qui intègre toujours l'élément

non européen aux côtés de l'élément européen. Pour Mauss, la philosophie utilitariste qui fonde le capitalisme réduit la complexité et la diversité des actions humaines en société à une seule motivation : celle selon laquelle tout être humain serait essentiellement égoïste et calculateur. Ce qui, notons-le, est méconnaître que le mot intérêt est récent et qu'il appartient au vocabulaire de la technique financière (l'*interest* latin des livres de comptes). Suivant cette première phase de déconstruction, Mauss revient à des morales plus anciennes, épicurienne notamment [1999, p. 271]. Selon lui, la diversité des faits moraux et matériels est ce qui, d'une part, permet de comprendre que, dans les sociétés traditionnelles (européennes et non européennes), l'économie de l'utile n'est qu'un élément dans un ensemble bien plus vaste de phénomènes sociaux, et, d'autre part, conduit nécessairement à penser la société (traditionnelle ou contemporaine) en tant que fait social total[9]. Ce tournant théorique a fait naître d'importants mouvements culturels et sociaux contemporains, occidentaux et non occidentaux, comme l'économie solidaire, la démocratie participative, les religions plurielles, les soins à la personne, etc. Notons enfin que la dimension critique fondée sur le fait moral est la plus connue de l'*Essai sur le don*.

Deuxième lecture : une approche esthétique

Cependant, il est possible de faire une seconde lecture – plus rare – du livre de Mauss. Celle-ci, anti-utilitariste et décoloniale, met moins l'accent sur l'aspect moral des pratiques sociales que sur leur aspect esthétique, car Mauss avait compris toute l'importance qu'il fallait accorder aux éléments rituels, tragiques et artistiques de ce fait social total qu'est la société humaine. Ici, la théorie du fait social total renouvelle la théorie critique en

---

9 Notre propos s'appuie notamment sur la réflexion suivante : « Ce qu'ils échangent, ce n'est pas exclusivement des biens et des richesses, des meubles et des immeubles, des choses utiles économiquement. Ce sont avant tout des politesses, des festins, des rites, des services militaires, des femmes, des enfants, des danses, des fêtes, des foires dont le marché n'est qu'un des moments et où la circulation des richesses n'est qu'un des termes d'un contrat beaucoup plus général et beaucoup plus permanent » [Mauss, 1999, p. 151].

ce qu'elle porte un regard nouveau, plus compréhensif et non plus seulement cognitif, sur les différentes formes prises par les pratiques sociales dans le monde[10]. Ses descriptions du *potlatch*, par exemple, reflètent l'importance de ces rites, mariages, jeux, initiations, séances de shamanisme :

> « et tout, clans, mariages, initiations, séances de shamanisme et du culte des grands dieux, des totems ou des ancêtres collectifs ou individuels du clan, tout se mêle en un inextricable lacis de rites, de prestations juridiques et économiques, de fixations de rangs politiques dans la société des hommes, dans la tribu et dans les confédérations de tribus et même internationalement » [Mauss, 1999, p. 192].

C'est pourquoi nous soutenons que seule la prise en compte de cette double dimension critique, morale et esthétique, permet de pleinement appréhender ce que Mauss dit de l'action sociale : elle est un fait total ayant une valeur à la fois matérielle et symbolique.

Un tel saut théorique a permis au sociologue d'élaborer, au cœur de la modernité européenne, les fondements théoriques d'une pensée décoloniale qui sera systématisée ultérieurement[11]. Ce double registre de la théorie du fait social total – moral et esthé-tique – a contribué en effet à réorganiser la pensée classificatoire, si importante pour la tradition de l'école française de sociologie, et libéré la pensée symbolique et créative qui légitime à la fois la critique anti-utilitariste (explicite) et décoloniale (implicite). Cela nous aide à comprendre ce qui a conduit Mauss, stratégiquement, à commencer son essai par une longue visite des textes anciens et non occidentaux sur le don avant de développer une critique

---

10 À la tradition des Lumières viennent s'ajouter des thèmes nouveaux qui permettent d'intégrer l'expressivité de la vie humaine, proposant ainsi de nouvelles conceptions de l'identité humaine, soulignent les auteurs anti-utilitaristes contemporains [Taylor, 1997].

11 Cette critique est prématurée dans la mesure où les études décoloniales apparaissent seulement avec le « tournant linguistique » des années 1980, lequel réhabilite la pratique sociale du quotidien et lui attribue même une position centrale [Dosse, 1999, p. 12]. En d'autres termes, le sens de l'action sociale ne se comprend pas uniquement à partir d'une perception cognitive et scientifique du monde. Il faut nécessairement repenser la relation entre rationalité instrumentale et rationalité expressive.

proprement sociologique de l'utilitarisme occidental. Cette lecture de la structuration de l'*Essai* dévoile la critique décoloniale occulte de l'œuvre de Mauss.

Le don comme valeur universelle

Poursuivons ces éclaircissements. Dans les trois premiers chapitres de l'*Essai sur le don*, Mauss, grâce à son érudition et à sa maîtrise de plusieurs langues, entreprend un voyage à travers le monde pré- et non occidental. Il cherche à montrer que, antérieurement à ce que nous appelons la logique utilitariste mercantile, existe une autre logique, anti-utilitariste, appelée don, qui fournit à l'action sociale non seulement une réponse aux problèmes utilitaires (celle qui fut détectée par les philosophes utilitaristes eux-mêmes) mais surtout une dimension expressive (onirique, magique, sentimentale, ritualisée) à l'origine de la complexité et de la variété de l'existence humaine – cette dernière idée en rapport étroit avec les critiques décoloniales contemporaines. Pour étayer son propos, Mauss s'appuie sur un vaste ensemble d'études non européennes. Cela lui permet de montrer que le système du don, sous la forme du cycle donner-recevoir-rendre, existait avant l'apparition du marché et de l'État et qu'il continue d'exister en dépit de l'idéologie utilitariste dominante qui cherche au contraire à stigmatiser le don en tant qu'il serait impuissant à rendre compte à lui seul de « l'évidence » de l'égoïsme humain.

Le sociologue français systématise la dimension morale de sa réflexion, qui se prête à la critique décoloniale, à l'aide de deux types de documents : a) des poèmes, des textes traditionnels et des descriptions ethnographiques sur les modalités d'échange de cadeaux, de services et d'hospitalité, surtout les modalités de pratiques agonistiques présentes dans les fêtes et les rituels ; b) des descriptions diverses sur les régimes de droit et de coutumes traditionnelles qui assurent l'obligation rituelle de don entre les peuples non européens.

Les premiers documents sont analysés dans l'introduction et dans les chapitres I (« Les dons échangés et l'obligation de les rendre (Polynésie) » et II (« Extension de ce système (libéralité, honneur, monnaie) »). L'*Essai* s'ouvre sur un vieux poème scandinave, l'Havamàl, dont Mauss se sert pour créer l'atmosphère dans laquelle il va plonger le lecteur. Il cherche notamment à mettre en évidence, chez certains peuples archaïques (anciens habitants de Scandinavie) et non européens (indigènes du Nord-Est de l'Amérique du Nord, natifs des îles Trobriand en Nouvelle-Zélande, esquimaux du pôle Nord, pygmées d'Afrique...), le système du don. Tout au long de cette partie, Mauss explique que le système du don entre les sociétés traditionnelles non européennes reposait principalement sur la rivalité ou la compétition entre personnes morales, impliquant l'ensemble de l'énergie sociale collective. Parmi les divers types de prestations qu'il identifie, il s'intéresse plus particulièrement au *potlatch*. Il évoque également des situations où, bien qu'il n'y ait pas de *potlatch*, semble-t-il, par exemple dans les rituels de naissance des garçons ou lors des mariages à Samoa, en Polynésie, il existe quand même un système d'obligations mutuelles. Le don s'y manifeste toujours à travers des règles de l'honneur, du prestige et de la redistribution de services et de cadeaux qui obligent mutuellement tous les protagonistes. La non-redistribution des cadeaux signifie la perte du *mana*, c'est-à-dire de l'autorité de chacun à l'intérieur de la communauté. Comme l'explique Mauss : « Refuser de donner, négliger d'inviter, comme refuser de prendre, équivaut à déclarer la guerre ; c'est refuser l'alliance et la communion » [*ibid.*, p. 162-163].

Bien qu'il présente le *potlatch* comme le système central d'un certain nombre de sociétés traditionnelles non européennes (en Australie ou aux États-Unis), Mauss reconnaît l'existence d'autres types de don qui ne reposent pas sur la rivalité mais sur la dévotion ou l'amitié. Tel le don de l'aumône entre les membres de la tribu Haoussa du Soudan où, quand le blé est mûr, une croyance populaire veut que la fièvre se répande et que la seule manière de l'arrêter est d'offrir du blé aux pauvres [p. 169]. Chez les Pygmées, il trouve un don de l'hospitalité (fêtes et foires, obligatoires et volontaires) dont l'intention est surtout morale, le but étant de créer un sentiment amical entre deux personnes : « Personne n'est libre de refuser un présent offert » [p. 173]. Entre les peuples des îles Trobriand en Nouvelle-Calédonie, Mauss explore la relation entre le don et la *kula*[12], un système de commerce intertribal qui implique des tribus de différentes îles de la région. À une certaine une époque de l'année, les membres d'une tribu traversent la mer pour offrir aux membres d'une autre tribu des bijoux, de la nourriture etc. À une autre époque, la *kula* se poursuit par un mouvement en sens contraire [p. 175] : « Le kula, sa forme essentielle, n'est lui-même qu'un moment, le plus solennel, d'un vaste système de prestations et de contre-prestations qui, en vérité, semble englober la totalité de la vie économique et civile des Trobriand » [p. 185].

Les autres documents que Mauss utilise pour fonder sa critique décoloniale sont des descriptions de divers régimes de droit et des coutumes présentes dans toutes les sociétés humaines prémodernes. Dans le chapitre III (« Survivances de ces principes dans les droits anciens et les économies anciennes »), il expose divers systèmes juridiques – le droit romain, le droit hindou classique, le droit germanique, le droit celtique, le droit chinois, entre autres – au sein desquels il décèle des survivances de principes du don, ce qui est intéressant pour comprendre la force du don dans les institutions sociales. Mauss montre ainsi que le don n'existe pas seulement dans les sociétés à transmission orale mais également dans les sociétés complexes, non européennes ou européennes, de droit écrit.

C'est avec ces réflexions qu'il ouvre ses vastes conclusions sur l'actualité du don. La seconde partie de l'*Essai* (le quatrième et dernier chapitre intitulé « conclusion ») approfondit la première en démontrant que, derrière les échanges économiques, il existe toujours une trame symbolique qui organise les lieux, crée des attentes et peut produire la guerre et la paix, l'amitié et l'inimitié[13]. Mauss ouvre ainsi une nouvelle fenêtre de compréhension de l'humain qui nous laisse entrevoir que la dignité humaine est le fruit de la condition morale partagée des individus et le sentiment de transcendance

---

12 Il est devenu d'usage aujourd'hui en français, contrairement à l'époque où écrivait Mauss, de mettre le terme vernaculaire *kula* au féminin. *(N.d.R.)*

13 Alain Caillé [2009] le rappelle opportunément dans sa *Théorie anti-utilitariste de l'action. Fragments d'une sociologie générale.*

celui de leur cohabitation rituelle et extatique[14]. Et l'on peut en conclure – bien que l'importance capitale de la première pour l'élaboration de la seconde soit la plupart du temps négligée – que Mauss passe ici d'une critique décoloniale à une critique de l'économie de marché occidentale, à une critique proprement anti-utilitariste.

L'idée de totalité sociale

On vient de le voir, l'*Essai sur le don* n'est pas une œuvre d'intérêt ethnographique au sein de laquelle Mauss se contenterait de décrire les coutumes et les pratiques de sociétés non européennes révolues. Notre lecture, esthétique et décoloniale, révèle que le texte contient, en filigrane, une révision théorique de la critique morale et de la valorisation des motivations de la vie en commun. Plus précisément, dans les interstices de la critique morale apparaît une seconde critique, esthétique, qui exalte les aspects ludiques, dramatiques, tragiques et artistiques de la pratique sociale et des institutions sociales. Nous avons ainsi une double critique, morale et esthétique, qui est centrale pour comprendre le projet de Mauss : montrer que la vie en commun est surtout un fait social total, une totalité impliquant tous les aspects, subjectifs et objectifs, de l'être humain et devant être reconnue dans sa complexité, sa singularité et sa diversité.

Chez Mauss, en effet, l'idée de totalité de la société (« les faits que nous étudions sont tous des faits sociaux totaux ou généraux [...] » [Mauss, *ibid.*, p. 274]) dépasse et s'oppose à la pensée cognitiviste qu'il considère abstraite et de peu d'utilité pour observer la réalité concrète. Cela implique de considérer que tous les phénomènes sont en même temps juridiques, économiques, religieux, et même esthétiques et morphologiques :

> « Tous les chercheurs devraient observer le comportement d'êtres totaux et non divisés en facultés [...] L'étude du concret, qui est du complet, est possible et plus captivante et plus explicative encore en sociologie. Le principe et la fin de la sociologie,

---

14 Ces oppositions binaires complexes – vie et mort, guerre et paix, intérêt et gratuité, liberté et obligation – empruntées à Marcel Mauss sont à la base de la *Théorie anti-utilitariste de l'action* susmentionnée, d'Alain Caillé [*ibid.*].

c'est d'apercevoir le groupe entier et son comportement tout entier » [*ibid.*, p. 276].

Bien que l'*Essai* soit d'abord une critique morale de l'occidentalisme, Mauss démontre que la définition esthétique du don est centrale pour la critique générale et pour la rénovation de la sociologie. Dans cette perspective, il affirme que toutes les institutions ont un côté esthétique mais il déclare ne pas avoir eu le temps de l'approfondir et insiste pour que cet aspect des choses soit signalé :

> « [...] les danses qu'on exécute alternativement, les chants et les parades de toutes sortes, les représentations dramatiques qu'on se donne de camp à camp et d'associé à associé ; les objets de toutes sortes qu'on fabrique, use, orne, polit, recueille et transmet avec amour, tout ce qu'on reçoit avec joie et présente avec succès, [...] tout est cause d'émotion esthétique et non pas seulement d'émotions de l'ordre du moral ou de l'intérêt » [*ibid.*, p. 276].

Et il conclut son essai en suggérant que l'organisation de la pensée sociologique doit considérer l'articulation de la totalité de la société avec l'art de la politique :

> « On voit aussi comment cette étude concrète peut mener non seulement à une science des mœurs, à une science sociale partielle, mais même à des conclusions de morale, ou plutôt – pour reprendre le vieux mot – de « civilité », de « civisme », comme on dit maintenant. Des études de ce genre permettent en effet d'entrevoir, de mesurer, de balancer les divers mobiles esthétiques, moraux, religieux, économiques, les divers facteurs matériels et démographiques dont l'ensemble fonde la société et constitue la vie en commun, et dont la direction consciente est l'art suprême, la Politique, au sens socratique du mot » [*ibid.*, p. 279].

L'intérêt de ce paragraphe conclusif est cette référence explicite à la politique comme condition nécessaire à l'appréhension des diverses motivations de l'action sociale, passées ou actuelles. En vérité, une lecture détaillée de l'*Essai* nous amène à comprendre que l'alliance est un phénomène qui engage diverses motivations morales et expressions esthétiques et que la pensée classificatoire doit amplifier l'entendement cognitif en incluant aussi la pensée symbolique. Rien n'est donné *a priori* sur le plan symbolique, comme l'a dit à tort Claude Lévi-Strauss, ni sur le plan des forces économiques, comme le pensent de manière équivoque les économistes. Au contraire, tout se définit par la capacité des personnes collectives et individuelles à sortir d'elles-mêmes, à donner librement et obligatoirement. « Il n'y a pas de risque de se tromper » [*ibid.*, p. 265]. Aussi, le texte se termine-t-il par une volonté d'ouvrir la pensée symbolique à la pensée politique, volonté que l'on retrouve également, aujourd'hui, chez les penseurs de la critique décoloniale.

En guise de conclusion : le « fait social total » comme théorie décoloniale

Cet élargissement du spectre critique de l'œuvre de Mauss permet de mettre en évidence la valeur heuristique de la théorie du fait social total et du don et donnent une certaine cohérence à la critique décoloniale en articulant deux courants de pensée : celui du « centre » qui se provincialise, d'après l'analyse que nous avons présentée en introduction de Chakrabarty [2008], et celui de la « périphérie » qui se généralise, d'après un autre auteur important, le péruvien Aníbal Quijano [2005]. Cela ouvre aussi des possibilités importantes de dialogue entre les divers champs de production de la critique sociologique, au Nord et au Sud, en particulier avec la critique latino-américaine qui promeut une révision épistémique et épistémologique importante à partir des marges[15].

---

15 En Amérique latine, on assiste depuis plusieurs décennies déjà à une critique importante de l'impérialisme et des aspects économiques et politiques des échanges entre le centre et les marges du capitalisme mondial. Cette critique apparaît, par exemple, dans ce que nous appelons la pensée *postcoloniale* proprement dite : celle qui est au fondement de la pensée structuraliste de la Commission économique pour l'Amérique latine (CEPAL) et de la Théorie de la dépendance. Ces théories ont été fondamentales pour concevoir la région non pas comme un agglomérat d'États nationaux dépendants mais comme un système doté de particularités historiques, politiques, économiques, linguistiques et culturelles [Morana, Dussel, Jauregui, 2008]. Plus récemment, nous avons vu apparaître des pensées *décoloniales* qui ont pour vocation de déconstruire le rapport imaginaire centre-périphérie et promouvoir le « *bien vivir* » des peuples indigènes Aymara de Bolivie et d'Équateur.

Nous terminerons donc en proposant deux éléments de discussion. Le premier pour dire que la critique anti-utilitariste fondée sur la reconnaissance de la valeur des pratiques, dans l'œuvre de Mauss, est aussi une critique décoloniale non explicite. Pour développer sa critique du réductionnisme marchand, le sociologue va s'intéresser de près aux coutumes et rituels de plusieurs sociétés non européennes. Et c'est depuis ces marges, lorsque Mauss prend conscience que l'eurocentrisme a été un projet historique et culturel particulier, que se révèle pleinement sa critique anti-utilitariste. Les relectures plus récentes de l'*Essai* par le Mouvement anti-utilitariste dans les sciences sociales (MAUSS), en France, vont dans ce sens en définissant mieux l'étroite relation entre critique de la philosophie de l'intérêt marchand et critique de la colonisation du pouvoir et du savoir. Lors du dernier congrès de l'Association latino-américaine de sociologie (ALAS) à Recife, en 2011, Alain Caillé concluait son exposé sur l'état actuel de la sociologie en remarquant que, contrairement à la tradition économique qui fixe l'utilité comme valeur économique fondamentale des biens et des marchandises, la sociologie (et aussi l'anthropologie, la philosophie et l'histoire) repose sur une hypothèse bien différente, qui trouve son fondement dans l'*Essai sur le don* :

> « Ce que les groupes sociaux en conflit, femmes, subalternes, anciens colonisés, prestataires de soins etc. veulent voir reconnu, c'est la valeur des dons qu'ils ont effectués (ou qui leur furent pris) » [Caillé, 2010, p. 54].

Nous voudrions insister également sur le fait que la critique décoloniale, si elle émane des sociétés du Sud, intéresse bien au-delà. Plus les recherches sur le phénomène colonial se développent, plus nous constatons en effet que l'impérialisme occidental s'est aussi organisé à partir de la colonisation de l'intérieur, en Europe même. Le travail de Franz Fanon [1975] sur les préjugés ethniques en France, par exemple, montre bien que derrière les inégalités républicaines des grandes démocraties occidentales, il existe des systèmes hiérarchiques qui ont contribué, durant plusieurs siècles, à inclure ou exclure sur la base de critères ethniques – une analyse que l'on peut étendre aux dominations qui se sont faites sur des critères d'âge, de sexe, de religion etc. Ce que ne montre pas l'*Essai sur le don*, c'est que la diffusion de la culture occidentale, tout au long de son processus de modernisation, n'a pas pu se faire sans humiliation ni violence contre les femmes, les enfants et les étrangers, aussi bien au « centre » qu'à la « périphérie ». Une telle critique est déjà en marche chez tous ceux qui cherchent à réfléchir à la « subalternité », qu'il s'agisse des peuples du Sud ou des classes sociales au Nord, ce qui amplifie la déconstruction critique en cours de la colonisation planétaire.

Aussi bien, nous pensons que la critique de l'esprit colonial européen [Cairo, Grosfoguel, 2010] va de pair avec une restructuration symbolique de l'Europe : celle qui reconnaît que l'utilitarisme économique a participé à la destruction de l'idée de totalité sociale au sein de ce moment sociohistorique que l'on appelle Europe. La provincialisation de l'Europe est peut-être une chance pour elle de se libérer du poids de son universalisme rationaliste eurocentrique[16].

Références bibliographiques

BOATO M., 2010, « Múltiples Europas y la mística de la unidad », *in* CAIRO H. E, GROSFOGUEL R., *Descolonizar la modernidad, descolonizar Europa ; un diálogo Europa-América*, IEPALA, Madrid.

CAILLÉ A, 2010, « O estado atual da sociologia. Algumas observações face ao próximo congresso ALAS », *Estudos de Sociologia : Revista do Programa de Pós-Graduação em Sociologia da UFPE*, vol. 16, n° 2, p. 45-56.

— 2009, *Théorie anti-utilitariste de l'action : fragments d'une sociologie générale*, La Découverte, Paris.

— 2000, *Anthropologie du Don. Le tiers paradigme*, Editora Voze, Petrópolis.

---

16 Rappelons ici la mythologie grecque. À la veille d'être enlevée par Zeus, la princesse Europe a fait un cauchemar dans lequel deux femmes se présentent pour revendiquer leurs droits. L'une, Asie, se disait sa mère, l'autre, une inconnue (« la terre de la rive opposée »), Amérique, faisait valoir que l'Europe lui avait été donnée par Zeus. Si l'on cherche à actualiser ce mythe, on s'aperçoit que la modernité européenne a été le résultat d'un rapport très intense, on pourrait même parler d'un rapport symbiotique, avec l'Asie et l'Amérique.

CAIRO H. E., GROSFOGUEL R., 2010, *Descolonizar la modernidad, descolonizar Europa ; un diálogo Europa-América*, IEPALA, Madrid.

CAIRO H. E., BRINGEL B., 2010, « Articulaciones del Sur Global : afinidad cultural, internacionalismo solidario e iberoaméricaen la globalización contrahegemónica », *in* CAIRO H. E, GROSFOGUEL R., *Descolonizar la modernidad, descolonizar Europa. Un diálogo Europa-América, op. cit.*

CHAKRABARTY D., 2008, « In defense of provincializing Europe : a response to Carole Dietze », *History and Theory*, 47 (1), p. 85-96.

CHAKRABARTY D., MAJUMDAR R., SARTORI A., 2007, *From the Colonial to the Postcolonial. India and Pakistan in Transition*, Oxford University Press, Oxford.

COSTA S., 2010, « (Re) encontrando-se nas redes ? As ciências humanas e a nova geopolítica do conhecimento », *Estudos de Sociologia : Revista do Programa de Pós-Graduação em Sociologia da UFPE*, vol. 16, n° 2, p. 25-44.

DOSSE F., 1997, *L'Empire du sens : l'humanisation des sciences humaines*, La Découverte, Paris.

FANON F., 1975, *Pele negra, máscaras brancas*, Paisagem, Porto.

FOUCAULT M., 2004, *Naissance de la biopolitique*, Seuil, Paris.

KRAMSCH O., 2010, « Dans le ballon rouge ? Entre el proyecto modernidad/colonialidad latinoamericano y la Europa fronteriza realmente existente », *in* CAIRO H. E, GROSFOGUEL R., *Descolonizar la modernidad, descolonizar Europa. Un diálogo Europa-América, op. cit.*

MARTINS P. H., 2012, *La decolonialidad de América Latina y la heterotopia de una comunidad de destino solidaria*, Ediciones Ciccus, Buenos Aires.

— 2011, « La crítica anti-utilitarista en el Norte y su importancia para el avance del pensamiento poscolonial en las sociedades del Sur », *Política & Sociedade : Revista de Sociologia Política*, vol. 10, n° 18, p. 111-132.

— 2010, « Sur y Norte como experiencias epistemológicas necesárias a la descolonialidad », *Estudos de Sociología : Descolonialidade e giros epistemológicos*, vol. 16, n° 2, p. 73-96, Recife.

MAUSS M., 1999 (1924), *Sociologie et anthropologie*, PUF, Paris.

MORAÑA M., DUSSEL E., JÁUREGUI A., 2008, *Coloniality at large : Latin America and the Poscolonial Debate*, Duke University Press, Durham et Londres.

NIETZSCHE F., 1999, *Obras incompletas*, Editora Nova Cultural, São Paulo.

QUIJANO A., 2005, « Colonialidad del poder, eurocentrismo y América Latina », *in* LANDER E. (dir.), *La colonialidad del saber. Eurocentrismo y ciencias sociales. Perspectivas Latinoamericanas*, Clasco, Buenos Aires, p. 201-245.

TAROT C., 1999, *De Durkheim à Mauss, l'invention du symbolisme. Sociologie et sciences des religions*, La Découverte/MAUSS, Paris.

TAYLOR C., 1997, *As fontes do self*, Edições Loyola, São Paulo.

WALLERSTEIN I., 2006, *Impensar a Ciência Social. Os limites dos paradigmas do século XIX*, Ideias Letras, São Paulo.

L'effet méta-disciplinaire du tournant global en science sociale

Décomposition et recomposition des disciplines

Alain Caillé

M'apprêtant à rédiger ce texte et relisant le titre que j'avais donné il y a plus de deux ans à la communication présentée au colloque consacré au *Tournant global des sciences sociales* que Stéphane Dufoix m'avait demandé de l'aider à organiser, je ne suis plus très sûr de comprendre ce que j'avais en tête en parlant d'« effet méta-disciplinaire du tournant global ». Probablement deux choses : un constat et un souhait.

Le constat n'est pas trop difficile à effectuer. La *globalisation* (en français la *mondialisation*) fait apparaître de plus en plus problématiques les découpages hérités entre disciplines instituées : philosophie, sociologie, anthropologie, études littéraires, histoire, géographie etc. Les nouveaux discours qui apparaissent à l'échelle mondiale, dans les universités du monde entier, *cultural, postcolonial, gender, subaltern studies,* théories de la reconnaissance ou du *care* etc., se déploient à l'intersection de toutes ces disciplines et ne se laissent discipliner ni par elles ni par leurs institutionnalisations académiques. Du coup, pour autant qu'elles prétendent exprimer autre chose que les choix idiosyncrasiques des auteurs qui s'expriment sous ces divers labels, elles semblent parler soit au nom de fragments des disciplines anciennes, soit en celui d'une discipline à venir, une discipline potentielle, en amont ou en aval des disciplines existantes. Une discipline à venir qui ne sera(it) pas nécessairement une discipline mais une méta-discipline (ou une infra) : une discipline à la fois plus générale et plus réflexive, qui fera(it) apparaître les disciplines existantes comme autant de cas particuliers et locaux d'un savoir plus global. Ou plus disséminé et hybridant, comme l'explique ici même Franco Fistetti.

Ce constat ne devrait pas susciter trop de désaccords. Ce ne sera sans doute pas le cas, en revanche, du souhait que je forme pour ma part quant au statut possible et souhaitable de cette discipline, ou de ces multiples disciplines méta-disciplinaires en formation. C'est la raison pour laquelle, contrairement à mes habitudes, je rédige ce texte à la première personne. En effet, nombre des propositions que je voudrais y formuler ont été élaborées et défendues de manière plus détaillée et argumentée au cours des trente années d'existence de la *Revue du MAUSS* (Mouvement anti-utilitariste dans les sciences sociales) et renvoient à des choix épistémologiques dont le moins qu'on puisse dire est qu'ils ne sont pas aujourd'hui dominants. Je souhaite évidemment qu'ils le deviennent mais, pour l'instant, je ne peux faire autre chose que d'assumer leur singularité relative. Institutionnellement sociologue (mais également économiste de formation), me voyant au premier chef comme un héritier de la sociologie classique – même s'il s'agit d'un héritage sans testament –, et, pour tout dire, m'intéressant plus souvent à la sociologie classique qu'à la sociologie actuelle, précisément parce quelle était en son principe méta-disciplinaire, et souhaitant voir se clarifier les bases théoriques et épistémologiques d'une sociologie générale – toujours avortée jusqu'ici –, je veux espérer que la torsion que la « globalisation » inflige aux disciplines existantes permette en effet d'expliciter les fondements possibles de cette théorie sociologique générale qui se dérobe sans cesse sous nos pas. Ou, si l'on préfère, d'une « *social theory* » : une science sociale généraliste, une *global social theory* en quelque sorte.

Pour la quasi-totalité des sociologues actuels et, *a fortiori*, pour les représentants des autres disciplines des sciences sociales, une telle aspiration relève, au mieux, du vœu pieux et, au pire, d'une volonté d'hégémonie théorique à la fois dangereuse et fort heureusement hors de saison. Ces soupçons ou ces doutes sont légitimes. Mais ils ne doivent pas nous empêcher de constater une évidence dérangeante pour les disciplines qu'on range habituellement sous l'étiquette des sciences sociales : cette science sociale générale hégémonique existe déjà depuis plus de trente ans, c'est la science économique. Ou, plutôt, ce que l'on peut appeler, à la suite de l'économiste Olivier Favereau, le modèle économique standard élargi, qui rayonne un peu partout, bien au-delà de la seule science économique *stricto sensu* : en sociologie, en histoire, en philosophie politique, voire en biologie etc. Et il n'échappera à personne que cette hégémonie de la raison économique va strictement de pair avec l'hégémonie mondiale des marchés financiers : elle lui est coextensive. Si nous désirons nous doter d'une représentation de l'Homme et de la Société moins fruste que celle de l'*Homo œconomicus inc.* et nous donner une chance de desserrer la tunique de Nessus de la finance, il nous faut donc au minimum nous mettre d'accord sur un petit nombre de propositions de base au moins aussi générales, partageables et partagées que les propositions de la science économique. Cette science économique standard qu'on pourrait qualifier de degré zéro de la science sociale générale. Pour avancer dans cette direction, il conviendrait d'établir un bon diagnostic des raisons de l'échec des grands systèmes de sociologie ou de science sociale générale passés. La raison principale est sans doute que, justement, ils se présentaient comme des systèmes. Mais une autre raison, et qui permet d'espérer qu'une avancée survienne via ce qu'on pourrait appeler les *global studies* pour désigner tout ce qui, dans les disciplines existantes, est affecté et concerné par la mondialisation, est aussi que ces systèmes restaient trop prisonniers d'un certain nationalisme, méthodologique ou ontologique, *i.e.* d'une identification plus ou moins explicite de la société à la nation ou à l'État-nation, et de la société bonne à la seule société occidentale moderne. Une *general social theory* actualisée devrait dépasser les disciplines existantes fondées sur une vision mécanique de la société, liée au nationalisme méthodologique, de la même manière que la théorie de la relativité, restreinte ou générale a permis de dépasser la mécanique newtonienne sans l'abolir. Peut-être les *global studies* nous livrent-elles l'esquisse d'une théorie de la relativité restreinte ou générale en science sociale (en y englobant la philosophie).

Mais le peu que j'ai dit soulève déjà énormément de questions : qu'est-ce qu'une discipline scientifique (et les sciences humaines et sociales peuvent-elles, doivent-elles être « scientifiques » ?) ? En avons-nous besoin ? L'idée même d'une science sociale générale n'est-elle pas absurde ? Qu'est-ce qui permet de supposer que les nouveaux discours *post* ou *global* vont dans cette direction ? Peut-on dresser une équivalence entre *post* et *global* ? Comment, pourquoi ? Et, plus fondamentalement : sur quelles bases pourrait se définir une science sociale générale ? etc.

Voilà beaucoup trop de questions à traiter en peu de pages. Je me limiterai à cinq séries d'affirmations qui apparaîtront comme autant de titres de chapitres qui devraient, chacun, être longuement développés.

Nations et disciplines

Les disciplines scientifiques ont fonctionné et fonctionnent encore largement comme l'équivalent ou le pendant, dans le champ du savoir, des États-nations dans le champ du pouvoir. Comme eux, à la fois dépassées et indépassables. Au moins pour le moment. « Sous rature », disait Jacques Derrida. Les États-nations se forment peu à peu, au sortir du Moyen Âge, à partir du renoncement à l'idéal de la reconstitution d'un empire qui puisse réunifier non seulement les multiples pouvoirs en lutte sur le territoire européen mais, tout autant, et pour cela, le politique et le théologique, l'empereur et le pape. Ils ne sont pas soumis à l'empereur mais à un roi, « empereur en son royaume », lui-même investi de pouvoirs sacraux. Chacun des grands États-nations ainsi formé, empire en miniature, se veut et se pense à la fois particulier et universel, mode d'accès particulier à l'universel. Un universel étatique, égalitaire et civilisationnel dans le cas de la France, hiérarchique, scientifique et culturel dans le cas de l'Allemagne, individualiste, marchand et différentialiste dans le cas de l'Angleterre.

C'est selon cette même logique que se constituent les disciplines scientifiques, à partir de l'abandon de l'idéal d'un savoir encyclopédique organisé hiérarchiquement dans une commune subordination de tous les savoirs particuliers à une norme théologique en surplomb. Chacune s'approprie un fragment de la réalité supposée connaissable, un fragment en principe bien délimité par rapport aux fragments appropriés par les disciplines rivales. Mais chacune, comme les États-nations, se pense à la fois comme discipline particulière et comme discipline universelle, appelée en droit à exercer son magistère sur toutes les autres disciplines. Qui sera le maître ? La philosophie ? l'économie politique ? la sociologie ? l'histoire ? la géographie ? la linguistique ? etc. Chacun de ces discours prétendra pouvoir dire la vérité sur le tout, sur le général, depuis son champ particulier. Lorsqu'aucun d'entre eux ne parvient à exercer son hégémonie, il s'instaure un équilibre des puissances, une coexistence plus ou moins pacifique selon un modèle westphalien. Ce régime est supposé concourir à un accroissement et une optimisation du savoir « global » selon la logique des avantages comparatifs telle qu'analysée par Ricardo : chaque discipline se spécialisant dans le domaine où elle excelle le plus, et abandonnant les autres champs à ses concurrents, il doit en résulter la plus grande production de savoir global disponible pour tous.

Le postnational et le postdisciplinaire

Ces quelques notations permettent de comprendre pourquoi la mondialisation doit entraîner nécessairement une perturbation du régime disciplinaire du savoir, parallèle au dérèglement du principe de l'État-nation, soumis à un double mouvement d'explosion par le haut et par le bas, d'une part, et d'implosion en son cœur même, de l'autre.

Explosion par le haut : la règle du jeu est nécessairement changée dès lors que le nombre des joueurs, *i.e.* des nations, est multiplié, qu'apparaissent des superpuissances, une notamment, les États-Unis, qui exerce une domination quasi impériale – selon une modalité financière qui supplante les dominations militaires et spirituelles d'hier –, et que l'espace de jeu et de rivalité est désormais mondial.

Explosion par le bas : symétriquement, les régions ou les provinces qui s'étaient retrouvées subordonnées à un État en surplomb plus ou moins centralisateur commencent à reconquérir leur autonomie ou leur indépendance dans la mesure même où celui-ci se retrouve fragilisé par son explosion par le haut.

Cette double explosion engendre à son tour une forme d'*implosion* dans l'espace même de l'État-nation puisque toutes les hiérarchies sur lesquelles il s'était bâti – entre hommes et femmes, entre langues, entre cultures, entre religions ou croyances, entre sexualités etc. – se retrouvent contestées et minées.

On retrouve, dans le champ disciplinaire, la même tension entre communautarisme localiste et tentation diasporique. Chaque discipline éclate en de multiples fragments, en sous- ou sous-sous-disciplines, avec chacune ses rituels, jargons et codes de référence, ses *divas* ou ses papes locaux. Symétriquement, il apparaît tout un ensemble de nouveaux discours transfrontaliers, tout autant post-disciplinaires que postnationaux, qui empruntent à des rhétoriques disciplinaires variées, les métissent ou les créolisent. Tiraillées entre ces deux mouvements à la fois complémentaires et opposés, chaque discipline implose en généralisant chez l'enseignant ou le cher-cheur ordinaire un sentiment d'anomie et d'incertitude profonde sur le sens même de ce qu'il transmet ou recherche. Et chacune en rajoute d'autant plus sur ses signes d'appartenance disciplinaire, sur ses exigences de « scientificité », toujours plus fantasmatiques, sur son chauvinisme, voire son racisme disciplinaire, qu'elle est plus incertaine en profondeur de sa légitimité.

Le global (le mondial) introuvable

Dans son état actuel, la mondialisation des disciplines ne parvient pas plus à produire un régime mondial universalisable du savoir que ne parvient à se développer une véritable culture-monde, capable, à la fois, de respecter les particularismes, dans ce qu'ils ont de légitime, tout en donnant corps et esprit à un principe de commune humanité. Le devenir multiculturel et multi-ethnique des nations et du monde produit localement du commun d'un type nouveau mais pas de véritable universalisme postnational. En tout cas, le langage de cet universalisme post-occidentalo-cen-triste, d'un universalisme relativiste ou d'un pluriversalisme, n'a pas encore été trouvé. Ou encore, le seul fait de la dissémination des savoirs postdisciplinaires ne produit pas par elle-même et en tant que telle une nouvelle norme de savoir universalisable. Le seul universalisme qui existe aujourd'hui est, dans le monde pratique, celui du marché et, dans le monde des sciences sociales, on l'a dit, celui de la science économique. Et si l'on généralisait aux sciences humaines, celui des neurosciences et du cognitivisme.

Pour en rester à la science économique et à son intersection avec les neurosciences sous l'égide de la neuro-économie, ce qui est frappant c'est, malgré la prolifération des écoles hétérodoxes, son incapacité tant à produire un véritable discours alternatif à l'ancien consensus de Washington qu'à dépasser le modèle de l'*Homo œconomicus*. Mais, plus généralement, et au-delà de la science économique et des neurosciences, ce qui s'universalise de fait, c'est moins des contenus de savoir que sa nouvelle forme légitime, la forme du savoir expert : parcellitaire. Le savoir du professionnel hyperspécialisé, maître d'une petite parcelle des disciplines d'hier. Or cette hyperspécialisation interdit l'apparition d'une véritable pensée du global. Ne serait-ce d'ailleurs que parce qu'elle interdit la pensée tout court. Concrètement, la forme sous laquelle s'effectue la mondialisation des disciplines, pour l'instant, c'est celle de la mondialisation de la norme d'un savoir découpable en parcelles et dont la valeur serait quantifiable, notamment grâce à la bibliométrie. Il faut comprendre que cette nouvelle norme du savoir légitime entre en parfaite contradiction avec l'idéal universitaire classique d'un libre savoir recherché à la fois pour lui-même, pour sa valeur intrinsèque et pour le bien commun de l'humanité.

Le problème, double, qui se pose à nous, sur fond de globalisation des disciplines, est donc d'éviter qu'elle ne laisse subsister comme discours commun que celui de l'économie, quant au contenu, et que l'organisation parcellitaire du savoir, quant à la forme.

Vers une organisation méta-disciplinaire de la division du travail intellectuel

Quant à la forme, autrement dit quant à l'institutionnalisation de nouvelles formes souhaitables d'organisation de la production et de la transmission du savoir, on voit assez bien dans quelle direction il conviendrait de s'orienter. Comme les États-nations, les disciplines sont à la fois dépassées et indépassables, en l'état, pour encore longtemps. Mais elles sont également de plus en plus en décalage avec la mondialisation, le changement d'échelle et de rythme du monde. Il faut donc les (re) doubler par des institutions permettant le déroulement de carrières d'enseignement, de recherche et de pensée méta-disciplinaires. De même qu'il y peu de chances que naisse un État mondial dans un avenir prévisible, de même il serait vain de placer ses espoirs dans l'apparition d'un savoir transdisciplinaire en surplomb des sciences existantes. En revanche, il est absolument indispensable d'éviter le repli nationaliste et chauvin de ces disciplines sur elles-mêmes et le triomphe des hyper-spécialistes. Cela serait assez aisément réalisable en principe en créant des disciplines généralistes en sciences sociales (pour se cantonner à elles ici) qui accueilleraient chercheurs ou enseignants spécialistes de deux ou trois disciplines – par exemple sociologie et histoire, géographie et anthropologie, philosophie et économie etc. – et qui feraient vivre non pas le volapük ou le *patchwork* pluridisciplinaire mais une inter-discipline en acte. Cette interdisciplinarité toujours célébrée en paroles et énergiquement refusée en pratique.

Vers un paradigme du don et de la reconnaissance

Mais, sur le plan proprement théorique, qu'est-ce qui permettrait d'espérer voir apparaître et se cristalliser un certain nombre de repères communs permettant de dépasser la vulgate économiciste ? Pour répondre à une telle question, si vaste et complexe, je ne peux qu'être encore plus télégraphique, lacunaire, lapidaire et caricatural, en me bornant aux affirmations ou observations suivantes :

1. — Les écoles nouvelles qui naissent dans le cadre de la mondialisation, les *postcolonial*, les *subaltern*, les *gender* ou les *cultural studies* etc. représentent à de nombreux égards des retombées, des surgeons ou des queues de comète de la galaxie marxiste. Et cela est vrai, également, des théories du *care* ou de la reconnaissance. Toutes peuvent être vues comme des fragments (des spectres) d'un discours marxiste qui n'aurait pas mené à son terme son autocritique en intégrant les leçons des autres courants de la science humaine et sociale. Et notamment, qui n'auraient pas assez clairement rompu avec la matrice économiciste du marxisme.

2. — La limite la plus évidente du marxisme tient à ce qui subsiste en lui d'économicisme et qui se traduit dans l'idée que

les sujets humains sont, ou en tout cas seraient, pour une part appréciable de l'histoire de l'humanité, en « dernière instance » des hommes économiques dont la principale motivation est de toujours chercher à posséder plus. D'où une certaine incapacité à critiquer de manière effective et efficace l'idéologie néolibérale puisque celle-ci repose précisément sur ce même postulat.

3. — Les nouvelles *global studies* dépassent le plus souvent ce biais économiciste quand elles proposent de lutter non pas tant contre l'exploitation que contre la domination et, plus encore, lorsqu'elles comprennent celle-ci comme un déni de reconnaissance ou comme une fausse reconnaissance. Mais elles conservent quelque chose de l'économisme principiel du marxisme en supposant implicitement que la reconnaissance pourrait ou devrait être distribuée ou redistribuée de la même manière que les biens matériels, la propriété ou la monnaie.

4. — C'est bien sur la base d'un *paradigme de la reconnaissance*, de la lutte pour la reconnaissance, que les disciplines et écoles, nouvelles ou anciennes, des sciences sociales pourraient en effet trouver leur plus grand commun dénominateur, mais à condition de le radicaliser en le débarrassant de tout économicisme – *i.e.* en cessant de laisser croire que la reconnaissance pourrait être conçue et traitée comme un bien partageable – et, pour cela, en l'alliant au *paradigme du don*. Resterait alors l'idée que les luttes sociales ne sont pas d'abord des luttes pour avoir, pour posséder ou accumuler plus, mais des luttes pour éprouver le sentiment d'exister et pour être reconnu comme donateur ou participant de l'univers du don et de la donation. De l'inestimable. Ou, plus précisément, elles sont des luttes dans lesquelles chacun veut faire reconnaître sa valeur, une valeur sociale et individuelle qui est proportionnelle à la capacité de donner et, en donnant, de surmonter la lutte même. Ce n'est qu'une fois accepté cette proposition centrale que l'on pourra accorder sa juste place, toute sa place mais pas plus que sa place, aux motivations et aux déterminismes économiques. Extraordinairement puissants, en effet, mais seulement pour autant, une fois assurée la survie physique et matérielle, qu'il faut en effet posséder pour pouvoir affirmer sa valeur en accédant à la capacité de donner.

Conclusion

On pourrait montrer que ce sont bien ces hypothèses qui travaillent toute la tradition sociologique. Là où l'économie politique s'interrogeait sur les déterminants de la valeur des biens ou des marchandises, la sociologie classique s'est interrogée, sans toujours assez bien le savoir et le formuler, sur les déterminants de la valeur des personnes et des groupes sociaux. Pourquoi les théories sociologiques générales, ou, si l'on préfère, les théories générales en science sociale ont-elles échoué à définir un paradigme aussi partagé et partageable que le paradigme économique standard chez les économistes ? Nous avons déjà esquissé trois types de réponses à cette question. À l'instant, nous affirmions qu'elles n'ont pas suffisamment explicité leur interrogation sur les déterminants de la valeur relative des groupes sociaux. Et elles ont encore moins explicité le lien existant entre cette question de la valeur sociale avec celles de la reconnaissance et du don. Par ailleurs, il apparaît de plus en plus, du fait du tournant global des disciplines, qu'elles sont restées trop prisonnières d'une forme ou d'une autre de nationalisme méthodologique ou ontologique. Enfin, la plupart des théorisations sociologiques générales existantes ont péché par un excès de systématisme. Traduisons : elles ont eu trop tendance à prétendre avoir réponse à tout. Or cette prétention-là est contraire à l'esprit même des sciences sociales qui implique l'ouverture préjudicielle à l'empirisme, justement parce qu'elles sont convaincues que le réel sociohistorique est infiniment trop vaste, riche et complexe pour se laisser appréhender et subsumer sous quelque machinerie conceptuelle qu'on puisse imaginer.

Nous avons besoin de dégager le paradigme sous-jacent aux *global studies*. Mais ce paradigme ne pourra pas être systématique, un paradigme donnant réponse à tout (comme celui de l'*Homo œconomicus*, par exemple). Il sera un paradigme permettant de poser les bonnes questions. Un paradigme ayant question à tout, dans la certitude partagée de la complexité du réel et de la dimension nécessairement fragmentaire et précaire de toutes nos connaissances possibles. Et ici, les leçons de Max Weber restent plus actuelles que jamais. L'articulation des questions de la reconnaissance et du don implique de lier l'héritage de Hegel, *via* Kojève et Honneth, à celui de Mauss. Le lecteur aura compris où je veux en venir. La tâche proprement théorique à accomplir pour les sciences sociales est de clarifier ce qu'elles peuvent garder et doivent rejeter de l'héritage de Marx et de procéder à son *Aufhebung* en y intégrant, entre autres mais notamment, les apports incomparables de Hegel, Weber et Mauss. C'est à cette condition que nous nous donnerons les moyens de penser effectivement le mouvement de la globalisation sans rien sacrifier ni perdre de la pensée du local et du particulier. Tâche impossible ? Je ne le crois pas.

Repères bibliographiques

Il n'y a guère de sens à donner des références bibliographiques pour un texte comme celui-ci. Elles devraient être bien plus volumineuses que le texte même. Je dois donc me limiter à indiquer au lecteur intéressé ce qui se rapporte à la singularité de mon propos et peut l'étayer au-delà des formulations lapidaires qui précèdent.

CAILLÉ Alain, 2011, « La situation actuelle de la sociologie », *SociologieS*, « Débats. La situation actuelle de la sociologie », < http://sociologies.revues.org/3548>, 6 juillet.

— 2009, *Théorie anti-utilitariste de l'action, Fragments d'une sociologie générale*, La Découverte, Paris.

— 2007a, « Reconnaissance et sociologie », *in* CAILLÉ A. (dir.), *La Quête de reconnaissance, nouveau phénomène social total*, La Découverte, Paris.

— 2007b (2000), *Anthropologie du don. Le tiers paradigme*, La Découverte, « Poche », Paris.

CAILLÉ Alain, DUFOIX Stéphane (dir.), 2004, *Revue du MAUSS semestrielle*, « Une théorie sociologique générale est-elle pensable ? », n° 24, La Découverte, Paris.

CHANIAL Philippe, 2011, *La Sociologie comme philosophie politique (et réciproquement)*, La Découverte, Paris.

(dir.), 2008, *La Société vue du don. Manuel de sociologie anti-utilitariste appliquée*, La Découverte, Paris.

Les auteurs

ROMAIN BERTRAND est directeur de recherche au Centre d'études et de recherches internationale de Sciences-Po (Paris).

ALAIN CAILLÉ est professeur émérite de sociologie à l'université de Paris-Ouest-Nanterre-La Défense.

STÉPHANE DUFOIX est maître de conférences HDR en sociologie à l'université de Paris-Ouest-Nanterre-La Défense, directeur-adjoint du laboratoire Sophiapol, université de Paris-Ouest-Nanterre-La Défense.

JULIET FALL est professeure associée au département de géographie de l'université de Genève.

FRANCESCO FISTETTI est philosophe, université de Bari (Italie).

JONATHAN FRIEDMAN est directeur d'études à l'EHESS (Paris) et enseigne l'anthropologie à l'université de Californie (San Diego).

FRANÇOIS GAUTHIER est professeur, chaire des sciences des religions / Religionswissenchaft, département de sciences sociales, université de Fribourg (Suisse).

CHRISTIAN GRATALOUP est professeur de géographie, université de Paris-Diderot, UMR Géographie-cités.

PAUL KENNEDY est senior research fellow à la Manchester Metropolitan University.

MICHAEL KUHN est président du World Social Sciences and Humanities Network et directeur de Knowwhy Global Research.

PEGGY LEVITT est professeure de sociologie à Wellesley College et chercheuse au Weatherhead Center for International Affairs de l'université de Harvard.

JACQUES LÉVY est géographe, professeur à l'École polytechnique fédérale de Lausanne, directeur du laboratoire Chôros, codirecteur de la revue *EspacesTemps.net*.

JOHN R. MCNEILL est professeur d'histoire à l'université de Georgetown.

PAULO HENRIQUE MARTINS est professeur de sociologie de l'Université fédérale du Pernambouc (UFPE) à Recife (Brésil), vice-président du MAUSS (Mouvement anti-utilitariste dans les sciences sociales) et président de l'Association latino-américaine de sociologie.

FRANCK POUPEAU est sociologue, directeur de l'UMI 3157 CNRS-université d'Arizona, « Water, Environment and Public Policy », chercheur associé au CSU-Cresppa et directeur de recherche associé à l'IHEAL.

LUDGER PRIES est professeur de sociologie à l'université de la Ruhr à Bochum (Allemagne).

SASKIA SASSEN est professeure de sociologie à la Columbia University.

JAN AART SCHOLTE est professeur de Politics and International Studies à l'université de Warwick.

LESLIE SKLAIR est professeur émérite de sociologie à la London School of Economics and Political Science.

GAYATRI CHAKRAVORTY Spivak est professeure en Humanités à la Columbia University.

MICHEL WIEVIORKA est administrateur de la Fondation de la Maison des sciences de l'homme et directeur d'études à l'EHESS (Paris).

Table

Introduction **Le moment global des sciences sociales**   **5**
Alain Caillé et Stéphane Dufoix

Tournant ou moment global ?   *9*

Le non-débat français   *13*

Une nouvelle articulation spatio-temporelle   *18*

Première partie
Mutations disciplinaires   **25**

Chapitre 1 **Les naissances académiques du global**   **27**
Stéphane Dufoix

L'éternelle question des origines   *29*

Prodromes académiques   *33*

Décrire / prescrire le monde global   *37*

En guise de conclusion   *39*

Chapitre 2 **Histoire globale, histoires connectées**   **44**
Romain Bertrand

La résistible ascension des « aires culturelles »   *44*

Le « global », une question d'« échelle » ?   *49*

Un pari d'histoire « symétrique »   *53*

*« Comparaisons » et « connexions » : les opérateurs
de la mise en récit*   *60*

Conclusion   *62*

Chapitre 3   **Une géographie postbraudelienne**   67
Christian Grataloup

Le méridien de Greenwich du temps   68

Une géographie posteuropéenne   70

Ne plus suivre les Rois Mages   71

Du tube à la carte du temps 73

Chapitre 4   **Problèmes et perspectives de l'histoire globale
de l'environnement depuis 1990**   77
John McNeill

Qu'est-ce que l'histoire environnementale ?   79

L'histoire environnementale à l'échelle globale   82

La production globale de l'histoire environnementale   86

Logique et périls de l'histoire globale de l'environnement   92

Chapitre 5   **Les espaces enchevêtrés
du « tournant global »**   101
Ludger Pries

*Propositions pour une mise en concept
des processus d'internationalisation   103*

Du nationalisme méthodologique et au-delà   105

Conclusion   110

Chapitre 6   **Tricot français ou mailles anglaises**   115
Juliet J. Fall

L'emmêlement des géographies   115

Le projet contestataire de la géographie118

Des espaces pour la théorie   121

Boîtes, centres et marges   122

Binaires et frontières   126

Une géographie universelle ? 128

Chapitre 7   **Rééquilibrer les comptes**   **133**
Paul Kennedy

Un monde « en soi », mais pas encore « pour soi »   *133*

La résilience continue du local   139

*La fabrique du global : le rôle du local dans
les processus globaux   144*

Deuxième partie
De quelques mutations d'objet   **153**

Chapitre 8   **Les tribulations de la religion.**   **155**
Peggy Levitt

Comment conceptualiser la religion   158

Une optique transnationale 160

La religion en mouvement   163

Les géographies de la circulation   170

Un exemple empirique   173

Vernacularisation ou non ? 176

Chapitre 9   **Territoire, autorité, droits : nouveaux assemblages** **186**
Saskia Sassen

De nouvelles formes de territorialité   189

Imbrications et trajectoires : au-delà des dichotomies   195

Le politique et le normatif face au tournant global   201

En guise de conclusion   207

Chapitre 10   **Conflits environnementaux
et régulation multiniveaux**   **209**
Franck Poupeau

*L'étude des conflits socio-environnementaux :
prolégomènes méthodologiques   209*

*Le problème de l'eau en milieu urbain :
le cas de La Paz-El Alto en Bolivie   212*

Chapitre 11 **La religion à l'ère de la mondialisation** **219**
François Gauthier

Religion et mondialisation 220

L'effritement de la division public-privé 223

*Redéfinir la notion de société civile
par un triple élargissement 228*

Conclusion 233

Troisième partie
**Théories de la globalisation
entre réalités et idéaux** **235**

Chapitre 12 **La « globalisation » capitaliste
et la classe capitaliste transnationale** **237**
Leslie Sklair

La classe capitaliste transnationale 239

Le discours de la globalisation capitaliste : la compétitivité 243

La captation du développement durable par les entreprises 254

Chapitre 13 **Remettre la mondialisation à sa juste place** **263**
Jonathan Friedman

Contre les mots-clés 265

*La mondialisation en tant que moment historique
spécifique des cycles systémiques mondiaux
d'expansion et de contraction 268*

La conjoncture historique spécifique du néolibéralisme 270

Les dimensions de classe de la crise de reproduction 273

*La transformation sociale : la fabrique
de la multitude et les élites (encore) 276*

*Le nouveau centralisme et l'essor
de la classe politique (bis repetita) 283*

Chapitre 14 **Un « nous » sans « eux »**   288
Jacques Lévy

Les humains entre deux identités   288

Universalité, fin et suite   289

Géopolitique   292

La guerre est finie 295

Le crépuscule des communautarismes 298

Fatigue d'être soi en Occident   300

Les paradoxes de l'échelle ultime   304

La force du « on »   309

Chapitre 15 **Les démocraties globales postmodernes**   312
Jan Aart Scholte

La trans-scalarité 314

Les solidarités plurielles   318

La transculturalité   321

La distribution égalitaire   325

L'écoloyenneté   328

Conclusion   330

Quatrième partie
**Re-fonder, re-penser, ré-organiser
les sciences sociales**   337

Chapitre 16 **Penser global et monter en généralité**   339
Michel Wieviorka

L'âge d'or des années 1950 et 1960   339

Décomposition   341

L'entrée dans une ère nouvelle   342

Chapitre 17 **Face au multiversalisme scientifique** 350
Michael Kuhn

*Les transformations du système mondial
des sciences sociales   351*

*Les discours sur les sciences mondiales
dans le système scientifique mondial actuel   353*

Et les Européens d'Europe ?   355

Les paradoxes d'un monde scientifique en mutation   364

Les transformations du système scientifique mondial   367

*Le discours scientifique dominant
et la monopolisation théorique   369*

*Un mode d'existence en structures confinées :
la disciplinarité   372*

*Le multiversalisme scientifique
contre l'universalime idéaliste   374*

Chapitre 18 **Lire le tournant global** 380
Gayatri Chakravorty Spivak

Chapitre 19 **Le *global turn* entre philosophie
et sciences sociales** 390
Francesco Fistetti

Chapitre 20 **L'Essai sur le don, un texte pionnier
de la critique décoloniale** 403
Paulo Henrique Martins

*De la pensée classificatoire cognitiviste
à la pensée symbolique   406*

Les deux lectures possibles de l'Essai sur le don   408

Le don comme valeur universelle   411

L'idée de totalité sociale   414

*En guise de conclusion : le « fait social total »
comme théorie décoloniale   416*

Conclusion **L'effet méta-disciplinaire du tournant global en science sociale** 421
Alain Caillé

Nations et disciplines 424

Le postnational et le postdisciplinaire 425

Le global (le mondial) introuvable 426

Vers une organisation méta-disciplinaire de la division du travail intellectuel 427

Vers un paradigme du don et de la reconnaissance 428

Conclusion 430

Les auteurs **433**

BUSSIÈRE

Composition Inged, Hénouville.
Impression réalisée par CPI Bussière
à Saint-Amand-Montrond (Cher)
en février 2013.
Dépôt légal : février 2013.
N° d'impression : 125106/4.
Imprimé en France